SV

Peter Bürger
Prosa der Moderne

unter Mitarbeit von
Christa Bürger

Suhrkamp

CIP-Titelaufnahme der Deutschen Bibliothek
Bürger, Peter:
Prosa der Moderne/Peter Bürger.
Unter Mitarb. von Christa Bürger. –
1. Aufl. – Frankfurt am Main: Suhrkamp, 1988
ISBN 3-518-57926-6

Erste Auflage 1988

Druck: MZ-Verlagsdruckerei GmbH, Memmingen
Printed in Germany

Inhalt

IV. Erzählen in der Moderne

V. Ethik und Form

Vorbemerkung

Konstruktion der Gegenwart, so lautet die Aufgabe, die Benjamin dem Historiker stellt, der sich von der Illusion freigemacht hat, man vermöchte darzustellen, wie es denn eigentlich gewesen sei. »Dies Heute mag dürftig sein, zugegeben. Aber es mag sein, wie es will, man muß es fest bei den Hörnern haben, um die Vergangenheit befragen zu können.«[1] Aber läßt sich unsere Gegenwart noch konstruieren? Die anspruchsvollsten Versuche, sie auf den Begriff zu bringen, zeugen von einer eigentümlichen Ratlosigkeit, ob man die gegenwärtige Situation nun als »neue Unübersichtlichkeit« charakterisiert, wie Jürgen Habermas[2], oder vom Ende der großen Erzählungen spricht, an deren Stelle die vielen kleinen Erzählungen getreten sein sollen (wie Lyotard).[3] Es ist vermutlich kein Zufall, daß der eher hilflose Terminus der Postmoderne zum Signum der Zeit wurde. In ihm verbinden sich so widersprüchliche Denk- und Lebenshaltungen wie neokonservative Ordnungsvorstellungen und das anarcho-libertäre Pathos der Verausgabung. Die Chancen, über die Klärung des Begriffs die Sache, und d. h. unsere Gegenwart, zu erhellen, sind daher gering. Will man die Rede von der Postmoderne dennoch weder einseitig auslegen, noch polemisch abfertigen, so zeigt sie sich als der unbegriffene Ausdruck dafür, daß die Moderne sich anders denken muß. Sie verweist auf ein verändertes Selbstverständnis, das sich noch nicht begriffen hat.

1 W. Benjamin, *Wider ein Meisterwerk [...]*, in: ders., *Gesammelte Schriften*, hg. v. R. Tiedemann/H. Schweppenhäuser. 6 Bde., Frankfurt: Suhrkamp 1972ff., III, 259; diese Ausgabe wird im folgenden abgekürzt zitiert: *GS*.

2 Die These von Jürgen Habermas lautet, »daß die Neue Unübersichtlichkeit zu einer Situation gehört, in der eine immer noch von der arbeitsgesellschaftlichen Utopie zehrende Sozialstaatsprogrammatik die Kraft verliert, künftige Möglichkeiten eines kollektiv besseren und weniger gefährdeten Lebens zu erschließen« (*Die Neue Unübersichtlichkeit [...]* [ed. suhrkamp, 1321]. Frankfurt 1985, 147).

3 J.-F. Lyotard, *La Condition postmoderne [...]*. Paris: Editions de Minuit 1979, bes. 63ff. (Kap. 10).

Konnte Benjamin noch notieren: »Definition der Gegenwart als Katastrophe; Definition von der messianischen Zeit aus« (*GS* I/3, 1243), so versetzt die Virtualität einer nicht mehr messianisch einzuholenden Katastrophe dem Denken einen Schock, der es verstummen läßt. Daß dieses Verstummen die Erscheinungsform wortreichen Redens annehmen kann, ändert daran nichts. Wenn es aber stimmt, daß der philosophische Gedanke blockiert ist, weil er die Katastrophe, die sich ihm aufdrängt, nicht denken kann, dann rückt das andere Medium der Selbstverständigung in den Blick, die Prosa der Moderne.

Anders als die Werke der bildenden Kunst und der Musik vermögen die Prosa-Texte der literarischen Moderne ihre eigenen Bedingungen zu thematisieren. Nicht nur antworten sie auf die verschiedenen Entwicklungsstadien des Modernisierungsprozesses, dessen Konsequenzen uns heute erschrecken (das tun durch ihre je besondere Form auch bildkünstlerische und musikalische Werke), sie sprechen ihre eigene Metasprache, indem sie auf ihre Möglichkeit bzw. Unmöglichkeit reflektieren. Der Anspruch der modernen Prosa auf Erkenntnis ist nicht geringer als der des philosophischen Diskurses, obwohl sie sich den Bedingungen philosophischer Rede entzieht. Sie formuliert ihren Erkenntnisanspruch als Infragestellung systematischen Erkennens. Trotzdem haben von Adorno bis Foucault an Wirklichkeitserhellung interessierte Philosophen dem Querdenken der literarischen Moderne vertraut.

Freilich ist uns die Prosa der Moderne heute nicht verfügbar als gesichertes Korpus welterschließender Texte. Denn auch sie ist betroffen von der Verunsicherung, die der Begriff Postmoderne anzeigt. Ich meine weniger die sich populistisch gebende Wiederaufnahme einer polemischen Antimoderne, die so alt ist wie die ästhetische Moderne selbst, als vielmehr die Verabschiedung der Interpretation.[4] Auf die Überflutung mit Zeichen reagiert ein Teil der Intellektuellen mit dem Nachweis, daß jeder gelungene Text der Moderne die Bedeutungsstruktur, die er aufzubauen scheint, auch wieder zerstört. Wer dagegen Begriffe wie Wahrheitsgehalt

4 Bereits Ende der sechziger Jahre haben sich Susan Sontag (*Against Interpretation [...]*. London: Eyre & Spottiswoode 1967; Titelessay) und Michel Foucault (*L'Archéologie du savoir*. Paris: Gallimard 1969, bes. 195 ff.), freilich mit unterschiedlicher Zielsetzung, für eine Abkehr von der Interpretation ausgesprochen.

auf literarische Werke bezieht, muß diese theoretisch explizieren.
Aber nicht nur der Umgang mit den Texten steht in Frage, auch diese selbst. Duchamps Zweifel, ob in den Museen die richtigen Werke hängen, gilt auch für die anerkannten Texte moderner Prosa. Daß Adornos Kanon diesbezüglich zu eng ist, darüber dürfte Konsens relativ leicht herzustellen sein. Aber eine Erweiterung ist nicht in der Weise möglich, daß man den einen oder andern Autor hinzufügt. Da die Ausschließungen bei Adorno systematisch begründet sind, bedeutet eine Erweiterung des Kanons, den Begriff der literarischen Moderne neu zu denken; freilich nicht als geschlossene Theoriekonstruktion, sondern als fragmentarische Annäherung. Für Benjamin setzte die Aneignung der Vergangenheit die Konstruktion der Gegenwart voraus. Wo diese sich dem Begriff entzieht – was auch als Urteil über die Wirklichkeit sich auslegen läßt –, bleibt nur der Ausweg, das Benjaminsche Verfahren umzukehren in der Hoffnung, daß der Gedanke, der sich auf die Texte einläßt, an ihnen eine Erfahrung macht, die mit Fug gegenwärtig genannt werden kann.

*

Um ein Buch zu schreiben, sei es auch eines, das seinen fragmentarischen Charakter eingesteht, bedarf es einer Konzentration auf die Sache, die der akademische Alltag heute kaum mehr erlaubt. Ohne ein einjähriges Akademie-Stipendium der VW-Stiftung und ein anschließendes Forschungsfreisemester wäre dieses Buch nicht entstanden. Der Stiftung Volkswagenwerk gilt mein ausdrücklicher Dank.
Die ersten Überlegungen und Skizzen für den Versuch, die Prosa der Moderne im Zeichen einer Zeit zu lesen, die sich als postmodern bestimmt, gehen auf den Sommer 1983 zurück. In den folgenden Jahren sind dann Entwurfs-Fassungen einzelner Kapitel von Radio Bremen gesendet und in der *Neuen Rundschau*, im *Merkur* und in der *Romanistischen Zeitschrift für Literaturgeschichte* publiziert worden. Soweit diese Texte in das Buch eingegangen sind, habe ich sie mit wenigen Ausnahmen derart eingreifend umgearbeitet, daß ich die Erstveröffentlichungen für überholt ansehe.
Die Veränderungen im Bereich der Medien machen uns gerade

heute bewußt, daß ein Buch immer noch etwas anderes ist als ein Haufen bedrucktes Papier, nämlich ein Werkstück. Von denen, die an diesem mitgewirkt haben, möchte ich zunächst Monica Schefold und Ralph Restetzki nennen. Monica Schefold hat die Fotografien für den Bildteil gemacht; so konnte der Gedanke verwirklicht werden, Abbildungen von Arbeiten zeitgenössischer Künstler als eigenständige Reflexionsebene in den Text einzubauen. Ralph Restetzki hat das Buch auf dem PC geschrieben, zahlreiche nachträgliche Veränderungen geduldig eingearbeitet und einen Teil der Korrekturarbeiten übernommen.
In einer Diskussionsrunde haben Renate Werner, Berthold Rünger, Hans Sanders und Norbert Rath große Teile des Manuskripts mit Christa Bürger und mir diskutiert. Besonders Norbert Rath hat mich durch die Unnachgiebigkeit seiner Kritik zu wichtigen Veränderungen bewogen. Das gilt auch für Malte Wolfram Fues, dessen ungewöhnliche Briefe mir deutlich gemacht haben, was es heißt, einen *Leser* zu haben. Ihnen allen möchte ich danken für die aufgewendete Zeit, aber auch für das Verständnis dafür, daß der Verfasser nicht allen Anregungen folgen konnte, auch wo sie ihn überzeugten.
Christa Bürger schließlich hat nicht nur drei Kapitel beigesteuert, auf sie gehen entscheidende konzeptuelle Anregungen zurück (besonders für die Mimesis-Kapitel). Jeden Arbeitsschritt von den ersten Entwürfen bis zur letzten Korrektur mit ihrer Kritik begleitend, ist sie Mitautorin des Buches.

I. Fragmente zu einer Theorie der ästhetischen Moderne

Norbert Schwontkowski

Subjektive Erfahrung bringt Bilder ein, die nicht Bilder von etwas sind, und gerade sie sind kollektiven Wesens (Adorno)

1. Entfremdung und Form

Von den Frühschriften Hegels bis zu Foucaults *Les Mots et les choses* ist das zentrale Problem der Moderne, daß der Mensch sich als derjenige weiß, der die Welt eingerichtet hat, daß der einzelne sie jedoch als immer schon eingerichtete vorfindet, die sich seinen Bedürfnissen entgegensetzt und von ihm selbst als fremde erfahren wird. Solange die Schaffung und Einrichtung der Welt als Werk eines Schöpfergottes gedacht werden kann, mag der einzelne unglücklich sein und sein Leben elend, aber Unglück und Elend haben ihre Stelle in einem umfassenden Heilsplan. Sie sind gerechtfertigt. Dem irdischen Leiden entspricht eine begründete Erwartung auf ein besseres Leben im Jenseits. In dem Augenblick aber, wo diese Rechtfertigung ihre Geltung verliert, wird das Elend profan, und d.h. es ist schlechterdings nicht mehr zu rechtfertigen. Was einst göttliche Schöpfung war, tritt nun auseinander in eine entgöttlichte Natur und das eingreifende Handeln des Menschen. Anders formuliert: der Mensch konstituiert sich als Subjekt und die Natur als Objekt, als das seinem Handeln Entgegenstehende, aus dem er seine Welt zu bilden hat. Die Verantwortung für die Welt hat von nun an der Mensch, nicht der einzelne, sondern das Gattungswesen; aber jeder einzelne ist zugleich Teil des Gattungswesens. So findet mit dem Eintritt in die Moderne eine doppelte Spaltung statt: die göttliche Schöpfung zerfällt in objektivierte Natur und subjektiven Eingriff des Menschen, und der Mensch zerfällt in das Gattungswesen, das für die Einrichtung der Welt verantwortlich ist, und das Individuum, das eben diese Einrichtung als eine ihm fremde erfährt.

Die philosophischen Theorien seit Kant sind Versuche, diesen doppelten Riß begrifflich zu erfassen und ihn eben dadurch zu schließen. Wenn in der Philosophie Kants das Subjekt einmal als empirisches, den Naturgesetzen unterworfenes erscheint, zum andern aber als transzendentales, die Objektwelt allererst konstituierendes, so wird man darin eine Bemühung sehen müssen, die Erfahrung begrifflich einzuholen, die den einzelnen zum Teil der die Welt gestaltenden Menschengattung macht und zugleich zum entfremdeten Individuum. Und wenn Kant so scharf die Welt der

Erscheinungen vom Ding an sich trennt, dann deshalb, weil er die Freiheit des Menschen im Bereich des Moralisch-Praktischen von der Widerständigkeit der Natur nicht will affizieren lassen.

Die Freiheit des Willens, die das moderne Individuum sich selbst zuspricht, stößt in der Auseinandersetzung mit der Natur auf Widerstände, die das Resultat seines Projekts in dem Maße deformieren, wie es die Eigengesetzlichkeit der Natur mißachtet. Von hier aus ergibt sich die Notwendigkeit der Erforschung der Natur. Was die Moral angeht, so hatte Kant noch versucht, sie als einen Bereich zu bestimmen, in dem das Subjekt sich selbst die Regeln seines Handelns setzt. Aber zum privilegierten Feld der Äußerung menschlicher Freiheit wird die Moral nur um den doppelten Preis der Formalisierung und der Verinnerlichung. Wo sie Werte aus sich zu erzeugen vermeint, muß sie diese erschleichen, und wo sie etwas bewirken will, stößt sie auf das unabweisliche Phänomen eines entgegengesetzten Willens.

So entsteht in der bürgerlichen Gesellschaft das Verlangen nach einem Bereich, in dem die Handlung tatsächlich das Resultat des Handelns ganz bestimmt, in dem weder die Widerständigkeit einer objektivierten Natur noch die Gegenständigkeit eines andern Willens das Resultat des Handelns bis zur Unkenntlichkeit entstellen. Eine, vielleicht die Grunderfahrung des modernen Menschen ist, daß er sich in den Resultaten seines Handelns nicht wiedererkennt. Nicht nur die Revolution kulminiert im Terror, auch die Restauration kann ohne ihn nicht auskommen. Die Problemlage des modernen Menschen drängt daher danach, einen Raum möglichen Handelns zu entwerfen, der der Fatalität der Verkehrung von Projekt und Resultat entgeht, in dem das selbstgeschaffene Gebilde nicht ein dem Produzenten fremdes ist, sondern den Strukturen seiner je einzelnen Subjektivität aufs vollkommenste entspricht. Ein Handeln, das diese Forderungen erfüllt, setzt sich selbst allerdings enge Grenzen. Denn es darf weder die Natur zu seinem Stoff nehmen noch sich auf die Gesellschaft als Sphäre einander widerstreitender Willensäußerungen einlassen. Es muß sich aus dem System kontrollierten Eingreifens in Naturprozesse ebenso zurückziehen wie aus dem Beziehungsgeflecht strategischen Handelns innerhalb der Gesellschaft. Es muß einen gleichsam exterritorialen Status innerhalb der Gesellschaft für sich reklamieren, und es muß einen Begriff des Objekts hervorbringen, der ohne Rest in Subjektivität überführt werden kann. Indem die Kunst sich als autonomer Bereich konstituiert, erfüllt sie die erste Forderung, indem sie Form als identisch mit dem Inhalt denkt, die zweite.

Wie Wissenschaft und Recht wird mit dem Übergang zur modernen Gesellschaft auch die Kunst zu einer eigenständigen Institution. Insofern tritt sie neben die beiden andern Handlungssphären, denen sie jedoch zugleich entgegengesetzt ist. Denn während die institutionelle Autonomie der Wissenschaft und des Rechts sich dadurch definiert, daß diese Bereiche bestimmte Funktionen für die Gesellschaft übernehmen, ist die der Kunst gerade durch die Weigerung charakterisiert, sich in den Funktionszusammenhang der Gesellschaft einbinden zu lassen (so hat bekanntlich Adorno die Sache gesehen). Zwar übernimmt auch die Kunst eine Funktion; aber es ist keine für die Gesellschaft, sondern eine fürs je einzelne Individuum.

Was den Formbegriff der autonomen Kunst angeht, so macht dieser das Kernstück der Kunsttheorie der Moderne aus. Denn nur mit seiner Hilfe gelingt jenes Ausklinken aus den Handlungszwängen innerhalb der Gesellschaft, die die Verkehrung von Projekt und Resultat zur Folge haben. Wenn wir objektivierte Natur oder andere Subjekte formen wollen, so müssen wir mit deren Widerstand bzw. deren Eigensinn rechnen, und diese prägen das Resultat oft stärker als unser formender Eingriff. Ein Akt der Formung, der seinem Objekt bis in die letzte Faser hinein die Strukturen seiner Subjektivität aufprägen will, muß den Stoff, das Gegebene, als etwas auffassen, das ohne Rest in Subjektivität überführbar ist. Das geschieht, wenn man Inhalt und Form identisch setzt. Das idealistische Theorem sichert die Möglichkeit eines Objekts, das mit den Strukturen des produzierenden Subjekts so vollkommen übereinstimmt, wie dies in der Realität niemals der Fall sein kann.[1] Der Formbegriff, der der autonomen Kunst zugrunde

1 Vgl. die Bestimmung des ästhetischen Erlebnisses durch den frühen Lukács: »ein Gerichtetsein des Subjekts auf eine den immanenten Erlebnisanforderungen vollendet angemessene Welt« (*Heidelberger Ästhetik [1916-1918]*, hg. v. G. Márkus/F. Benseler [Werke, 17]. Darmstadt/Neuwied: Luchterhand 1974, 99).

liegt, stellt eine phantastische Radikalisierung des modernen Subjektivismus dar. In ihm realisiert sich der Allmachtstraum des Individuums.

Von diesen Überlegungen her können wir zwei Operationen vornehmen: den modernen Begriff künstlerischer Form von einem traditionalen absetzen und die Stellung der Kunst innerhalb der modernen Gesellschaft bestimmen. Der traditionale Begriff der künstlerischen Form faßt diese als Ensemble von Regeln, deren Befolgung zur Erreichung einer bestimmten Wirkung erforderlich ist. So unterwirft die klassische Regelpoetik die Tragödie den Einheiten der Zeit und des Ortes, weil diese als Voraussetzung für die Schaffung theatralischer Illusion gelten. Die gleichen Regeln können dann wiederum vom Kritiker angewendet werden, um Theaterstücke zu beurteilen. Innerhalb eines vormodernen Kunstverständnisses ist der Formbegriff an verallgemeinerbaren Gattungsmerkmalen festgemacht. Er erlaubt, einzelne Werke als besondere Ausprägungen eines allgemeinen Schemas zu begreifen. Im Gegensatz dazu ist der moderne Formbegriff strikt an das Einzelwerk gebunden, er meint die unverwechselbare Individualität des Werks, dem die mögliche Zugehörigkeit zu einer Gattung äußerlich ist. Wenn Friedrich Schlegel formuliert, jedes wahre Kunstwerk setze die Regeln, nach denen es beurteilt werden wolle, selbst, dann verwendet er zwar noch einen Begriff traditionaler Kunstvorstellung, jedoch nur, um dessen Bedeutung aufzuheben; denn eine Regel, die nur für ein einzelnes Werk gilt, ist keine. Form geht nicht mehr in der möglichst genauen Befolgung vorgegebener Regeln auf, sondern steht als Begriff für ein Gelingen, das sich nicht an Prinzipien messen läßt, sondern einen Typus unmittelbarer Evidenz für sich beansprucht.

Spätestens hier wird erkennbar, daß das als Form-Inhalts-Identität gedachte Kunstwerk zur Rationalität, dem zentralen Handlungsparadigma der Moderne, in ein eigentümliches Spannungsverhältnis gerät. Einerseits entsteht die autonome Kunst als Antwort auf eine spezifisch moderne Entfremdungserfahrung, andererseits erscheint im Kunstwerk der moderne Subjektivismus derart radikalisiert, daß das Prinzip der Unterwerfung der Natur unters Subjekt keine unmittelbare Anwendung mehr auf es finden kann. Subjektivität als Innerlichkeit und Subjektivität als Prinzip der Unterwerfung der Natur geraten in einen Gegensatz zueinander, der nicht im Sinne einer Selbstentfaltung der Vernunft begriffen werden kann. Kunst ist in der Moderne nicht einfach eine Sphäre *neben* den Sphären Wissenschaft und Moral, sondern sie ist eine aus dem Geist der Moderne geborene Gegeninstitution. Diesen Charakter einer Gegeninstitution (wie schwach sie auch sein mag) wird die Geschichte der modernen Kunst entfalten: im Projekt einer Antimoral, im Projekt einer mit der etablierten Wissenschaft rivalisierenden Erkenntnis, im Projekt einer Erforschung des Subjekts, das bis an die Grenze der Selbstzerstörung führt. Diese Projekte gehen nicht auf im Selbstausdruck eines Subjekts, in ihnen ist ein Stück Protest gegen die moderne Rationalität am Werk, dessen die Moderne bedarf, wenn sie nicht an sich selber zugrunde gehen will.[2] Verdeutlichen wir uns noch einmal die beiden Eckpfeiler unserer Überlegung. Autonome Kunst entsteht als Antwort auf die Entfremdungserfahrungen, die der Mensch in einer Welt macht, die sein Produkt ist und ihm doch überall als eine ihm fremde entgegentritt. Durch Ausgrenzung eines eigenen Handlungsbereichs aus der gesellschaftlichen Praxis gelingt es, der Sehnsucht nach einem total den Strukturen der Subjektivität nachgebildeten Objekt einen prekären Raum der Erfüllung zu schaffen. Die Objekte aber, die hier entstehen, entziehen sich jenen Prinzipien der Rationalität, denen paradoxerweise traditionale Kunstwerke sich unterworfen hatten. Aufgrund des ihr eigenen, individuellen Formbegriffs wird die Kunst zu einer Institution, die nicht bloß neben andere tritt im Prozeß fortschreitender Ausdifferenzierung funktionaler Teilbereiche, sondern die immer auch die Prinzipien dieser Ausdifferenzierung in Frage stellen kann, weil

2 Nicht nur drängt, wie Jürgen Habermas treffend bemerkt, die autonom gewordene Kunst »auf die immer reinere Ausprägung der ästhetischen Grunderfahrung« (*Theorie des kommunikativen Handelns*. Frankfurt: Suhrkamp 1981, Bd. II, 584), sie stellt auch die Ausdifferenzierung selbst wiederum radikal in Frage. Dieser Impuls, der in den historischen Avantgardebewegungen kulminiert, geht über jene »Gegenbewegungen« hinaus, »die unter dem Primat des herrschenden Geltungsaspekts jeweils die beiden anderen, zunächst ausgeschlossenen Geltungsaspekte wieder einholen« (ebd., 585).

der sie konstituierende Formbegriff quersteht zum Prinzip der Rationalität. Die Geschichte der modernen Kunst wird begrenzt durch die Möglichkeiten, die diese Konstellation bietet.[3]

3 Diese These scheint auf den ersten Blick jenen Theorien entgegengesetzt zu sein, die das Ästhetische als Ausdifferenzierung der Vernunft begreifen wie Jürgen Habermas oder von ästhetischer Rationalität reden wie Martin Seel. Dabei ist freilich zu berücksichtigen, daß Habermas und Seel von einem sehr weiten Rationalitätsbegriff ausgehen (»Rational ist ein Verhalten, das in einer bestimmten Weise begründbar oder für Einwände der Kritik zugänglich ist«, schreibt Seel in: *Die Kunst der Entzweiung [...]*. Frankfurt: Suhrkamp 1985, 320; vgl. auch die »vorläufige Begriffsbestimmung« von Habermas in: *Theorie des kommunikativen Handelns*, Bd. I, 25 ff.), während hier ein eingeschränkter Begriff im Sinne von Zweckrationalität zugrundegelegt ist. Auffällig ist jedoch, daß die Theoretiker der ästhetischen Rationalität diese vornehmlich an der Rezeption festmachen (der Möglichkeit, sich rational über Kunstwerke zu verständigen) und daß sie den (modernen) Formbegriff, der sich rationalitätstheoretisch kaum einholen läßt, nicht behandeln; dieser ist aber für eine Bestimmung von Kunst in der bürgerlichen Gesellschaft konstitutiv.

2. Konstruktion der Moderne: Hegel, Lukács, Adorno

Hegel nennt »die konkrete Person, welche sich als besondere Zweck ist«, das eine Prinzip der modernen bürgerlichen Gesellschaft, die Allgemeinheit das andere.[4] Nun macht diese Annahme nur Sinn, wenn Subjekt und Allgemeinheit miteinander vermittelt sind. Nicht in einer höheren Kategorie sucht Hegel die Vermittlung auf, sondern im gesellschaftlichen Ganzen.

In der bürgerlichen Gesellschaft ist jeder sich Zweck, alles andere ist ihm nichts. Aber ohne Beziehung auf andere kann er den Umfang seiner Zwecke nicht erreichen; diese anderen sind daher Mittel zum Zweck des Besonderen. Aber der besondere Zweck gibt sich durch die Beziehung auf andere die Form der Allgemeinheit und befriedigt sich, indem er zugleich das Wohl des anderen mit befriedigt (*HW* 7, 339 f.).[5]

In einer weltgeschichtlichen Epoche, in der der einzelne sich nicht als Teil eines Ganzen weiß, das seinen Handlungen Sinn verleiht, sondern jeder die Befriedigung der eigenen Bedürfnisse zu seinem wesentlichen Zweck hat, ist das Individuum beschränkt nur durch andere Individuen, die ebenfalls ihre Zwecke verfolgen. Da der einzelne keine Chance hat, seine Zwecke gegen alle andern durchzusetzen, muß er sich »die Form der Allgemeinheit« geben. Hegel spricht deshalb von Form, weil ja der Inhalt des Zwecks kein allgemeiner ist, sondern ein besonderer bleibt. Die Formung betrifft dabei sowohl die Bedürfnisse, denn diese müssen sich den gegebenen gesellschaftlichen Bedingungen ihrer Befriedigung anpassen, als auch die Beziehung der Subjekte aufeinander, die in dem Maße, wie der Verkehr zwischen den Menschen zunimmt, die Züge des

4 G. W. F. Hegel, *Grundlinien der Philosophie des Rechts [...]* (Theorie-Werkausgabe, 7). Frankfurt: Suhrkamp 1970, 339; im folgenden abgekürzt: *HW*, die erste Ziffer bezeichnet den Band, die zweite die Seitenzahl.

5 Daß Hegel nicht, wie dieser von seinem Schüler Eduard Gans formulierte Zusatz nahezulegen scheint, davon ausgeht, daß in der bürgerlichen Gesellschaft alle Bedürfnisse gleichmäßig befriedigt werden, erhellt aus den §§ 243 ff. der *Philosophie des Rechts* über Reichtum und Pöbel.

Besonderen einbüßt. »Die Abstraktion, die eine Qualität der Bedürfnisse und der Mittel wird, wird auch eine Bestimmung der gegenseitigen Beziehung der Individuen aufeinander« (*HW* 7, 349). Indem Hegel die bürgerliche Gesellschaft durch zwei einander widerstreitende Prinzipien charakterisiert, nämlich die Besonderheit des Subjekts und die formale Allgemeinheit oder Abstraktion, hält er als Grunderfahrung des modernen Menschen die Entzweiung fest. Dieser Begriff hat, jedenfalls für den Hegel der *Philosophie des Rechts*, keinen negativen Klang, sondern bezeichnet das notwendige Heraustreten des Subjekts aus der Unmittelbarkeit, das Sich-Einlassen auf die Welt, mit anderen Worten: den Prozeß der Bildung (*HW* 7, 344 f.).

In Hegels *Ästhetik* tritt die gleiche Opposition erneut auf, allerdings mit einer entscheidenden Verschiebung der Gewichte. Von den Helden der »neueren Romane« sagt er: »Sie stehen als Individuen mit ihren subjektiven Zwecken der Liebe, Ehre, Ehrsucht oder mit ihren Idealen der Weltverbessserung dieser bestehenden Ordnung und Prosa der Wirklichkeit gegenüber, die ihnen von allen Seiten Schwierigkeiten in den Weg legt«.[6] Die Verschiebung ist eine doppelte: einmal sind die Zwecke, von denen hier die Rede ist, innere, während die an Adam Smith orientierte Darstellung der Rechtsphilosophie offensichtlich vor allem ökonomische Zwecke im Blick hatte. Zum andern sind es nicht nur andere, ihre eigenen Zwecke verfolgende Individuen, die dem einzelnen gegenübertreten, sondern »eine feste, sichere Ordnung der bürgerlichen Gesellschaft und des Staats« (ebd.). Das Allgemeine ist nicht mehr gesehen als die Form, die das Subjekt seinen Zwecken geben muß, wenn es diese verwirklichen will, sondern als etwas Substantielles. Der Roman – Hegel dürfte hier an Goethes *Wilhelm Meister* denken – schildert die Lehrjahre des bürgerlichen Individuums, die darin bestehen, »daß das Subjekt sich die Hörner abläuft, mit seinem Wünschen und Meinen sich in die bestehenden Verhältnisse und die Vernünftigkeit derselben hineinbildet« (*Ä* I, 568).

Moderne ist für Hegel diejenige Epoche der Weltgeschichte, in der »das Recht der subjektiven Freiheit« gilt (*HW* 7, 233), dessen Ver-

6 G. W. F. Hegel, *Ästhetik*, hg. v. F. Bassenge, 2 Bde., Berlin/Weimar: Aufbau Verlag [2]1965, Bd. I, 567; im folgenden abgekürzt: *Ä*.

wirklichung ist aber an die Form der Allgemeinheit gebunden. Wo das Subjekt sich dieser Formprägung durch die Allgemeinheit widersetzt, erfährt es das Allgemeine als ein ihm Fremdes, sich selbst aber als Innerlichkeit. Subjektivität im Sinne von Innerlichkeit ist also nicht die ganze bürgerliche Subjektivität, sondern einer ihrer Modi. Hegel denkt den Unternehmer, der ökonomische Zwecke im Rahmen der gegebenen Ordnung verwirklicht, und das romantische Ich, das gegen die Ordnung rebelliert, als zwei Spielarten moderner Subjektivität. Liest man seine Ausführungen zum Roman im Sinne einer Funktionsbestimmung der Literatur, dann käme dieser die Aufgabe zu, das sich abkapselnde Individuum mit den bestehenden Verhältnissen zu vermitteln. Dies geschieht im Roman dadurch, daß die Innerlichkeit zwar ausgesprochen, zugleich aber als beschränkt erkannt wird. Die Funktion der modernen Literatur wäre also eine affirmative: sie läßt Kritik zu, jedoch nur, um sie als unvernünftig zu erweisen; denn Vernünftigkeit kommt Hegel zufolge nicht dem auf seiner Innerlichkeit beharrenden Subjekt zu, sondern der »sicheren Ordnung der bürgerlichen Gesellschaft und des Staats«.

In seiner Abrechnung mit Friedrich Schlegels Begriff der Ironie hat Hegel die romantische Subjektivität einer scharfen Kritik unterzogen.[7] Da das romantische Ich den Prozeß der Bildung, der tätigen Auseinandersetzung mit der Welt, verweigert, bleibt es selbst ohne Bestimmtheit. Ihm fehlen daher auch Festigkeit und Dauer, die sich erst am Widerstand des Objekts und an der Willkür anderer herausbilden (vgl. *HW* 7, 352). Die Inhalte, die das Ich als geltend setzt, weiß es als bloß gesetzte und kann sie daher auch jederzeit wieder vernichten. Da das ironische Subjekt sich selbst als Prinzip jeglicher Wertsetzung begreift, zugleich aber keinerlei Bestimmtheit hat, sind seine Lebensäußerungen nur eine Abfolge unernster sich widersprechender Handlungen, deren eine von der nächsten zunichte gemacht wird. Diese dauernde Zerstörung eines selbstgesetzten Scheins genießt das Subjekt solange als seine Überlegenheit, bis es der »Durst nach Festem und Substan-

7 In seinem noch immer lesenswerten Aufsatz aus dem Jahre 1961 zu Hegels Theorie der Subjektivität hat Joachim Ritter dessen Kritik an der romantischen Subjektivität allerdings übergangen (»Subjektivität und industrielle Gesellschaft [...]«, in: ders., *Subjektivität* [Bibl. Suhrkamp, 379]. Frankfurt 1974, 11-35).

tiellem« ergreift (*Ä* I, 74). Diesen aber vermag es nicht zu stillen; denn das würde es zwingen, seine abstrakte Freiheit aufzugeben und sich auf die Widerständigkeit der Welt einzulassen. So verharrt es entweder, die eigene Überlegenheit auskostend, auf dem Standpunkt göttlicher Genialität, oder es verfällt einer unbefriedigten Sehnsucht.

Georg Lukács hat Hegels Kritik des romantischen Subjektivismus auf die ästhetische Moderne übertragen. Wie Hegel der romantischen Ironie vorhält, daß sie »die Nichtigkeit alles Objektiven und an und für sich Geltenden« zur Folge habe (*Ä* I, 74), so kritisiert Lukács an der modernen Literatur »das Leugnen einer jeden Vernünftigkeit im Dasein«.[8] Und wie Hegel die Romantik als abstrakten Subjektivismus faßt – »alle Sache geht in diese abstrakte Freiheit und Einheit [des Ich] unter« (*Ä* I, 72) –, so hat Lukács die ästhetische Moderne als solipsistisch verworfen: Das in sich verstockte Subjekt, das den Bezug aufs Allgemeine verloren hat, werde zur Flucht ins Pathologische gedrängt. Zwar vermag Lukács darin durchaus ein Moment des Protests zu erkennen, aber dieser bleibe »abstrakt und leer, verurteil[e] die Wirklichkeit, aus der geflohen wird, rein summarisch und allgemein«.[9]

In unserem Zusammenhang interessiert zunächst die Frage, ob die Ausdehnung der Hegelschen Kritik des romantischen Subjektivismus auf die ästhetische Moderne zulässig ist, oder ob sie gerade etwas an dieser Wesentliches verfehlt. Adorno, dem es darum geht, die ästhetische Moderne gegenüber der Romantik als etwas qualitativ Neues darzustellen, hat das Argument von Lukács ernst genommen und ihm Überzeugungskraft nicht gänzlich abgesprochen:

> Der Standpunkt der radikalen Moderne sei der des Solipsismus, einer Monade, die der Intersubjektivität borniert sich versperre. Verdinglichte Arbeitsteilung laufe Amok. Das spotte der Humanität, die zu verwirklichen wäre. Der Solipsismus selbst indessen sei, wie die materialistische Kritik und längst vor ihr die große Philosophie demonstriert habe, illusionär, die Verblendung der Unmittelbarkeit des Für sich, das ideologisch die eigenen Vermittlungen nicht Wort haben wolle.[10]

8 G. Lukács, *Wider den mißverstandenen Realismus*. Hamburg: Claassen 1958, 30.

9 Ebd., 28.

10 Th. W. Adorno, *Ästhetische Theorie*, hg. v. Gretel Adorno/R. Tiede-

Auf den ersten Blick möchte es scheinen, als könnte Adorno sich das von Lukács vorgetragene Argument zunutze machen, demzufolge die dialektische Theorie den Solipsismus als Schein durchschaut und dessen gesamtgesellschaftliches Vermitteltsein aufweist. Doch die Tatsache, daß der Solipsismus gesellschaftlich bedingt ist (nämlich als Antwort auf die Zumutung der Entzweiung), nimmt den Äußerungen des einzelnen Subjekts nichts von ihrer Beliebigkeit, gegen die sich schon Hegels Romantik-Kritik richtete. Wenn Adorno die Moderne-Kritik von Lukács widerlegen will, dann muß er Argumente dafür beibringen, daß die Subjektivität des modernen Künstlers, wie immer auch gebrochen, auf Objektivität bezogen ist und daß die Werke der Moderne mehr sind als Symptome eines Verfallsprozesses: Gebilde nämlich, die die Wahrheit über die Gesellschaft aussprechen.

Betrachtet man die Antwort Adornos auf Lukács unter diesem Aspekt, so fällt auf, daß er auf »die Unmittelbarkeit von Erfahrung« rekurriert (*ÄT*, 384), die er sonst als Schein entlarvt. Der Verweis aufs Subjekt und dessen Leiden an der Gesellschaft ist eher geeignet, die Lukácssche Kritik zu stützen, als sie zu widerlegen. Denn weder daß der moderne Künstler an der Realität der kapitalistischen Gesellschaft leidet, hatte Lukács geleugnet, noch daß die Flucht in die Innerlichkeit ein Protestmoment enthält. Sein Argument lautete, daß vom Standpunkt des Solipsismus aus die Gesellschaft nicht konkret in den Blick genommen werden könne und daß deshalb der Wahrheitsgehalt moderner Kunst abstrakt bleibe. Nun gibt es bei Adorno sehr wohl eine Antwort auf das von Lukács aufgeworfene Problem. Sie klingt an dieser Stelle nur an: »Vermöge ihrer Form transzendiert sie [die Kunst] das bloße und befangene Subjekt« (*ÄT*, 386). Dahinter steht Adornos Theorie des künstlerischen Materials, das dem Künstler als ein quasiobjektivierter Bestand von Formen und Verfahrensweisen entgegentritt und in dem gesellschaftliche Totalität abgelagert ist. Wenn es stimmt, daß das Material, das der Künstler vorfindet und an dem er sich abarbeitet, gesamtgesellschaftlich geprägt ist, dann allerdings vermag der monadisch gegen die Gesellschaft sich verschließende Künstler, der sich ganz auf die immanenten Probleme kon-

mann (Ges. Schriften, 7). Frankfurt: Suhrkamp 1970, 384; im folgenden abgekürzt: *ÄT*.

zentriert, die das Material ihm aufgibt, den Solipsismus zu durchbrechen und seinem Werk objektiven Wahrheitsgehalt zu geben. Nicht als durchs Subjekt gesetzte faßt Adorno künstlerische Form, sondern als Resultat der Auseinandersetzung des Künstlers mit dem historisch erreichten Stand des Materials. Da der Künstler im Material auf ein Objektives trifft, ist der monadische Subjektivismus künstlerischer Produktion nicht Anzeichen der Beliebigkeit, sondern Garant des objektiven Gehalts des Werks.

Die Schlüssigkeit der Adornoschen Theorie wird erkennbar, wenn man sie als Antwort auf die Ästhetik von Lukács begreift.[11] Ein Theorem wie dasjenige, Kunst sei unbewußte Geschichtsschreibung, das als eine unnötige Konzession Adornos an den Irrationalismus mißverstanden werden könnte, bekommt dann seinen systematischen Stellenwert. Da Lukács die bewußte Erfassung gesamtgesellschaftlicher Zusammenhänge zu einer wichtigen Voraussetzung gelingender künstlerischer Produktion macht und von daher ein Argument gegen den Solipsismus der Moderne gewinnt, vermag Adorno diesen am ehesten dadurch zu stützen, daß er das Argument umkehrt. »Will Kunst, um theoretisch höherer sozialer Wahrheit willen, mehr als die ihr erreichbare und von ihr zu gestaltende Erfahrung, so wird sie weniger, und die objektive Wahrheit, die sie sich zum Maß setzt, verdirbt sich zur Fiktion« (*ÄT*, 385). Nicht der Solipsismus ist Adorno zufolge in Gefahr, die der Kunst erreichbare Wahrheit zu verfehlen, sondern der Versuch, bei der Produktion von der bewußten Erkenntnis gesellschaftlicher Zusammenhänge auszugehen.

Die Folgerichtigkeit der Argumentation Adornos darf jedoch nicht den Blick verstellen für die den Materialbegriff betreffenden Voraussetzungen, die in sie eingehen und die keineswegs die gleiche Evidenz haben wie die Argumentation selbst. Nicht nur geht Adorno davon aus, daß das künstlerische Material gesellschaftlich präformiert ist, er nimmt darüber hinaus an, daß die Entwicklung des Materials und diejenige der Gesamtgesellschaft annähernd parallel laufen. Das führt ihn zu der Konsequenz, daß es zu einem gegebenen historischen Zeitpunkt nur jeweils einen avancierten Materialstand geben kann (z.B. in der Musik nach 1910 nur den

11 Dies dürfte auch schon für deren früheste Stufen gelten. Es ist anzunehmen, daß Adorno die kulturpolitischen Aufsätze von Lukács aus der *Linkskurve* gekannt hat, als er seinen *Kierkegaard* schrieb.

der Zwölftontechnik). Nun hat Adorno selbst zugestanden, daß die von ihm unterstellte »Harmonie zwischen menschlichen Produktivkräften [sc. die das Material prägen] und historischer Tendenz« schwer auszumachen sei: »das ist der blinde Fleck der Erkenntnis«.[12] Hinzu kommt etwas anderes. In dem Maße, wie heute Autoren zu gegenständlicher Malerei, zu traditionellen Erzählformen und zur tonalen Musik zurückkehren, wird das Theorem vom avancierten Material als Teil einer Produzentenprogrammatik erkennbar. Das Konzept der einsträngigen Materialentwicklung vermag zwar bestimmte Phasen innerhalb der Geschichte einzelner Künste aufzuhellen (beispielsweise den Weg von Wagners *Tristan* über die freie Atonalität zur Zwölftontechnik oder von den späten Bildern Cézannes bis zum Kubismus), nicht aber die Geschichte der ästhetischen Moderne als ganze.[13]
Was bedeutet es für die zwischen Lukács und Adorno anhängige Debatte, die den Wahrheitsgehalt der Werke der Moderne zum Gegenstand hat, wenn wir zwar nicht den Materialbegriff Adornos, wohl aber den Gedanken der Einsträngigkeit der Materialentwicklung aufgeben? Für Adorno, daran kann kein Zweifel bestehen, beruht die Möglichkeit, die großen Werke der ästhetischen Moderne als Zeichen dessen zu lesen, was die historische Stunde geschlagen hat, auf dem Theorem vom avancierten Material. Fällt dieses, dann läßt sich auch nicht länger mehr sagen, die Auseinandersetzung des Autors mit dem Material sei die mit der Gesellschaft.[14] Die Abkehr des modernen Künstlers von den sozialen Problemen der Gesellschaft zugunsten einer ausschließlichen Arbeit am Material erscheint dann als Verstocktheit des Spezialisten. Kurz: Lukács' Solipsismus-Vorwurf gewinnt erneut an Plausibilität.
Lassen wir uns durch das Lukácssche Argument nicht einschüch-

12 Th. W. Adorno, *Einleitung in die Musiksoziologie [...]* (rowohlts deutsche enzyklopädie, 292/293). o. O. ²1968, 227.

13 Einen Versuch, das Theorem von der Einsträngigkeit des künstlerischen Materials auch für die Gegenwart zu retten, macht Andreas Kilb (»Die allegorische Phantasie [...]«, in: *Postmoderne: Alltag, Allegorie und Avantgarde*, hg. v. Ch. und P. Bürger [suhrkamp taschenbuch wiss., 648]. Frankfurt 1987, 84-114).

14 Vgl. Th. W. Adorno, *Philosophie der neuen Musik* (Ullstein Buch, 2866). Frankfurt/Berlin/Wien 1972, 36.

tern, obwohl es sich auf die Autorität Hegels stützen kann. Gestehen wir probeweise zu, der moderne Künstler sei jenes Subjekt, das die bestehende Gesellschaft als ein ihm Fremdes erfährt und sich daher dem Bildungsprozeß im Sinne Hegels verweigert. Auch dieses Subjekt ist selbstverständlich durch die Gesellschaft geprägt, die es im Verlauf der Sozialisation mit ihren vielfältigen Forderungen konfrontiert hat. Für Flaubert, der als Prototyp des modernen Autors gelten kann, hat Sartre diesen Prozeß im *Idiot de la famille* minutiös nachgezeichnet. Auch das solipsistisch sich gegen die Erwerbsgesellschaft abkapselnde Subjekt hat soziale Erfahrungen gemacht und macht ständig solche. Sicherlich ist Hegel im Recht, wenn er sagt, daß sich vom Standpunkt des Solipsismus keine dauerhaften Handlungsperspektiven entwickeln lassen; aber daraus folgt nicht, daß das Subjekt blind sei. Vielmehr eröffnen sich ihm zwei unterschiedliche Perspektiven: zum einen kann es in die Abgründe seiner Innerlichkeit hinabsteigen und die Ungeheuer heraufholen, die das gebildete, handlungsfähige Subjekt in sich nicht mehr wahrzunehmen vermag. Zum andern kann es aber auch einen distanzierten Blick auf jene Welt werfen, auf die sich einzulassen es nicht bereit ist.

Nun gibt es auch in Hegels *Ästhetik* eine weniger polemische Auffassung der sich auf sich selbst zurückziehenden Subjektivität als in der Abrechnung mit dem romantischen Ironiekonzept Friedrich Schlegels. Sie findet sich in dem Abschnitt »Auflösung der klassischen Kunst in ihrem eigenen Bereich«. Man erinnert sich, Hegel konstruiert die Entwicklung von der klassischen Kunst der Griechen zur romantischen als Prozeß der Auflösung der in der griechischen Plastik am vollkommensten sich darstellenden Einheit von Geist und Sinnlichkeit. Zu dieser Auflösung kommt es, weil der Geist sich »in die Unendlichkeit des Inneren zurückzuziehen anfängt« (*Ä* I, 490). Daß mit der Subjektivität, dem »Bewußtsein in sich selbst als Subjekt substantiell zu sein«, bei Hegel weltgeschichtlich an das Christentum gebunden, ein Prinzip in die Welt tritt, das die Lebensformen vormoderner, auf eingelebter Sitte beruhender Gesellschaften zerstört, hat Hegel mit großartiger Konkretheit wiederholt an Sokrates erläutert. Indem Sokrates Einsicht und Überzeugung des Subjekts zum Bestimmungsgrund menschlichen Handelns macht, untergräbt er ein Gemeinwesen, in dem »Leben für die Religion, den Staat, ohne weiteres Nach-

denken, ohne allgemeine Bestimmungen« sich vollzog (*HW* 12, 327). Indem der Geist sich zurückzieht aus den Gesetzen und den Götterbildern, sind jene nur noch verbesserungsfähige menschliche Vereinbarungen, diese nur noch durch Menschen geformte Steine. Entscheidend ist nun, daß der Eintritt des selbstbewußten Subjekts in die Geschichte, der die Sitte, die »Untrennbarkeit des Gedankens von dem wirklichen Leben« (ebd., 329) ebenso auflöst wie die Einheit von Geist und Sinnlichkeit der klassischen Kunst, für Hegel einen – allerdings gebrochenen – historischen Fortschritt darstellt. Zwar geht eine Lebens- und Kunstform unter, zugleich aber entsteht eine neue, in der die Besonderheit des Subjekts zu ihrem Recht gelangt. Die Bewegung des Geistes, der sich aus der Realität in sein Inneres zurückzieht, ist für Hegel gleichsam die Grundfigur der Moderne. Sie kehrt im Solipsismus des modernen Künstlers wieder.
Die Auflösung der klassischen Einheit von Sinnlichkeit und Geist hat nun zweierlei zur Folge: einmal kommt es zur Entdeckung des Reichtums der Gestalten der Innerlichkeit, zum andern aber vermag die äußere Wirklichkeit, die nun nicht mehr Ort der Versöhnung ist, in ihrer Tatsächlichkeit zum Gegenstand der Darstellung zu werden.

Wir haben somit im Romantischen zwei Welten, ein geistiges Reich, das in sich vollendet ist, das Gemüt, das sich in sich versöhnt [...]; auf der anderen Seite das Reich des Äußerlichen als solchen, das, aus der fest zusammengehaltenen Vereinigung mit dem Geist entlassen, nun zu einer ganz empirischen Wirklichkeit wird, um deren Gestalt die Seele unbekümmert ist (*Ä* I, 507f.).

Die erhellende Kraft der Hegelschen Konstruktion liegt darin, daß sie die romantische Kunst (Hegel verwendet den Begriff bekanntlich in umfassenderem Sinn, als wir heute es tun) nicht auf subjektive Innerlichkeit festlegt, sondern einen Zusammenhang zwischen dieser und der Tatsächlichkeit des Äußeren erkennbar macht. Das sich auf sich selbst zurückwendende Subjekt entgöttert die Welt und verwandelt sie in ein bloß faktisch Gegebenes. Das bedeutet aber auch, daß Gegenstände des alltäglichen Lebens in ihrer Zufälligkeit in die Darstellung Eingang finden können (vgl. *Ä* I, 508, 569).
Bei den Bemühungen, Hegels Ausführungen über die Auflösung

der romantischen Kunst für eine Theorie der ästhetischen Moderne zu nutzen, hat dieser Aspekt kaum angemessene Beachtung gefunden. Erich Auerbach hat den Hegelschen Hinweis aufgenommen und am Leitfaden der Darstellung des Alltäglichen eine »Vorgeschichte des modernen Realismus« skizziert.[15] Sein Buch hat in der Moderne-Diskussion keine Spuren hinterlassen, obwohl Alltäglichkeit von Baudelaire bis Joyce und Virginia Woolf ein zentrales Motiv gerade der an Formexperimenten interessierten Autoren der Moderne ist. Das mag sich allerdings auch daher erklären, daß Auerbach selbst diesen Aspekt nicht in den Vordergrund rückt, sondern eher daran interessiert ist, eine Geschichte des tragischen Realismus zu schreiben, in der die ernste Darstellung des alltäglichen Lebens als überzeitliche Kategorie fungiert.[16]

Freilich hat auch der marxistische Lukács sich des Hegelschen Denkmodells des Auseinandertretens von reiner Innerlichkeit und faktischer Äußerlichkeit bedient, allerdings nur, um das Nebeneinander von Naturalismus und Ästhetizismus als Verfallsformen des klassischen Realismus zu verwerfen. Balzac und Stendhal nehmen bei ihm die Stelle ein, die bei Hegel die klassische griechische Kunst innehat, die des organischen Werks, worin Geist und Sinnlichkeit versöhnt sind; allerdings mit dem gravierenden Unterschied, daß für Hegel das Versöhnungsmodell der klassischen Kunst endgültig der Vergangenheit angehört, während Lukács annimmt, man könne im 20. Jahrhundert ungebrochen die Tradition des Balzacschen Realismus fortsetzen. Das ist aber insofern inkonsequent, als er ja das Nebeneinander von verselbständigter Beschreibung äußerer Wirklichkeit im Naturalismus und Konzentration auf die Abgründe des Subjekts im Ästhetizismus als historisch notwendigen Verfall des frühen bürgerlichen Realismus deutet. Innerhalb einer solchen Konstruktion ist für einen kriti-

15 E. Auerbach, *Mimesis. Dargestellte Wirklichkeit in der abendländischen Literatur* (Sammlung Dalp, 90). Bern: Francke [2]1959.

16 Ich folge hier der Darstellung von Klaus Gronau, *Literarische Form und gesellschaftliche Entwicklung. Erich Auerbachs Beitrag zur Theorie und Methodologie der Literaturgeschichte* (Hochschulschriften Litwiss., 39). Königstein/Ts.: Forum Academicum/Hain u.a. 1979, 109ff.

schen (›bürgerlichen‹) Realismus kein Platz. Trotzdem verdankt die Moderneforschung dem Antimodernisten Lukács wenigstens zwei wesentliche Einsichten: die erste betrifft die Modernität von Zola, die nur erkennbar wird, wenn man die ästhetische Moderne nicht auf Subjektausdruck einschränkt, sondern gerade auch das (seiner Intention nach objektivistische) Eindringen der Fülle des Wirklichen ins Kunstwerk als Merkmal der Moderne begreift. Anders formuliert: nicht nur der Subjektivismus ist modern, sondern gerade auch die Subjektverleugnung. Die zweite besteht in der Erkenntnis, daß in dem von Walter Benjamin im Trauerspielbuch entfalteten Begriff der Allegorie eine Theorie des modernen Kunstwerks verborgen liegt.

Zwei Einwände gegen den Versuch, die ästhetische Moderne im Rahmen des Hegelschen Modells der romantischen Kunst und ihrer Auflösung zu denken, sollen abschließend erörtert werden. Bindet man sich nicht, so ließe sich fragen, an eine Verfallstheorie, wenn man dem Hegelschen Modell folgt? Hegel geht von der substantiellen Einheit von Geist und Sinnlichkeit, Subjekt und Objekt im klassischen Kunstwerk aus und begreift das Romantische als Auseinandertreten der beiden Seiten zur Selbständigkeit der Subjektivität und des besonderen Inhalts. »Dadurch erhalten wir als Endpunkt des Romantischen überhaupt die Zufälligkeit des Äußeren wie des Inneren und ein Auseinanderfallen dieser Seiten, durch welches die Kunst selbst sich aufhebt« (*Ä* I, 509). Zwar argumentiert Hegel hier verfallstheoretisch, aber sein Modell ist dennoch nicht an die Annahme eines positiv gefaßten Ursprungszustands geknüpft. Die Selbständigkeit des Inhalts, d.h. die Darstellbarkeit der äußeren Wirklichkeit, wird nämlich von ihm als Resultat des Selbständigwerdens des Subjekts gefaßt und damit an eines der beiden Prinzipien der modernen bürgerlichen Gesellschaft gebunden, von denen zu Beginn unserer Überlegungen die Rede war. Mit andern Worten: wir brauchen nicht nach einem Äquivalent für die klassische Kunst im Modell Hegels zu suchen, sondern können davon ausgehen, daß das Selbständigwerden des Subjekts eben jenen Prozeß in Gang setzt, der die ästhetische Moderne in die Extreme des Subjektivismus und der Versachlichung treibt. Das eigentlich Erstaunliche an Hegels Betrachtung über die »subjektive Kunstnachahmung des Vorhandenen« ist das Erfassen von Entwicklungstendenzen, für die in der Kunst seiner Zeit noch kaum Anhaltspunkte erkennbar waren.[17] So vermag er an der realistischen Malerei der Holländer das moderne Interesse an den Darstellungsmitteln auszumachen. »Abgesehen nämlich von den Gegenständen, werden auch die Mittel der Darstellung für sich selber Zweck, so daß sich die subjektive Geschicklichkeit und Anwendung der Kunstmittel zum objektiven Gegenstande der Kunstwerke heraufhebt. [...] Diese Meisterschaft nun, durch die Magie der Farbe und die Geheimnisse ihres Zaubers die frappantesten Effekte zustande zu bringen, gibt sich jetzt eine selbständige Gültigkeit« (*Ä* I, 573f.). Zwar ist das Interesse an den Darstellungsmitteln hier noch an die Realitätswiedergabe gebunden; aber es wird bereits erkennbar, daß die Hinwendung zum Konkreten über dieses hinaustreibt und zum selbständigen Interesse an der Form führt. Daß diese, obwohl sie vom Subjekt des Produzenten gesetzt ist, Objektivität beanspruchen kann, das ist die quasimythische Grundlage moderner Kunst.

Ein zweiter Einwand gegen den Versuch, die ästhetische Moderne im Anschluß an Hegels Romantikbegriff als Auseinandertreten von Subjektivität und Äußerlichkeit zu begreifen, könnte lauten, daß damit die Einheit der Moderne preisgegeben werde. Daß die Einheit eines mehrstelligen Modernebegriffs prekärer ist als die eines einstelligen, versteht sich von selbst. Nur ist daran zu erinnern, daß die einstelligen – gleichgültig, ob sie die Moderne als Subjektivismus oder Antisubjektivismus bestimmen – sich als zu eng erwiesen haben. Der Rationalismus der De Stijl-Bewegung ist ebenso ›modern‹ wie der antirationalistische Subjektivismus der Surrealisten. Jeder Versuch, einen dieser Merkmalskomplexe zum Charakteristikum der Moderne zu machen, führt zur Formulierung einer Produzentenprogrammatik, verfehlt aber das Ganze, auf das die theoretische Anstrengung sich richtet.

Vieles spricht daher dafür, daß die Einheit der ästhetischen Moderne nicht durch eine Summe von Merkmalen zu erfassen ist, sondern einzig als Prozeß des Auseinandertretens, als Bewegung,

17 Zu Recht bemerkt Peter Szondi, daß der Schluß des Hegelschen Kapitels über die Romantik uns nicht zuletzt deshalb interessiert, weil er »relevant ist für die Kunst und Kunstphilosophie der nachhegelschen Zeit« (»Hegels Lehre von der Dichtung«, in: ders., *Poetik und Geschichtsphilosophie I [...]*, hg. v. Senta Metz/H.-H. Hildebrandt [suhrkamp taschenbuch wiss., 40]. Frankfurt 1974, 462; vgl. auch 464f.).

die sich in die Extreme hineinbegibt. Hegel hat in dem Interesse für die Darstellungsmittel den Ort ausgemacht, an dem die Hinwendung zur äußeren Wirklichkeit umschlägt in die Affirmation der Subjektivität des Künstlers. Diese ist aber wiederum nicht abtrennbar vom Bedürfnis nach Anerkennung durch andere. So wird die subjektiv gesetzte Form zur Grundlage des Anspruchs auf Objektivität. In den Aporien des Formbegriffs liegt die Einheit der ästhetischen Moderne, nicht in den Kategorien, auf die er sich bezieht.

3. Ästhetische Wahrheit

Erlebnistheorie und Wahrheitstheorie

An der Frage, ob es Sinn macht, von ästhetischer Wahrheit zu reden, scheiden sich die Geister. Während Adorno, Heidegger und Gadamer sie entschieden bejahen und den Wahrheitsbegriff in den Mittelpunkt ihrer Theorie rücken[18], wird sie von den Theoretikern des ästhetischen Erlebens und den Verfechtern der Rezeptionsästhetik mit nicht minder großer Entschiedenheit verneint.[19] Den Gegnern des Begriffs der ästhetischen Wahrheit geht es darum, das Urteil über Kunstwerke von theoretischen und moralisch-praktischen Geltungsansprüchen, aber auch von der Vermischung mit Einstellungen des Alltagserlebens freizuhalten. Auf die Abgrenzung der Sphäre der Kunst bedacht, argumentieren sie kantianisch. Das Problematische an dieser puristischen Position hat Lukács in seiner *Heidelberger Ästhetik* ungewollt offengelegt. Ästhetisches Erleben ist ihm zufolge nur einem Subjekt möglich, das sich von der kontingenten Wirklichkeit, die dem alltäglichen Erleben zugrunde liegt, abgewendet und auf die Möglichkeit reinen Erlebens konzentriert hat. Da »der Sinn des Erlebnisses als Erlebnis niemals erlebnisjenseitig sein kann«[20], läßt sich weder über das Erlebnis, noch über das Kunstwerk etwas aussagen. Denn jede derartige Aussage würde ja »die vollendete Immanenz

18 Vgl. Th. W. Adorno, *Ästhetische Theorie*, bes. 191-201; M. Heidegger, »Der Ursprung des Kunstwerkes [1935/36]«, in: ders., *Holzwege*. Frankfurt: Klostermann ^{6}1980, 1-72; H.-G. Gadamer, *Wahrheit und Methode [...]*. Tübingen: Mohr ^{2}1965, bes. 77-96.

19 G. Lukács, *Heidelberger Ästhetik*, 9-132; R. Bubner, »Über einige Bedingungen gegenwärtiger Ästhetik«, in: *Neue Hefte für Philosophie*, Nr. 5 (1973), 38-73, bes. 45 ff.; R. Bubner, »Moderne Ersatzfunktionen des Ästhetischen«, in: *Merkur* Nr. 444 (1986), 91-107; W. Iser, »Die Appellstruktur der Texte«, in: R. Warning (Hg.), *Rezeptionsästhetik [...]* (UTB, 303). München: Fink 1975, 228-252, hier: 248 ff. – Eine Rekonstruktion der Theoriedebatte gibt M. Seel, *Die Kunst der Entzweiung*, 41 ff.

20 G. Lukács, *Heidelberger Ästhetik*, 57.

des reinen Erlebens«[21] durchbrechen und damit das Erlebnis zerstören. Der Theoretiker, der die Unmittelbarkeit des reinen Erlebens festhalten will, wird dazu gedrängt, ein Interpretationsverbot auszusprechen; einzig die hinweisende Geste auf das Werk kann er zulassen. Da er aus der Sphäre des Ästhetischen alle Bezüge auf anderes entfernt hat, vermag er schließlich über die ästhetische Erfahrung nur noch tautologisch zu reden.
Gegen den Purismus der Erlebnis-Theoretiker halten die Wahrheits-Theoretiker die Einsicht fest, daß auch in der Moderne Kunstwerke mehr beim Rezipienten auszulösen vermögen als ein unbestimmt bleibendes ästhetisches Erlebnis. Allerdings bereitet der Versuch, den Begriff ästhetischer Wahrheit zu bestimmen, erhebliche Schwierigkeiten. Faßt man nämlich die Kunst als Offenbarung einer vom philosophischen Begriff verfehlten Wahrheit, so muß man für das Überdauern der Metaphysik in antimetaphysischer Zeit plädieren wie Adorno. Begreift man die Kunst dagegen als Organ der Erkenntnis gesellschaftlicher Wirklichkeit, so steht man vor der nicht minder schweren Aufgabe, die Möglichkeit einer solchen nicht-wissenschaftlichen Erkenntnis darzutun (auf dieser Ebene ist der Versuch des späten Lukács angesiedelt). Weicht man schließlich auf einen subjektivistischen Wahrheitsbegriff aus und bestimmt ästhetische Wahrheit als Wahrhaftigkeit des produzierenden Künstlers[22], so verstrickt man sich in die Dialektik von Authentizität und Rhetorik. Der Ausdruck, der Anspruch auf Authentizität erhebt, ist als wirkungsorientierter zugleich inszeniert, muß also die intendierte Authentizität gerade verfehlen. Dennoch hält diese Auslegung das subjektive Moment am Begriff ästhetischer Wahrheit fest, ohne den diese offenbar nicht gedacht werden kann.
Angesichts der Schwierigkeiten, die alle drei Auslegungen mit sich führen, liegt es nahe, noch einmal auf die Positionen von Kant und Hegel in dieser Frage zurückzugehen. Auf den ersten Blick hat es

21 Ebd., 106.
22 Die Annahme, daß wir mit künstlerischen (expressiven) Äußerungen den Anspruch auf Wahrhaftigkeit verbinden, machen Jürgen Habermas (*Theorie des kommunikativen Handelns*. Bd. I. Frankfurt: Suhrkamp 1981, 85) und Franz Koppe (»Kunst und Bedürfnis [...]«, in: W. Oelmüller (Hg.), *Kolloquium Kunst und Philosophie. Bd. I: Ästhetische Erfahrung* [UTB, 1105]. Paderborn: Schöningh 1981, 77f.).

den Anschein, als setzten die Wahrheitstheoretiker die Ästhetik Hegels, ihre Gegner dagegen die Kants fort. Dieser Eindruck stimmt freilich nur, wenn man die philosophiegeschichtliche Reduktion von Kant und Hegel mit deren Denken gleichsetzt. Läßt man sich dagegen auf die Texte ein, so stößt man auf Widersprüche, die sich als produktiv erweisen. In der *Kritik der Urteilskraft* findet sich nicht nur die Analyse des Geschmacksurteils, in der es Kant in der Tat darum geht, die ästhetische Geltung von anderen Geltungstypen zu trennen, sondern auch die Ausführungen über die ästhetischen Ideen, wo er durchaus Ansätze zu einer Theorie des Werkgehalts entwickelt. Sowenig sich die Theoretiker des ästhetischen Erlebens auf die *Kritik der Urteilskraft* als ganze berufen können, so wenig können die Theoretiker der ästhetischen Wahrheit den ganzen Text der Hegelschen *Ästhetik* für ihre Argumentation in Anspruch nehmen. In den Abschnitten über die Auflösung der romantischen Kunst entwirft Hegel nämlich einen Begriff der Kunst, der diese gerade nicht mehr an einen emphatischen Begriff von Wahrheit bindet, vielmehr sieht er am Beispiel der holländischen Malerei einen Typus von Kunst sich entwickeln, die den Schein selbst zum eigentlichen Gegenstand ihres Interesses macht. Hegels vieldiskutiertes Wort vom Ende der Kunst läßt sich mit Fug dahingehend interpretieren, die Kunst in der Moderne verliere tendenziell die Möglichkeit, den substantiellen Gehalt der Epoche zu fassen.[23] Die Erlebnis-Theoretiker verabsolutieren also eine von Kant vorgenommene »methodische Abstraktion« (so bestimmt Gadamer Kants Begriff des »reinen ästhetischen Geschmacksurteils«[24]), während die Wahrheits-Theoretiker bei ihrer Berufung auf Hegel gerade dessen freilich skizzenhafte Theorie der modernen Kunst außer acht lassen. Wenn weiterhin zutrifft, daß in der *Kritik der Urteilskraft* zwischen der Analyse des reinen Geschmacksurteils und der Kantischen Theorie des Werkgehalts ein Hiat besteht, und wenn außerdem die Ausführungen Hegels zur modernen Kunst über den Rahmen seines eigenen Kunstbe-

23 Vgl. dazu W. Oelmüller, *Die unbefriedigte Aufklärung [...].* Frankfurt: Suhrkamp 1969, 240ff., sowie Annemarie Gethmann-Siefert, »Eine Diskussion ohne Ende: Zu Hegels These vom Ende der Kunst«, in: *Hegel-Studien* 16 (1981), 230-243.

24 H.-G. Gadamer, *Wahrheit und Methode*, 41.

griffs (Kunst als sinnliches Scheinen der Idee) hinausgehen, dann wird man sagen können, daß hier bereits in der Ästhetik des Idealismus ein ungelöstes Problem vorliegt. Trotz gegenteiliger Beteuerungen fallen Form und Gehalt der Werke auseinander, sei es daß die Theorie den Zusammenhang nicht zu bestimmen vermag (wie bei Kant), sei es daß die Kunst der Moderne ihn nicht mehr hervorzubringen vermag (wie bei Hegel). Die Bedeutung der Ästhetiken von Kant und Hegel für die Bestimmung der Kunst in der Moderne dürfte nicht zuletzt darin liegen, daß sie das Problem erkennen lassen, auch wenn sie es nicht explizit formulieren.

Eine Theorie der ästhetischen Wahrheit ist erst dann den Theorien des ästhetischen Erlebens überlegen, wenn sie deren relative Berechtigung einsichtig zu machen vermag. Das kann am ehesten durch eine historische Reflexion geschehen. Daß sich die ästhetische Wahrnehmung nicht nur methodisch von andern Wahrnehmungsweisen eines Gegenstandes abheben läßt, sondern daß sie sich historisch tatsächlich im Verlauf der Entwicklung der modernen Malerei als eigenständige herausgebildet hat (ansatzweise im Impressionismus, vollentfaltet dann im Informel) – dies ist die geschichtliche Legitimation für die Theorien des ästhetischen Erlebens. Heute können wir die Reste von Plakatfetzen, die auf einer Wand haftengeblieben sind, ästhetisch wahrnehmen. Die moderne Malerei, besonders aber die Nouveaux Réalistes haben uns gelehrt, in die zufälligen Strukturen, die beim Abreißen der Plakate sich ergeben haben, verschiedene Ordnungen hineinzusehen und die Spannung zwischen chaotischer Beliebigkeit und Ordnung sowie die Verschiedenheit der Ordnungen zu genießen. Der für derartige Wahrnehmungserfahrungen Empfängliche kann diese beinahe überall machen. Zweifellos handelt es sich dabei um eine ästhetische Erfahrung; deshalb darf auch eine Theorie der ästhetischen Wahrheit sie nicht unterschlagen. Freilich läßt sich bezweifeln, ob dies der einzig mögliche Modus ästhetischen Erfahrens ist. Bleiben wir bei unserem Beispiel. Nehmen wir an, auf der Plakatwand seien nicht nur Farbflecken, sondern auch bedeutungstragende Zeichen, Fragmente von Politikerköpfen, Wörter und Satzfetzen stehengeblieben. Auch diese vermögen wir in eine Ordnung zu bringen. Dabei stellen wir Beziehungen her zwischen den formalen Strukturen und den Bedeutungsfragmenten und unterlegen so dem zufällig Entstandenen einen Sinn. Auch hierbei

Werner Hilsing

Das chaotische Moment und radikale Vergeistigung konvergieren in der Absage an die Glätte der eingeschliffenen Vorstellung vom Dasein (Adorno) handelt es sich um eine ästhetische Erfahrung, die sich aber von der ersten dadurch unterscheidet, daß sie das Semantische ins Spiel bringt und eben deshalb komplexer ist. Mit den bedeutungstragenden Zeichen rückt nämlich nicht nur eine weitere Ebene (die semantische) in unsern Blick, sondern auch die gesellschaftliche Wirklichkeit als Referent des Plakatfragments.[25]

Insofern es bei der Debatte um ästhetische Wahrheit nicht zuletzt um die Referenzialisierbarkeit von Kunst geht, sind wir mit unserem Beispiel der Sache näher, als es den Anschein hat. Da die Theorien des ästhetischen Erlebens, wofern sie konsequent durchgeführt sind, auf ein Interpretationsverbot hinauslaufen, muß eine Theorie der ästhetischen Wahrheit zunächst einmal den Nachweis erbringen, daß es einen genuin ästhetischen Umgang mit dem Semantischen gibt. Angesichts des Redeverbots, das der Heidelberger Lukács über das Was des ästhetischen Erlebens verhängt (und er scheint mir bei weitem der konsequenteste Erlebnistheoretiker zu sein), ist das Offenhalten aller Dimensionen möglicher Rede über ästhetische Gebilde wichtig.

Geht man davon aus, daß in dem zwischen Erlebnis- und Wahrheitstheoretikern anhängigen Streit das Problem liegt, das eine nicht-reduktionistisch verfahrende Ästhetik zu lösen hätte, dann wird man sich zunächst darüber Klarheit zu verschaffen suchen, was der Ausdruck »das Problem lösen« hier bedeuten kann. Wenn beide Theorietypen etwas an der (modernen) Kunst erfassen, dann wird man nicht den einen gegen den anderen ausspielen; ebensowenig aber wird man den Gegensatz selbst zum Verschwinden bringen dürfen. Die »Lösung« des Problems kann nur darin bestehen, die eigentümlich gespaltene Struktur einer nicht-ästhetizistisch verkürzten ästhetischen Erfahrung zur

25 Daß es in dem Beispiel nicht allein um die Rezeption, sondern gleichermaßen um die Produktion geht, das wird erkennbar, wenn man sich vorstellt, daß der ästhetisch Agierende den zufällig entstandenen Plakatabriß als sein Werk ausstellt. Er wird dann zum Produzenten. Gerade in der Moderne ist der Gegensatz zwischen Produzent und Rezipient, den die Rezeptionsästhetik dramatisiert hat, oft geringfügig. Nicht nur muß der Rezipient produktiv sein, d.h. fähig sein, Beziehungen herzustellen; auch der Produzent bedarf vor allem der Fähigkeit, das oft zufallsbedingte Ergebnis des eigenen Tuns zu beurteilen.

Sprache zu bringen. Adorno hat das stets getan, indem er das Kunstwerk zugleich als Form definierte und auf Wahrheit verpflichtete.[26]

26 Im Anschluß an Adorno unterscheidet Albrecht Wellmer zwischen ästhetischer Stimmigkeit ($Wahrheit_1$) und gegenständlicher Wahrheit ($Wahrheit_2$) (»Wahrheit, Schein, Versöhnung. Adornos ästhetische Rettung der Modernität«, in: L. v. Friedeburg/J. Habermas (Hg.), *Adorno-Konferenz 1983* (suhrkamp taschenbuch wiss., 460). Frankfurt 1983, 138-176, hier: 145). Daß in dieser Unterscheidung das Problem, das zwischen Erlebnis- und Wahrheitstheoretikern verhandelt wird, wiederkehrt, ist offensichtlich. Wellmer bemüht sich daher um eine sprachpragmatische Rekonstruktion des ästhetischen Wahrheitsbegriffs, wobei er, kurz gefaßt, zu folgendem Ergebnis kommt: Weder Wahrheit (im Sinne eines Aufdeckens der Wirklichkeit) noch Wahrhaftigkeit (im Sinne der Authentizität des Ausdrucks) können wir dem Kunstwerk in buchstäblichem Sinne zusprechen; denn die sichtbar gemachte Wirklichkeit und die Authentizität des Gebildes erscheinen ja nur an diesem. Diese Wahrheitsbegriffe könnten dem Kunstwerk daher nur metaphorisch zugesprochen werden; wohl aber sei das Kunstwerk Gegenstand einer Erfahrung, in der alle drei Wahrheitsdimensionen (theoretische, moralisch-praktische und expressive) miteinander verschränkt seien (ebd., 165). An Wellmers Vorschlag ist bemerkenswert, daß er deutlich gegen die Puristen Stellung bezieht, die auf der Reinheit ästhetischer Erfahrung beharren, indem er von einer Verschränkung der drei pragmatischen Wahrheitsdimensionen in der ästhetischen Erfahrung spricht. Dagegen ließe sich aus erlebnistheoretischer Perspektive freilich der Einwand vorbringen, damit werde die Unterscheidung zwischen lebensweltlicher und ästhetischer Erfahrung eingeebnet; diese wäre dann nur noch am Status der Objekte (fiktive vs. reale Gegenstände) festgemacht. Spätestens hier wird erkennbar, daß der philosophische Diskurs (der Erlebnis- wie der Wahrheitstheoretiker), der sich selbst als beschreibend versteht, in Wirklichkeit normativ verfährt. In beiden Fällen geht es darum festzulegen, welche Sätze legitimerweise über Kunstwerke gesagt werden dürfen. Anders formuliert: es geht um die Bestimmung der Normen, die den Umgang mit Kunstwerken regeln. Da die Auseinandersetzung damit letztlich auf die gesellschaftliche Position der Kontrahenten verweist, ist ein Konsens in der Sache wenig wahrscheinlich.

Der Ort der ästhetischen Wahrheit

Der Wahrheitsbegriff gehört zu den schwierigsten Kategorien der Adornoschen Ästhetik. Einerseits verflüchtigt sich der Wahrheitsgehalt der Werke zu dem, was Adorno den »Hauch über ihnen« nennt (*ÄT*, 195), andererseits sucht er ihn dingfest zu machen an der im Technischen aufweisbaren Stimmigkeit der Werke (*ÄT*, 420), so daß »das metaphysisch Unwahre« sich ablesen läßt am technisch Mißratenen (*ÄT*, 195). Daß sein Begriff der Wahrheit metaphysischen Ursprungs ist, hat Adorno, wie die zitierten Formulierungen zeigen, nicht verhehlt. Aber ebensowenig hat er verschleiert, daß er in einem antimetaphysischen Zeitalter der Kunst damit eine prekäre Stelle zuweist, und daß es fraglich ist, »ob und wie Kunst überlebe nach dem Sturz der Metaphysik, der sie Dasein und Gehalt verdankt« (*ÄT*, 506). Adorno sucht gleichsam den Sturz der Metaphysik anzuhalten und damit dem Momentanen Dauer zu verleihen. Der Gegensatz von Augenblick und Dauer, der sich hier auftut, ist nicht mehr dialektisch vermittelt, sondern zur Einheit zusammengezwungen und gesteht damit das Aporetische des Gedankens ein.[27]

Adorno hat um das Prekäre des von ihm vertretenen Wahrheitsbegriffs gewußt; wenn er trotzdem an ihm festgehalten hat, so deshalb, weil mit dessen Preisgabe auch die Kategorien des Gehalts und der Bedeutung fallen und das Werk zum bloßen Reizobjekt herabzukommen droht. Es käme also darauf an, einen nicht-metaphysischen Begriff der ästhetischen Wahrheit zu entfalten. Dem dürften wir am ehesten dadurch näherkommen, daß wir zunächst die Frage zu beantworten suchen, was denn am Wahrheitsbegriff Adornos das Metaphysische ist. Die Antwort darauf wird erleichtert, wenn wir nicht den Begriff ästhetischer Wahrheit selbst in den Blick nehmen, sondern nach seinem Ort fragen. Für Adorno ist nicht der Produzent, auch nicht der Rezipient, auch nicht eine wie immer geartete höhere Ordnung der Ort der ästhetischen

27 Vgl. auch die Ausführungen von Norbert Rath über die Metapher »Zeitkern der Wahrheit«, die Adorno von Benjamin übernimmt und mit der er Dauer und Zeitgebundenheit der Wahrheit zu verknüpfen trachtet (*Adornos kritische Theorie [...]*. Paderborn: Schöningh 1982, 143 f.).

Wahrheit, sondern allein das Kunstwerk. Zwar gilt ihm die Tatsache, »daß Menschen unablässig in ästhetische Streitigkeiten sich verwickeln«, als Indiz für die Geltung der Idee ästhetischer Wahrheit (*ÄT*, 419); aber damit wird keineswegs dem Rezipienten ein Anteil an der Hervorbringung der Wahrheit zugesprochen. Zwar gesteht Adorno zu, daß sich die Wahrheit des Kunstwerks durch Kommentar und Kritik entfaltet; aber das Subjekt dieses Prozesses bleibt doch eindeutig das Werk, das (wie er es ausdrückt) diese Formen des Geistes herbeizitiert (*ÄT*, 507). Wenn in den ästhetischen Schriften Adornos immer wieder das Kunstwerk als Urheber einer Tätigkeit erscheint (vgl. etwa die Rede von der »Anstrengung der Kunstwerke«, die einem objektiv Wahren gilt; *ÄT*, 420), dann ist das bei einem so formbewußten Autor mehr als eine personifizierende Redeweise, nämlich sprachliches Äquivalent einer These. Produzent und Rezipient werden gleichsam entmächtigt zugunsten des Werks, das nun seinerseits Subjektcharakter annimmt.

Wenn die Hypostasierung des Kunstwerks zum Subjekt das Metaphysische an Adornos Begriff ästhetischer Wahrheit ausmacht, dann muß eine metaphysikkritische Annäherung an den Wahrheitsbegriff diese rückgängig machen. D.h., sie muß ihm einen andern Ort anweisen und ihn nicht im Kunstwerk, sondern in dem Prozeß verorten, der sich zwischen Autor, Werk und Rezipient vollzieht. Diesen Gedanken möchte ich in zwei Schritten zu explizieren versuchen: zunächst durch einen Rückgriff auf den Wahrheitsbegriff von Lacan, sodann in einer Reflexion auf die historische Bestimmtheit des Verhältnisses von Autor, Werk und Rezipient in der Moderne.

Der entscheidende Schritt bei der Formulierung eines Wahrheitsbegriffs, der weder metaphysisch ein Absolutes unterstellt, noch positivistisch auf Überprüfbarkeit eines Tatsächlichen setzt, besteht darin, die Geschichtlichkeit von Wahrheit einzugestehen und den damit gesetzten Relativismus auszuhalten. Beides tut Lacan in seinem aus einer kritischen Hegellektüre gewonnenen Wahrheitsbegriff. Nicht auf überprüfbare Tatsächlichkeit des Berichteten (réalité) zielt ihm zufolge die Geschichte, die der Patient erzählt, sondern auf Wahrheit (vérité), die ihm ermöglicht, die Zufälligkeiten seines Daseins so zu ordnen, daß er daraus seine Zukunft entwerfen kann. »Soyons catégorique, il ne s'agit pas dans l'anamnèse psychanalytique de réalité, mais de vérité, parce que c'est l'effet d'une parole pleine de réordonner les contingences passées en leur donnant le sens des nécessités à venir, telles que les constitue le peu de liberté par où le sujet les fait présentes«.[28] Nicht Mitteilung über tatsächlich Geschehenes ist Wahrheit, sondern Entwurf eines Ich, der in der Interaktion mit dem andern seine Bestätigung erfährt. Nicht in der Übereinstimmung von Aussage und Geschehen gründet Wahrheit, sondern in der Anerkennung durch den andern (den Analytiker). Die Unterscheidung von Fiktion und Wirklichkeit ist für diesen Wahrheitsbegriff nicht von Belang; sie bliebe abstrakt gegenüber dem pragmatischen Ziel, Vergangenheit und Zukunft des Ich in ein Lebensprojekt zu integrieren.

Daß der skizzierte Wahrheitsbegriff in der psychoanalytischen Therapie Sinn macht, liegt auf der Hand. Deren Ziel ist nicht der Nachweis eines faktisch Geschehenen, sondern die Wiederherstellung der Genuß- und Arbeitsfähigkeit eines Individuums. Selbstverständlich wird man bei dem Versuch, ihn auf Literatur anzuwenden, äußerst behutsam verfahren müssen. Hilfreich für die Erörterung des Problems ästhetischer Wahrheit sind Lacans Ausführungen zunächst deshalb, weil sie den Wahrheitsbegriff von der Rücksicht auf Tatsächlichkeit eines Geschehens frei machen. Darüber hinaus dürfte vor allem die Einsicht Lacans als relevant sich erweisen, daß Wahrheit sich im Interaktionsprozeß zwischen Subjekten konstituiert. Auf Literatur übertragen, hieße das: nicht der Autor hat eine Wahrheit, die er im Werk als einem Zeichen verschlüsselt und die dann der Leser zu entschlüsseln hat, sondern die Wahrheit des Werks wird erst dadurch geschaffen, daß der Leser sie anerkennt. Ohne die Anerkennung durch den Leser bliebe das Werk stumm. Es wäre danach zunächst einmal eine Signifikantenkette, die einen über den Wortsinn hinausgehenden Gehalt nur freigibt, wenn ein Leser sich ihm zuwendet, ohne daß dieser deshalb zum Produzenten des Gehalts würde.

Freilich läßt sich nicht übersehen, daß der Versuch, das Lacansche Modell für eine Bestimmung ästhetischer Wahrheit zu nutzen, auf Grenzen stößt. Weder ist die Autor-Leser-Beziehung dem Verhältnis von Patient und Analytiker gleichzusetzen, noch das

28 J. Lacan, *Ecrits*. Paris: Seuil 1966, 256.

Kunstwerk der freien Assoziation des Patienten. Wir wollen daher in einem zweiten Versuch die Autor-Leser-Beziehung als einen Prozeß sich wandelnder Bewußtseinsgestalten im Sinne Hegels zu rekonstruieren versuchen.[29]

Entlassen aus den Bindungen feudalen Mäzenats und einer verpflichtenden religiösen Ordnung, weiß der moderne Autor sich als autonomes Subjekt. Weder materiell noch ideell abhängig, verdankt er alles sich selbst. Sein Werk ist ganz das seine, ein Objekt, dem er die Strukturen seines Selbst aufgeprägt hat, in dem er sich erkennen kann wie in einem Spiegel. Das schöpferische Subjekt, das nur sich selbst verpflichtet ist und nur aus sich heraustritt, um sich selbst im Werk zu verwirklichen, erlebt sich als Genie. Die Wahrheit seines Werks ist von ihm gesetzte Wahrheit; trotz ihres individuellen Ursprungs jedoch beansprucht sie absolute Geltung. Solange dieser Geltungsanspruch als subjektiv gesetzter sich selbst genügt, ruht das genialische Bewußtsein in sich und wird seiner Verblendung nicht inne. Sowie es aber Bestätigung sucht in der

29 Nun hat Jürgen Habermas gegen Hegel das Argument vorgebracht, daß dessen reife Philosophie »im Bezugsrahmen der monologischen Selbsterkenntnis« gefangen bleibe, der Habermas dann die »höherstufige Intersubjektivität der ungezwungenen Willensbildung« entgegensetzt (*Der philosophische Diskurs der Moderne*. Frankfurt: Suhrkamp 1985, 53f.). Im Gegensatz dazu gehen die folgenden Überlegungen, die sich vor allem an der *Phänomenologie des Geistes* orientieren, davon aus, daß Hegel sehr wohl ein dialogisches Modell entwickelt hat, in dem Wirklichkeitserkenntis und wechselseitige Anerkennung von Subjekten miteinander verschränkt sind. Vgl. dazu die Baseler Habilitationsschrift von W. M. Fues, *Von der Poesie der Prosa zur Prosa der Poesie. Eine Studie zur Geschichte der Gesellschaftlichkeit bürgerlicher Literatur von der deutschen Klassik bis zum Ausgang des 19. Jahrhunderts* (Typoskript), besonders die Einleitung und Kapitel I/3. Einen bedeutsamen Versuch, in Anlehnung an das Kapitel »Das geistige Tierreich und der Betrug oder die Sache selbst« der Hegelschen *Phänomenologie des Geistes* einen Begriff von moderner Literatur dialektisch zu entfalten, macht Maurice Blanchot im Schlußkapitel seines Buches *La Part du feu* aus dem Jahre 1949 (Paris: Gallimard 1972, 291-331). Freilich identifiziert Blanchot das, was Hegel »die Sache selbst« nennt, mit der Kunst (»l'art qui est au-dessus de l'œuvre«; ebd., 300) und führt so dort ein Absolutes ein, wo Hegel eine Konfiguration handelnder Subjekte darstellt.

Anerkennung durch andere – und es muß diese suchen –, tritt es in einen dialektischen Prozeß ein, in dessen Verlauf es seine vermeinte Freiheit als Unfreiheit erkennt und das eigene Werk als das eines andern.

Der Autor, der sich nicht im Bewußtsein der eigenen Genialität verstockt, sondern die Anerkennung seines Werks sucht, stößt auf den Leser; denn nur dieser vermag ihm die Geltung seines Werks zu bestätigen. Indem er sich dieser Beziehung bewußt wird, sieht er sein Werk als das des andern an, für den er schreibt. Das Werk ist gar nicht sein Werk, sondern das des Lesers, für dessen Genuß es bestimmt ist. Nicht die Strukturen seines Selbst prägen das Werk, sondern die Bedürfnisse des Lesers. Aber dieser Leser, der das Tun des Autors bestimmt, ist zugleich der abwesende Leser, den die Anonymität des literarischen Markts verdeckt. Nur weil er derart ungreifbar ist, konnte ja der Autor das (falsche) Bewußtsein genialischer Freiheit entwickeln. Das Bewußtsein des Autors ist jetzt das seiner materiellen und geistigen Abhängigkeit; sein Werk gilt ihm als bloßer Vollzug eines fremden Willens. Dem Anspruch auf Wahrheit des Werks hat er entsagt. Er wird zum Lieferanten eines Produkts, das Absatz findet, weil es die Bedürfnisse der Leser befriedigt.

Der Leser, so scheint es, hat die überlegene Position. Man ist ihm zu Willen, liefert ihm, wonach ihn verlangt. Entlastet von der Mühe geistigen Schaffens, hat er im Autor den, der für ihn arbeitet. Er allein hat den Genuß. Aber da das Werk bereits seinen Bedürfnissen abgelauscht ist, hat es nichts Widerständiges, woran der Leser sich abarbeiten könnte. So bleibt er bei sich, ein wiederkehrendes Bedürfnis stillend mit Produkten, die zwar stets andere sind, aber doch die gleichen bleiben. Gerade weil der Leser darin ganz befriedigt ist, vermag er nicht herauszutreten aus den Schranken eines sich wiederholenden Genusses.

Anders der Autor: er ist zwar tätig, aber nicht selbsttätig. In seinem Tun, das den Bedürfnissen eines anonymen Lesers sich unterworfen hat, ist er nicht er selbst. Daran leidet er; denn er hat den Traum der Selbstverwirklichung im Werk nicht vergessen, den er als genialisches Bewußtsein geträumt hat. So reift in ihm der Entschluß, herauszutreten aus Verhältnissen, die ihm sein eigenes Werk entfremden. Indem er die Bindungen zerreißt, die sein Werk an die Bedürfnisse des Lesers fesseln, riskiert er den Tod. Wovon

er leben soll, ist ungewiß geworden, da er jetzt sein ganzes Dasein auf das Gelingen von etwas setzt, das für ihn noch keine klaren Umrisse hat. Er stellt sich ganz buchstäblich auf seinen Kopf.
Aber das wiedergewonnene Selbstbewußtsein des Autors ist darum noch nicht das Bewußtsein seiner wirklichen Situation. Das Werk, das er als reinen Selbstausdruck denkt, soll gelingen, und darüber kann wiederum nur ein anderer entscheiden. Diesem ist der Autor zwar jetzt nicht mehr zu Willen; aber er bleibt die Instanz, die einzig ihm das Gelingen des Werks zu bestätigen vermag. Das Werk, das Selbstzweck schien, ist Mittel der Anerkennung. Auch der Leser, der jetzt nicht mehr die Befriedigung seines Bedürfnisses im Werk sucht, sondern durch die Anforderung, die dieses an sein Aufnahmevermögen stellt, aus der Passivität des Genusses herausgerissen ist und sich auf das Werk als ein ihm fremdes einläßt, auch dieser Leser ist nicht reine Instanz des Urteils, sondern ein Subjekt, das seinerseits nach Anerkennung verlangt. Anerkennung seiner Fähigkeit, das Ungewohnte, Fremde zu sehen in seiner Besonderheit. So ist das Werk hineingestellt in die Dialektik wechselseitiger Anerkennung.
Wo aber ist dann der Ort seiner Wahrheit? Nicht im Autor, da das Werk als ein auf Anerkennung angewiesenes Gebilde die Intention des Autors notwendig transzendiert; nicht im Leser, der ja nicht seine Wahrheit ins Werk setzt, er wäre denn ein schlechter Leser, sondern den Wahrheitsgehalt des Werks ausspricht; auch nicht im Werk, das ohne den Autor und den es aufnehmenden Leser zum toten Ding würde, sondern in dem Beziehungsgeflecht, das zwischen Autor, Werk und Leser sich bildet. »Das Bewußtsein erfährt, daß keines jener Momente *Subjekt* ist, sondern sich vielmehr in der *allgemeinen Sache selbst* auflöst«.[30] Der Wahrheitsgehalt des Werks ist die Verschränkung geistiger Tätigkeiten in ihrem notwendigen Bezug aufeinander.
Freilich ist die idealtypische Darstellung der Dialektik der Anerkennung noch abstrakt, insofern sie ausblendet, was die Konstellation Autor-Werk-Leser allererst ermöglicht: die Institution Literatur. Die Unmittelbarkeit, in der Autor und Leser zum Werk zu stehen vermeinen, ist ein Schein, der durch die Realität der di-

30 G. W. F. Hegel, *Phänomenologie des Geistes* (Theorie-Werkausgabe, 3). Frankfurt: Suhrkamp 1970, 310.

rekten Konfrontation mit dem Werk immer von neuem erzeugt wird. Denn daß jemand zum Autor bzw. zum Leser wird, ist überhaupt nur im Rahmen einer bestimmten Institution möglich, die beide Rollen definiert.[31]

Der moderne Autor weiß sich als Subjekt. Aber dieses Subjektsein ist zunächst noch ganz leere Selbstbezogenheit, es hat nicht die Festigkeit eines Auszudrückenden, für das es eine angemessene Form zu finden gilt. Am Anfang des Schaffensprozesses steht nicht eine vorgängige Idee, sondern ein Ausdruckswille, der vom Verlangen nach Anerkennung schwer zu unterscheiden ist. Tritt dieser nicht bloß als momentane Geste aus der Selbstbezogenheit heraus, sondern mit dem Anspruch auf Dauer seines Produkts, dann muß das Subjekt sich selbst negieren. Denn was ein Werk ist, kann es nicht von sich aus bestimmen; es wird ihm durch die Werke gesagt, die die Institution Literatur kanonisiert hat. Freilich wird nicht eine Imitation der Werke der Vergangenheit von ihm erwartet (wie zu Zeiten der Geltung der Regelpoetik), der Anspruch, der an den Produzenten ergeht, ist vielmehr eigentümlich widersprüchlich: einerseits wird die Bestimmung dessen, was ein Kunstwerk ist, ihm auferlegt durch die Diskurse über Kunst; andererseits soll sein Werk Originalität haben. Auf die Forderung, einen Begriff des Kunstwerks zugleich erfüllen und überschreiten zu sollen, haben die Autoren der Moderne damit geantwortet, daß sie zum einen Halt suchen am künstlerischen Material, das ihre Vorgänger ihnen hinterlassen haben, zum andern aber, indem sie sich einmischen in die Diskurse über die Bestimmung von Kunst. Der moderne Autor ist derjenige, der nicht nur innerhalb gegebener Literaturverhältnisse arbeitet, sondern diese mitzugestalten versucht.

Vom Projekt des Selbstausdrucks hat der Autor sich weit entfernt, so scheint es, und doch kann er das Projekt nur verwirklichen, indem er sich ganz an ein Material entäußert, das zunächst ein ihm fremdes ist. Sein eigenes wird es nicht bereits dadurch, daß er es bearbeitet und verändert, sondern erst dadurch, daß der Leser ihm bestätigt, daß er er selbst ist: einer, der sich im Werk verwirklicht

31 Das gilt übrigens auch von der psychoanalytischen Beziehung zwischen Patient und Analytiker, die Lacan wohl allzu direkt dem Herr-Knecht-Modell nachzeichnet, das bei Hegel ja nur eine historische Gestalt des Bewußtseins ist.

hat. Erst als ein rezipiertes gibt das Werk ihm Antwort auf die Frage: Wer bin ich?

Auch der Leser ist nicht als einzelner, ungerüstet, dem Werk konfrontiert. Er hat eine ästhetische Bildung erfahren, deren Prägungen ihm beim Lesen nicht bewußt sind. Was er als seine Unmittelbarkeit, seine Spontaneität erlebt, ist vielfältig vermittelt. Nicht nur liest er das neue Werk auf dem Hintergrund zahlreicher anderer Lektüren, er verfügt auch über Einstellungen und Reaktionsformen, die ihm ermöglichen, das Neue in ein beinahe Vertrautes zu verwandeln. Das heißt nicht, daß es keine Spontaneität der Rezeption gibt, wohl aber daß diese selbst wieder das Gegenteil dessen ist, wofür sie sich hält, nämlich: ein Produkt der Kultur. Der im Umgang mit ästhetischen Gebilden nicht Geschulte reagiert nicht spontan; er bestätigt nur sein Vorurteil.[32]

Daß so etwas wie Wahrheit sich konstituieren könnte in einem Prozeß, in den ein seiner selbst nicht mächtiges Autor-Subjekt mit einem Leser eintritt, der die eigene Kultur als Natur umdeutet, erscheint auf den ersten Blick schwer nachvollziehbar. Der Widerstand gegen diesen Gedanken dürfte anzeigen, daß wir noch immer einem metaphysischen Wahrheitsbegriff nachhängen. Ästhetische Wahrheit ist nicht das Feste, Überprüfbare, das die Härte des Tatsächlichen hat, sondern eine Weise, in der das Subjekt, vermittelt über sein Tun und das Tun anderer, sich auf sich selbst bezieht. Dieser Prozeß ist einer der Erfahrung, der seinen Maßstab an sich selbst hat. Der Wahrheitsgehalt literarischer Werke ist nicht durch Diskurse beweisbar, sondern einzig am Werk aufweisbar.[33]

32 In seiner Studie *La Distinction* (Paris: Editions de Minuit 1979) charakterisiert Pierre Bourdieu die Ästhetik der Massen vom Standpunkt des Gebildeten als »une réduction systématique des choses de l'art aux choses de la vie« (ebd., 45); umgekehrt beschreibt er die Ästhetik der Gebildeten aus der Perspektive der Nicht-Eingeweihten als »volonté de tenir à distance le non-initié« (ebd., 35).

33 Es versteht sich, daß hier nicht der Kantische Begriff der Erfahrung zugrundegelegt ist, ein »Produkt der Sinne und des Verstandes« (*Prolegomena*, § 20), den Benjamin als empiristische Verkürzung kritisiert und auf »die religiöse und historische Blindheit der Aufklärung« zurückgeführt hat (*GS* II/1, 158f.). Ebensowenig wird hier Erfahrung im Sinne des Pragmatisten John Dewey verwendet, der diese aus der »Interaktion von lebendigem Geschöpf und Umwelt« herleitet und die auch lebensweltlich anzutreffende »Einheit der Erfahrung« als deren ästheti-

Gegen diese Ausführungen ließe sich einwenden, sie bestimmten zwar den Ort der ästhetischen Wahrheit, nicht aber diese selbst. Der Einwand verfehlt den Zusammenhang, der zwischen beiden besteht. Wenn es stimmt, daß die ästhetische Wahrheit sich zwischen Autor, Werk und Rezipient herstellt, dann ist sie von allen drei Momenten abhängig. Da Autor und Rezipient geschichtliche Gestalten sind, hat die ästhetische Wahrheit eine doppelte Historizität. Angesichts der Tatsache, daß immer neue Rezipientengenerationen sich mit dem Werk beschäftigen, verändert sich die Konstellation, der die ästhetische Wahrheit ihr Dasein verdankt, damit verändert sich aber auch diese selbst.

Benjamins Gedanke eines »Zeitkerns, welcher im Erkannten und

sche Erscheinungsweise charakterisiert (*Kunst als Erfahrung* [suhrkamp taschenbuch wiss., 703]. Frankfurt 1988, 47ff.). Vielmehr orientieren wir uns an Hegels *Phänomenologie des Geistes*, wo Erfahrung als »Umkehrung des Bewußtseins« bestimmt wird. »Diese *dialektische* Bewegung, welche das Bewußtsein an ihm selbst, sowohl an seinem Wissen als an seinem Gegenstande ausübt, *insofern ihm der neue wahre Gegenstand daraus entspringt*, ist eigentlich dasjenige, was *Erfahrung* genannt wird« (*HW* 3, 78). Maurice Blanchot kommt das Verdienst zu, die Bedeutung des Hegelschen Erfahrungsbegriffs für die Erfassung moderner Literatur erkannt zu haben: »Le volume écrit est pour moi [sc. l'écrivain] une innovation extraordinaire, imprévisible et telle qu'il m'est impossible, sans l'écrire, de me représenter ce qu'il pourra être. C'est pourquoi il m'apparaît comme une expérience, dont les effets, si consciemment qu'ils soient produits, m'échappent, en face de laquelle je ne pourrai pas me retrouver le même« (»La Littérature et le droit à la mort«, in: ders., *La Part du feu*, 291-331; hier: 305). Im Gegensatz zu Blanchots Einsicht in den innovativen Charakter ästhetischer Erfahrung im Sinne der Hegelschen »Umkehrung des Bewußtseins« argumentiert Martin Seel in seiner von Dewey ausgehenden Theorie der ästhetischen Erfahrung letztlich noch im Rahmen eines (freilich begrifflich differenzierten) Widerspiegelungsmodells, wenn er diese als einen Modus der Vergegenwärtigung von Erfahrungsgehalten bestimmt. Das Verstehen eines Kunstwerks mit dessen Beurteilung gleichsetzend, schreibt er: »Als gelungen [...] beurteilt werden ästhetische Gebilde, die von den Wahrnehmenden verstanden werden als Präsentationen solcher Erfahrungsgehalte, die sie teilen oder – durch ästhetische Erfahrung – zu teilen gekommen sind« (*Die Kunst der Entzweiung*, 160). Vgl. auch Axel Honneths Rekonstruktion der Arbeit von Seel in: *Merkur* Nr. 445 (März 1986), 240-245.

Erkennenden zugleich steckt« (*GS*, V/1, 578), ist von Adorno zwar aufgenommen, aber auch von ihm nicht expliziert worden. Nicht nur – dies ist der Gedanke Benjamins – enthüllt sich die Wahrheit im historischen Prozeß, wie dies Marx für die Kategorie der Reichtum schaffenden Arbeit in der Einleitung zu den *Grundrissen* dargelegt hat, das Erkannte selber ist nichts Festes, sondern unterliegt dem geschichtlichen Wandel. Ästhetische Wahrheit ist als Bewegung, nicht freilich im Sinne Hegels als Selbstbewegung zu fassen.

In einem Brief an Wilhelmine von Zenge vom 15. August 1801 schreibt Kleist:

> Was heißt das auch, etwas Böses tun, der Wirkung nach? Was ist *böse*? *Absolut böse*? [...] Sage mir, wer auf dieser Erde hat schon etwas Böses getan? Etwas, das böse wäre *in alle Ewigkeit fort* – ? Und was uns auch die Geschichte von Nero, und Attila, und Cartouche, von den Hunnen, und den Kreuzzügen, und der spanischen Inquisition erzählt, so rollt doch dieser Planet immer noch freundlich durch den Himmelsraum, und die Frühlinge wiederholen sich, und die Menschen leben, genießen, und sterben nach wie vor.[34]

Die Wahrheit des Textes ist die einer Epoche, in der alle Greuel menschlichen Handelns die Naturbasis der Reproduktion des Lebens nicht anzutasten vermochten. Weil das so ist, gibt es auch kein Handeln, das absolut böse genannt werden könnte. Die Machtlosigkeit des Menschen gegenüber dem Ganzen der Natur, in das er eingebunden ist, relativiert das Böse, macht es gleichsam unendlich klein. Für uns ist die Wahrheit des Textes eine vergangene. Die Menschen haben heute die Macht, alles Leben auf der Erde zu zerstören. Mit Kleists Worten zu reden: es gibt das absolut Böse. Die Wahrheit des Textes hat sich in Unwahrheit verkehrt. Aber dabei bleibt das Bewußtsein nicht stehen. Indem es die vergangene Wahrheit des Textes mit dessen gegenwärtiger Unwahrheit zusammenhält (und es kann nicht umhin, dieses zu tun), geht ihm etwas an seiner Gegenwart auf, was es vorher nicht gewußt hat. Es erfaßt am Text die Wahrheit seiner Epoche als einer des absoluten Bösen. Diese Wahrheit (die Wahrheit des Kleist-

34 H. v. Kleist, *Sämtliche Werke und Briefe*, hg. v. H. Sembdner, 4 Bde., München: Hanser 1982, Bd. IV, 683.

schen Textes für uns) entspricht weder der Intention des Autors, noch einer Projektion des Rezipienten (dieser findet seine Situation im Text gerade nicht wieder), noch steckt sie im Text selbst; vielmehr ist sie der Niederschlag der historischen Bewegung an ihm. Was der Text sagt, ist heute also nicht einfach falsch und kann daher auch nicht als abgetan gelten. Es ist als vergangene Wahrheit Moment einer geschichtlichen Bewegung, das wir festhalten müssen, um unsere Epoche erfassen zu können. Daß die vergangene Wahrheit die gegenwärtige Unwahrheit ist, macht den Abstand, der uns von der Zeit um 1800 trennt, zum Abgrund, in den uns Kleists Text zu blicken zwingt.

Wenn der Wahrheitsgehalt eines Textes derart der geschichtlichen Bewegung überantwortet ist, dann läßt er sich auch nicht dauerhaft fixieren. Das Fortleben der Werke (auch der der frühen Moderne) ist nicht denkbar ohne Anachronismus, den die historische Reflexion bewußt, aber nicht ungeschehen machen kann. Im notwendigen Anachronismus unserer Wahrheit ist der vergangene Wahrheitsgehalt aufbewahrt nur in der Negation. Insofern die Grenzen unserer Welt die Grenzen unseres Verstehens sind, ist unser Verstehen stets auch ein Mißverstehen.

Eine Radierung von Tàpies

Die Paradoxie des Begriffs ästhetischer Wahrheit läßt sich entfalten als fortschreitender Entzug einer Ebene, an der er festzumachen wäre. Denn der Wahrheitsgehalt eines Werks hat nicht den Charakter einer Aussage, die auf ihre Triftigkeit überprüft werden könnte, indem man sie mit dem vergleicht, was dem Werk vorhergeht: der dargestellten Wirklichkeit oder der Erfahrung des Autors. Selbst dort, wo die Intention des Autors sich auf die ›Abbildung‹ von gesellschaftlicher Wirklichkeit bzw. auf den ›Ausdruck‹ von Erfahrung richtet, ist das, was dem Werk vorausliegt, nach dessen Vollendung nicht einmal mehr dem Autor, geschweige denn dem Rezipienten verfügbar. Erfahrung ist nichts Gegenständliches, sondern ein Prozeß, in dem Sache und Begriff sich verändern. Eben das geschieht im Kunstwerk. Da der Produktionsprozeß alle Momente, die als Voraussetzungen stofflicher oder formaler Art in das Werk eingehen, umschmilzt, läßt sich der Wahrheitsgehalt, der am Werk in Erscheinung tritt, nicht durch einen Vergleich mit dem objektivieren, was dem Werk vorausgeht. Man kann das auch folgendermaßen ausdrücken: dem Wahrheitsgehalt des Werks liegt nichts voraus als dieses, denn er ist nur vermöge der Form. Was aber dem Werk vorhergeht, ist noch nicht von der verwandelnden Kraft der Form ergriffen und kann daher auch den Wahrheitsanspruch nicht absichern. Wenn die Form derart das Werk von all dem trennt, was ihm vorausliegt, dann müssen wir auch die gängige Rede, das Kunstwerk stelle die Wirklichkeit dar bzw. drücke ein Erlebnis des Autors aus, anders als bisher üblich verstehen. Das Werk erzeugt den Schein, als sei ein Zugriff auf ein Vorausliegendes (Wirklichkeit, Erlebnis) uns möglich, während uns dieses doch durch das Formprinzip, dem das Werk untersteht, gerade entzogen ist.

Wir haben, so scheint es, der ästhetischen Wahrheitstheorie die Bezugsebene genommen, deren sie bedarf, soll die Rede vom Wahrheitsgehalt sich nicht ins Uneigentliche verflüchtigen. Wenn das, was das Kunstwerk sagt, nur an ihm auszumachen ist, ohne daß diese Aussage sich auf ein ihr Vorausliegendes bezöge, wie soll dann über dessen Wahrheitsgehalt entschieden werden. Die Antwort lautete: aufgrund der Form. Aber in dieser Antwort kehrt unser Problem in veränderter Gestalt wieder. Form ist in der Moderne eine Kategorie des Besonderen; sie meint die eigensinnige Gestalt des einzelnen Werks. Wie kann an ihr so etwas wie Wahrheit erkennbar werden, die stets doch ein Allgemeines impliziert?

Adorno hat auf diese Frage eine konsistente Antwort gegeben. Er weist »die Bestimmung des Formbegriffs als des subjektiv Verliehenen, Aufgeprägten« als untauglich zurück und besteht darauf, Form sei »an den Kunstwerken wesentlich eine objektive Bestimmung« (*ÄT*, 214). Dahinter steht das Theorem, demzufolge es zu einem gegebenen Zeitpunkt nur *ein* avanciertes Material geben kann. Folgt man diesem Theorem, dann läßt sich über den Wahrheitsgehalt von Werken durchaus entscheiden; allerdings fällt die Entscheidung zunächst auf der Ebene des künstlerischen Materials, erst in zweiter Linie wird das Einzelwerk in seiner Besonderheit in Betracht gezogen. Problematischer jedoch ist die Privilegierung eines einzigen Materialstands. Sie mag als

Produzentenprogrammatik plausibel sein[35]; als Grundlage für eine Theorie der ästhetischen Wertung bzw. der ästhetischen Wahrheit ist sie nicht brauchbar. Der Traum der Künstler der Moderne, ein (freilich gattungsspezifisch ausdifferenziertes) künstlerisches Material zu schaffen, dem als solchem historische Notwendigkeit zukommt, hat sich nicht erfüllt. Früh sind Einbrüche erkennbar; am deutlichsten bei Picasso, der die Arbeit am kubistischen Formexperiment jäh mit einem Rückgriff auf die Darstellungsweise von Ingres durchbricht. Damit sind wir erneut auf das moderne Paradoxon der Form zurückgeworfen, demzufolge ein subjektiver Akt Objektivität hervorbringen soll.

Müßte das Werk tatsächlich als das Ergebnis eines subjektiven Akts der Formsetzung begriffen werden, so wäre der Rezipient auf sein je besonderes Evidenzerlebnis als nicht-überprüfbare Instanz des ästhetischen Urteils verwiesen. Aber diese Auffassung beruht auf der Abstraktion des Einzelwerks. Das Einzelwerk ist jedoch eine theoretische Fiktion, die in der Realität nicht vorkommt; jedes Werk wird vor dem Hintergrund anderer Werke wahrgenommen (desselben Autors, aber auch anderer Autoren). Wäre das nicht der Fall, so stünde der Urteilende tatsächlich vor einer unlösbaren Aufgabe. So aber kann er vergleichen; und noch wo er sich ganz auf das einzelne Gebilde zu konzentrieren meint, vergleicht er. Es gibt also sehr wohl ein anderes, zu dem das Werk in Beziehung gesetzt werden kann, um seinen Wahrheitsgehalt in Erfahrung zu bringen; aber dieses andere ist weder gesellschaftliche Realität noch die Erlebniswirklichkeit des Autors, sondern es sind andere Werke. Hier kommt, befreit vom Theorem des einen, historisch avancierten Materialstands, auch der Materialbegriff Adornos zu seinem Recht. Denn vergleichen wird man zunächst innerhalb einer Materialtradition, weil darin historische Erfahrungen abgelagert sind.

Vor mir liegt eine kleine Radierung von Tàpies, ein Hochformat.

35 Der katalanische Maler Tàpies beispielsweise vertritt diese Auffassung: »La diversité des tendances peut donc s'expliquer entre deux périodes distantes, mais jamais à l'intérieur d'une même époque, où les seules différences réelles (sans parler des nuances personnelles ou géographiques) se trouvent entre œuvres avancées et œuvres arriérées, entre œuvres de créateurs et œuvres d'épigones« (*La Pratique de l'art* [Coll. Idées/Gallimard, 314]. Paris 1974, 66).

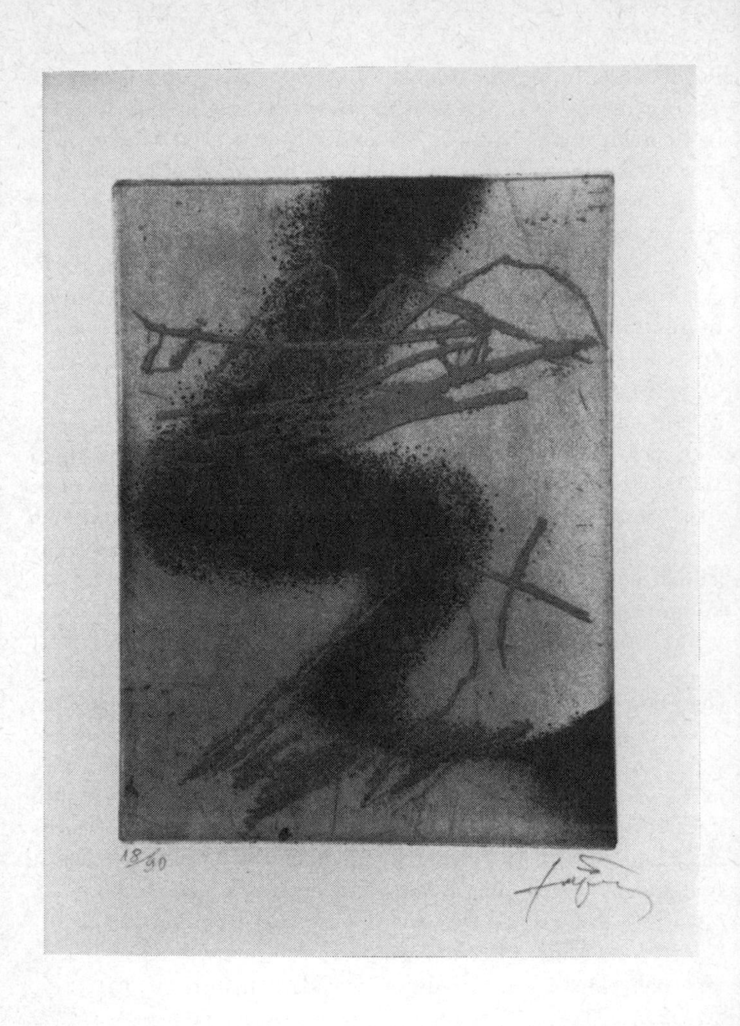

Antoni Tàpies

De fait, tout le spectacle n'est rien, à moins que nous ne voulions ou que nous ne sachions y voir plus que ce qu'il y a (Tàpies)

Zwei Zeichen überlagern sich: eine schwarze, W-förmige Aquatinta-Figur, am oberen Blattrand breit ansetzend, nach unten allmählich sich verjüngend – Schatten eines Hockenden oder bloße Spur auf einer Wandfläche. Darüber liegen, reliefartig hervortretend, silberne Schriftzeichen und eine Kreuzform. Die Aquatinta-Figur, die sich nach den Rändern hin auflöst, erinnert in ihrer Materialität an Sprayer-Graffiti. Das Silber der Schriftzüge, welche die Figur mehrfach durchstreichen, wirkt dagegen eigentümlich ›edel‹. Der Eindruck drängt sich dem Betrachter auf, der mit dem Werk von Tàpies vertraut ist und weiß, welche Bedeutung darin die ›ärmlichen‹ Materialien (Pappe, Zeitungspapier, Stroh, und Abfälle aller Art) haben. Besonders irritierend ist die Tatsache, daß das in vielen Arbeiten von Tàpies wiederkehrende, flüchtig hingeworfene Kreuzzeichen hier Konnotationen mit sich führt, die seiner Ästhetik des Häßlichen gerade widerstreiten. Erst die Spannung, in die das Blatt mit andern Arbeiten des Autors tritt, erhellt aber dessen Wahrheitsgehalt.
Als erste Bedeutungsebene können wir den Gegensatz von ›armen‹ und ›edlen‹ Materialien, von Graffiti und Silberschrift festhalten. Die unterschiedlich konnotierte Materialität ist freilich nicht einfach sinnlich gegeben, sondern wird durch die Anwendung von Aquatinta und Aussprengverfahren dem Betrachter suggeriert. Im Vergleich zum Materialbild erweist sich die Radierung als gleichsam geistigeres Medium, weil sie den Eindruck von Materialität erst hervorbringt (ihn nicht im Stoff bereits vorfindet). Das wird besonders deutlich an dem reliefartig hervortretenden Prägedruck der Schriftzüge.
Auf einer nächsten Ebene der Betrachtung ist der Gegensatz von hell und dunkel, von Vorder- und Hintergrund hervorzuheben. Die hellen Schriftzüge liegen vor der Figur, prägen sich ihr ein, streichen sie durch. Nichts spricht dagegen – zumal Tàpies entschieden für eine semantische Interpretation seiner Bilder eintritt –, den in den verschiedenen Formdimensionen ausmachbaren Gegensatz auf den von Herrschaft und Knechtschaft zu beziehen. Der ›edle‹ Schriftzug wäre dann zugleich einer, der Gewalt ausübt; aber die Gewalt bannt nur den Schatten der zum Sprung bereiten Figur.
Weniger die Triftigkeit der skizzierten Deutung steht hier zur Debatte, als vielmehr das Verfahren, mit dessen Hilfe wir uns dem

Wahrheitsgehalt des Blattes zu nähern suchen. Dieser ist nicht abtrennbar von den materialen und formalen Strukturen. Er erschließt sich freilich erst auf dem Hintergrund anderer Arbeiten des Autors. Und er ist weiterhin abhängig von der Arbeit der Aneignung durch den Betrachter. Um dies zu verdeutlichen, sei kurz eine alternative Sicht des Blattes angedeutet. Die Verwendung des Silbergraus könnte als Konzession des Autors an den europäischen Grafikmarkt aufgefaßt werden. Tàpies hätte danach seinen Widerstand gegen das kostbare Material, der für seine Ästhetik zentral ist, preisgegeben, um Käuferschichten zu erreichen, die bisher von der Sprödigkeit seiner Arbeiten abgestoßen wurden. Entscheidet man sich für diese Lesart, dann ginge dem Blatt Wahrheitsgehalt ab. Der Gehalt ist weder im Werk, noch geht er diesem voraus; vielmehr zeigt er sich an ihm. Er ist eine Kategorie der Relation, sein Ort ist das Dazwischen.

4. Allegorie und symbolische Form

Nicht nur gehört der Form-Begriff zu den am schwierigsten zu bestimmenden Kategorien der Ästhetik – Adorno hat ihn einmal als deren blinden Fleck bezeichnet (*ÄT*, 211) –, hinter ihm verbirgt sich außerdem eine bis heute fortdauernde Debatte, die Auseinandersetzung über Symbol und Allegorie.[36] In der Nachfolge der Weimarer Klassik und der idealistischen Ästhetik setzt sich bekanntlich (trotz der abweichenden Terminologie Hegels, der von klassischer Kunstform spricht, wo gemeinhin von Symbol gesprochen wird) ein Symbolbegriff durch, dessen wesentliches Merkmal die innere Einheit von Zeichen und Bedeutung ist sowie die Abgrenzung von der Allegorie, die eben diese Einheit vermissen läßt. Ohne bereits die spätere Terminologie zu verwenden, hat der Goethe-Freund Karl Philipp Moritz in seinem Aufsatz *Über die Allegorie* den Gegensatz scharf herausgearbeitet. Aus seiner abschätzigen Darstellung der allegorischen Figur der Gerechtigkeit lassen sich indirekt die Merkmale der symbolischen oder wie Moritz sagt: schönen Figur erschließen:

Nichts ist widriger, als diese Figur; bey ihr erscheint nichts in Bewegung, nichts in Thätigkeit; sie hält bloß maschinenmäßig das Schwerdt und die Wage, und die verbundenen Augen machen sie noch unthätiger. – Die ganze Figur ist überladen und steht von sich selbst erdrückt, wie eine todte Masse da.[37]

Moritz vermißt in der allegorischen Figur die Einheit von Bedeutung und Gestalt; die Attribute sind bloß als bedeutungstragende Zeichen der Figur beigegeben, ohne daß diese sie handhaben könnte. Anders dagegen verhält es sich bei der symbolischen Gestalt:

Die Fortuna von *Guido*, mit fliegenden Haaren, und den Spitzen der Zehen die rollende Kugel berührend, ist eine schöne Figur, nicht deswegen,

36 Vgl. dazu den begriffsgeschichtlichen Abriß in H.-G. Gadamers *Wahrheit und Methode*, 68-77.

37 K. Ph. Moritz, *Über die Allegorie*, in: ders., *Schriften zur Ästhetik und Poetik*, hg. v. H. J. Schrimpf. Tübingen: Niemeyer 1962, 114.

weil das Glück dadurch treffend bezeichnet wird, sondern weil das Ganze dieser Figur Übereinstimmung in sich selber hat.[38]

Nur wenn Form und Inhalt derart zur Deckung kommen, kann das Kunstwerk jene Versöhnung leisten, die die klassische Ästhetik ihm zur Aufgabe macht.

Der klassische Begriff der symbolischen Form als organischer (lebendiger) Einheit war eine erste Antwort auf die mit der Schwelle zur modernen Gesellschaft auftretenden Entfremdungserfahrungen. Sie verlor in dem Maße ihre Überzeugungskraft, wie die utopischen Hoffnungen des Bürgertums sich verflüchtigten, die die ästhetische Versöhnung als Vorschein einer besseren Welt aufzufassen erlaubten. Während die herrschende Ästhetik am Versöhnungsparadigma festhielt, wurde dieses von den seismographisch die geschichtlichen Veränderungen registrierenden Autoren der frühen Moderne wie Schlegel, Heine und Baudelaire unterlaufen. Ironie und Allegorie, ursprünglich zwei von der Rhetorik klassifizierte Weisen uneigentlicher Rede, werden im Kontext eines auf die symbolische Form verpflichteten Kunstbegriffs zu Instrumenten, um die affirmativen Folgen des Postulats der Form-Inhalts-Identität zu durchbrechen. Während die Ironie als künstlerisches Verfahren bereits von den Romantikern theoretisiert wird, nimmt erst Benjamin die Rehabilitierung der Allegorie im Bereich der Theorie vor, zwar zunächst am barocken Trauerspiel, aber durchaus mit dem Blick auf die moderne Literatur.[39] Er ist aber dabei nicht bis zu einer Abwertung der symbolischen Form fortgeschritten.

Der Symbolbegriff, der das Werk als organische Ganzheit, als Einheit von Inhalt und Form, als Indifferenz von Allgemeinem und Besonderem, auffaßt, fordert in der Moderne eine doppelte Kritik heraus, eine philosophische und eine semiotische: Als ver-

38 Ebd.

39 Wenn Bernd Witte Benjamin vorhält, er verdecke »die eigentliche historische Frage, wie eine solche Übereinstimmung zwischen barockem und neuzeitlichem Weltbild überhaupt möglich und zu denken sei« (*Walter Benjamin. Der Intellektuelle als Kritiker [...]*. Stuttgart: Metzler 1976, 121), so wäre im Sinne Benjamins vielleicht darauf zu antworten, daß diese Unterlassung sich daraus erklärt, daß der theoretische Rahmen des Buches kein historischer, sondern ein theologischer ist.

mittlungslose Einheit von subjektivem Akt der Formsetzung und objektivem Bedeutungsgehalt ist das Werk nach dem Modell des Subjekt–Objekt, und d.h. des Absoluten gedacht und damit die Kunst als metaphysischer Bereich bestimmt (dieses Argument habe ich in *Zur Kritik der idealistischen Ästhetik* entwickelt). Eine semiotische Demystifikation des Symbolbegriffs hat Paul de Man in einer Reihe von Arbeiten vorgelegt. Zentrum seiner Kritik am ästhetischen Symbolbegriff ist »the confusion of linguistics with natural reality, of reference with phenomenalism«.[40] Die im Symbolbegriff unterstellte substantielle Einheit von Zeichen und Bedeutung entspricht der gleichen Bewegung, mit der das romantische Ich sich mit der Natur identifiziert; in beiden Fällen wird die Wahrheit der Trennung von Subjekt und Objekt, und d.h. für de Man das Schicksal des In-der-Zeit-Seins, nicht ausgehalten. Deshalb bezeichnet er die symbolischen ebenso wie abbildende Darstellungen als »mystified forms of language«, die durch Ironie und Allegorie aufgebrochen werden.[41] De Man kehrt damit die Bewertungen der klassischen Symboltheorie um; nicht die symbolische, sondern die allegorische Form ist Träger der Wahrheit, und entsprechend erscheint der Realismus des 19. als Rückschritt gegenüber dem ironischen Roman des 18. Jahrhunderts.

Nun ist es sicherlich nicht unproblematisch, die Wahrheit der Kunst bereits auf einer Ebene festmachen zu wollen, die noch weiter als der Materialbegriff Adornos vom Einzelwerk entfernt ist. Aber noch aus einem anderen Grunde ist es fragwürdig, die Allegorie als *die* moderne Form zu bestimmen, bzw. den Bruch zum Wahrheitskriterium des Werks zu machen (wie ich es versucht habe). Dabei wird nämlich übersehen, daß die allegorische Form, insofern sie das Zeichen mit einer willkürlichen Bedeutung versieht und derartige Zeichen zu einem heterogenen Ganzen zusammensetzt, nur auf dem Hintergrund des Gegenbegriffs der symbolischen Form ihre Wirkung entfalten kann. Wie auch der Bruch als Bruch nur wahrgenommen werden kann, wenn der Betrachter ihn

40 P. de Man, »The Resistance to Theory«, in: *Yale French Studies* Nr. 63 (1982), 3-20; hier: 11.

41 P. de Man, »The Rhetoric of Temporality«, in: ders., *Blindness and Insight [...]* (Theory and History of Literature, 7). Minneapolis: University of Minnesota Press ²1983, 187-228; hier: 226 und 222.

mit einer Vorstellung von Einheit konfrontiert. Daß der avantgardistische Angriff auf die autonom institutionalisierte Kunst von eben dem abhängig ist, wogegen er sich wendet, ist zu Recht bemerkt worden.[42] In vergleichbarer Weise ist auch die Allegorie abhängig von der symbolischen Form, die sie in Frage stellt.
Benjamin hat das gesehen. Wohl kritisiert er die Rede von der »unzertrennlichen Verbundenheit von Form und Inhalt« als mangelnde dialektische Kraft, die Vermittlung beider als die von Gegensätzen zu denken (*GS* I/1, 336), und legt den theologischen Grund des Symbolbegriffs frei, wenn er das mystische Nu als Zeitmaß der Symbolerfahrung ausmacht und diese damit in die Perspektive der Erlösung rückt (*GS* I/1, 342f.). Aber er zieht aus diesen Einsichten nicht den Schluß, die symbolische Form sei als mystifizierender Erfahrungsmodus durch die (moderne) Form der Allegorie zu überwinden. Nicht nur verwendet er selbst Kategorien einer Ästhetik der symbolischen Form, wenn er am Barockdrama dessen »überladenes Rahmenwerk« sowie die »Massigkeit, Geheimnislosigkeit und Breite der Produkte« beklagt (*GS I*/1, 357). Er entwirft am Schluß des Buches sogar eine theologische Kritik des allegorischen Verfahrens als eines verwerflichen Strebens nach absolutem Wissen.[43] Insofern der Allegoriker die Dinge zwingt, eine von ihm gesetzte Bedeutung auszusprechen, setzt die allegorische Form den »Triumph der Subjektivität und Anbruch einer Willkürherrschaft über die Dinge« voraus (*GS* I/1, 407). Wie die Ironie ist die Allegorie (so wie sie in Benjamins Deutung sich uns zeigt) ein modernes Verfahren, aber gerade deswegen unterliegt sie einer theologischen Kritik, die am Symbol, der Einheit von sinnlichem und übersinnlichem Gegenstand, festhält als Unterpfand der Erlösung. Wenn Benjamin in einer Notiz zum

42 B. Lindner, »Aufhebung der Kunst in Lebenspraxis? [...]«, in: *»Theorie der Avantgarde«. Antworten auf Peter Bürgers Bestimmung von Kunst und bürgerlicher Gesellschaft*, hg. v. W. M. Lüdke (ed. suhrkamp, 825). Frankfurt 1976, 72-104; hier bes. 88.

43 »Denn nur für den Wissenden kann etwas sich allegorisch darstellen. Andererseits aber ist es gerade das Sinnen, dem, wenn es nicht sowohl geduldig auf Wahrheit, denn unbedingt und zwangshaft mit unmittelbarem Tiefsinn aufs absolute Wissen geht, Dinge nach ihrem schlichten Wesen sich entziehen, um als rätselhafte allegorische Verweisungen und weiterhin als Staub vor ihm zu liegen« (*GS* I/1, 403).

Trauerspielbuch die Allegorie als Korrektiv der Kunst selbst bezeichnet, weil sie (anders als die dem Symbolbegriff verhaftete Klassik) »Unfreiheit, Unvollendung und Gebrochenheit der sinnlichen, der schönen Physis zu gewahren« vermochte (*GS* I/3, 951 f.), dann hält er Allegorie und symbolische Form als gleichermaßen konstitutive Momente moderner Kunsterfahrung fest.[44] Das Bewußtsein der Entzweiung von Subjekt und Objekt und das Leiden daran treiben den Formbegriff in eine Dialektik, der die Möglichkeit einer Synthese versperrt ist. Aus der Entzweiung entspringt die Sehnsucht nach Einheit, die im Begriff der symbolischen Form ihren Ausdruck findet. Aber angesichts real fortdauernder Entzweiung weiß das Subjekt die Einheit, die es erstrebt, zugleich als das Falsche. Es muß sie daher aufbrechen durch die Selbstaufhebung des Autors in der Ironie und das Aufsprengen der Einheit von Zeichen und Bedeutung in der allegorischen Form. Aber dem Betrachter (und er ist zugleich der nachfolgende Autor) stellen die Brüche im Selbst und in den Werken der Vorgänger sich wiederum als Einheit dar, die symbolische Form tritt als Betrachtungsweise wieder in ihr Recht ein und löst damit zugleich den Zwang zu einem neuen Bruch aus. Die symbolische Form ist unhintergehbar als Folie, auf der die ästhetische Moderne sich als Abfolge von Brüchen inszeniert.

44 Auch Benjamins ambivalente Haltung gegenüber dem Verlust der Aura, auf die Jürgen Habermas nachdrücklich aufmerksam gemacht hat (»Bewußtmachende oder rettende Kritik [...]«, in: *Zur Aktualität Walter Benjamins [...]*, hg. v. S. Unseld [suhrkamp taschenbuch, 150]. Frankfurt 1972, 196ff.), ist nicht Ausdruck eines inkonsistenten Denkens, sondern der Versuch, den Widerspruch auszuhalten, in den derjenige sich begibt, der innerhalb der Moderne an einem Begriff von Kunst festhält, der nicht in wechselseitiger Verständigung aufgeht.

Norbert Schwontkowski

Uhrenwürger

II. Subjektivität, Form, Alltäglichkeit

1. »Liberales« Ich und fragmentarische Form: Friedrich Schlegel

Wir reißen uns los vom friedlichen *hen kai pan* der Welt, um es herzustellen, durch uns selbst. Wir sind zerfallen mit der Natur, und was einst, wie man glauben kann, Eins war, widerstreitet sich jetzt, und Herrschaft und Knechtschaft wechselt auf beiden Seiten. Oft ist uns, als wäre die Welt Alles und wir Nichts, oft aber auch, als wären wir Alles und die Welt nichts.[1]

In der *Vorrede* zur vorletzten Fassung des *Hyperion* von 1795 umreißt Hölderlin das, was wir heute das Grundproblem der Moderne nennen. Ohne die Frage zu entscheiden, ob es die ersehnte Einheit je gegeben hat (»wie man glauben kann«), beschreibt Hölderlin zunächst das Auseinandertreten von Ich und Welt, Subjekt und Objekt. Das Ich erhält aber dadurch gegenüber der Welt keine eindeutige Stellung, sondern schwankt zwischen zwei »Extremen«, der Selbstnegation und der Negation der Welt. Sucht Hegel später dem Subjekt in den zur Vernünftigkeit bürgerlicher Ordnung geronnenen Verhältnissen Halt zu geben, spricht Hölderlins Text eine Erfahrung aus, die dieser (restaurativen) Lösung des Problems vorausliegt. Die begriffliche Unschärfe, die im Hinübergleiten von ›Natur‹ zu ›Welt‹ liegt (›Welt‹ ist Natur und Gesellschaft), mag den Versuch rechtfertigen, den Schluß des Zitats im Horizont der Revolutionserfahrung zu deuten. Als ›Welt‹ sind auch die gesellschaftlichen Verhältnisse etwas, das dem Ich entgegensteht, das es zugleich gestalten zu können meint und dem es doch wiederum unterworfen ist. Insofern es immer nur eine der beiden Seiten seiner Erfahrung festzuhalten vermag, entdeckt das Subjekt sich als ein haltloses.

1 Hölderlin, *Werke und Briefe*, hg. v. F. Beißner/J. Schmidt. 3 Bde., Frankfurt: Insel 1969; Bd. III, 168.

»Ich passe mich nicht unter die Menschen«[2]

Verwirrt durch die Sätze einer traurigen Philosophie, unfähig mich zu beschäftigen, unfähig, irgend etwas zu unternehmen, unfähig, mich um ein Amt zu bewerben, hatte ich Berlin verlassen, bloß weil ich mich vor der Ruhe fürchtete, in welcher ich Ruhe grade am wenigsten fand; und nun sehe ich mich auf einer Reise ins Ausland begriffen, ohne Ziel und Zweck, ohne begreifen zu können, wohin das mich führen würde – Mir war es zuweilen auf dieser Reise, als ob ich meinem Abgrund entgegen ginge (667).

Wo weder religiöser Glaube noch ein metaphysisches Wissen, noch ein geschichtsphilosophisch begründetes Projekt der gesellschaftlichen Entwicklung dem Handeln des Subjekts einen Rahmen geben, muß es sich selbst Zwecke setzen. Der junge Kleist ist in dieser Lage. Er will Wissenschaften studieren; aber das selbstgesetzte Ziel entgleitet ihm. Es fällt ihm schwer, sich für eine bestimmte Wissenschaft zu entscheiden (»Mir ist keine Wissenschaft lieber als die andere«; 629). Dann läßt ihn die Lektüre Kants daran zweifeln, »ob das, was wir Wahrheit nennen, wahrhaft Wahrheit ist, oder ob es uns nur so scheint« (634).[3] Schließlich wendet er sich ganz von den Wissenschaften ab, weil deren versachlichter Umgang mit der Natur ihm als »zyklopische Einseitigkeit« erscheint (679), die dem Subjekt und seinem Verlangen nach Bildung und Glück fremd gegenübersteht.
Nicht für eine bestimmte Wissenschaft interessiert sich Kleist, sondern für die Wissenschaften als möglicher Ort der Selbstverwirklichung. Nur so läßt sich verstehen, daß er die wissenschaftliche Erkenntnis als Eigentum imaginiert, »das uns auch in das Grab folgt« (634). Nicht eine erkenntnistheoretische Krise ist die soge-

2 H. von Kleist an seine Schwester Ulrike, 5. Februar 1801, in: ders., *Sämtliche Werke und Briefe*, hg. v. H. Sembdner. 4 Bde., München: Hanser 1982, Bd. IV, 628; die im folgenden in Klammern gesetzten Ziffern beziehen sich auf die Seitenzahlen dieses Bandes.

3 In seiner Studie *Kleists Wahrheitskrise und ihre frühromantische Quelle* (Hannover: Eigendruck 1984) kommt P. Struck zu dem Ergebnis, daß weder eine Lektüre der Kantischen Kritiken noch der Arbeiten des Kantianers Reinhold zum Zeitpunkt der sogenannten Kant-Krise mit Sicherheit nachgewiesen werden kann. Die Hypothese des Verfassers ist, daß die Krise Kleists durch die Lektüre von Tiecks *William Lovell* ausgelöst wurde.

nannte Kant-Krise Kleists, sondern eine existentielle. Wenn ihn der Zweifel an der Wahrheitsfähigkeit wissenschaftlicher Sätze so tief erschüttert, so deshalb, weil dieser seine Heilsgewißheit untergräbt, die er auf die eigene Leistung gründet. Mit der Abwendung von der Wissenschaft gesteht er das Scheitern eines Lebensprojekts ein.

Kleist konfrontiert das moderne Handlungsparadigma Wissenschaft mit den Ansprüchen des (gleichfalls) modernen Subjekts auf Selbstverwirklichung und sieht sich gezwungen, ihre Unvereinbarkeit festzustellen. Mit Lähmung, Handlungsunfähigkeit und Verzweiflung reagiert das Ich auf die Zerstörung seines Lebensplans. Ohne Gegenstand, an dem es sich abarbeiten könnte, und ohne Ziel, auf das sein Blick gerichtet wäre, droht das Ich zu zerfallen. In dem Brief an die Schwester Ulrike vom 12. Januar 1802 zerstört die Unfähigkeit, einen Gedanken festzuhalten, die diskursive Folgerichtigkeit der Aussage. Zunächst schreibt Kleist, er werde »gewiß ein Amt nicht nehmen«, versichert gleich darauf das Gegenteil (»ich will ja, wohlverstanden Deinen Willen tun [...], will ein Amt nehmen«; 712) und kommt wenig später auf seinen (damit unvereinbaren) Plan zu sprechen, sich als Landmann niederzulassen.

Das mit sich zerfallene Ich findet auch in der Gemeinschaft der Mitmenschen keine Linderung seines Leidens. Im Gegenteil, selbst zu der Zeit, als Kleist noch auf wissenschaftliche Arbeit eingestellt ist, spürt er in Gesellschaft eine ihm selbst unverständliche »Beklommenheit« (496). Nachdem er das Ziel verloren hat, wird er zum Fremdling im wörtlichen und übertragenen Sinn. Dabei vergräbt er sich keineswegs in den Abgrund seines Inneren, sondern beobachtet das Leben der Weltstadt Paris. Auch wenn in seinen Schilderungen noch manches von der Großstadtkritik Rousseaus nachklingt, gewinnen sie doch eine eigenartige Schärfe, wo die Kritik aus der Leidenserfahrung des Subjekts entspringt.

Zwei Antipoden können einander nicht fremder und unbekannter sein, als zwei Nachbarn von Paris, und ein armer Fremdling kann sich gar an niemanden knüpfen, niemand knüpft sich an ihn – zuweilen gehe ich durch die langen, krummen, engen, schmutzigen, stinkenden Straßen, ich winde mich durch einen Haufen von Menschen, welche schreien, laufen, keuchen, einander schieben, stoßen, umdrehen, ohne es übel zu nehmen, ich sehe einen fragend an, er sieht mich wieder an, ich frage ihn ein paar

Worte, er antwortet mir höflich, ich werde warm, er ennuyiert sich, wir sind einander herzlich satt, er empfiehlt sich, ich verbeuge mich, und wir haben einander vergessen, sobald wir um die Ecke sind – Geschwind laufe ich nach dem Louvre, und erwärme mich an dem Marmor, an dem Apoll von Belvedere, an der mediceischen Venus, oder trete unter die italienischen Tableaus, wo Menschen auf Leinwand gemalt sind – (686f.).

Die notwendige Oberflächlichkeit, die den Verkehr der Großstädter untereinander charakterisiert, erscheint Kleist unmenschlich angesichts des Verlangens nach authentischer Kommunikation, das einzig bei den Werken der Kunst eine prekäre und paradoxe Erfüllung findet; muß der Fremde sich doch an Marmorgestalten »wärmen«.
Fast wörtlich findet sich die Stelle in einem andern Brief; nur die Schlußpointe ist dort noch nicht verdoppelt (677). Kleist arbeitet also an seinen Briefen. Nicht nur Medium der Mitteilung sind sie für ihn, sondern Gebilde, an denen, wenn sie auch als ganze nicht Werkcharakter haben, die Anstrengung der Form spürbar ist. Sie bietet Kleist auf gegen den Zerfall der Kontinuität des Denkens und Fühlens. Nicht ohne Gewaltsamkeit zwingt er die Erfahrung ins allegorische Bild:

Alles liegt in mir verworren, wie die Wergfasern im Spinnrocken, durcheinander, und ich bin vergebens bemüht mit der Hand des Verstandes den Faden der Wahrheit, den das Rad der Erfahrung hinaus ziehen soll, um die Spule des Gedächtnisses zu ordnen (654).

Aber das scharf konturierte Bild ist keineswegs, was es zu sein vorgibt, Wiedergabe eines vorausliegenden Erlebens. Vielmehr schafft es dieses um, verwandelt es: »Sei zufrieden mit diesen wenigen Zügen aus meinem Innern. Es ist darin so wenig bestimmt, daß ich mich fürchten muß, etwas aufzuschreiben, weil es dadurch in gewisser Art bestimmt *wird*« (654f.). In dem Satz steckt *in nuce* eine aporetische Theorie modernen Subjektausdrucks. Das Ich will das eigene Erleben aussprechen; aber das Resultat stimmt damit nicht überein. Die Mitteilung hat das Mitgeteilte verändert, sie hat es überhaupt erst zu etwas Bestimmtem gemacht. Streng genommen, gibt es keine Authentizität des Mitgeteilten; es sei denn, man bestimmt diese nicht mit Bezug auf ein Vorgängiges, sondern als Produkt. Authentisch wäre dann gerade die Erfahrung, die Gestalt geworden ist. Kleists Reflexion bewegt sich nicht in diese

Richtung; er bleibt stehen bei der Entzweiung von Erlebnis und Mitteilung. Aber indem er die Erfahrung in den Briefen gestaltet, ist er zugleich über die Aporie hinaus, die er in der Theorie festhält.

Kleist steht hier paradigmatisch für einen Typus der Subjekterfahrung, der in mehrfacher Hinsicht modern genannt werden kann: Er akzeptiert seine radikale Vereinzelung, und d.h. das Fehlen jeglicher Bindungen, die ihn mit der Gemeinschaft verknüpfen könnten. Indem er darüber hinaus die Wissenschaft zum Ort macht, an dem er sich selbst zu verwirklichen hofft, stellt er sich dem dominierenden intellektuellen Handlungsparadigma der Moderne. Erst als er erkennt, daß er sein Projekt innerhalb der Wissenschaft nicht verwirklichen kann, imaginiert er einen rousseauistischen Rückzug ins Landleben. Seine Darstellung des Identitätszerfalls schließlich macht den Zusammenhang von Ich-Identität und Lebensprojekt erkennbar, und mithin die Tatsache, daß sich Identität überhaupt erst im gesellschaftlichen Zusammenleben konstituiert. Zugleich blitzt bei ihm die Einsicht auf, daß die Erfahrung durch die Gestaltung nicht nur verändert wird, sondern allererst Bestimmtheit erlangt. Kafka wird sie zu der Aporie radikalisieren, Schreiben sei zugleich notwendig (um der Erfahrung sich zu versichern) und verfälschend (weil das Geschriebene die Erfahrung nicht deckt).

»Liberales« Ich und fragmentarische Form

> »Alles, was sich nicht selbst annihilirt, ist nicht frei und nichts werth«
>
> (Friedrich Schlegel)[4]

Auch wenn ihm die Möglichkeit authentischen Selbstausdrucks zum Problem wird, so kann doch kein Zweifel bestehen, daß es Kleist ernst ist mit dem, was er sagt. Das mit sich zerfallene Ich gibt keinen Augenblick die Verantwortung auf für sein Denken, Fühlen und Handeln. Noch in den schmerzlichsten Widersprüchen steht es für diese ein. Anders der junge Friedrich Schlegel, der

4 F. Schlegel, *Philosophische Lehrjahre 1796-1806 [...]*, hg. v. E. Behler (Krit. Ausgabe, 18). Paderborn: Schöningh 1963, 82.

dem Leser nicht als leidendes Individuum entgegentritt, sondern als Literat. Nicht nur macht Literatur den Hauptgegenstand seiner Reflexion aus, auch seine Einstellung zur Wirklichkeit ist über Literatur vermittelt. Das Skandalon des vielzitierten Athenäums-Fragments, das die Französische Revolution, die Fichtesche *Wissenschaftslehre* und Goethes *Wilhelm Meister* als »die größten Tendenzen des Zeitalters« bezeichnet, besteht darin, daß Schlegel eine philosophische Schrift und einen Roman umstandslos neben das welthistorische Ereignis setzt. Er geht sogar noch einen Schritt weiter und wertet das historische Ereignis ab gegenüber dem literarischen:

> Wer an dieser Zusammenstellung Anstoß nimmt, wem keine Revolution wichtig scheinen kann, die nicht laut und materiell ist, der hat sich noch nicht auf den hohen weiten Standpunkt der Geschichte der Menschheit erhoben. Selbst in unsern dürftigen Kulturgeschichten [...] spielt manches kleine Buch, von dem die lärmende Menge zu seiner Zeit nicht viel Notiz nahm, eine größere Rolle als alles, was diese trieb.[5]

In einem andern Athenäums-Fragment schlägt Schlegel vor, die Französische Revolution, die gewöhnlich »als das größte und merkwürdigste Phänomen der Staatengeschichte« gilt, als »die furchtbarste Groteske des Zeitalters« zu betrachten (*KS*, 82). Es geht hier nicht um die viel diskutierte Frage, ob der Jenaer Schlegel seinen Enthusiasmus für die Revolution bereits aufgegeben hat, sondern um einen eigenwilligen Umgang mit der Wirklichkeit. Indem er das historische Ereignis unter eine literarische Kategorie bringt, legt er uns eine Sicht nahe, die das Handeln der Revolutionäre zugleich entpathetisiert und entwirklicht. Schlegel behauptet nicht, die Revolution sei bloß eine Groteske, wohl aber, man könne sie als solche betrachten. Nicht als etwas Festes, Gegebenes gilt ihm die Wirklichkeit, sondern als etwas, was durch subjektive Einstellung verändert werden kann. Das Ich will keinen Standpunkt einnehmen, sondern Einstellungen erproben. Es traut sich zu, die Wirklichkeit durch seinen Blick zu verwandeln.

5 Athenäums-Fragment, in: F. Schlegel, *Kritische Schriften*, hg. v. W. Rasch. München: Hanser ²1964, 48. Diese Ausgabe wird im folgenden *KS* abgekürzt.

Es gibt unvermeidliche Lagen und Verhältnisse, die man nur dadurch liberal behandeln kann, daß man sie durch einen kühnen Akt der Willkür verwandelt und durchaus als Poesie betrachtet (*KS*, 84).

Liberalität ist für Schlegel kein politischer Begriff, sondern einer, der eine Einstellung zur Welt bezeichnet. Das »liberale« Ich bestimmt sich selbst als »von allen Seiten und nach allen Richtungen wie von selbst frei« (*KS*, 86). Es akzeptiert keine Bindungen und nimmt keinen Standpunkt ein. Damit entfällt die Verpflichtung auf Kohärenz, an deren Stelle tritt ein anderes Prinzip: der Widerspruch. Das Reden in Widersprüchen gilt Schlegel als Zeichen dafür, daß der Sprechende »Sinn fürs Unendliche« hat (*KS*, 77). Das Modell dieser Rede ist das Paradoxon: »Es ist gleich tödlich für den Geist, ein System zu haben, und keins zu haben. Er wird sich also wohl entschließen müssen, beides zu verbinden« (*KS*, 31).

Wie das existentielle Ich ist auch das »liberale« haltlos; aber es leidet nicht an seiner Haltlosigkeit, sondern erfährt sie als Freiheit. Diese Freiheit ist eine doppelte: sie betrifft sowohl die Verwandlungsfähigkeit des Ich als auch die Fähigkeit, das Wirkliche umzugestalten.

Ein recht freier und gebildeter Mensch müßte sich selbst nach Belieben philosophisch oder philologisch, kritisch oder poetisch, historisch oder rhetorisch, antik oder modern stimmen können, ganz willkürlich, wie man ein Instrument stimmt, zu jeder Zeit und in jedem Grade (*KS*, 13).

Natürlich läßt sich die Frage aufwerfen, ob ein Ich, das sich selbst zu stimmen vermag, nicht doch eine feste Identität haben muß, eben jenes Zentrum, von dem aus über die einzelnen Tonlagen entschieden wird. Aber auch dieses Dilemma ist wiederum nur eine der Gestalten des Selbstwiderspruchs, in denen das »liberale« Ich sich umtreibt.

Auch die Wirklichkeit ist dem »liberalen« Ich verfügbar (zumindest in der Sprache). Es setzt sie; d.h. es spricht behauptend ein Wissen aus, unbekümmert um Erklärung und Beweis. Schlegel nennt das »thetische Methode« (*KS*, 34). Er nimmt damit eine Redeweise auf, die Fichte und Schelling entwickelt haben, löst sie vom Prinzip strenger Argumentation ab und macht sie so zum Gestus. Das Wissen, welches das Fragment setzend ausspricht, ist Resultat einer Reihe von Verfahren. Von den französischen

Moralisten und besonders von La Rochefoucauld war zu lernen, daß Verfahren produktiv sind. Zum Beispiel die Scheintautologie: »Um einseitig sein zu können, muß man wenigstens eine Seite haben« (*KS*, 63). Der Vorwurf der Einseitigkeit wird dadurch entkräftet, daß das, was das Wort bezeichnet, als Wert erkennbar gemacht wird. Die Scheintautologie kann verbunden werden mit dem Gestus der Forderung: »Jede philosophische Rezension sollte zugleich Philosophie der Rezensionen sein« (*KS*, 30). Der Gestus der Forderung, der kein Subjekt benennt, das die Forderung ausspricht, und diese dadurch noch apodiktischer macht, prägt eine Reihe der bekanntesten Aphorismen. »Alle Kunst soll Wissenschaft, und alle Wissenschaft Kunst werden; Poesie und Philosophie sollen vereinigt sein« (*KS*, 22). Der Satz verbindet den Gestus der absoluten Forderung mit den Verfahren der Verknüpfung weit auseinanderliegender Bereiche. Die Kantische *Kritik der Urteilskraft* hatte gerade die Sphäre der Kunst von der Wissenschaft getrennt. Diese Trennung setzt Schlegel voraus und schlägt aus ihr den kulturrevolutionären Funken.

Gerade weil Schlegel das Denken aufs sprachliche Verfahren gründet, sich dessen Kreativität überlassend, wird seine Rede geistreich: »Einiges muß die Philosophie einstweilen auf ewig voraussetzen, und sie darf es, weil sie es muß« (*KS*, 36). Der unscheinbare Widerspruch zwischen den Partikeln »einstweilen« und »auf ewig« untergräbt ironisch die Hoffnung der Philosophie auf Selbstbegründung. Das Verfahren als Denkform nimmt es mit den großen philosophischen Systemen auf; genügt doch eine semantische Verschiebung, um diese fragwürdig zu machen: »Die Demonstrationen der Philosophie sind eben Demonstrationen im Sinne der militärischen Kunstsprache« (*KS*, 34). Es gibt schlechterdings keinen Gegenstand, der nicht in das Spiel der geistreichen Rede einbezogen werden könnte, die immer unernst und ernst zugleich ist. So überrascht Schlegel seinen Freund Novalis mit der Mitteilung, er »denke eine neue Religion zu stiften«; dabei imaginiert er sich nicht nur als Verfasser einer neuen Bibel, sondern auch als Christus, um gleich darauf dem Freund diese Rolle anzutragen: »Doch vielleicht hast Du mehr Talent zu einem neuen Christus, der in mir einen wackeren Paulus findet«.[6] – Hier

6 Brief F. Schlegels an Novalis vom 2. Dezember 1798, in: M. Preitz

scheint der Vorwurf des Unernsten sich zu bestätigen, den Hegel gegen Friedrich Schlegel erhoben hat (*Ä* I, 73). Freilich könnte ein Romantiker darauf erwidern, daß der Unernst, der sich als Unernst zu erkennen gebe, sich zugleich relativiere, während der Ernst ganz unfähig sei, sich derart in Frage zu stellen. Es gehört zu den Besonderheiten des romantischen Geistes, daß er, der alles kritisiert, sich selbst der Kritik entzieht.
Die Denkform Hegels ermöglicht es ihm, vergangene Systeme als notwendige Stufen der historischen Entwicklung des Geistes zu deuten und dem eigenen als Momente einzufügen. Friedrich Schlegel gegenüber greift diese Denkform nicht. Indem Hegel diesem Unernst vorhält, stellt er sich selber auf den Standpunkt des Ernstes, der Substantialität. Damit ist aber auch sein eigenes Denken in Gefahr, zur bloßen Meinung zu werden, die einer andern sich entgegensetzt. Immanente Kritik, die die Unwahrheit an der Sache selbst dartut, versagt gegenüber einem Denken, das den nicht-dialektischen Widerspruch zu seinem Prinzip erhoben hat. So bleibt Hegel nichts anderes übrig als die Ausgrenzung: »Denn auf den Ruf spekulativen Denkens kann keiner von beiden [Brüdern Schlegel] Anspruch machen« (*Ä* I, 71). Unberührt von der theoretischen und moralischen Verurteilung bleibt freilich Hegels Darstellung des Schlegelschen Vorgehens:

Dieses Ich ist nun dadurch zweitens schlechthin in sich einfach und einerseits jede Besonderheit, Bestimmtheit, jeder Inhalt in demselben negiert – denn alle Sache geht in diese abstrakte Freiheit und Einheit unter –, andererseits ist jeder Inhalt, der dem Ich gelten soll, nur als durch das Ich gesetzt und anerkannt. Was ist, ist nur durch das Ich, und was durch mich ist, kann ich ebensosehr auch wieder vernichten (*Ä* I, 72).

Indem Schlegel die transzendentale Tathandlung des Fichteschen Ich (das Setzen des Ich und des Nicht-Ich) zu einem empirischen Verhalten macht, schafft er etwas Neues: die Gestalt eines Subjekts, das in seiner Haltlosigkeit Halt findet. Denn nicht nur weiß es sich als Ursprung aller Geltungen, es weiß auch, daß es selbst nichtig ist: »Selbstschöpfung und Selbstvernichtung« (*KS*, 9). Seine Absolutheit behauptet das Ich nur, wenn es in Tätigkeit ist. Um bei sich zu sein, muß es außer sich sein. Kommt es zur Ruhe,

(Hg.), *Friedrich Schlegel und Novalis [...]*. Darmstadt: H. Geuter 1957, 139.

so entdeckt es die eigene Nichtigkeit. Es ähnelt dem Kreisel, der auch nur in der Bewegung Kreisel ist, im Stillstand dagegen bloß ein totes Stück Holz.
Haltlos und frei, über die Welt als sprachliches Universum ebenso verfügend wie über sich selbst, ist das »liberale« Ich eine frühe Gestalt moderner Subjektivität. Für Hegel eine Gestalt, die nicht sein soll; aber daß es sie gibt, vermag auch er nicht zu leugnen. Fragt man, wodurch sie möglich wurde, so liegt es nahe, auf die Erschütterungen zu verweisen, die von der Französischen Revolution ausgingen. Doch bereits vor der Revolution kündigen sich in der Selbstkritik der Aufklärung jene Verunsicherungen an, die durch die Ereignisse der Revolution allgemeine Erfahrung werden. Es geht dabei um den Zusammenhang von Ratio und Moral.
Für die Frühaufklärer ist rationales Handeln zwar nicht mit moralischem identisch, aber doch auf dieses bezogen. Unmoralisch ist der Fanatismus, der ein abstraktes Gut um jeden Preis zu verwirklichen trachtet, rationales Handeln dagegen hat den Menschen im Blick, es ist zumindest tendenziell human. In unterschiedlicher Weise wird diese Auffassung von Rousseau und Diderot in Frage gestellt. Daß Rousseau kein Anti-Rationalist gewesen ist, hat die Forschung überzeugend nachgewiesen.[7] Rousseau kennt keine starre Entgegensetzung von *sentiment* und *raison*; wohl aber ist er der Auffassung, daß die Ratio nicht die Grundlage moralischen Handelns abgeben kann. Daß moralisch gehandelt werden soll, läßt sich nicht aus Vernunftgründen herleiten; die einzige Gewißheit, die ein Mensch diesbezüglich erlangen kann, verdankt er seinem Gefühl. Ohne dieses innere Gefühl (*sentiment interne*), so führt er aus, würde die Ratio jeglichen Halt verlieren und die Menschen zum Spielball der monströsesten Meinungen werden.

Eh qui ne sait que, sans le sentiment interne, il ne resteroit bientôt plus de traces de vérité sur la terre, que nous serions tous successivement le jouet des opinions les plus monstrueuses, à mesure que ceux qui les soutiendroient auroient plus de génie, d'adresse et d'esprit, et qu'enfin réduits à rougir de notre raison même, nous ne saurions bientôt plus que croire ni que penser.[8]

7 Vgl. R. Dérathé, *Le Rationalisme de Jean-Jacques Rousseau*. Paris: Presses Universitaires de France 1948.
8 J.-J. Rousseau, *Lettre à M. de Franquières*, in: ders., *Œuvres complètes*,

Eine nicht mehr an unmittelbare Gewißheiten des *sentiment interne* gebundene Ratio könnte jeglicher Meinung Argumente leihen und so den Begriff der Wahrheit zerstören. Die *opinions les plus monstrueuses*, die Rousseau fürchtet, hat Diderot im *Neveu de Rameau* in Szene gesetzt.[9] Sein Rameau argumentiert rational und a-moralisch zugleich. In der Sicht des Unterprivilegierten (»Ah! monsieur le philosophe, la misère est une terrible chose«), der seine Rolle als Schmarotzer akzeptiert, erscheint moralisches Handeln als unnatürlich, eine Absonderlichkeit, die gut gestellte Bürger sich leisten können. Auf keinen Fall läßt es sich rational rechtfertigen; denn es widerstreitet dem elementaren Streben nach persönlichem Glück. Der Universalismus seines aufgeklärten Gesprächspartners ist für Rameau eine Chimäre: »Vous croyez que le même bonheur est fait pour tous. Quelle étrange vision!« Der Aufklärer Diderot macht im *Neveu de Rameau* die Position des Anti-Aufklärers stark, indem er zeigt, daß der Begriff Natur, der im Denken des 18. Jahrhunderts den gemeinsamen Grund von Ratio und Moral abgibt, auch ganz anders ausgelegt werden kann, nämlich im Sinne von unmittelbarer Triebbefriedigung. Dadurch aber wird die Ratio aus metaphysischen Bindungen gelöst und ist nur noch ein frei verfügbares Instrument des Trennens und Verbindens.

In den mit moralischem Pathos aufgeladenen Reden der Revolutionsführer wird dann die Ablösung der Maximen des Handelns von Vernunftprinzipien manifest. Zwar beruft sich Robespierre in seiner großen Anklagerede gegen Ludwig XVI. vom 3. Dezember 1792 auf die »principes éternels de la raison« und auf die Gesetze der Natur; aber dahinter steht die Gewalt des Faktischen. Scharfsinnig legt er dar, daß ein Prozeß gegen den König kein Gerichtsverfahren sein kann, sondern nur Vollzug der Revolution, die ihre Legitimation in sich selbst findet. »Le procès du tyran, c'est l'in-

hg. v. B. Gagnebin/M. Raymond (Bibl. de la Pléiade). Bd. IV, Paris: Gallimard 1969, 1139.

9 Zum folgenden vgl. meinen Aufsatz, »Moral und Gesellschaft bei Diderot und Sade«, in: P. Bürger, *Aktualität und Geschichtlichkeit. Studien zum gesellschaftlichen Funktionswandel der Literatur* (ed. suhrkamp, 879). Frankfurt 1977, 48-79, hier: 55 ff.

surrection; son jugement, c'est la chute de sa puissance«.[10] Obwohl sie noch als Legitimationsinstanz angesprochen wird, hat die Vernunft diese Stelle eingebüßt. Konsequent dezisionistisch argumentierend, weist Robespierre auch die Diskussion zurück, ob der Prozeß gegen den König mit der Verfassung vereinbar sei. »La Constitution vous condamne: allez aux pieds de Louis XVI invoquer sa clémence. [...] Je ne sais point discuter longuement où je suis convaincu que c'est un scandale de délibérer«.[11] Robespierre argumentiert rational, er nimmt Bezug auf die Leitbegriffe der Aufklärung *raison*, *nature*, *sentiment*; aber die Legitimationsgrundlage seines Handelns findet er im revolutionären Prozeß selbst.

Daß die Krise der aufklärerischen Vernunft Ausgangslage gewesen sein könnte, auf die die Konstituierung des »liberalen« Ich antwortet, dafür sprechen zwei Hamlet-Deutungen aus der Frühzeit Schlegels. Der zu Recht berühmte Aufsatz *Über das Studium der griechischen Poesie* von 1797, in dem der noch an klassischen Normen festhaltende Autor eine Theorie der modernen Literatur entwickelt[12], nimmt die Hamlet-Interpretation auf, die er 1793 in einem Brief an den Bruder August Wilhelm skizziert hatte.

Durch eine wunderbare Situation wird alle Stärke seiner edeln Natur in den Verstand zusammengedrängt, die tätige Kraft aber ganz vernichtet. Sein Gemüt trennt sich, wie auf der Folterbank nach entgegengesetzten Richtungen auseinandergerissen; es zerfällt und geht unter im Überfluß von müßigem Verstand, der ihn selbst noch peinlicher drückt, als alle die ihm nahen. Es gibt vielleicht keine vollkommenere Darstellung der unauflöslichen Disharmonie, welche der eigentliche Gegenstand der philosophischen Tragödie ist, als ein so grenzenloses Mißverhältnis der denken-

10 Robespierre, *Textes choisis*, hg. v. J. Poperen. Bd. II, Paris: Editions sociales 1957, 73.

11 Ebd., 77.

12 Als Systematiker, als der er sich damals noch versteht, urteilt Schlegel, ausgehend von überzeitlich geltenden »Gesetzen der Schönheit und der Kunst«, negativ über die moderne Poesie. »Sie macht nicht einmal Ansprüche auf Objektivität, welches doch die erste Bedingung des reinen und unbedingten ästhetischen Werts ist, und ihr Ideal ist das Interessante, d.h. subjektive ästhetische Kraft« (*KS*, 115). Als Liebhaber der modernen Poesie aber widerspricht er zugleich dem eigenen Urteil und hält diesen Widerspruch fest. »Man hat schon viel gewonnen, wenn man sich diesen Widerspruch nicht leugnet« (ebd.).

den und der tätigen Kraft, wie in Hamlets Charakter. Der Totaleindruck dieser Tragödie ist ein Maximum der Verzweiflung (*KS*, 144f.).

Schon in der Hamlet-Deutung aus dem Brief an den Bruder hieß es: »Der Grund seines innern Todes liegt in der Größe seines Verstandes. [...] Das Innerste seines Daseins ist ein gräßliches Nichts, Verachtung der Welt und seiner selbst« (*KS*, 109). »Schlegel deutet Hamlets Situation stellvertretend für seine eigene und die seiner Zeit«, schreibt Szondi.[13] In der Tat liest dieser die Krise der aufgeklärten Ratio als Erfahrung eines Subjekts. Nicht mehr gebunden an einen metaphysischen Begriff der Natur, ohne Bezug zu einem ursprünglichen moralischen Empfinden, wird die Ratio zur bloßen Verstandestätigkeit, die zwar »eine zahllose Menge von Verhältnissen« erfaßt (so Schlegel in dem zitierten Brief), aber nicht mehr zur Entscheidung zu kommen vermag. Das bloß seines Verstandes mächtige Ich ist zugleich das total ohnmächtige, weil die verselbständigte Verstandestätigkeit seine Einheit zerreißt.
Auf diese Krisenerfahrung antwortet Schlegel mit der Konstituierung des »liberalen« Ich. Sie manifestiert sich als Akt der Umwertung, wie Szondi bemerkt. Was das Subjekt bisher als innere Zerrissenheit erfahren hat, das Sichverlieren in die unendliche Vielzahl von Möglichkeiten, wird jetzt, positiv besetzt, zur Freiheit des Ich, sich beliebig zu stimmen. Was eben noch »Überfluß von müßigem Verstande« war, wird jetzt »universelle Scheidungs- und Verbindungskunst« (*KS*, 76), die Schlegel auch gerne

13 P. Szondi, *Friedrich Schlegel und die romantische Ironie [...]*, in: ders., *Schriften II [...]*, hg. v. J. Bollack u.a. (suhrkamp taschenbuch wiss., 220). Frankfurt 1978, 11-31; hier: 14. Szondis bis heute unübertroffener Aufsatz (er wurde 1954 zuerst veröffentlicht) verortet die Schlegelsche Dichtungstheorie innerhalb der Moderne-Problematik. Aufgenommen ist diese Fragestellung von H. R. Jauß, der den *Studium*-Aufsatz als Beitrag zu einer Theorie der literarischen Moderne untersucht (»Schlegels und Schillers Replik auf die ›Querelle des Anciens et des Modernes‹«, in: ders., *Literaturgeschichte als Provokation* [ed. suhrkamp, 418]. Frankfurt 1970, 67-106, hier: 85ff.). Vgl. auch die beiden Arbeiten zum *Studium*-Aufsatz von Ingrid Oesterle und Günter Oesterle in: *Zur Modernität der Romantik* (Literaturwissenschaft und Sozialwissenschaften, 8), hg. v. D. Bänsch. Stuttgart: Metzler 1977, 167-216 und 217-297.

als Chemie bezeichnet (*KS*, 83). Mit andern Worten: das Subjekt nimmt seine Zerrissenheit an.
Aber Schlegel bleibt dabei nicht stehen. Den Drang zur Einheit, den die idealistische Philosophie in immer neuen Systementwürfen befriedigt, sucht er gleichsam punktuell zu verwirklichen durch Verknüpfung des Gegensätzlichen. »Verbindet die Extreme, so habt ihr die wahre Mitte«, lautet sein Prinzip (*KS*, 97). Er stellt sich in der Tat, wie Hegel treffend formuliert, »in die Nähe des Standpunkts der Idee« (*Ä* I, 72), d.h. des Absoluten. Er teilt mit der idealistischen Philosophie die Ausgangsproblematik der Entzweiung und den Willen, sie zu überwinden. Das Mittel aber, das er dazu anwendet, ist ein literarisches Verfahren: die Verknüpfung von Gegensätzen.

Eine Idee ist ein bis zur Ironie vollendeter Begriff, eine absolute Synthesis absoluter Antithesen, der stete sich selbst erzeugende Wechsel zwei streitender Gedanken (*KS*, 40).

Die sprachliche Form des Zitats weist dieses in die Nähe der idealistischen Philosophie, im Gehalt aber weicht es davon denkbar weit ab; bestimmt es die Idee doch als Widerstreit von Gedanken, und nicht wie Hegel als »das objektiv Wahre« (*HW* 6, 462). Absolut ist die Synthesis, von der hier die Rede ist, nicht im Hegelschen Sinne, sondern insofern sie losgelöst ist von Denk-Kontexten. Es handelt sich um die überraschend erhellende Ineinssetzung von Gegensätzen.

Als vorübergehender Zustand ist der Skeptizismus logische Insurrektion; als System ist er Anarchie. Skeptische Methode wäre also ungefähr wie insurgente Regierung (*KS*, 36).

Die getrennten Sphären von Philosophie und Politik werden derart miteinander verknüpft, daß der zu bestimmende Skeptizismus etwas vom Bedeutungsgehalt der politischen Begriffe Insurrektion und Anarchie in sich aufnimmt. Der zweite Satz, der zunächst nur die Unmöglichkeit einer skeptischen Methode darzulegen scheint, rückt diese wie bereits der Terminus Insurrektion in die Nähe der Revolution. Das Fragment kann ebenso als Programm einer Kulturrevolution *in nuce* gelesen werden, wie als Resultat einer freien Sprachkombinatorik. Der Erkenntnisanspruch, den es erhebt, bleibt in der Schwebe. Der Gestus des Setzens (dessen sprachliches

Zeichen die Kopula ist) wird wieder zurückgenommen durch die Unbestimmtheit der Aussage.
Daß Literatur einen eigenen Erkenntnisanspruch stellt, den sie nicht an die Befolgung der Prinzipien diskursiver Logik bindet, ist für die Philosophie, die sich dieses Rivalen gern entledigen würde, ein Skandalon. Von Hegels Satz vom Ende der Kunst bis zu Habermas' Einschränkung der Kunst auf Subjektausdruck reichen die Versuche, diese einzuhegen, ihr eine fest umgrenzte Sphäre zuzuweisen. Dagegen hat die als autonom institutionalisierte Kunst sich zur Wehr gesetzt, die ihr zugestandene Autonomie gleichsam als Burg benutzend, von der aus Ausfälle sich unternehmen ließen sowohl gegen die wissenschaftliche Rationalität wie gegen die herrschende Moral.
Dieser diskursiv nicht einzuholende Erkenntnisanspruch bedarf freilich einer Grundlage. Er hat sie in der Form, deren Begriff Schlegel in der Theorie des Fragments entfaltet.

Ein Fragment muß gleich einem kleinen Kunstwerke von der umgebenden Welt ganz abgesondert und in sich selbst vollendet sein wie ein Igel (*KS*, 47).
Ein Projekt ist der subjektive Keim eines werdenden Objekts. Ein vollkommnes Projekt müßte zugleich ganz subjektiv und ganz objektiv, ein unteilbares und lebendiges Individuum sein. Seinem Ursprunge nach ganz subjektiv, original, nur grade in diesem Geiste möglich; seinem Charakter nach ganz objektiv, physisch und moralisch notwendig. Der Sinn für Projekte, die man Fragmente aus der Zukunft nennen könnte, ist von dem Sinn für Fragmente aus der Vergangenheit nur durch die Richtung verschieden, die bei ihm progressiv, bei jenem aber regressiv ist. Das Wesentliche ist die Fähigkeit, Gegenstände unmittelbar zugleich zu idealisieren und zu realisieren, zu ergänzen und teilweise in sich auszuführen (*KS*, 26f.).

Das zunächst Befremdende an Schlegels Theorie des literarischen Fragments ist, daß er es als »in sich vollendet« denkt, so sich dem herkömmlichen Sprachgebrauch entgegenstellend. Wie kann etwas, was Bruchstück ist, zugleich in sich vollendet sein? Schlegels Antwort lautet, indem man die Zeitrichtung umkehrt und das Fragment nicht als Teil eines ehemals vorhandenen Ganzen bestimmt, sondern als Projekt. Fragmentarisch ist das Projekt, insofern es in vielem unausgeführt bleibt, zugleich aber kann es als Projekt vollendet sein, weil es die wesentlichen Züge des zu schaffenden Werks enthält. Damit ist dem Projekt oder Fragment ein eigenständiger ästhetischer Wert zugesprochen. Es löst sich von der Bindung ans Werk und wird selbständig. Die Ästhetik des Fragments ist eine Ästhetik der Skizze, die keine Einlösung durch das Werk mehr verlangt.

Halten wir fest: das romantische Fragment ist nicht Bruchstück von etwas Vergangenem, sondern Skizze eines Zukünftigen. Als solche kann es seine eigene Vollendung haben. Das Unfertige, bloß Angelegte, verlangt gar nicht nach späterer Ausführung, sondern ist in seiner Vorläufigkeit vollkommen. Sein Verhältnis zur Zeit ist eigenartig gebrochen: Als Projekt ist es zukunftsorientiert; insofern aber seine Realisierung gar nicht mehr intendiert ist, stellt es diese Zukunftsorientierung auch wieder still bzw. überantwortet sie dem Rezipienten.

Der Rezipient ist auch die Schlüsselgestalt, die die paradoxe Forderung, das »vollkommene Projekt« solle zugleich subjektiv und objektiv sein, wenn auch nicht auflöst, so doch einer möglichen Lösung zuführt. Daß ein subjektiv Gesetztes Notwendigkeit, und d.h. überindividuelle Geltung erlangen kann, ist möglich nur im Prozeß der Anerkennung. Die Notwendigkeit, die sowohl eine der sinnlichen Sprachgestalt wie der Bedeutung ist (»physisch und moralisch notwendig«, heißt es bei Schlegel), ist produzierte Notwendigkeit, hervorgebracht vom Autor und bestätigt im Prozeß der Anerkennung.

Um etwas hervorzubringen, dem zukünftige Geltung zukommen kann, muß der Autor seinen Anspruch auf bewußte Gestaltung zurücknehmen und sich dem Zufall überlassen.

Die wichtigsten wissenschaftlichen Entdeckungen sind Bonmots der Gattung. Das sind sie durch die überraschende Zufälligkeit ihrer Entstehung, durch das Kombinatorische des Gedankens, und durch das Barocke des hingeworfenen Ausdrucks (*KS*, 49).

Im Zufall liegen nebeneinander die Gefahr der Beliebigkeit und die Chance der überraschenden Erkenntnis. Beides findet sich in Schlegels literarischen Notizen.[14] Das Auftreten des Zufälligen selbst ist keineswegs zufällig; vielmehr kann es herbeizitiert werden durchs Verfahren. Die Scheintautologie, die semantische Ver-

14 Vgl. F. Schlegel, *Literarische Notizen 1797-1801 [...]*, hg. v. H. Eichner (Ullstein Buch, 35070). Frankfurt/Berlin/Wien 1980.

schiebung, vor allem aber die Gleichsetzung des Entgegengesetzten sind solche Verfahren, um den Zufall produktiv zu machen. Das romantische Fragment ist einer der bedeutenden Formgedanken der Moderne, weil es die Grunderfahrung der Entzweiung zugleich festhält und transzendiert. Das Unfertige, auf Zukunft Bezogene, ist Form gewordene Entzweiung, die auch im monadischen Nebeneinander der Fragmente sich ausspricht. Als in sich Vollendetes, von der Welt Abgesondertes aber transzendiert es die Entzweiung, indem es punktuell das Entgegengesetzte zur Einheit zusammenschießen läßt. Da diese Einheit aber immer nur eine besondere ist, die bestimmte Terme betrifft, ist das Fragment Modell einer Vereinigung, die ausschließt, die Einheit des Ganzen zu denken. Die Selbständigkeit der Fragmente polemisiert gegen den Gedanken des philosophischen Systems.

> Das Wahre ist der bacchantische Taumel, an dem kein Glied nicht trunken ist; und weil jedes, indem es sich absondert, ebenso unmittelbar [sich] auflöst, ist er ebenso die durchsichtige und einfache Ruhe.

Dieses Fragment, das das Wahre in die Nähe des Chaos rückt und die Gegensätze von Taumel und Ruhe zusammenzwingt, stammt freilich nicht von Schlegel, sondern von dem Autor der *Phänomenologie des Geistes* (*HW* 3, 46). In Hegel steckt ebenso ein romantischer Fragmentarist wie in Schlegel ein Systematiker.[15] Wo das nicht erkannt wird, bleibt man bei der abstrakten Entgegensetzung stehen und verfehlt die Dialektik der Sache, d.h. die systemsprengenden Momente im Systemdenken ebenso wie die systematischen im Fragmentarismus. Schließlich ist es kein Zufall, wenn in Adornos Ästhetik Hegelsche und Schlegelsche Motive zusammentreffen, wobei die letzteren freilich verdeckt bleiben.

15 Auf die Nähe Schlegels zu dem Systemdenken Hegels hat Szondi hingewiesen: »Ein Blick auf das Inhaltsverzeichnis der Hegelschen *Ästhetik* zeigt, wieviel Schlegel in der Idee vorwegnahm und in der Realität sich wegnehmen ließ von dem, was heute als die *Vollendung der klassischen Ästhetik* gilt: das Werk, das er schreiben wollte, hat Hegel geschrieben (oder doch als Vorlesung gehalten)« (»Friedrich Schlegels Theorie der Dichtarten [...]«, in: ders., *Schriften II*, 49).

2. Der Poet in der Weltstadt. Zur Modernität Heines

Adornos Heine-Essay

In den großen Entwürfen einer Ästhetik der Moderne fehlt der Name Heines. Weder Benjamin noch Adorno noch Hugo Friedrich räumen ihm einen Platz unter den Begründern der ästhetischen Moderne ein. Das ist insofern erstaunlich, als Heine wie kaum ein anderer die Veränderungen der Literaturproduktion unter Bedingungen der entstehenden bürgerlichen Gesellschaft reflektiert hat. Zwar hat die Heine-Forschung der letzten anderthalb Jahrzehnte die Frage der Modernität Heines erörtert[16], aber ihre Resultate finden, soviel ich sehe, kaum Eingang in die allgemeine Diskussion um den Begriff der Moderne.

Die Vermutung, daß diese Vernachlässigung Heines vornehmlich politische Gründe haben könnte, greift zu kurz. Mag sie im Fall Hugo Friedrichs noch eine gewisse Plausibilität beanspruchen, so verfehlt sie völlig die Problemlage bei Benjamin und Adorno. Es liegt nahe, in diesem Zusammenhang an die Wirkung der vernichtenden Heine-Polemik von Karl Kraus zu erinnern, auf dessen »Verdikt« auch Adorno zu Beginn seines Heine-Essays verweist. Kraus hatte in der Dichtung Heines »die große Erbschaft« gesehen, »von der der Journalismus bis zum heutigen Tage lebt, zwischen Kunst und Leben ein gefährlicher Vermittler«.[17] Adorno knüpft daran an, wenn er schreibt:

16 Vgl. A. Betz, *Ästhetik und Politik. Heinrich Heines Prosa*. München: Hanser 1971 und P. U. Hohendahl, »Geschichte und Modernität. Heines Kritik an der Romantik«, in: ders., *Literaturkritik und Öffentlichkeit* (Serie Piper, 84). München 1974, 50-101. – Einen Überblick über die neueren Arbeiten zu Heines Kunstauffassung gibt J. Hermand, *Streitobjekt Heine. Ein Forschungsbericht 1945-1975* (FAT, 2101). Frankfurt: Athenäum 1975, 145 ff.

17 K. Kraus, »Heine und die Folgen«, in: *Die Fackel* Nr. 329/330 (31.8.1911), 7. – Übrigens hat Kraus Heine nicht immer für den Verfall des Sprachgefühls verantwortlich gemacht. In den ersten Nummern der *Fackel* gilt ihm Heine vielmehr als Maßstab, an dem der Wiener Journalismus gemessen werden muß, und er macht es sich zur Aufgabe, »Heine und die andern Großen [...] gegen freche Verunglimp-

Heines Gedichte waren prompte Mittler zwischen der Kunst und der sinnverlassenen Alltäglichkeit. Die Erlebnisse, die sie verarbeiteten, wurden ihnen unter der Hand, wie dem Feuilletonisten, zu Rohstoffen, über die sich schreiben läßt; die Nüancen und Valeurs, die sie entdeckten, machten sie zugleich fungibel, gaben sie in die Gewalt einer fertigen, präparierten Sprache. Das Leben, von dem sie ohne viel Umstände zeugten, war ihnen verkäuflich; ihre Spontaneität eins mit der Verdinglichung. Ware und Tausch bemächtigten sich in Heine des Lauts, der zuvor sein Wesen hatte an der Negation des Treibens.[18]

Moderne Dichtung ist für Adorno dadurch charakterisiert, daß sie sich mit den Mitteln sprachlicher Esoterik dem entzieht, was er als universalen Verdinglichungszusammenhang bezeichnet, der Prägung aller zwischenmenschlichen Beziehungen durch das Tauschprinzip. Insofern Heine darauf verzichtet, eine in sich verschlossene Dichtungssprache zu entwickeln, vielmehr die Sprache des Alltags ins Gedicht einläßt, so Verständlichkeit und Popularität erreichend, fällt er aus der Modernebestimmung Adornos heraus. Modernität kann Adorno Heine nur insofern zugestehen, als die verdinglichte Sprache seiner Lyrik von der »Gewalt der entfalteten kapitalistischen Gesellschaft« zeugt (147). Aber anders als Baudelaire habe Heine sich dieser Gewalt überlassen, »gleichsam eine dichterische Technik der Reproduktion, die dem industriellen Zeitalter entsprach, auf die überkommenen romantischen Archetypen angewandt, nicht aber Archetypen der Moderne getroffen« (147f.).
Der Dialektiker Adorno gibt sich freilich nicht damit zufrieden, das Urteil von Karl Kraus über Heine zu bestätigen; es geht ihm vielmehr um die Rettung dessen, wogegen seine ästhetische Sensibilität sich sträubt. Gerade die »Sprachlosigkeit seiner Sprache« werde bei Heine zum »Ausdruck des Bruchs«; »Mißlingen schlägt um ins Gelungene« (150). Modern wäre Heine dann gerade dadurch, daß er sich total einer verdinglichten Sprache überläßt und diese zwingt, die Unmöglichkeit von Ausdruck unter Bedingungen universaler Verdinglichung einzugestehen. Dieser Versuch ei-

fung [sc. durch Journalisten, die sich auf ihn berufen] zu schützen« (in: *Die Fackel* Nr. 1 [Anfang April 1899], 22).

18 Th. W. Adorno, »Die Wunde Heine«, in: ders., *Noten zur Literatur I* (Bibl. Suhrkamp, 47). Frankfurt 1958, 146f.; in Klammern gesetzte Ziffern verweisen im folgenden auf die Seiten dieses Aufsatzes.

ner Rettung leidet noch daran, daß er sich unvermittelt dem Krausschen Verdikt entgegenstellt, dessen fortdauernde Geltung Adorno zu Beginn seines Essays noch einmal hervorgehoben hatte. Das legt den Gedanken nahe, die Rettung Heines als historischen Prozeß zu begreifen. Nicht direkt durch die Gewalt der kapitalistischen Gesellschaft erklärte sich dessen »Sprachlosigkeit«, vielmehr wäre sie Resultat der vergeblichen Anstrengung des assimilierten Juden, die ihm letztlich fremde Sprache sich zu unterwerfen. Nachdem mit dem Ende des zweiten Weltkriegs die Sprach- und Heimatlosigkeit das Schicksal aller geworden, komme der Brüchigkeit der Heineschen Texte ein Wahrheitsgehalt zu, den diese ursprünglich nicht hatten. Die Virtuosität dessen, der »die Sprache wie ein vergriffenes Ding gebraucht« (149), einst nur ohnmächtiger Anpassungsversuch des Ausgestoßenen, werde zum Ausdruck einer Situation, in der alle »in Wesen und Sprache beschädigt« sind (152).

Insofern sie modellhaft den Gedanken vom Zeitkern der ästhetischen Wahrheit vorführt, besticht die Argumentation Adornos, ohne freilich ganz zu überzeugen. Der Grund dafür dürfte darin liegen, daß sie eigentlich folgenlos bleibt sowohl für Adornos Bewertung von Heines Lyrik als auch für seinen Modernebegriff. In der *Ästhetischen Theorie* hat die Rettung Heines keine Spuren hinterlassen, der Begriff moderner Dichtung wird dort vornehmlich von Baudelaire, Kafka und Beckett her entwickelt. Das negative Urteil, Heine habe keine Archetypen der Moderne getroffen, über das die Rettung doch hinausweist, behält also seine Gültigkeit. Würde Adorno aus seinem Heine-Essay die Konsequenzen ziehen, die dieser nahelegt, so wäre auch der Gegensatz von »heimatlicher Geborgenheit in der Sprache« (148) und »Widerstandslosigkeit gegenüber dem kurrenten Wort« (149) dialektisch einzuholen. Das aber bedeutete nichts Geringeres als eine Revision des Adornoschen Modernebegriffs, der am Prinzip der erschwerten Form und d.h. gerade des Widerstands gegen die kommunikative Sprache festgemacht ist. Dieses Prinzip aber tritt geschichtlich erst nach 1848 auf. Es hat die schockhaften Erfahrungen zur Voraussetzung, die das Scheitern der 48er Revolution auslöst. Es überlagert, verdrängt aber keineswegs jenen andern Traditionsstrang modernen Dichtens, der von den ironischen Liedern Heines über Laforgue, Apollinaire, den frühen Eliot des

Prufrock und den Benn der Morgue-Gedichte bis zu Wolf Biermann reicht und dessen herausragendes Merkmal gerade die Kolloquialität ist.

Die Pickelhaube oder der metonymische Blick

Nicht übel gefiel mir das neue Kostüm
Der Reuter, das muß ich loben,
Besonders die Pickelhaube, den Helm
Mit der stählernen Spitze nach oben.

Das ist so rittertümlich und mahnt
An der Vorzeit holde Romantik,
An die Burgfrau Johanna von Montfaucon,
An den Freiherrn Fouqué, Uhland, Tieck.

Das mahnt an das Mittelalter so schön,
An Edelknechte und Knappen,
Die in dem Herzen getragen die Treu'
Und auf dem Hintern ein Wappen.

Das mahnt an Kreuzzug und Turnei,
An Minne und frommes Dienen,
An die ungedruckte Glaubenszeit,
Wo noch keine Zeitung erschienen.

Ja, ja, der Helm gefällt mir, er zeugt
Vom allerhöchsten Witze!
Ein königlicher Einfall war's!
Es fehlt nicht die Pointe, die Spitze!

Nur fürcht' ich, wenn ein Gewitter entsteht,
Zieht leicht so eine Spitze
Herab auf euer romantisches Haupt
Des Himmels modernste Blitze!

Und wenn es Krieg gibt, müßt ihr euch
Viel leichteres Kopfzeug kaufen;

Des Mittelalters schwerer Helm
Könnt' euch genieren im Laufen.[19]

Wer in Heines *Deutschland, ein Wintermärchen* die Unmittelbarkeit lyrischen Ausdrucks sucht, wird enttäuscht. Hier ist alles vermittelt. Nicht als Gegenstand einer Erfahrung rückt das scheinbar triviale Sujet (die Veränderung der preußischen Uniform) in den Blick, sondern als Reflexionsobjekt eines Ich. Dessen metonymischer Blick verwandelt die Pickelhaube zum dinghaften Zeichen einer anachronistischen Epoche, deren Untergang Heine literarisch vorwegnimmt, indem er das Sujet durch eine Häufung komischer Techniken der Lächerlichkeit preisgibt: reicher Reim, wobei der vom Metrum geforderte Akzent quersteht zur Wortbetonung (Romántik / Uhlánd Tieck), Alliteration von Wörtern mit gegenläufiger Semantik (Herzen und Hintern), parodistische Wortwahl (Kostüm statt Uniform), schließlich die Ironie[20], die nicht nur die

19 H. Heine, *Deutschland. Ein Wintermärchen [1844]*, in: ders., *Sämtliche Werke*, hg. v. E. Elster. 7 Bde., Leipzig/Wien: Bibl. Institut o. J., Bd. II, 436; diese Ausgabe wird im folgenden mit der Sigle *SW* zitiert. Die letzte der zitierten Strophen hat Heine auf Anraten des liberalen Redakteurs François Wille vor der Drucklegung des *Wintermärchens* in Hamburg gestrichen. »Das schickt sich nicht für Sie, ein ganzes tapferes Volk dürfen Sie nicht beschimpfen wollen«, lautet Willes Argument. Der Herausgeber des *Wintermärchens* in der Historisch-kritischen Gesamtausgabe hat daher die Strophe auch nur unter den Bruchstücken abgedruckt (H. Heine, *Historisch-kritische Gesamtausgabe der Werke*, hg. v. M. Windfuhr. Bd. IV, hg. v. W. Woesler. Hamburg: Hoffmann und Campe 1985, 959f. und 292; Literaturangaben zum *Wintermärchen* ebd. 1010f.; diese Ausgabe wird im folgenden *HKG* abgekürzt).

20 Die ältere Heineforschung faßt die komischen Techniken Heines unter dem Oberbegriff der Ironie; wie W. Preisendanz gezeigt hat, sprechen Heine und seine Zeitgenossen von Humor. »Heines literarischer Humor war demnach für die zeitgenössische Rezeption eine Schreibart, in welcher sich Opposition gegen die geschichtlichen Verhältnisse und Selbstrelativierung zu einer Sprache gestalten, die das unvernünftige der geschichtlichen Welt nur auf der Folie der eigenen Bedingtheiten, Gegensätze und Paradoxien darzustellen vermag« (»Die umgebuchte Schreibart. Heines literarischer Humor im Spannungsfeld von Begriffs-, Form- und Rezeptionsgeschichte«, in: W. Kuttenkeuler (Hg.), *Heinrich Heine. Artistik und Engagement*. Stuttgart: Metzler 1977,

Träger des neuen Helms lächerlich macht, sondern auch indirekt die Hoffnung zum Ausdruck bringt, die veraltete absolutistische Herrschaftsform möchte auch in Preußen eine Revolution hervorrufen.

Heine nimmt das banale Detail aus dem Alltagsleben als Gegenstand der Reflexion ernst und sucht in ihm die Zeichen der Zeit zu entziffern. »Der Ort, den eine Epoche im Geschichtsprozeß einnimmt, ist aus der Analyse ihrer unscheinbaren Oberflächenäußerungen schlagender zu bestimmen als aus den Urteilen der Epoche über sich selbst. Diese sind als der Ausdruck von Zeittendenzen kein bündiges Zeugnis für die Gesamtverfassung der Zeit. Jene gewähren ihrer Unbewußtheit wegen einen unmittelbaren Zugang zu dem Grundgehalt des Bestehenden«.[21] Wie Kracauer im Massenornament, das die Tillergirls formen, den ästhetischen Reflex kapitalistischer Rationalität entdeckt, so Heine in der Pickelhaube den Anachronismus Preußens in der Epoche des Vormärz.

Modern ist die sinnhafte Deutung von Realitätsfragmenten deshalb, weil in sie eine Voraussetzung eingeht, die erst in der modernen Gesellschaft gegeben ist: Erst nachdem religiöse und metaphysische Deutungssysteme ihre verpflichtende Geltung eingebüßt haben und die Wirklichkeit daher nicht mehr als eine immer schon sinnhaft gedeutete, sondern als eine bloß faktisch gegebene erscheint, ist jener Umgang mit dem Realitätsfragment möglich, den Heine praktiziert und dessen Theorie Kracauer skizziert hat. Freilich ist er keineswegs die einzige Weise, den Verlust verpflichtender Deutungsmuster zu verarbeiten; konkurrierend steht er mindestens zwei andern gegenüber, dem Positivismus und der individuellen Mystik. Entweder die Realität wird als bloß faktisch gegebene aufgefaßt und jeder Versuch sinnverstehender Deutung als Metaphysik denunziert, oder das beliebig herausgegriffene Realitätsfragment wird zum Anlaß einer mystischen Erfahrung, die die Brücken zur Mitwelt niederreißt. In beiden Fällen wird auf

1-21; hier: 15). – Angesichts der Tatsache, daß die spätere Verharmlosung des Humorbegriffs sich nicht einfach tilgen läßt, liegt es nahe, den Begriff des ironischen Humors aufzugreifen, den Heine selbst als Schreibart derjenigen Schriftsteller bestimmt, »die unter Zensur und Geisteszwang aller Art schmachten und doch nimmermehr ihre Herzensmeinung verleugnen können« (*Romantische Schule*, *SW* V, 290).

21 S. Kracauer, *Das Ornament der Masse*. Frankfurt: Suhrkamp 1963, 50.

die Möglichkeit sinnhafter Deutung von Welt verzichtet. Indem Heine an ihr festhält, setzt er voraus, daß auch die moderne Welt nicht als ein bloßes Nebeneinander von Daseiendem aufzufassen ist, sondern als ein von Menschen produzierter Sinnzusammenhang. Um diese Sinnspur (um mehr handelt es sich nicht) in der Wirklichkeit auszumachen, bedarf es eines doppelten Bezugsrahmens: zum einen einer Geschichtskonstruktion (erst der Gegensatz von alter und neuer Zeit macht die Pickelhaube zum Zeichen des preußischen Anachronismus), zum andern der Subjektivität eines Ich, das die eigene Erfahrung als gesellschaftlich bedingte interpretiert.

Und als ich die deutsche Sprache vernahm,
Da ward mir seltsam zu Mute;
Ich meinte nicht anders, als ob das Herz
Recht angenehm verblute (*SW* II, 431).

Das Pathos subjektiver Erschütterung des Ich, das nach 13jährigem Exil zum ersten Mal wieder deutsche Laute hört, wird durch das Oxymoron (»recht angenehm verblute«) zugleich ausgesprochen und zurückgenommen. Mit romantischer Zerrissenheit hat diese Haltung durchaus etwas gemein; was sie jedoch davon unterscheidet, ist der Bezug auf die Gesellschaft. Die Erschütterung weist nicht nur auf die persönliche Erfahrung des Autors Heine, sondern indirekt auf die gesellschaftliche Situation Deutschlands nach den Karlsbader Beschlüssen und dem Verbot der Schriften des Jungen Deutschland nach 1835. Selbstverständlich ist auch die Zerrissenheit des romantischen Ich gesellschaftlich bedingt, es erfährt diese aber als etwas Unbedingtes. Anders bei Heine: die gesellschaftlichen Zusammenhänge, die die Erfahrungen des Ich prägen, werden entweder direkt angesprochen, oder sie liegen doch in dem vom Text wachgerufenen Assoziationsraum des Lesers.
Das Subjekt, das sich durch geschichtliche Erfahrung konstituiert weiß, wird zum höchst empfindlichen Seismographen, der auch unscheinbare Veränderungen des gesellschaftlichen Ganzen anzeigt. Hatte Hegel dem Subjektivismus der Romantiker vorgeworfen, daß ihm der Gegenstand zum beliebigen Anlaß werde, so ließe der Heinesche sich in erster Annäherung dahingehend bestimmen, das Subjekt werde zum Instrument der Erkenntnis und der Darstellung von Welt. Nicht der Gegenstand wird bei Heine

zum Anlaß, sondern das Subjekt wird funktionalisiert. Es übernimmt die verschiedensten einander widersprechenden Positionen und Rollen, um eine in sich widersprüchliche Realität fassen zu können. Das Leiden an der Welt wird publizitätsbezogen ausagiert. Heines Subjektivität ist modern, insofern sie am Schnittpunkt von Erfahrung und literarischer Technik ihren Ort hat.[22]

Archetypen der Moderne

Wer von der Modernität Heines spricht, denkt vor allem an dessen Prosa. Modern ist zunächst ihr Gegenstand, das Leben in der Großstadt. Selbstverständlich gibt es Großstadtschilderungen vor Heine; solche, die in größere Erzählzusammenhänge eingebaut sind (man denke an die Parisbilder in Rousseaus *Nouvelle Héloïse*), und andere, denen bereits ein soziologisches Interesse an der Erfassung der verschiedenen Gesellschaftsschichten zugrundeliegt wie denen des *Tableau de Paris* von Mercier.[23]
Heines 1828 verfaßter Text *London*, den er später in den vierten Teil der *Reisebilder* aufgenommen hat, ist weder in einen fiktionalen Kontext eingebaut, noch verdankt er sich einem auf die Fülle faktisch beobachtbarer Lebensverhältnisse ausgerichteten Darstellungsinteresse. Um die Besonderheit des Textes besser erfassen zu können, soll er zunächst mit einer Londondarstellung aus Tiecks Roman *William Lovell* und mit der Amsterdamschilderung

22 Vgl. dazu N. Altenhofer, *Harzreise in die Zeit. Zum Funktionszusammenhang von Traum, Witz und Zensur in Heines früher Prosa* (Schriften der Heinrich Heine-Gesellschaft, 5). Düsseldorf 1972, 8f., und B. Lindner, »Literarische Öffentlichkeit und politische Subjektivität. Literatursoziologische Thesen, konkretisiert an Heines auktorialer Prosa«, in: R. Schäfer (Hg.), *Germanistik und Deutschunterricht [...]* (Kritische Information, 87). München: Fink 1979, 153-190.

23 »Je parlerai des mœurs publiques et particulières, des idées régnantes, de la situation actuelle des esprits, de tout ce qui m'a frappé dans cet amas bizarre de coutumes folles ou raisonnables, mais toujours changeantes«, so entwickelt Mercier in der *Préface* das Programm seines *Tableau de Paris*, dessen erste, zweibändige Ausgabe 1781 erscheint. Und er fügt hinzu: »J'ai fait des recherches dans toutes les classes de citoyens« (L.-S. Mercier, *Tableau de Paris 1781-88. Extraits*. Paris: Horizons de France 1947, 11).

aus Georg Forsters *Ansichten vom Niederrhein* konfrontiert werden.[24]

Ich bin gestern in London angekommen, das Gewühl der Stadt, das Geräusch der Wagen und die lärmende Munterkeit kontrastierte sehr mit der Ruhe des Landes, die ich soeben verließ [...]. London kömmt mir, ohngeachtet der vielen Menschen, sehr einsam vor, meine Zimmer sind mir ganz fremd geworden, alles ist so eng und düster, man sieht kein Feld, keinen Baum; und wenn ich dagegen an die reizenden Hügel und schönen Gebirge denke, an jene Seen und Wasserfälle, den dichtend rauschenden Wald, und an das mannigfaltige Leben der Natur, so möchte ich gleich wieder umkehren, um dieses vielfach bewegte, aber tote Chaos wieder hinter mir zu haben.[25]

Der Gegensatz von Stadt und Land sowie die eindeutigen Bewertungen der beiden Lebensbereiche sind aus Rousseaus *Nouvelle Héloïse* bekannt. Dem Lärm und der Bewegung der Stadt wird die »Ruhe des Landes« gegenübergestellt, und ihrer düsteren Enge der die Sinne anregende Anblick der weiten Natur. Ist die Stadt der Ort der Einsamkeit, so das Land der intimer Geselligkeit (»die kleine Gesellschaft [war] so traulich, alle machten gleichsam *eine* Seele«, heißt es in dem ausgelassenen Teil des fiktiven Briefs). Ein Wort faßt den Eindruck zusammen, den das städtische Leben auf die Briefschreiberin in Tiecks Roman macht: »dieses vielfach bewegte, aber tote Chaos«. Da sie London als einen ihr zutiefst fremden Bereich erfährt, vermißt sie zugleich Leben und Ordnung.
Ganz anders, nämlich mit dem Pathos des bürgerlichen Aufklärers hatte Georg Forster in seinen *Ansichten vom Niederrhein* eine andere große Handelsstadt gesehen: Amsterdam.

24 In der *Historisch-kritischen Gesamtausgabe der Werke* Heines sind zeitgenössische London-Darstellungen aufgeführt (*HKG* VII, 1682 ff.), in den Erläuterungen zitiert der Herausgeber des Bandes, Alfred Opitz, Parallelstellen zu Heines London-Schilderung (ebd., 1703 ff.).

25 L. Tieck, *William Lovell [1795/6]*, in: ders., *Frühe Erzählungen und Romane*, hg. v. Marianne Thalmann. Darmstadt: Wiss. Buchgesellschaft 1977, 253 (1. Buch, 8. Brief).

Also nicht dem Auge allein, sondern auch dem Verstand erscheint Amsterdam von der Wasserseite in seinem höchsten Glanze. Ich stelle mich in Gedanken in die Mitte des Hafens und betrachte links und rechts die Gruppen von vielen hundert Schiffen aus allen Gegenden von Europa; ich folge mit einem flüchtigen Blick den Küsten, die sich nach Alkmaar und Enkhuizen erstrecken und auf der anderen Seite hin den Busen des Texels bilden. Die Stadt mit ihren Werften, Docken, Lagerhäusern und Fabrikgebäuden; das Gewühl des fleißigen Bienenschwarmes längs dem unabsehlichen Ufer, auf den Straßen und den Kanälen; die zauberähnliche Bewegung so vieler segelnder Schiffe und Boote auf dem Zuidersee und der rastlose Umschwung der Tausende von Windmühlen um mich her – welch ein unbeschreibliches Leben, welche Grenzenlosigkeit in diesem Anblick! Handel und Schiffahrt umfassen und benutzen zu ihren Zwecken so manche Wissenschaft; aber dankbar bieten sie ihr auch wieder Hülfe zu ihrer Vervollkommnung. Der Eifer der Gewinnsucht schuf die Anfangsgründe der Mathematik, Mechanik, Physik, Astronomie und Geographie; die Vernunft bezahlte mit Wucher die Mühe, die man sich um ihre Ausbildung gab; sie knüpfte ferne Weltteile aneinander, führte Nationen zusammen, häufte die Produkte aller verschiedenen Zonen – und immerfort vermehrte sich dabei ihr Reichtum von Begriffen; immer schneller ward ihr Umlauf, immer schärfer ihre Läuterung. Was von neuen Ideen allenfalls nicht hier zur Stelle verarbeitet ward, kam doch als roher Stoff in die benachbarten Länder; dort verwebte man es in die Masse der bereits vorhandenen und angewandten Kenntnisse und früher oder später kommt das neue Fabrikat der Vernunft an die Ufer der Amstel zurück. – Dies ist mir der Totaleindruck aller dieser unendlich mannigfaltigen, zu einem Ganzen vereinigten Gegenstände, die vereinzelt und zergliedert so klein und unbedeutend erscheinen. Das Ganze freilich bildet und wirkt sich ins Dasein aus, ohne daß die Weisesten und Geschäftigsten es sich träumen ließen; sie sind nur kleine Triebfedern in der Maschine, und nur Stückwerk ist ihre Arbeit. Das Ganze ist nur da für die Phantasie, die es aus einer gewissen Entfernung unbefangen beobachtet und die größeren Resultate mit künstlerischer Einheit begabt; die allzu große Nähe des besonderen Gegenstandes, worauf die Seele jedes Einzelnen als auf ihren Zweck sich konzentriert, verbirgt ihr auch des Ganzen Zusammenhang und Gestalt.[26]

Nicht der sinnliche Eindruck der Stadt steht bei Forster im Vordergrund, auch nicht die Stadt als Gegenstand einer individuellen

26 G. Forster, *Ansichten vom Niederrhein [...] [1790]*, in: ders., *Werke*, hg. v. G. Steiner. 2 Bde., Berlin/Weimar: Aufbau Verlag 1968; Bd. II, 385 f. (Kapitel XXV).

Erfahrung (wie in dem Roman Tiecks und den Briefen Kleists), vielmehr konstruiert er einen »Totaleindruck«. Forster wählt einen (fiktiven) Blickpunkt – »ich stelle mich in Gedanken in die Mitte des Hafens« –, von dem aus das, was die Briefschreiberin Tiecks als »totes Chaos« empfindet, als Vielfalt geheimnisvoll aufeinander bezogener Bewegungsabläufe erscheint: »welch ein unbeschreibliches Leben«. Die sich daran anschließende Reflexion legt den wechselseitigen Zusammenhang von kapitalistischem Gewinnstreben und Wissenschaftsentwicklung frei. Freilich gesteht Forster, daß das von ihm entworfene Bild des Ganzen sich nicht mit der Erfahrung derer deckt, die in den Prozeß eingespannt sind: »sie sind nur kleine Triebfedern in der Maschine, und nur Stückwerk ist ihre Arbeit«. Das Ganze ist das Resultat einer durch den Abstand des Betrachters von der Realität allererst hervorgebrachten Synthese. Der Künstler erfaßt das Ganze, aber in sein Bild geht die Entfremdungserfahrung der Subjekte nur als Leerstelle ein, die die Reflexion bezeichnet.

In den Texten von Tieck und Forster wird jeweils ein Aspekt möglicher Erfahrung der Großstadt an der Wende zum 19. Jahrhundert thematisiert: die Erfahrung der Fremdheit des noch an traditional ländlichen Lebensformen orientierten Individuums bei Tieck, die Faszination für die »Grenzenlosigkeit« moderner Verkehrsformen bei Forster. Heine steht sowohl in der Tradition der Aufklärung wie der Romantik; so vermag er die Erfahrungen, die bei Tieck und Forster noch als einzelne sich aussprechen, als widersprüchliche Einheit erkennbar zu machen. Sicherlich sind die Erfahrungen, die Tieck und Forster zum Ausdruck bringen, Reaktionen auf den Modernisierungsprozeß, trotzdem sind sie noch nicht im ästhetischen Wortsinne modern; dazu fehlt ihnen die schmerzhafte Fixierung auf den Widerspruch, die Heines Prosa kennzeichnet.

Ich habe das Merkwürdigste gesehen, was die Welt dem staunenden Geiste zeigen kann, ich habe es gesehen und staune noch immer – noch immer starrt in meinem Gedächtnisse dieser steinerne Wald von Häusern und dazwischen der drängende Strom lebendiger Menschengesichter mit all ihren bunten Leidenschaften, mit all ihrer grauenhaften Hast der Liebe, des Hungers und des Hasses – ich spreche von London.

Schickt einen Philosophen nach London, beileibe keinen Poeten! Schickt einen Philosophen hin und stellt ihn an eine Ecke von Cheapside, er wird hier mehr lernen als aus allen Büchern der letzten Leipziger Messe; und wie die Menschenwogen ihn umrauschen, so wird auch ein Meer von neuen Gedanken vor ihm aufsteigen, der ewige Geist, der darüber schwebt, wird ihn anwehen, die verborgensten Geheimnisse der gesellschaftlichen Ordnung werden sich ihm plötzlich offenbaren, er wird den Pulsschlag der Welt hörbar vernehmen und sichtbar sehen – denn wenn London die rechte Hand der Welt ist, die thätige, mächtige rechte Hand, so ist jene Straße, die von der Börse nach Downingstreet führt, als die Pulsader der Welt zu betrachten.

Aber schickt keinen Poeten nach London! Dieser bare Ernst aller Dinge, diese kolossale Einförmigkeit, diese maschinenhafte Bewegung, diese Verdrießlichkeit der Freude selbst, dieses übertriebene London erdrückt die Phantasie und zerreißt das Herz. Und wolltet ihr gar einen deutschen Poeten hinschicken, einen Träumer, der vor jeder einzelnen Erscheinung stehen bleibt, etwa vor einem zerlumpten Bettelweib oder einem blanken Goldschmiedladen – o! dann geht es ihm erst recht schlimm, und er wird von allen Seiten fortgeschoben oder gar mit einem milden God damn! niedergestoßen. God damn! das verdammte Stoßen! Ich merkte bald, dieses Volk hat viel zu thun. Es lebt auf einem großen Fuße, es will, obgleich Futter und Kleider in seinem Lande teurer sind als bei uns, dennoch besser gefüttert und besser gekleidet sein als wir; wie zur Vornehmheit gehört, hat es auch große Schulden, dennoch aus Großprahlerei wirft es zuweilen seine Guineen zum Fenster hinaus, bezahlt andere Völker, daß sie sich zu seinem Vergnügen herumboxen, gibt dabei ihren respektiven Königen noch außerdem ein gutes Douceur – und deshalb hat John Bull Tag und Nacht zu arbeiten, um Geld zu solchen Ausgaben anzuschaffen, Tag und Nacht muß er sein Gehirn anstrengen zur Erfindung neuer Maschinen, und er sitzt und rechnet im Schweiße seines Angesichts und rennt und läuft, ohne sich viel umzusehen, vom Hafen nach der Börse, von der Börse nach dem Strand, und da ist es sehr verzeihlich, wenn er an der Ecke von Cheapside einen armen deutschen Poeten, der, einen Bilderladen angaffend, ihm in dem Wege steht, etwas unsanft auf die Seite stößt. ›God damn!‹

Das Bild aber, welches ich an der Ecke von Cheapside angaffte, war der Übergang der Franzosen über die Beresina.

Als ich, aus dieser Betrachtung aufgerüttelt, wieder auf die tosende Straße blickte, wo ein buntscheckiger Knäul von Männern, Weibern, Kindern, Pferden, Postkutschen, darunter auch ein Leichenzug, sich brausend, schreiend, ächzend und knarrend dahinwälzte: da schien es mir, als sei ganz London so eine Beresinabrücke, wo jeder in wahnsinniger Angst, um sein bißchen Leben zu fristen, sich durchdrängen will, wo der kecke Reuter den armen Fußgänger niederstampft, wo derjenige, der zu Boden fällt, auf immer verloren ist, wo die besten Kameraden fühllos einer über die

Leiche des andern dahineilen und Tausende, die, sterbensmatt und blutend, sich vergebens an den Planken der Brücke festklammern wollten, in die kalte Eisgrube des Todes hinabstürzen.
Wie viel heiterer und wohnlicher ist es dagegen in unserem lieben Deutschland! Wie traumhaft gemach, wie sabbatlich ruhig bewegen sich hier die Dinge! Ruhig zieht die Wache auf, im ruhigen Sonnenschein glänzen die Uniformen und Häuser, an den Fliesen flattern die Schwalben, aus den Fenstern lächeln dicke Justizrätinnen, auf den hallenden Straßen ist Platz genug: die Hunde können sich gehörig anriechen, die Menschen können bequem stehen bleiben und über das Theater diskurieren und tief, tief grüßen, wenn irgend ein vornehmes Lümpchen oder Vizelümpchen, mit bunten Bändchen auf dem abgeschabten Röckchen, oder ein gepudertes, vergoldetes Hofmarschälkchen gnädig wiedergrüßend vorbeitänzelt! (*SW* III, 438f.).[27]

Der Gegensatz der beiden Erfahrungstypen, die wir bei Tieck und Forster kennengelernt haben, wird bei Heine thematisch. Auf der einen Seite der Poet, der »Träumer, der vor jeder einzelnen Erscheinung stehen bleibt«, auf der andern der Philosoph – Heine verwendet den Begriff im Sinne des französischen *philosophe* –, dem es um die Erfassung der »verborgensten Geheimnisse der gesellschaftlichen Ordnung« geht. Heine führt sich als »deutschen Poeten« ein, aber es geht ihm nicht um Selbstausdruck, sondern um das, was er als Aufgabe des Philosophen bestimmt hat, die Einsicht in gesellschaftliche Zusammenhänge. Der »deutsche Poet« ist eine Zeigefigur. Die Fähigkeit, sich ganz auf das jeweilige Wahrnehmungsobjekt einzulassen, die Faszination durchs Besondere haben ein Zeiterleben zur Voraussetzung, das quersteht zum time is money-Prinzip der kapitalistischen Großstadt. Zeit- und Lebensrhythmen, die sich der traditionalen Gesellschaft, dem »lieben Deutschland« verdanken (»Wie traumhaft gemach, wie sabbatlich ruhig bewegen sich die Dinge«), treffen hier auf das beschleunigte Tempo der Neuzeit. Die Stöße, die der deutsche Träumer empfängt, signalisieren die Gleichzeitigkeit des Un-

27 Es ist das Verdienst von Albrecht Betz, die Modernität dieses wenig bekannten Heine-Textes herausgearbeitet zu haben (*Ästhetik und Politik*, 30-41). Vgl. neuerdings auch H. Brüggemann, *›Aber schickt keinen Poeten nach London!‹ Großstadt und literarische Wahrnehmung im 18. und 19. Jahrhundert. Texte und Interpretationen*. Reinbek b. Hamburg: Rowohlt 1985, 114-139.

gleichzeitigen. Sie lassen den für gesellschaftlichen Fortschritt kämpfenden Heine einen ironisch gebrochenen, nostalgischen Blick auf das zurückgebliebene Deutschland werfen. Die Brechung ist wichtig: die Ruhe ist die der absolutistischen Kleinstaaten, wo jeder »ein vornehmes Lümpchen oder Vizelümpchen« zu grüßen hat. Die alte Welt, deren Ruhe eben noch als Gegenbild zur Hektik des modernen Lebens aufblitzte, wird entwertet durchs Diminutiv. Dagegen bekommt London die Dimensionen epischen Schreckens durch die Konfiguration, in die es tritt mit dem Bild, das den Rückzug der geschlagenen Armee Napoleons über die Beresina darstellt. Die repressive Gemütlichkeit der Kleinstädte des alten Deutschland konstrastiert mit dem brutalen Egoismus des modernen London. Das Urteil hat die klare Eindeutigkeit verloren, die wir bei Tieck und Forster fanden. Wie der Gegenstand nostalgischer Sehnsucht sich zur negativen Spießeridylle verkehrt, so ist die Faszination für die Weltstadt untrennbar verbunden mit dem Entsetzen über das Leben, das die Menschen hier einander bereiten.
Modern im ästhetischen Wortsinn ist zunächst einmal diese Sensibilität, diese Mischung aus Anziehung und Grauen, dieser Verlust der Sicherheit des Urteils, die bei aller Gegensätzlichkeit den Aufklärer mit dem Romantiker verbindet. Solange das bürgerliche Subjekt, sei es in der aufklärerischen Hoffnung auf eine vernünftige Gesellschaft, sei es in dem gegenrevolutionären Vertrauen in die Macht von Glauben und Tradition seine Gewißheit findet, ist es noch nicht modern; dies wird es, indem es den Widerspruch in sich einläßt und sich so zum Organ der Erkenntnis der Widersprüchlichkeit der Zeit macht. Diese Erkenntnis setzt weniger auf logische Folgerichtigkeit als auf die plötzliche Einsicht, die aus einem exakt beobachteten Oberflächenphänomen entspringt (in der Hast der Londoner scheint das Profitmotiv auf). Die Struktur des gesellschaftlichen Ganzen ist ihr nicht Gegenstand von Theorie, sie wird vielmehr im Schnittpunkt gedeuteter Einzelbeobachtungen ausgemacht. Eine solche Erkenntnis vertraut auf Konfigurationen: London vs. deutsche Kleinstadt. Diese Konfiguration »arbeitet« aber auf dem Hintergrund einer Konstruktion des Fortschritts, die sie wiederum dialektisch bricht. Die Verfahren der Erkenntnis sind dabei zugleich solche der Darstellung.
Die Verfahrensweisen, die Heine zur Anwendung bringt, dürften

zum überwiegenden Teil bereits in der Spätaufklärung und der Romantik entwickelt sein; sie treten aber im Zeichen moderner ästhetischer Subjektivität in eine Konstellation, die dem Heineschen Text ihre Signatur verleiht. Der Vergleich mit der Amsterdam-Schilderung Forsters zeigt, daß wir die Modernität Heines nicht am Gegenstand festmachen können, auch nicht am Erkenntnisresultat; denn Forster erfaßt bereits die zentrale Bedeutung des Profitmotivs. Auch Heines Einsicht in die Bedürfnisweckung durch das, was er Kunst der Ausstellung nennt und was wir mit dem Begriff von Fritz Haug als Warenästhetik bezeichnen, ist in Börnes Paris-Schilderungen aus den Jahren 1832/1833 vorgeprägt: »viele Zweige der Begehrlichkeit lernen wir erst kennen, wenn sich Vögel darauf setzen und sie schütteln«, schreibt Börne und zählt dann die Beispiele von Bedürfnisweckung auf.[28]
Weder die Gegenstände noch die Kunstmittel erlauben allein die Modernität des Heineschen Textes zu erfassen, diese hat vielmehr ihren Ort, wo beide zusammentreffen: in der nach außen gewendeten, zum Erkenntnisorgan gemachten, an den Widersprüchen der Zeit leidenden Subjektivität.

Ende der Kunstperiode oder Ende der Kunst

Mit dem vielzitierten Diktum vom Ende der Kunstperiode hat Heine nicht nur seiner eigenen literarischen Produktion eine theoretische Grundlage verschafft, er hat damit zugleich den Schriftstellern seiner Generation ein Stichwort geliefert, das den Rahmen für ein epochales Selbstverständnis bilden konnte. 1828 schreibt er in seiner Rezension von Menzels *Die deutsche Literatur*: »Das Prinzip der Goetheschen Zeit, die Kunstidee, entweicht, eine neue Zeit mit einem neuen Prinzip steigt auf, und, seltsam! wie das Menzelsche Buch merken läßt, sie beginnt mit Insurrektion gegen Goethe« (*SW* VII, 255). An die Stelle der »schönen objektiven Welt« Goethes trete bei den Jüngeren »das Reich der wildesten Subjektivität« (ebd.). Die Metapher Insurrektion ist alles andere als zufällig. Heine führt sie im weiteren Verlauf der Rezension

28 L. Börne, *Schilderungen aus Paris*, in: ders., *Gesammelte Schriften*, Bd. III. Rybnik: Bartels 1884, 16f. (Text III: Geld-Schwindsucht).

Werner Hilsing

Den Flanierenden leitet die Straße in eine entschwundene Zeit. Ihm ist eine jede abschüssig. Sie führt hinab, wenn nicht zu den Müttern, so doch in eine Vergangenheit, die um so bannender sein kann als sie nicht seine eigene, private ist (Benjamin)

fort: da ist von einer »Goetheschen Landmiliz« die Rede und davon, daß die alten Romantiker »zu regulären Truppen zugestutzt« werden und »die Goethesche Uniform anziehen« müssen. Noch 1835 in der *Romantischen Schule* nimmt er das Bild wieder auf und spricht von »Emeuten gegen Goethe« (*SW* V, 215). Durch die gewählte Metaphorik wird der Gegensatz von alter klassisch-romantischer Dichtung und neuer zugleich subjektivistischer und eingreifender Literatur in politischen Kategorien gedeutet. Goethe und die Romantiker werden nicht nur der untergehenden Zeit, sondern zugleich der absolutistischen Herrschaft zugerechnet, während die neue Literatur sich nicht nur als Ausdruck der »neuen Zeit« versteht, sondern darüber hinaus revolutionären Anspruch erhebt.

Dieser Anspruch, der sich hier noch in der Ambivalenz einer spielerisch immer weiter getriebenen Metaphorik hält, wird nach der Julirevolution am Schluß der *Reisebilder* explizit: »die Freiheit ist eine neue Religion, die Religion unserer Zeit« (*SW*, III, 501). Heine setzt auf eine deutsche Revolution; aber diese findet nicht statt. »Ein poetischer Wechsel auf diese Revolution ist geplatzt«.[29] Die Gleichsetzung von Wort und Tat, die Heine am Ende der *Reisebilder* vorgenommen hat – »Jetzt ist das Wort eine That, deren Folgen sich nicht abmessen lassen« (*SW* III, 502) –, erweist sich als Fantasma eines schreibenden Ich, das nun erneut auf sich zurückgeworfen ist und die gesellschaftliche Realität als das ihm Fremde erfährt; und zwar gerade auch die neue, aus der Revolution hervorgegangene Realität, die er in Frankreich kennenlernt. War die Formel vom Ende der Kunstperiode ein Signal, das den Anbruch einer neuen Epoche politischer Literatur verkünden sollte, schlagen dagegen einige aphoristische Notizen aus dem Nachlaß einen ganz andern Ton an.

29 So schreibt K. Briegleb in *Opfer Heine?* (suhrkamp taschenbuch wiss., 497; Frankfurt 1986, 171). Die Studie verbindet philologischen Spürsinn mit der Freiheit des Essayisten, dem es auch um die Verarbeitung eigener Erfahrung geht. Im Motiv des Flaneurs macht Briegleb die (von Baudelaire her gesehen) »›vorausgehende‹ Modernität des Dichters Heine« aus (ebd., 150) und geht den »Schreibproblemen« Heines nach, die sich diesem Anfang der 30er Jahre in Paris stellen, als der Impuls der Juli-Revolution in der Monarchie endet (ebd., 166ff.).

Die höchsten Blüten des deutschen Geistes sind die Philosophie und das Lied. Diese Blütezeit ist vorbei, es gehörte dazu die idyllische Ruhe; Deutschland ist jetzt fortgerissen in die Bewegung, der Gedanke ist nicht mehr uneigennützig, in seine abstrakte Welt stürzt die rohe Thatsache, der Dampfwagen der Eisenbahn gibt uns eine zittrige Gemütserschütterung, wobei kein Lied aufgehen kann, der Kohlendampf verscheucht die Sangesvögel, und der Gasbeleuchtungsgestank verdirbt die duftige Mondnacht (*SW* VII, 418).

Demokratischer Haß gegen die Poesie – der Parnaß soll geebnet werden, nivelliert, makadamisiert, und wo einst der müßige Dichter geklettert und die Nachtigallen belauscht, wird bald eine platte Landstraße sein, eine Eisenbahn, wo der Dampfkessel wiehert und der geschäftigen Gesellschaft vorübereilt (ebd., 419).

Sowohl die durch technisches Gerät geprägte moderne Lebenswelt als auch die Demokratie als Form politischer Herrschaft stehen diesen Aphorismen zufolge quer zur Dichtung. Deren historischer Ort wird das Ancien Régime und seine »idyllische Ruhe«. »In einer vorwiegend politischen Zeit wird selten ein reines Kunstwerk entstehen« (*SW* VII, 419). Dichtung erscheint hier gebunden an den Lebensrhythmus einer noch traditionalen Gesellschaft. Die Oppositionen, die das zweite Zitat ins Spiel bringt (Muße vs. Geschäftigkeit, Einsamkeit vs. Masse, Zweckfreiheit vs. Nützlichkeit), sind bereits von den Romantikern entwickelt worden. Kehrt Heine angesichts der Erfahrungen, die er im nachrevolutionären Frankreich macht, also zu einer Position zurück, die Poesie und moderne Welt in ein einfaches Verhältnis der Opposition zueinander setzt? Daß das nicht der Fall ist, zeigt ein Blick auf den Schluß seines Berichts über die Pariser Gemäldeausstellung des Jahres 1831. Freilich wird man nicht erwarten dürfen, daß Heine den Widerspruch, in den er als Vorkämpfer einer demokratisch verfaßten Gesellschaft mit einem Kunstbegriff gerät, dessen Nährboden die vormoderne Lebenswelt ist, in einer bündigen Formel aufhebt. Soll die Lösung dem Problem gerecht werden, dann darf sie weder die Kunst dem gesellschaftlichen Projekt unterwerfen (wozu er offenbar in der Zeit der Julirevolution tendierte), noch sie umgekehrt gegen die moderne Welt gleichsam abschotten (dies der Vorwurf, den er in der *Romantischen Schule* den Goetheanern macht); vielmehr muß sie den Widerspruch als Widerspruch austragen. Eben das tut Heine, indem er seine eigene Schreibsituation thematisiert.

Die politische Wirklichkeit bricht in den Text ein; der Autor vermag in seinem kunstkritischen Geschäft nicht fortzufahren, weil von der Straße der Lärm einer Volksmenge heraufdringt, die die Niederschlagung des polnischen Aufstands beklagt: »Warschau ist gefallen! Unsere Avantgarde ist gefallen!« (*SW* IV, 69). – Wir wissen heute, daß die Schreibsituation, die der Text evoziert, fiktiv ist; Heine befand sich zum Zeitpunkt der Eroberung Warschaus durch die Russen in dem Seebad Boulogne, und nicht in Paris.[30] Die Wahrheit, auf die der Text abzielt, ist keine faktische; das dürfte auch für die zeitgenössischen Leser bereits erkennbar gewesen sein, wenn Heine die Gefahren ausmalt, in die er sich begeben würde, wenn er von der aufgebrachten Volksmenge als Preuße erkannt würde: »so wird mir von irgend einem Julihelden das Gehirn eingedrückt, so daß alle meine Kunstideen zerquetscht werden« (ebd.). Nicht um die Wiedergabe eines wirklichen Geschehens geht es, sondern darum, den Widerspruch von Kunst und moderner Gesellschaft in allen Dimensionen zu entfalten.
Dieser Widerspruch erscheint zunächst als unversöhnlich. Das »rohe Geräusch des Lebens« läßt einen »ungetrübten Kunstgenuß« nicht zu (ebd., 70f.). Heine forciert den Gegensatz; in seiner Abhandlung hat er sich keineswegs ausschließlich mit ästhetischen Fragen, sondern ausgehend von den Sujets der Bilder sehr wohl auch mit gesellschaftlichen beschäftigt. Hier nun stehen Kunst und Leben zunächst einander abstrakt gegenüber. Daß diese abstrakte Entgegensetzung nichtig ist, das ist in der Konfrontation der Gewalttätigkeit des imaginierten Julihelden mit den Kunstideen der Autorfigur bereits angedeutet; sie wird im folgenden ironisch destruiert. »Mit Recht klagen die Künstler in dieser Zeit der Zwietracht, der allgemeinen Befehdung«, so beginnt der Absatz. Aber das Recht erweist sich bald als Unrecht, als Borniertheit derer, denen es einzig um ihr bißchen Ruhm zu tun ist: »Und daran ist die verdammte Julirevolution schuld, seufzen die Künstler, und sie verwünschen die Freiheit und die leidige Politik, die alles verschlingt, so daß von ihnen gar nicht mehr die Rede ist« (ebd.). Konfrontiert mit den Interessen gesellschaftlichen Fortschritts ist die Kunst das Unwesentliche, sich spreizende Belanglosigkeit.

30 Vgl. die Angaben bei Udo Köster, *Literatur und Gesellschaft in Deutschland 1830-1848 [...]*. Stuttgart: Kohlhammer 1984, 143ff.

Aber der Erfolgsautor Raupach, an dem Heine die Exekution der Kunst vorgenommen hat, ist tatsächlich die belanglose Kunst. So kann er gleich darauf den Gegensatz als einen substantiellen wieder aufnehmen. »Die jetzige Kunst muß zu Grunde gehen, weil ihr Prinzip noch im abgelebten alten Regime, in der heiligen römischen Reichsvergangenheit wurzelt. Deshalb, wie alle welken Überreste dieser Vergangenheit, steht sie im unerquicklichsten Widerspruch mit der Gegenwart. Dieser Widerspruch und nicht die Zeitbewegung selbst ist der Kunst so schädlich« (ebd., 72). Durch Einführung der Zeitdimension hat Heine eine erste Problemverschiebung vorgenommen. Nicht mehr Leben und Kunst stehen abstrakt einander gegenüber, sondern »die jetzige Kunst« wird als ungleichzeitig (im Blochschen Wortsinne) im Verhältnis zur »Zeitbewegung« gefaßt. Die »Zeitbewegung« anzuklagen, wäre das Falsche, denn sie ist das Wirkliche; wohl aber muß der Widerspruch festgehalten werden, denn er ist das Schicksal der Kunst in der Gegenwart. Damit hat Heine zugleich den Angelpunkt gefunden, um die Aufhebung des Widerspruchs zu denken, ohne sie deshalb als bereits geleistet zu unterstellen.

Wenn im antiken Griechenland und im Florenz Dantes es eine Kunst gegeben hat, die »das träumende Spiegelbild ihrer Zeit« war, wenn Kunst und Politik dort nicht getrennt waren, dann besteht begründete Hoffnung, »die neue Zeit [werde] auch eine neue Kunst gebären, die mit ihr selbst in begeistertem Einklang sein wird [...]. Bis dahin möge, mit Farben und Klängen, die selbsttrunkenste Subjektivität, die weltentzügelte Individualität, die gottfreie Persönlichkeit mit all ihrer Lebenslust sich geltend machen, was doch immer ersprießlicher ist als das tote Scheinwesen der alten Kunst« (ebd., 73). Nicht mehr (wie in der Menzel-Rezension) die neue Kunst bezeichnet hier das Stichwort »Subjektivität«, sondern die einer Übergangsepoche, auf die eine neue Einheit von Kunst und Leben folgen wird.

Hegel hatte die Kunst seiner Zeit eindeutig unters Primat der Subjektivität gestellt und damit Gegenstände und Verfahren dem Belieben des einzelnen Künstlers unterworfen. Für ihn war der »Standpunkt der neuesten Zeit« dadurch charakterisiert, »daß die Subjektivität des Künstlers über ihrem Stoffe und ihrer Produktion steht, indem sie nicht mehr von den gegebenen Bedingungen eines an sich selbst schon bestimmten Kreises des Inhalts wie der

Form beherrscht ist, sondern sowohl den Inhalt wie die Gestaltungsweise desselben ganz in ihrer Gewalt und Wahl behält« (*Ä* I, 576). Während also Hegel davon ausging, daß in der Moderne das Subjekt frei über Formen und Gegenstände verfügt, es also auch keinen bindenden Epochenstil mehr gibt, entwirft Heine die Perspektive einer neuen epochalen Stileinheit, von der aus die Subjektivität der Gegenwart als Übergangsphänomen eingeordnet werden kann. Doch wie bei Heine nicht anders zu erwarten, wird das scheinbar so ungebrochene Vertrauen in die Zukunft der Kunst bereits im darauffolgenden Absatz mit einem Fragezeichen versehen: »Oder hat es überhaupt mit der Kunst und mit der Welt selbst ein trübseliges Ende? Jene überwiegende Geistigkeit, die sich jetzt in der europäischen Litteratur zeigt, ist vielleicht ein Zeichen von nahem Absterben« (*SW* IV, 73). Das moderne Subjekt, das den Widerspruch in sich eingelassen hat, nimmt diesen auch in die eigene Theorie auf. Diese stellt eine optimistische und eine pessimistische Vision der Zukunft der Kunst unvermittelt nebeneinander. Heine löst den Widerspruch nicht auf, er inszeniert ihn. Die Subjektivität, von der er handelt, sie ist zugleich die den Text organisierende Instanz der Reflexion, die der Zeit zu dem ihr möglichen Bewußtsein verhilft. Es ist ein gebrochenes.

3. »Der Heroismus des modernen Lebens«. Die Allegorie bei Baudelaire

Die Formulierung des Problems durch Stendhal

Klassizität ist ein verborgenes Ziel der ästhetischen Moderne. Verborgen muß es deshalb bleiben, weil der moderne Künstler sich nicht als Klassizist definieren kann, ohne seinen Anspruch auf Gegenwärtigkeit preiszugeben. Angestrebt aber wird Klassizität deshalb, weil auch der moderne Künstler in ihr den Garanten für das Überdauern seiner Werke sieht. Schon Stendhal, der in seinem Manifest *Racine et Shakespeare* die These vertritt, eine neue Epoche brauche auch eine neue Literatur, stößt auf das doppelte Problem einer institutionalisierten klassischen Norm, von der er sich absetzen muß, und des Überdauerns moderner Werke, das er erstrebt. »De mémoire d'historien, jamais peuple n'a éprouvé, dans ses mœurs et dans ses plaisirs, de changement plus rapide et plus total que celui de 1780 à 1823; et l'on veut nous donner toujours la même littérature«.[31] Der durch die französische Revolution von 1789 markierte Epochenumbruch betrifft nicht nur ökonomische Strukturen und politische Herrschaftsformen, sondern er reicht bis in die Sensibilität der Individuen. Stendhal veranschaulicht dies durch eine Gegenüberstellung von aristokratischer Kriegsführung, die auch die Kriegshandlung den Regeln der Höflichkeit unterwirft (»Messieurs, tirez les premiers«) und dem Rückzug der napoleonischen Armee aus Rußland. Heine wird wenige Jahre später den Übergang über die Beresina mit dem Londoner Großstadtleben vergleichen. Was in der Sicht Stendhals und Heines den Rückzug der geschlagenen Armee Napoleons zum Sinnbild der modernen Gesellschaft werden läßt, ist das Hervorbrechen des nackten Überlebenswillens. Die Formen gesellschaftlichen Umgangs, die die Herrschaftseliten in den Jahrhunderten vor der Französischen Revolution ausgebildet haben, verlieren in der modernen Gesellschaft ihre Geltung. In ihr stehen die Individuen als

31 Stendhal, *Racine et Shakespeare [1823/25]*, hg. v. R. Fayolle (Garnier-Flammarion, 226). Paris 1970, 74.

vereinzelte einander gegenüber, die nur ihr Eigeninteresse kennen. »In der bürgerlichen Gesellschaft«, schreibt Hegel in der *Philosophie des Rechts*, »ist jeder sich Zweck, alles andere ist ihm nichts« (*HW* 7, 339).
Stendhal schließt aus der von ihm beobachteten Veränderung der Verhaltensstrukturen und der Sensibilität auf die Notwendigkeit einer neuen Literatur. Die klassische französische Literatur des 17. Jahrhunderts ist für ein aristokratisches bzw. von aristokratischen Leitvorstellungen geprägtes Publikum geschrieben, das mit der Revolution untergegangen ist, sie kann daher kein Vorbild mehr für die Literatur der Gegenwart sein, die ganz andere Publikumsbedürfnisse zu befriedigen hätte. Das Argument ist schlüssig; doch, wie Stendhal selbst ausführt, hält es der empirischen Überprüfung nicht stand. Denn entgegen seiner Annahme haben zur Zeit der Restauration nicht nur Klassikeraufführungen Erfolg, sondern auch die Stücke der zeitgenössischen Neoklassizisten. Stendhal stößt damit auf die Tatsache, daß die ästhetische Sensibilität nicht bzw. nicht mehr einfach der Alltagssensibilität folgt, anders gesagt, daß ästhetische Einstellungen als besondere institutionalisiert sind. Er hat diese Kluft zwischen ästhetischen und soziokulturellen Normen in einem Bild veranschaulicht: Eine Dame des 19. Jahrhunderts bewundert im Museum die Schönheit einer griechischen Jünglingsstatue; wenn aber derselbe Jüngling in ihren Salon einträte, würde er der Dame schwerfällig und lächerlich erscheinen.
Die Gründe, die Stendhal für das Fortdauern literarischer Vorstellungen angibt, die seiner Auffassung nach geschichtlich überholt sind, können wir hier übergehen. Festzuhalten bleibt das Auseinandertreten von institutionalisierten, an der *doctrine classique* orientierten Literaturvorstellungen und alltäglicher Sensibilität. Das Fazit lautet für Stendhal: In den Gattungen, die von der Institution Literatur erfaßt und reglementiert werden (das gilt u. a. für die Tragödie und Komödie), lassen sich moderne Werke nicht mit Aussicht auf Erfolg schreiben. Er weicht daher auf das nicht-kanonisierte Genus des Romans aus. Da dieser nicht den klassizistischen Prinzipien der Überhöhung unterliegt, vermag er alle Bereiche der gesellschaftlichen Wirklichkeit in sich einzulassen. Außerdem verschafft ihm die Verbreitung durch Lesekabinette Zugang zu einem breiten Publikum. Doch als sich Stendhal Mitte der 20er

Jahre des Jahrhunderts als Rezensent für eine englische Zeitschrift intensiv mit dem zeitgenössischen Roman beschäftigt, stößt er auf folgendes Problem: Die Romane, die er rezensiert, schildern mit Detailtreue Bereiche gesellschaftlicher Wirklichkeit, aber ihnen fehlt das, was wir als die ästhetische Dimension bezeichnen würden. Sie haben dokumentarischen Wert, aber wer wird sie in 50 Jahren noch lesen, wenn das Interesse am Thema erloschen ist? Mit andern Worten, Stendhal stellt die Frage nach dem ästhetischen Wert als Bedingung des Überdauerns. Damit scheint er sich in einen unauflösbaren Widerspruch zu verstricken: Einerseits fordert er eine moderne Literatur, die den nachrevolutionären soziokulturellen Verhaltensstrukturen entspricht, und lehnt eben deshalb die Nachahmung klassischer literarischer Vorbilder ab, andererseits muß er eingestehen, daß die modernen Werke, die sich ganz der zeitgenössischen Realität öffnen, kaum Chancen haben zu überdauern. Die Klassizisten triumphieren nicht nur auf der Bühne, sie scheinen auch die bessere Theorie zu haben, denn für sie ist das Problem des Überdauerns grundsätzlich gelöst: Es genügt, die Forderungen der Idealisierung der Wirklichkeit und der Nachahmung klassischer Meisterwerke zu erfüllen. Die Leistung Stendhals besteht darin, sich weder vom Erfolg der Klassizisten blenden zu lassen, noch die glatte Lösung zu akzeptieren, die diese für das Problem des Überdauerns bereithalten, sondern die unbequeme Situation dessen auszuhalten, der eine Frage formuliert, auf die er keine Antwort weiß, die Frage nach den Bedingungen der Klassizität moderner Werke. Allerdings sollten wir dabei nicht vergessen, daß er *praktisch* sehr wohl eine Antwort gegeben hat, nämlich mit seinem Roman *Le Rouge et le noir*.

Baudelaire zwischen Klassizismus und Ästhetik des Schocks

Die von Stendhal formulierte Problematik kann uns helfen, einen Text besser zu verstehen, der allgemein als erster Entwurf einer Ästhetik der Moderne angesehen wird, Baudelaires *Salon de 1846*.[32] Freilich gilt es zu bedenken: Das Genus des »Salon« ist keine

32 Der *Salon de 1846* steht im Mittelpunkt von Dolf Oehlers *Pariser Bil-*

Abhandlung, die gedankliche Motive konsequent voneinander ableitet, sondern ein kunstkritisches Genre, der Bericht über die jährliche Ausstellung zeitgenössischer französischer Kunst. Ästhetische Überlegungen dienen in diesem Zusammenhang eher als Orientierung des Lesers, sie geben die Perspektive an, aus der der Kritiker die Ausstellung betrachtet.[33] Nun kann kein Zweifel daran bestehen, daß Baudelaire mit dem *Salon de 1846* weiterreichende Absichten verfolgt. Er bedient sich der lockeren Form des »Salon«, um Probleme einer Ästhetik der Gegenwart anzusprechen, ohne selbst bereits eine klare Position zu haben. Nicht ein System entwickelt er vor den Augen des Lesers (»un système est une espèce de damnation qui nous pousse à une abjuration perpétuelle«, heißt es in einer späteren Schrift[34]), sondern ein unabgeschlossenes Denken, das sich sucht und das Widersprüche durchaus einkalkuliert.[35] In der Forschung ist es seit Hugo Friedrich üblich, aus den kunstkritischen und programmatischen Texten Baudelaires diejenigen Stellen herauszugreifen, in denen Aspekte einer Ästhetik der Moderne faßbar werden, andere, die dieser Interpretation sich nicht fügen bzw. ihr zu widerstreiten scheinen, dagegen zu vernachlässigen. So entsteht ein geglättetes Bild der Moderne, das in Frage zu stellen wir gerade heute ein Interesse

der I (1830-1848). Antibourgeoise Ästhetik bei Baudelaire, Daumier und Heine (ed. suhrkamp, 725). Frankfurt 1979. Während Oehler allgemein das antibourgeoise Moment an der Ästhetik des jungen Baudelaire herausarbeitet, sucht H. Stenzel diese als eine Spielart frühsozialistischer Ästhetik zu erweisen (*Der historische Ort Baudelaires* [Freiburger Schriften zur Romanischen Philologie, 38]. München: Fink 1980, 94-116).

33 So formuliert z.B. A. de Musset in seinem *Salon de 1836*: »Les comptes rendus des journaux n'étant que des opinions personnelles, avant de dire ce que j'éprouve, je dois m'expliquer sur ce qui, en général, me semble devoir être approuvé« (in: ders., *Œuvres complètes*, hg. v. Ph. van Tieghem, Paris: Seuil 1963, 859).

34 Ch. Baudelaire, *Exposition universelle de 1855*, in: ders., *Œuvres complètes*, hg. v. Y.-G. Le Dantec (Bibl. de la Pléiade). Paris: Gallimard 1954, 690; diese Ausgabe wird im folgenden abgekürzt zitiert: *OC*.

35 Die Widersprüchlichkeit der ästhetischen Konzeptionen Baudelaires in der Zeit nach 1848 hat K. Biermann herausgearbeitet: *Literarisch-politische Avantgarde in Frankreich 1830-1870 [...]*. Stuttgart: Kohlhammer 1982, 167-171.

haben. Denn wenn heute vom Ende der Moderne die Rede ist, so zeigt sich darin auch die Problematik einer Moderne-Konstruktion, aus der man alle Widersprüche getilgt hat.
Die Kritik des Klassizismus ist ein Kernstück jeder Ästhetik der Moderne. Denn während Klassizisten wie der einflußreiche Literaturhistoriker La Harpe von der Überzeitlichkeit der Formen und Gehalte ausgehen, ist die Grunderfahrung des Modernisten gerade deren Geschichtlichkeit. Hier konnte Baudelaire an Überlegungen von Stendhal und Heine anknüpfen, auf die er auch explizit eingeht (*OC*, 644f. und 621f.).

Mais comme il n'y a pas de circonférence parfaite, l'idéal absolu est une bêtise. Le goût exclusif du simple conduit l'artiste nigaud à l'imitation du même type. Les poètes, les artistes et toute la race humaine seraient bien malheureux, si l'idéal, cette absurdité, cette impossibilité, était trouvé. Qu'est-ce que chacun ferait désormais de son pauvre *moi*, – de sa ligne brisée? (*OC*, 642f.).

Gegen den klassizistischen Universalismus setzt Baudelaire zunächst einen radikalen Individualismus: »je ne vois que des individus« (ebd.). Dabei bestimmt er das moderne Individuum als ein gebrochenes. Doch in einem zweiten Schritt führt er den Begriff des Ideals wieder ein, weil dessen totale Eliminierung die Gefahr einer sklavischen Nachahmung des Wirklichen birgt. Das Ideal will er jedoch nicht als ein universales Schema verstanden wissen (»ce rêve ennuyeux et impalpable qui nage au plafond des académies«; *OC*, 644), sondern als das im Individuum selbst aufzusuchende Prinzip der Entsprechung der einzelnen Körperteile zueinander. Denn »chaque individu est une harmonie« (*OC*, 643). Diese der äußeren Erscheinung zugrundeliegende individuelle Harmonie (»harmonie native«) gilt es wiederzugeben.[36]
Der Stellenwert, der dem Begriff Harmonie im Text zukommt,

36 Einen interessanten Versuch, den Begriff der *harmonie native* im Sinne des Fourieristischen Harmoniebegriffs zu deuten, macht Stenzel (*Der historische Ort Baudelaires*, 98f.). Allerdings scheint es mir fraglich, ob die Fourieristische »Gewißheit einer prästabilierten Harmonie, [...] auf die hin die Entwicklung der Gesellschaft aber von Natur aus tendiert« (ebd.), die Harmonie des Individuums erhellt, von der Baudelaire unter Berufung auf Lavater spricht (»Telle main veut tel pied; chaque épiderme engendre son poil. Chaque individu a donc son idéal«; *OC*, 643).

läßt erkennen, daß der verbale Radikalismus seiner Klassizismus-Kritik nur eine Seite der Ästhetik Baudelaires ausmacht, die andere gilt dem Versuch, den klassischen Begriff des Ideals auf individualistischer Grundlage neu zu formulieren. Bei diesem Versuch aber gerinnt ihm das Individuum, dessen Gebrochenheit er metaphorisch angesprochen hatte (»ma pauvre ligne brisée«), wieder zur harmonischen Ganzheit. Die Kluft zwischen Alltagserfahrung und ästhetischer Norm, die Stendhal bei seinen Zeitgenossen beobachtet hatte, kehrt bei Baudelaire wieder. Die Einsicht in die Gebrochenheit moderner Individualität hindert ihn nicht daran, nach einer Harmonie zu suchen, ohne die Schönheit auch für Baudelaire undenkbar ist. Nicht zuletzt daran zeigt sich die Stärke der institutionalisierten ästhetischen Normen, daß noch derjenige, der sie ablehnt, ihnen zumindest teilweise verhaftet bleibt.

Der Klassizismus, den die Formulierungen Baudelaires erkennen lassen, ist nicht ein blinder Fleck in einer sonst einheitlich modernen Kunstauffassung, sondern integraler Bestandteil seiner Ästhetik: »l'art, pour être profond, veut une idéalisation perpétuelle« (*OC*, 659), heißt es in der Auseinandersetzung mit dem Eklektizismus. Und in den um 1860 verfaßten Entwürfen für ein Vorwort zu den *Fleurs du mal* wird nicht nur das klassizistische Theorem von der Lust am überwundenen Widerstand aufgenommen (»mon goût passionné de l'obstacle«), sondern ausdrücklich beklagt, daß das 19. Jahrhundert die klassischen Begriffe von Literatur verlernt habe (»que ce siècle avait désappris toutes les notions classiques relatives à la littérature«; *OC*, 1381).

Auch die Gegenüberstellung der zeitgenössischen Kunst mit derjenigen vergangener Epochen im Kapitel *Des Ecoles et des ouvriers* verurteilt die Gegenwart im Blick auf eine bessere Vergangenheit. Zehn Jahre vorher hat Musset seinen Eindruck des Salons von 1836 folgendermaßen zusammengefaßt: »rien d'homogène, point de pensée commune, point d'écoles, point de familles, aucun lien entre les artistes, ni dans le choix de leurs sujets, ni dans la forme«.[37]

Die Beobachtung, die Baudelaire 1846 macht, ist dieselbe; allerdings formuliert er aggressiver: »turbulence, tohu-bohu de styles et de couleurs, cacophonie de tons, trivialités énormes, prosaïsme

37 A. de Musset, *Œuvres complètes*, 860.

de gestes et d'attitudes, noblesse de convention, *poncifs* de toutes sortes [...] – absence complète d'unité« (*OC*, 675). Der entscheidende Unterschied gegenüber Musset liegt nicht in der Tatsache, daß Baudelaire die fehlende Einheit des Stils mit einer Kritik am Trivialen verknüpft, sondern darin, daß er eine Erklärung für das Durcheinander der Stile findet. Dieses führt er nämlich auf das Absterben der Malerschulen zurück, die es im 18. Jahrhundert und noch im Empire gegeben habe. Wer früher als Schüler im Atelier eines großen Meisters gearbeitet hätte, trete jetzt mit eigenem künstlerischen Anspruch auf. Der »emanzipierte Arbeiter« bringe es jedoch nur zur unreflektierten, eklektischen Nachahmnung der Meister der Vergangenheit, er bleibe ein Nachäffer (»singe artistique«). Mit andern Worten: In der Kunst soll das Genie herrschen, der Republikanismus ist hier von Übel: »Les singes sont les républicains de l'art, et l'état actuel de la peinture est le résultat d'une liberté anarchique qui glorifie l'individu, quelque faible qu'il soit, au détriment des associations, c'est-à-dire des écoles« (*OC*, 676). Hatte Baudelaire seine Kritik des Klassizismus im Namen des Individuums vorgetragen, so wird der anarchische Individualismus jetzt für den Verlust eines Epochenstils verantwortlich gemacht: »L'individualité – cette petite propriété – a mangé l'originalité collective« (*OC*, 676 f.).

Das Denken Baudelaires bewegt sich in extremen Gegensätzen. Die dabei auftretenden Widersprüche tilgt er nicht; im Gegenteil, er scheint sie geradezu forcieren zu wollen. Während die Klage über den Untergang der Malerschulen durch den modernen Individualismus den gesellschaftlichen Verfall für den der Kunst verantwortlich macht, wird diese Auffassung zu Beginn des folgenden Kapitels, *De l'Héroïsme de la vie moderne*, zurückgewiesen. Die Dekadenz der Malerei auf eine Dekadenz der Sitten zurückzuführen, sei ein Vorurteil, eine schlechte Entschuldigung der Künstler. Und nun folgen jene vielzitierten Überlegungen, in denen Baudelaire den Versuch macht, Elemente einer Ästhetik der Moderne aus dem Alltag zu gewinnen. Ein solcher Versuch steht zweifellos in einem Verhältnis gespannter Gegensätzlichkeit zu den Formulierungen des Aufsatzes, die um die Begriffe *idéal* und *harmonie* kreisen.

Die Frage, ob Baudelaire ein Klassizist oder ein Modernist sei, führt auf einen Abweg. Denn dabei wird entweder unterstellt, daß er sich an den herrschenden klassischen Normen orientiert, oder daß er über eine bereits ausformulierte Ästhetik der Moderne verfügt. Beides ist offensichtlich nicht der Fall. Erinnern wir uns noch einmal an Stendhals Formulierung des Problems. Es ging ihm um Werke, die zum einen auf die neuen, seit der Französischen Revolution gemachten gesellschaftlichen Erfahrungen sich einlassen, die aber zum andern nicht derart aussschließlich an die Epoche ihres Entstehens gebunden sein sollten, daß sie mit dieser vergehen. Baudelaire nimmt die Fragestellung Stendhals auf, wendet sie hin und her, dabei widersprüchliche Antworten erprobend. Seine einzige Richtschnur ist dabei die Weigerung, eine der beiden Seiten aufzugeben, weder die Modernität der Gebilde noch deren Anspruch auf Überzeitlichkeit. Erst in dem Aufsatz über Constantin Guys, den *Maler des modernen Lebens*, wird er eine Formel finden, die den Gegensatz aufhebt. Auch hier stellt er zwar noch die Modernität als das Vergängliche dem Ewigen gegenüber (»La modernité, c'est le transitoire, le fugitif, le contingent, la moitié de l'art, dont l'autre moitié est l'éternel et l'immuable«; *OC*, 892) und greift auf die klassischen Begriffe des Harmonischen und des Ganzen zurück (»un tout d'une complète vitalité«; ebd.). Aber daneben stehen die entscheidenden Formulierungen, die die Chance des Überdauerns moderner Werke nicht mehr in einem wie immer auch individualistisch umformulierten Prinzip der Idealisierung suchen, sondern gerade in der radikalen Versenkung ins Gegenwärtige: »presque toute notre originalité vient de l'estampille que le temps imprime à nos sensations« (*OC*, 894). Nicht mehr vorgegebene formale Prinzipien (Ideal, Harmonie) garantieren das Überleben des Werks, sondern dieses überdauert in dem Maße, wie es dem Künstler gelingt, die besondere Schönheit gerade im vergänglich Gegenwärtigen auszumachen. »Il s'agit, pour lui, de dégager de la mode ce qu'elle peut contenir de poétique dans l'historique, de tirer l'éternel du transitoire« (*OC*, 892).

Die Hinweise Baudelaires darauf, wie dieses Programm zu realisieren sei, lassen sich am ehesten unter dem Begriff einer Ästhetik der Skizze zusammenfassen. Zum einen hebt er die Schnelligkeit der künstlerischen Ausführung hervor (»la vélocité de l'exécution«; *OC*, 884); zum andern spricht er von einer nützlichen Übertreibung, die dem Ziel dient, den Eindruck, den der Künstler

gehabt hat, dem Betrachter des Bildes mitzuteilen; schließlich betont er, daß das, was dem Betrachter als barbarisch und naiv erscheinen mag, als Beweis dafür angesehen werden kann, daß der Künstler seinem ersten Eindruck folgt (»ce qui peut rester de barbare et d'ingénu apparaît comme une preuve nouvelle d'obéissance à l'impression«, *OC*, 894). Besonders der Begriff der »unvermeidlichen Barbarei« (*OC*, 895), so sehr Baudelaire ihn auch durch beschwichtigende Formulierungen abzumildern sucht, zeigt an, daß die sich ankündigende Ästhetik der Moderne eine ist, die den Schock des Rezipienten sucht: »L'étonnement, qui est une des grandes jouissances causées par l'art et la littérature« (*OC*, 691), heißt es im Bericht über die Weltausstellung von 1885. Und etwas später: »Le Beau est toujours bizarre« (ebd.).
Mit der Ästhetik des Schocks verändert sich auch die Beziehung zwischen Autor und Publikum grundlegend. Autoren wie Balzac und Stendhal verfolgten noch das Ziel, zugleich die intellektuelle Elite und das Massenpublikum zu erreichen. »Comment plaire à la fois au poète, au philosophe et aux masses«, fragt Balzac 1840 im Vorwort zur *Comédie humaine*.[38] Und auch Stendhal, der bereits deutliche Unterschiede zwischen dem Unterhaltungsroman (»roman de femmes de chambre«) und dem literarisch anspruchsvolleren Roman (»roman des salons«) ausmacht, problematisiert zwar die allzu einfachen Wirkungsmittel des Unterhaltungsromans (»héros [...] toujours parfait et d'une beauté ravissante« und »scènes extraordinaires«), er zieht daraus aber nicht die Folgerung, ein literarisch anspruchsvolles Werk müsse notwendig auf ein Massenpublikum verzichten.[39] Gerade diese Auffassung beginnt sich mit der modernen Ästhetik durchzusetzen. »Une méthode simple pour connaître la portée d'un artiste est d'examiner son public. E. Delacroix a pour lui les peintres et les poètes [...]; M. Horace Vernet, les garnisons, et M. Ary Scheffer, les femmes esthétiques qui se vengent de leurs fleurs blanches en faisant de la musique religieuse« (*OC*, 661). Der große Künstler der Epoche – das ist Delacroix in den Augen Baudelaires – findet eine verständnisvolle

38 Zitiert nach H. S. Gershman/K. B. Whitworth (Hg.), *Anthologie des préfaces des romans français du XIXe siècle*. Paris: Juillard 1964, 193.

39 Vgl. Stendhals Entwurf zu einem Artikel über *Le Rouge et le noir*, abgedruckt in: ders., *Le Rouge et le noir*, hg. v. H. Martineau. Paris: Garnier 1955, 513f.

Rezeption nur bei seinesgleichen; das breite Publikum antwortet auf seine Bilder mit Abwehrreaktionen, die Baudelaire in einer der ersten Publikumsbeschimpfungen festhält: »Le sublime lui fait toujours l'effet d'une émeute« (*OC*, 655). Dabei ist die *stupeur bestiale* des durchschnittlichen Betrachters richtig und falsch zugleich. Richtig, weil der Schock des Rezipienten die Authentizität des Werks garantiert, und falsch, weil die extreme Reaktion eine totale Unsensibilität gegenüber Kunst bezeugt. Mit der Erhebung des Schocks zur zentralen wirkungsästhetischen Kategorie wird der Bezug zwischen Autor und Publikum widersprüchlich. Um zu gefallen, erzeugt das Werk Mißfallen.

Baudelaire proklamiert nicht nur eine Ästhetik des Schocks, er praktiziert sie auch in seinem Text. So überrascht er den Leser im Kapitel über Horace Vernet mit einem Verriß, der provokatorisch mit Derbheiten arbeitet: »Je hais cet homme parce que ses tableaux ne sont point de la peinture, mais une masturbation agile et fréquente, une irritation de l'épiderme français« (*OC*, 656). Voraufgegangen ist ein Ausfall gegen den französischen Nationalismus. Offenbar sucht Baudelaire bestimmte künstlerische Effekte, von denen er handelt, in seiner Prosa selbst zu verwirklichen. In dem Abschnitt über Delacroix spricht er von der Verwirrung und dem Erstaunen, die dessen Bild *Dante et Virgile* beim Publikum hervorgerufen hat. Der Gedanke, daß er eine vergleichbare Reaktion zu provozieren wünscht, liegt nahe. Baudelaire steht hier in der Tradition des aggressiven L'Art pour l'art, wie es Théophile Gautier mit dem berühmten Vorwort zu seinem Roman *Mademoiselle de Maupin* repräsentiert. Dort wird der Forderung nach sozialer Nützlichkeit der Kunst die These entgegengestellt, das Nützliche sei häßlich, und sie wird provokatorisch belegt mit dem Hinweis: »L'endroit le plus utile d'une maison, ce sont les latrines«.[40]

Die gezielte Provokation des Lesers ist nicht neu; wohl aber die Ästhetik des Schocks, die sich die Verwirrung des Rezipienten zum Ziel setzt. Abgelöst vom je besonderen Erlebnis, wird der Schock zum Modus ästhetischer Erfahrung schlechthin.

40 Th. Gautier, *Mademoiselle de Maupin [1835/1836]* (Garnier/Flammarion, 102). Paris 1966, 45.

Wie Schock und Ironie ineinandergreifen, läßt sich an folgender Szene studieren:

Avez-vous éprouvé, vous tous que la curiosité du flâneur a souvent fourrés dans une émeute, la même joie que moi à voir un gardien du sommeil public, – sergent de ville ou municipal, la véritable armée, – crosser un républicain? Et comme moi, vous avez dit dans votre cœur: »Crosse, crosse un peu plus fort, crosse encore, municipal de mon cœur; car en ce crossement suprême, je t'adore, et te juge semblable à Jupiter, le grand justicier. L'homme que tu crosses est un ennemi des roses et des parfums, un fanatique des ustensiles; c'est un ennemi de Watteau, un ennemi de Raphaël, un ennemi acharné du luxe, des beaux-arts et des belles-lettres, iconoclaste juré, bourreau de Vénus et d'Apollon! Il ne veut plus travailler, humble et anonyme ouvrier, aux roses et aux parfums publics; il veut être libre, l'ignorant, il est incapable de fonder un atelier de fleurs et de parfumeries nouvelles. Crosse religieusement les omoplates de l'anarchiste!« (*OC*, 674).

Die Bedeutung der Szene erschöpft sich nicht in der Denunziation der verhängnisvollen Wirkungen des Republikanismus in der Kunst. Sie verselbständigt den Schock. Der Autor als Flaneur spricht aus, was der Bourgeois sich nicht einzugestehen wagt: die Lust an der Gewalt. Gerade dadurch wirkt der Text verwirrend, soll so wirken. Baudelaire scheint hier dem Diktum des jungen Marx zu entsprechen, demzufolge man den Verhältnissen ihre eigene Melodie vorspielen müsse, um sie zum Tanzen zu bringen. Aber er spielt die Melodie mit falschen Tönen. Der Polizist wird als »Hüter des öffentlichen Schlafs« apostrophiert und zugleich zum »Ebenbild Jupiters« erklärt. Die ironische Distanz des Autors zu der Szene ist angetan, dem bürgerlichen Leser die sadistische Lust, die sie ihm vorführt, zugleich auch wieder zu verleiden. Ziel des Textes ist die Verwirrung des Lesers, sein *trouble profond*, nicht eine Stellungnahme Baudelaires gegenüber dem Republikanismus. Der Text beruht auf einer fundamentalen Zweideutigkeit: Lust an der Unterdrückung des Republikaners und Ridikülisierung der Ordnungsmacht in einem. Durch diese Zweideutigkeit wird der Schock autonom. Die Provokation wird zum Selbstzweck.

Daß Baudelaire in dem berühmten Schlußkapitel seines *Salon de 1846* die Frage nach einer modernen Schönheit unter dem Stichwort Heroismus angeht, ist zunächst befremdend; gilt doch das bürgerliche Zeitalter allgemein als eines, das an die Stelle des heroischen Handelns großer einzelner die rationale Kalkulation gesetzt hat. Bleibt Baudelaires Suche nach einer modernen Schönheit also dem verklärenden Blick auf die Feudalgesellschaft verhaftet, den Heine in der *Romantischen Schule* verspottet hat? Es hat durchaus den Anschein; denn Baudelaire leitet die *grande tradition* vormoderner Kunst daraus her, daß diese die heroischen Qualitäten des Lebens in der Feudalgesellschaft nur zu idealisieren brauchte: die sinnliche Darstellung der gesellschaftlichen Macht des einzelnen und den öffentlichen Pomp. Er stellt dem aber nicht ein Bild der Abstraktheit des modernen Lebens entgegen, sondern fragt nach dem Epischen (»le côté épique«) und dem Erhabenen (»motifs sublimes«) im modernen Leben. Schönheit wird also nicht Kantisch vom Erhabenen getrennt, sondern mit diesem gleichgesetzt. Aufgesucht aber wird sie im Leben selbst, freilich nicht im Alltag des Erwerbsbürgers, sondern im Dasein des Selbstmörders, des Dandy, des Verbrechers, der unerschrocken zur Guillotine schreitet, und des Ministers, der die Opposition verhöhnt. Damit kehrt Baudelaire aber das feudale Prinzip um, das die sozial Hochgestellten auch ästhetisch auszeichnet, denn abgesehen vom Minister sind die Gestalten des modernen Heroismus Randexistenzen der bürgerlichen Gesellschaft. Aber auch der Minister kommt bei Baudelaire nicht als Politiker in den Blick, der Handlungsalternativen erwägt und Entscheidungen fällt, sondern als Dandy, der seine Verachtung für die Opposition in souveräner Rhetorik zum Ausdruck bringt.[41] Was Baudelaire an dem Minister Guizot faszi-

41 Wie D. Oehler nachgewiesen hat, bezieht sich die Anspielung auf eine berühmte Parlamentsdebatte aus dem Jahre 1844, in der Guizot sich gegen den Vorwurf zu verteidigen hatte, Geheimverhandlungen mit den Bourbonen aufgenommen zu haben. Auf die Tumulte der Opposition reagiert Guizot, wie Oehler formuliert, mit einer »prächtigen Unverschämtheit«, indem er der Opposition seine grenzenlose Verachtung bezeugt (*Pariser Bilder I*, 202 f.). Die Stelle ist zugleich ein Bei-

niert, ist dessen Verhalten in einer ganz konkreten Situation, in der er als einzelner der Menge (hier der Opposition) entgegentritt. Auch am Verbrecher interessieren ihn nicht die Tat und die Umstände, die zur Tat führten, sondern einzig sein Verhalten im Augenblick der Hinrichtung. Das Neue an der Ästhetik Baudelaires ist gerade die Herstellung einer Diskontinuität. Den modernen Heroismus vermag er nur in Extremsituationen auszumachen. Diese isoliert er aus dem Kontinuum sowohl der Lebensgeschichte der Individuen wie der Gesellschaftsentwicklung. Derart herausgebrochen aus bedingenden Zusammenhängen, die allererst die Handlung verständlich machen könnten, erstarrt der heroische Akt zum Bild. Hier dürfte einer der Gründe für den Rückgriff auf die Allegorie zu suchen sein.

Fragt man, wo Baudelaire die mit dem Erhabenen zusammenfallende moderne Schönheit literarisch verwirklicht findet, so stößt man im letzten Absatz des *Salon de 1846* auf drei Figuren Balzacs (Vautrin, Rastignac, Birotteau). Nicht als eine Frage der literarischen Technik erscheint hier die Modernität, sondern als eine des Motivs. Balzac, so lautet Baudelaires These, hat mit jenen Gestalten des Ehrgeizes ein Stück der *beauté nouvelle et particulière* des modernen Lebens erfaßt. Das bedeutet aber nicht, daß es nicht andere Wege gibt, um das Wunderbare im Alltag zu entdecken. Denn: »La vie parisienne est féconde en sujets poétiques et merveilleux« (*OC*, 679). Baudelaires eigenes Verfahren, um diese freizulegen, ist nicht die realistische Gesellschaftsschilderung, sondern das allegorisch gedeutete Realitätsfragment: der schwarze Anzug.

In seinem Bericht über den Pariser Salon von 1831 erklärt Heine

spiel für die (zurückhaltend formuliert) eigenwillige Interpretationsweise Oehlers. Obwohl er den Nachweis erbringt, daß ein Zeitgenosse und Freund Baudelaires den Satz Guizots als den eines »dandy puritain« charakterisiert (ebd., 206) und Baudelaire im gleichen Abschnitt auf Barbeys Buch *Du Dandisme* hinweist, deutet Oehler die Passage als politische Kritik an Guizots »autoritärem Regierungsstil« (ebd., 207) und verweist den bürgerlichen Heroismus in die Genera der Satire, der Parodie und der Karikatur (ebd., 208). Möglich ist eine solche Interpretation nur, wenn man die Guizot-Stelle total aus dem sie umgebenden Kontext isoliert und mit Hilfe anderer Texte einen neuen Kontext herstellt.

Pit Morell

Indem an den Dingen ihr Gebrauchswert abstirbt, werden die entfremdeten ausgehöhlt und ziehen als Chiffren Bedeutungen herbei. Ihrer bemächtigt sich die Subjektivität, indem sie Intentionen von Wunsch und Angst in sie einlegt (Adorno)

die Neigung zur Historienmalerei mit der verbreiteten Auffassung, »das Kostüm der Zeitgenossen [sei] gar zu unmalerisch«; und er spottet über die Bemühungen deutscher Maler, »die heutigsten Menschen mit den heutigsten Gefühlen in die Garderobe des katholischen und feudalistischen Mittelalters, in Kutten und Harnische, einzukleiden« (*SW* IV, 50). Für Baudelaire gehört der schwarze Anzug zum *héroïsme de la vie moderne*:

Et cependant, n'a-t-il pas sa beauté et son charme indigène, cet habit tant victimé? N'est-il pas l'habit nécessaire de notre époque, souffrante et portant jusque sur ses épaules noires et maigres le symbole d'un deuil perpétuel? Remarque bien que l'habit noir et la redingote ont non-seulement leur beauté politique, qui est l'expression de l'égalité universelle, mais encore leur beauté poétique, qui est l'expression de l'âme publique; – une immense défilade de croque-morts, croque-morts politiques, croque-morts amoureux, croque-morts bourgeois. Nous célébrons tous quelque enterrement (*OC*, 678).

Wie die Pickelhaube in Heines *Wintermärchen* wird auch hier ein Oberflächenphänomen der bürgerlichen Gesellschaft allegorisch ausgelegt, Zeichen jener traurigen Gleichheit, von der der Dandy sich zumindest durch seine Haltung abzuheben versucht. Auch hier ist die Allegorie ironisch gebrochen, ohne daß die Bewertung dadurch zurückgenommen würde. Die Ironie schafft hier nur eine gewisse Distanz gegenüber der Aussage, kehrt diese aber nicht um.

Nur dem Anschein nach ist die »neue Schönheit«, die Baudelaire entdeckt, sinnlich anschaulich; ihr Wesen ist Reflexion, freilich eine, die sich auf die Wirklichkeit einläßt. Weder stellt Baudelaire die Stimmung allgemeiner Trauer konkret dar, noch gar das Prinzip der Gleichheit; vielmehr isoliert er ein Element des modernen Lebens (den schwarzen Anzug), verknüpft es mit einem andern (Sargträger) und gewinnt aus dieser Verknüpfung die Möglichkeit, dem schwarzen Anzug, der im Alltag des 19. Jahrhunderts ein neutrales Kleidungsstück ist, die Bedeutung Trauer beizulegen. Der Blick des Melancholikers – *mélancolie* gilt Baudelaire als Anzeichen der Modernität (*OC*, 628) – sieht Bedeutung in die Dinge hinein; aber diese bleibt an ihnen haften. Eine Epoche wird erkannt am Oberflächenphänomen.

Baudelaires Behandlung der Wirklichkeit entspricht den wesentlichen Bestimmungen von Benjamins Allegoriebegriff, den dieser zwar am barocken Trauerspiel expliziert hat, der aber eine geheime Beziehung zur modernen Literatur unterhält:

1. Der Allegoriker reißt ein Element aus der Totalität des Lebenszusammenhangs heraus. Er isoliert es, beraubt es seiner Funktion. Die Allegorie ist daher wesenhaft Bruchstück und steht damit im Gegensatz zum organischen Symbol.
2. Der Allegoriker fügt die so isolierten Realitätsfragmente zusammen und stiftet dadurch Sinn. Dieser ist gesetzter Sinn, er ergibt sich nicht aus dem ursprünglichen Kontext der Fragmente.
3. Benjamin deutet die Tätigkeit des Allegorikers als Ausdruck der Melancholie. »Wird der Gegenstand unterm Blick der Melancholie allegorisch, läßt sie das Leben von ihm abfließen, bleibt er als toter, doch in Ewigkeit gesicherter zurück, so liegt er vor dem Allegoriker, auf Gnade und Ungnade ihm überliefert. Das heißt: eine Bedeutung, einen Sinn auszustrahlen, ist er von nun an ganz unfähig; an Bedeutung kommt ihm das zu, was der Allegoriker ihm verleiht« (*GS* I/1, 359).

Benjamins Allegoriebegriff verknüpft in einer zunächst befremdlich anmutenden Weise ein künstlerisches Verfahren mit einer psychischen Befindlichkeit. Aber gerade diese Verknüpfung macht es möglich, die technische Verfahrensweise aus der Stellung des Künstlers innerhalb der bürgerlichen Gesellschaft zu verstehen. Versucht man ohne Zuhilfenahme psychoanalytischer Kategorien den Melancholiker zu beschreiben, so stößt man auf folgende Eigenheiten: Einsamkeit als Lebensform, Bruch mit der Mitwelt und Stimmungswechsel auf der Grundlage einer tiefen Verzweiflung. Die Position des Melancholikers zur Gesellschaft ist also eine durchaus exzentrische. Gerade dies aber ermöglicht ihm Einsichten, die dem verschlossen bleiben, der, wie ein populärer Ausdruck treffend lautet, im Leben steht. Der schwarze Anzug hat im Alltag keinerlei Bedeutung; der Melancholiker nimmt an ihm die ganze Freudlosigkeit des bürgerlichen Alltags wahr. Gerade die exzentrische Position des modernen Künstlers wird zur Chance, eine Erfahrung auszusprechen, die die Gesellschaft nicht wahrhaben will.

Prosagedicht und allegorische Form

> L'allégorie, ce genre si *spirituel*, que les peintres maladroits nous ont accoutumés à mépriser, mais qui est vraiment l'une des formes primitives et les plus naturelles de la poésie, reprend sa domination légitime dans l'intelligence illuminée par l'ivresse (*OC*, 466).[42]

Auch diejenigen Gedichte der *Fleurs du mal*, die Großstadterfahrungen thematisieren (es handelt sich vor allem um die in der zweiten Ausgabe der Sammlung unter dem Titel *Tableaux parisiens* zusammengestellte Gruppe), gehorchen Formprinzipien, die an den Normen der französischen Klassik ausgerichtet sind. Erst mit der Hinwendung zum Prosagedicht scheint Baudelaire eine Form gefunden zu haben, die die Erfahrungen des modernen Lebens ungefiltert aufzunehmen vermag. In der Tat läßt die Wahl der Prosa sich als Verzicht auf herkömmliche poetische Stilisierungsprinzipien verstehen, zumal die Forschung hat nachweisen können, daß Baudelaire mit seinen Prosatexten an die in der »Petite Presse« bevorzugte Gattung des *tableau* anknüpft.[43] Schließlich hat Baudelaire in seiner vielzitierten Bestimmung der poetischen

42 Ich übernehme das Motto aus einer Studie von H. R. Jauß, deren Verdienst es ist, einen durch die Arbeiten Benjamins nahegelegten Gedanken aufgenommen und »Baudelaires Rückgriff auf die Allegorie« thematisiert zu haben (in: W. Haug [Hg.], *Formen und Funktionen der Allegorie [...]*. Stuttgart: Metzler 1979, 686-700). – Baudelaire hat sich nur beiläufig zur Allegorie geäußert. In der zitierten Stelle aus *Le Poème du haschisch* bringt er sie mit dem Haschischrausch in Verbindung. Er betont aber in dem Aufsatz wiederholt (Jauß macht zu Recht darauf aufmerksam), daß der Haschischrausch dem Individuum keine andern Erfahrungen eröffnet als seine eigenen, diese allerdings verstärke. Man wird also sagen können, daß Baudelaire bewußt auf die allegorische Form zurückgreift.

43 Vgl. dazu K. Stierle, »Baudelaires ›Tableaux parisiens‹ und die Tradition des ›Tableau de Paris‹«, in: *Poetica* 6 (1974), 285-298, und K. Biermann, »Vom Flaneur zum Mystiker der Massen [...]«, in: *Romanistische Zeitschrift für Literaturgeschichte* 2 (1978), 298-315.

Prosa, die auf deren widersprüchlichem Charakter insistiert – sie hätte zugleich geschmeidig (»souple«) und ruckhaft (»heurtée«) zu sein, um sich sowohl lyrischen Seelenbewegungen wie plötzlichen Bewußtseinsschocks anpassen zu können –, dieses Formideal ausdrücklich auf die Großstadterfahrung zurückgeführt. »C'est surtout de la fréquentation des villes énormes, c'est du croisement de leurs innombrables rapports que naît cet idéal obsédant« (*OC*, 281 f.).

Obwohl diese Bemerkung Baudelaires darauf hindeutet, daß die Modernität der *poèmes en prose* am ehesten in deren sprachlicher Form zu finden sein könnte, hat man sie doch häufig im Thematischen gesucht. Plausibel ist eine solche Vorgehensweise, wenn man in *Les Foules* das Zentrum der Baudelaireschen Sammlung sieht.[44] Der Text zeigt den Flaneur in der Menge, seit Merciers *Tableau de Paris* eine zentrale Gestalt aller Parisbücher. Seine Einsamkeit ermöglicht es ihm, sich mit jedem Vorübergehenden zu identifizieren. Baudelaire nennt diese Fähigkeit eine »heilige Prostitution der Seele« (*OC*, 296) und hebt das Lustmoment an dieser universellen Verwandlungsgabe hervor. Von *Les Foules* aus lassen sich unschwer weitere Texte als Ausdruck der Großstadterfahrung interpretieren. Die Deutung wird dadurch gestützt, daß Baudelaire *Le Promeneur solitaire* und *Le Rôdeur parisien* als Titel für die Sammlung erwogen hat; dennoch gilt sie nicht für alle Texte.[45] Vergleicht man Baudelaires *Le Spleen de Paris* mit den etwa zur gleichen Zeit entstandenen *Notes sur Paris* von Taine, dann fällt auf, wie wenig vom zeitgenössischen Großstadtleben in die Prosagedichte Baudelaires eingeht. Taine stellt z. B. einen aristokratischen und einen bürgerlichen Salon einander gegenüber, läßt seinen Flaneur die Toiletten der Damen als künstlerische Illusion ge-

44 So verfährt z. B. K. Biermann, *Literarisch-politische Avantgarde*, 185 ff.

45 Claude Pichois hat den Titel *Le Spleen de Paris* angesichts der Verschiedenheit der in den Texten dargestellten Gegenstände als unangemessen bezeichnet (in: Cl. Pichois, *Baudelaire à Paris. Photographies de Maurice Rué*. Paris 1967, 28). Dagegen vertritt Eckardt Köhn die These, »daß die Großstadt als Erfahrungsraum noch dort präsent ist, wo sie nicht explizit in die Darstellung einbezogen wird« (*Straßenrausch. Flanerie und ›Kleine Form‹ 1830-1933. Versuch zur Literaturgeschichte des Flaneurs*. Berlin: Das Arsenal 1988, 247).

nießen (»Il faut jouir de tout cela en artiste, pour une minute, comme une illusion qui passe«) und abfällige Bemerkungen über die Frauen im Salon eines Bürochefs machen (»Dans ce monde-là, les femmes ne sont pas des femmes; elles n'ont pas de mains, mais des pattes, un air grognon, vulgaire, une demi-toilette, des rubans qui jurent«)[46]. Die Beobachtungen Taines sind sowohl hinsichtlich des Orts wie der Epoche genau bestimmt; die Texte könnten von einem Sozialhistoriker als Quelle herangezogen werden. Dies alles trifft für die Prosagedichte Baudelaires nicht zu. Diese sind daher nicht unmittelbar als Spiegel zeitgenössischer Großstadterfahrungen zu deuten; ihre Modernität liegt nicht vornehmlich auf der Ebene des Thematischen, sondern ist gleichsam in die Textgestalt eingezogen.

Poetische Prosa hat es auch vor Baudelaire gegeben und desgleichen den Versuch, in der Dichtung auf Reim und Metrum zu verzichten. Baudelaire geht es um etwas anderes, er will das Poetische in der Prosa aufsuchen. Das heißt Verwendung »unpoetischer« Wörter und Annäherung der Gedichtsprache an die Alltagssprache.[47] Das heißt aber auch Stilisierung im Sinne der »klassischen Dämpfung«[48]: Bevorzugung der abstrakt reflektierenden Formulierung gegenüber der konkret anschaulichen (vgl. z.B. den Anfang von *Le Gâteau*). Offenbar sucht Baudelaire auch auf der Ebene der Sprachform das Prinzip zu verwirklichen, das seine ästhetischen Reflexionen umkreisen; die Vereinigung des Flüchtig-Zeitlichen mit dem Bleibend-Dauerhaften.

Um dem Transitorischen Dauer zu verleihen, gibt es ein Verfahren der Zuordnung von Motiv und Bedeutung, die Allegorie. Wir erinnern uns: Die Haltung des Verbrechers, der, den Geistlichen beiseite drängend, zur Guillotine geht mit den Worten »Laissez-moi tout mon courage!« (*OC*, 679), wird im *Salon de 1846* zum

46 H. Taine, *Vie et opinions de Frédéric Graindorge [...]*. Paris: Hachette 1959, 27 und 33; der Titel der Erstveröffentlichung in *La Vie parisienne* 1863-1865 lautet: *Notes sur Paris*.

47 Vgl. die Studie von F. Nies, *Poesie in prosaischer Welt. Untersuchungen zum Prosagedicht bei Aloysius Bertrand und Baudelaire* (Studia Romanica, 7). Heidelberg: Winter 1954, passim.

48 Vgl. L. Spitzer, *»Die klassische Dämpfung in Racines Stil«*, in: ders., *Romanische Stil- und Literaturstudien I* (Kölner Romanistische Arbeiten, 1). Marburg: Elwert 1931, 135-268.

Emblem der »neuen Schönheit«. Im *Spleen de Paris* nimmt Baudelaire das Verfahren wieder auf.

Un plaisant: Ein wohlgekleideter Herr wünscht einem Esel im Großstadtgedränge ein gutes neues Jahr. Das Erzähler-Ich notiert seine Reaktion: »Je fus pris subitement d'une incommensurable rage contre ce magnifique imbécile, qui me parut concentrer en lui tout l'esprit de la France« (*OC*, 285).

Le vieux Saltimbanque: Ein alter Clown, abseits von einem Volksfest sitzend, traurig, von niemandem beachtet, erscheint dem Ich als »l'image du vieil homme de lettres qui a survécu à la génération dont il fut le brillant amuseur« (*OC*, 301).

Jeder der beiden Texte ist ein vollständiges Emblem. Er enthält eine Überschrift (inscriptio), ein allegorisches Bild (figura) und eine Deutung (subscriptio). Das beobachtete Stück Wirklichkeit wird mit einer festen Deutung versehen. In andern Texten verzichtet Baudelaire darauf, aber der Realitätsausschnitt ist darum nicht weniger fest ins allegorische Bild gebannt.

Le Joujou du pauvre: Der Flaneur sieht im Garten eines schönen Schlosses ein reiches Kind, das sein eigenes teures Spielzeug unbeachtet liegen läßt und voller Aufmerksamkeit das eines ärmlich gekleideten Kindes betrachtet, das vor dem Gitter des Gartens steht. Es hält in der Hand einen Käfig mit einer lebenden Ratte. »Et les deux enfants se riaient l'un à l'autre fraternellement, avec des dents d'une *égale* blancheur« (*OC*, 308).

Das Bild der brüderlich einander zulächelnden Kinder, deren gleichweiße Zähne bei sozialer Ungleichheit Baudelaire hervorhebt, steht im Gegensatz zu der Erfahrung eines »perfekt brudermörderischen Krieges« (*OC*, 303), den Baudelaire in *Le Gâteau* beschreibt: Das Erzähler-Ich wird in der Kontemplation einer großartigen Gebirgslandschaft unterbrochen durch den Anblick des Kampfes zwischen zwei Bettlerjungen um ein Stück Brot, das er dem einen der beiden gegeben hat. Am Ende ist das Stück Brot zerbröckelt und desgleichen der Traum von der Güte des Menschen, den die Schönheit der Landschaft im Ich hatte entstehen lassen.

Jeder der beiden Texte ist für sich klar und bestimmt. Der erste hält eine Erfahrung geglückter Kommunikation über soziale Grenzen hinweg fest, der zweite einen mörderischen und sinnlosen Kampf zwischen Unterprivilegierten. Selbstverständlich kann der Interpret jeweils einen Text zum Ausgang nehmen, um den andern zu deuten. Wer von der brüderlichen Eintracht der Kinder ausgeht, wird *Le Gâteau* als freilich unausgesprochenen Appell zur Solidarität der Unterdrückten im Sinne frühsozialistischer Vorstellungen interpretieren. Wer den Kampf der Bettlerjungen zum Ausgangspunkt wählt, wird der Eintracht der Kinder mißtrauen und daran denken, daß man mit den weißen Zähnen einander auch beißen kann ... Baudelaire legt keine der beiden Interpretationen zwingend nahe; vielmehr läßt er den Gegensatz stehen. Die einzelne Allegorie ist eindeutig; aber die Summe der allegorischen Bilder ergibt kein Ganzes mehr. Während die traditionelle Allegorie auf dem Hintergrund eines Bedeutungssystems funktioniert, das Autor und Publikum gemeinsam haben, fehlt bei der modernen ein solches Bezugssystem. Der Autor setzt Bedeutungen, aber deren Geltung bleibt an die Einzelsituation gebunden. Die Form der Allgemeinheit, die die Allegorie suggeriert, ist insofern leere Form. Während die traditionelle Allegorie die Welt zu einem universalen Verweisungszusammenhang ordnet, ist die moderne nur noch Setzung des vereinzelten Ich.

Dieses Ich, das die isolierten Realitätsausschnitte mit Bedeutung belehnt, wird in den Texten keineswegs als identisches dargestellt, sondern eher als Schauplatz wechselnder Stimmungen und Gefühle, Gedanken und Reflexionen. Auf den wohlgekleideten Herrn, der dem Esel ein gutes neues Jahr wünscht, reagiert es mit einem Wutausbruch; der Anblick des alten Clowns erweckt in ihm eine hysterische Mitleidsregung. Neben der Bewunderung für die majestätische Haltung einer verarmten Witwe (*Les Veuves*) steht der Zynismus in *Le mauvais Vitrier*: Das Ich läßt einen Glaser zu sich ins Dachgeschoß kommen, schickt ihn dann wieder fort und zerstört, als dieser unten angekommen ist, dessen Glasscheiben mit einem heruntergeworfenen Topf. Sowenig wie das Mitleid ist der Zynismus eine feste Verhaltensdisposition des Ich; vielmehr handelt es sich um Stimmungen, momentane Entladungen aufgestauter psychischer Energien, die das Ich nicht beherrscht, sondern denen es unterworfen ist. Eine Kontinuität der eigenen Erfahrungswelt vermag dieses Ich nicht herzustellen. Konsequent schließt es sich selbst in die Zahl derer ein, die es verachtet (*A une Heure du matin*).

Indem das Ich den Lesern sagt: so bin ich, sagt es zugleich: so seid

ihr auch; die Identität des bürgerlichen Subjekts ist eine Fiktion. Mit dem Verlust traditionaler Bindungen hat das Subjekt auch seinen Halt verloren. Es ist ein Nervenbündel, das auf Reize reagiert. Konnte die klassische Moralistik noch die Selbstliebe (amour propre) als Triebfeder menschlichen Handelns ausmachen, so hat sich in der modernen Welt auch dieser Mittelpunkt aufgelöst. Auch das Eigeninteresse ist keine verläßliche Richtschnur des Handelns mehr. Hatte Hegel noch angenommen, daß das Eigeninteresse, um sich zu verwirklichen, die Form der Allgemeinheit annehmen müsse, so zweifelt Baudelaire an der Möglichkeit einer solchen Prägung. Das Eigeninteresse wird dadurch gleichsam freischwebend, es vermag sich selbst nur noch momentan zu bestimmen. Mit der Einheit des Interesses aber zerfällt die der Person. Das Ich der *Poèmes en prose* ist eine der frühesten Darstellungen der Nicht-Identität des bürgerlichen Subjekts. Proust, Kafka und Musil werden das Thema aufnehmen. Dahinter steht die Einsicht in das Dilemma moderner Subjektivität: Identität ist immer auch ein Stück auferlegten und angenommenen Zwangs; Nicht-Identität aber ist das Leiden des Ich daran, daß es sich selbst nicht hat.
Modern ist die Allegorie Baudelaires deshalb, weil er das Prinzip der Bedeutungsfestlegung unterläuft. Zwar ist die Bedeutung der einzelnen allegorischen Bilder bestimmt, aber ihre Zusammenstellung läßt keine einheitliche Perspektive mehr erkennen. Paradoxerweise vermag er so mittels der Allegorie gerade das Unfestwerden der Bedeutungen darzustellen. Gibt es, so ließe sich fragen, darüber hinaus einen Bezug zwischen allegorischer Form und moderner Gesellschaft? Heinz Schlaffer hat in seinem Buch *Faust zweiter Teil* darauf eine interessante Antwort gegeben, die wir abschließend erörtern wollen. Schlaffer geht nicht von Benjamins Allegoriebegriff aus, sondern von der klassisch-idealistischen Auffassung, derzufolge die Allegorie im Gegensatz zum Symbol eine niedere und letztlich unkünstlerische Darstellungsweise ist. Während das symbolische Kunstwerk eine in sich geschlossene, organische Ganzheit darstellt, die aufgrund innerer Einheit und Harmonie der Teile gefällt, verwendet das allegorische das sinnlich Gegebene als bloßes Zeichen für einen Gedanken. Während symbolische Werke den Betrachter zur Versenkung in das Besondere einladen, zwingen die allegorischen ihn zur Abstraktion von der Wahrnehmung und zur Suche nach einer vom Autor gemein-

ten Bedeutung. Der Vorwurf der idealistischen Ästhetik gegen die Allegorie richtet sich gegen deren Tendenz zur Entsinnlichung, zur Abstraktion. Die Allegorie, schreibt Hegel, »sucht die bestimmten Eigenschaften einer allgemeinen Vorstellung durch verwandte Eigenschaften sinnlich konkreter Gegenstände der Anschauung näher zu bringen«. Sie tut dies, indem sie die allgemeine Vorstellung – z. B. Liebe, Gerechtigkeit, Krieg, Frieden – personifiziert, d. h. als Subjekt auffaßt. »Diese Subjektivität aber ist weder ihrem Inhalte noch ihrer äußeren Gestalt nach wahrhaft an sich selbst ein Subjekt oder Individuum, sondern bleibt die Abstraktion einer allgemeinen Vorstellung, welche nur die *leere* Form der Subjektivität erhält« (*Ä* I, 286f.). Hegels Kritik der allegorischen Darstellungsweise erinnert an Karl Philipp Moritz' Beschreibung der Justitia: »Nichts ist widriger, als diese Figur; bey ihr scheint nichts in Bewegung, nichts in Thätigkeit; sie hält bloß maschinenmäßig das Schwerdt und die Wage, und die verbundnen Augen machen sie noch unthätiger. – Die ganze Figur ist überladen und steht von sich selbst erdrückt, wie eine todte Masse da«.[49] Was Hegel »die leere Form der Subjektivität« nennt, macht Moritz als Untätigkeit an der Figur der Justitia aus. Und was Hegel als »Abstraktion einer allgemeinen Vorstellung« bezeichnet, entspricht der Zeichenfunktion, die den Attributen der Figur zukommt.

Die These von Schlaffer lautet nun, daß gerade wegen ihrer Abstraktheit die Allegorie die moderne Kunstform schlechthin sei. Um diese These theoretisch abzusichern, greift er auf Hegels Bestimmung der Neuzeit und Marx' Analyse des Tauschvorgangs zurück.[50] Hegel hat den Gedanken, daß die Gegenwart der Kunst nicht günstig sei, damit begründet, daß die Neuzeit im Zeichen der »Reflexionsbildung« stehe, für die das Bedürfnis kennzeichnend sei, »allgemeine Gesichtspunkte festzuhalten und danach das Besondere zu regeln«. Mit dieser Formulierung, so argumentiert Schlaffer, habe Hegel nur gezeigt, daß die Neuzeit der symbolischen Kunstform ungünstig sei, zugleich aber ungewollt die Allegorie als die adäquate Kunstform der Moderne bestimmt, denn

49 K. Ph. Moritz, *Über die Allegorie*, in: ders., *Schriften zur Ästhetik und Poetik*, hg. v. H. J. Schrimpf (Neudrucke dt. Literaturwerke N.F., 7). Tübingen: Niemeyer 1962, 114.

50 Zum folgenden vgl. H. Schlaffer, *Faust zweiter Teil. Die Allegorie des 19. Jahrhunderts*. Stuttgart: Metzler 1981, 39ff. und 49ff.

diese geht ja der klassisch-idealistischen Auffassung zufolge ebenfalls von »allgemeinen Gesichtspunkten« aus und regelt danach das Besondere, Konkrete. Marx habe, so Schlaffer, in der Analyse der Warenform eine Verkehrung aufgewiesen – »die Sinnlichkeit des Warenkörpers ist notwendig, aber nur als Erscheinung eines Abstraktums«, nämlich des Werts –, die sich auf die Allegorie übertragen ließe: »auch sie geht vom ›Abstrakt-Allgemeinen‹ aus, mit dem sie ein ›Sinnlich-Konkretes‹ als fremd herbeigezogene Erscheinungsform verbindet«.[51]

Der Gedanke Schlaffers ist von bestechender Einfachheit. Eine Welt, in der der Warentausch zur herrschenden Form des gesellschaftlichen Zusammenhangs geworden ist, steht im Zeichen der Abstraktion; in ihr ist die Allegorie gerade aufgrund ihrer Abstraktheit die adäquate Kunstform. Ich sehe bei dieser Ableitung jedoch mindestens zwei Probleme. Die Kunstform entspringt hier vermittlungslos aus der Warenform. Ähnlich wie Lucien Goldmann die Romanform unmittelbar aus der Struktur der kapitalistischen Gesellschaft hat herleiten wollen[52], versucht Schlaffer dies für die Allegorie. Damit wird die Kunstform zu etwas Objektivem, an dessen Ausbildung die Subjekte in keiner Weise mehr beteiligt sind. Da Schlaffer wie Goldmann die Kategorie der Vermittlung überspringt, wird die Form zum bewußtlosen Spiegel realer Verhältnisse. Eine objektivistisch erstarrte Variante der Widerspiegelungstheorie, die Schlaffer nicht teilt, liegt ungewollt seiner These zugrunde.

Mein zweiter Einwand liegt auf einer andern Ebene. Ich bin mir nicht sicher, ob der klassisch-idealistische Allegoriebegriff ein günstiger Ansatzpunkt ist, um die moderne Allegorie zu fassen. Benjamins Begriff scheint mir hier eine größere aufschließende Kraft zu haben. Einige wichtige Unterschiede zwischen beiden Begriffen seien kurz umrissen: 1. Der traditionelle Allegoriebegriff rekonstruiert den Produktionsprozeß des Allegorikers als einen, der vom Abstrakten zum Sinnlich-Konkreten fortschreitet.

51 H. Schlaffer, *Faust zweiter Teil*, 57 u. 58.

52 Vgl. L. Goldmann, *Soziologie des modernen Romans* (Soz. Texte, 61). Neuwied/Berlin: Luchterhand 1970 [frz. Ausg. 1964], sowie meine Kritik am Ansatz Goldmanns in: P. Bürger, *Vermittlung – Rezeption – Funktion [...]* (suhrkamp taschenbuch wiss., 288). Frankfurt 1979, 66-78.

Zu einer allgemeinen Vorstellung wird eine sinnliche Vergegenständlichung gesucht. Der moderne Allegoriker, wie ihn Benjamin schildert, geht anders vor. Er nimmt gerade das Sinnlich-Konkrete zum Ausgangspunkt, isoliert es aus seinem Kontext und weist ihm eine Bedeutung zu. 2. Die Bedeutungen der allegorischen Zeichen sind in der traditionellen Allegorie weitgehend festgelegt, zu einem nicht unbeträchtlichen Teil sogar konventionalisiert. Der moderne Allegoriker verfügt dagegen über keinerlei Bezugssystem; die Bedeutungszuweisung, die er vornimmt, erhält dadurch den Charakter der reinen Setzung. 3. Die klassisch-idealistische Allegorietheorie macht, soviel ich sehe, keinen Versuch, die Allegorie in einer bestimmten psychischen Befindlichkeit zu fundieren, wie Benjamin dies in seinem Trauerspielbuch getan hat. Ein solcher Versuch bestimmt den modernen Allegoriker als ein vereinzeltes bürgerliches Subjekt, das keinen religiös oder weltanschaulich abgesicherten Lebenssinn mehr vorfindet und daher gänzlich dem Augenblick ausgeliefert ist. Melancholie hat es auch vor der bürgerlichen Epoche gegeben – der altfeudale Frondeur und Moralist La Rochefoucauld ist ein Beispiel dafür –; dennoch dürfte Baudelaire etwas Richtiges treffen, wenn er die Melancholie an den Bildern Delacroix' als moderne ›Qualität‹ herausstellt. Kierkegaard hat dies nicht anders gesehen, wenn er das ästhetische Weltverhalten in der Schwermut gründet und den Schwermütigen als Allegoriker darstellt.

Mein Kummer ist meine Ritterburg: sie liegt wie ein Adlerhorst auf der Spitze eines Berges und ragt hoch in die Wolken. Niemand kann sie stürmen. Von diesem Wohnsitz fliege ich hinunter in die Wirklichkeit und ergreife meine Beute. Aber ich halte mich unten nicht auf; ich trage sie heim auf mein Schloß. Was ich erbeute, sind Bilder; die wirke ich in eine Tapete und bekleide damit die Wände meiner Zimmer. So lebe ich wie ein Abgeschiedener. An jedem Erlebnis vollziehe ich die Taufe der Vergessenheit und weihe es der Ewigkeit der Erinnerung. Alles Endliche und Zufällige wird abgestreift und vergessen. Da sitze ich, gedankenvoll, ein alter grauhaariger Mann, und erkläre mit leiser, fast flüsternder Stimme Bild um Bild; und neben mir sitzt ein Kind und lauscht meinen Worten, obwohl es längst alles weiß, was ich zu erzählen habe.[53]

Die moderne Allegorie ist mit der von der idealistischen Ästhetik

53 S. Kierkegaard, *Entweder/Oder*, übers. v. W. Pfleiderer/Ch. Schrempf. 2 Bde., Jena: Diederichs o. J.; Bd. I, 38.

verworfenen Kunstform nicht identisch. Man wird sie daher auch nicht aus der Abstraktheit moderner Lebensverhältnisse herleiten bzw. mit diesen parallelisieren können. Ihr Entstehen, so scheint mir, ist über historische Erfahrungen der Subjekte vermittelt, die die Soziologie als Geltungsverlust traditionaler Weltbilder beschreibt und die Kierkegaard als Vereinzelung des Individuums charakterisiert. »Unsere Zeit hat alle substantiellen Bestimmungen verloren; sie sieht das einzelne Individuum nicht mehr in dem organischen Zusammenhang der Familie, des Staats, des Menschengeschlechts, sondern überläßt es ganz sich selbst«.[54] Baudelaires *Poèmes en prose* eröffnen einen Blick auf die Kehrseite der bürgerlichen Gesellschaft, nicht indem sie das Elend der Proletarier thematisieren, sondern indem sie zeigen, wie das auf sich selbst und die Gegenwart seiner Stimmungen zurückgeworfene Ich Halt sucht im festgestellten allegorischen Bild, dem es dezisionistisch Bedeutung zuweist. Doch die Summe der Bilder ergibt kein Ganzes mehr und enthüllt nur die Nicht-Identität des Ich mit sich selbst, der zu entkommen die allegorische Veranstaltung unternommen wurde.

54 Ebd. I, 135.

4. »La vision horrible d'une œuvre pure«. Die Radikalisierung der Kunstautonomie bei Mallarmé

> – Et, dans mon être à qui le sang morne préside l'impuissance s'étire en un long bâillement.[55]– Pour le vers, je suis fini, je crois: il y a de grandes lacunes dans mon cerveau qui est devenu incapable d'une pensée suivie et d'application.[56]

Kein Motiv kehrt in den frühen Gedichten und Briefen Mallarmés mit vergleichbarer Häufigkeit wieder wie das der Klage über die Unfähigkeit zu schreiben. Sterilität ist geradezu seine Grunderfahrung. Die Klage darüber bezeugt mehr als die Feststellung eines Mangels, nämlich den außerordentlich hohen Anspruch, den Mallarmé mit dem Begriff des Kunstwerks verbindet.[57] Dieser Anspruch wird von ihm nicht positiv formuliert; er tritt zunächst nur negativ in Erscheinung im Eingeständnis des Scheiterns. Damit wird jedoch ein Begriff von Dichtung als einzig legitimer gesetzt, vor dem die überwältigende Mehrzahl aller romantischen und nachromantischen Gedichte schon deshalb nicht bestehen kann, weil sie mit dem Makel der *facilité* behaftet sind. Von der Position dessen aus, der einen unerreichbar hohen Begriff von Dichtung hat, kann Mallarmé dann paradoxerweise die Produktionen seiner Zeitgenossen sogar anerkennen und Distanz zu ihnen nur äußerst zurückhaltend andeuten. An François Coppée etwa, der in schneller Folge einen Gedichtband nach dem andern herausbringt,

55 St. Mallarmé, *Œuvres complètes*, hg. v. H. Mondor/G. Jean-Aubry (Bibl. de la Pléiade). Paris: Gallimard 1945, 34; Seitenzahlen im Text beziehen sich in diesem Kapitel auf diese Ausgabe.

56 St. Mallarmé, *Propos sur la poésie*, hg. v. H. Mondor. Monaco: du Rocher 1953, 49; im folgenden abgekürzt: *P*. Das Titelzitat findet sich ebd., 97.

57 »Mallarmé sent ici [sc. dans *Igitur*] profondément que l'état d'aridité qu'il connaît est en relation avec l'exigence de l'œuvre, n'est pas une simple privation de l'œuvre, ni un état psychologique qui lui serait propre«, schreibt Maurice Blanchot in seiner Studie *L'Espace littéraire* (Coll. Idée, 155). Paris: Gallimard 1968, 133f.

schreibt er: »je songe alors à vos poèmes, parfaits avec rien, dont la lumière est si exacte, mêlée à son indispensable élément de banalité: il y a un dosage dont vous gardez le secret« (*P*, 103).
Man ist versucht, Mallarmés Vorgehen mit den Kategorien zu beschreiben, die die Kultursoziologie Pierre Bourdieus bereitstellt.[58] Das Ziel Mallarmés, so könnte man sagen, ist es, kulturelle Macht im Felde der poetischen Produktion zu erreichen. Er strebt dieses Ziel aber nicht auf dem üblichen Weg der Veröffentlichung von Werken an, sondern indem er sich als einen darstellt, der an dem selbstgesetzten Anspruch scheitert. Dieser Anspruch ist so hoch, daß die darin eingeschlossene Entwertung der gesamten dichterischen Produktion seiner Zeitgenossen (mit Ausnahme Baudelaires) nicht ausdrücklich formuliert werden muß. Mallarmé kann freigebig sein im Lob von Dichterkollegen, die ihm dann um so weniger ihre Anerkennung versagen werden. Gestützt wird eine solche strategische Deutung durch eine Anzahl brieflicher Äußerungen Mallarmés, aus denen hervorgeht, daß sein Verzicht auf Publikumserfolg keineswegs einem Verzicht auf Anerkennung überhaupt gleichkommt. Zwar betont er wiederholt, daß es ihm nicht um öffentliche Wirkung gehe (*P*, 78, 80); doch läßt er erkennen, daß er sehr wohl Anerkennung erstrebt, nämlich die als vollkommener Autor: »je ne tiens nullement à la publicité, mais l'acceptant, à ne livrer que des œuvres qui puissent m'assurer un renom de perfection« (*P*, 76). Es fällt nicht schwer, auch die außerordentlich genauen Angaben, die er für den Druck seiner Gedichte im *Parnasse contemporain* macht, und den Bericht über Dauer und Intensität seiner Korrekturarbeit an seinen Texten (*P*, 69ff.) als Teil einer Strategie zu deuten, deren Ziel eben der Ruf der Perfektion ist.
Die Deutung des Mallarméschen Projekts in Kategorien strategischen Handelns macht daran eine Seite erkennbar, verkürzt es jedoch um seine entscheidende Dimension. Als ein bloß strategisches wäre es aller Wahrscheinlichkeit nach kläglich gescheitert;

58 Vgl. P. Bourdieu, »Le Marché des biens symboliques«, in: *L'Année sociologique* 22 (1971/1972), 49-126; eine deutsche Teilübersetzung des Aufsatzes ist erschienen unter dem Titel »Die Wechselbeziehungen von eingeschränkter Produktion und Großproduktion«, in: *Zur Dichotomisierung von hoher und niederer Literatur*, hg. v. Ch. Bürger/P. Bürger/J. Schulte-Sasse (Hefte f. krit. Lit.wiss. 3; ed. suhrkamp, 1089). Frankfurt 1982, 40-61.

und Mallarmé wäre nur einer der vielen Autoren, von denen die Literaturgeschichte nicht einmal die Namen überliefert. Wenn er eine Schlüsselfigur moderner Dichtung ist, so nicht deshalb, weil er ein guter Stratege im Kampf um kulturelle Machtpositionen war, sondern weil er ein Leben lang ein letztlich aporetisches Ziel verfolgt hat, das Werk, in dem Dichtung und Weltdeutung zusammenfallen: »l'explication orphique de la Terre« (*P*, 143). Indem er das notwendige Scheitern seines Projekts lebt, wird er zu einer jener quasi-mythischen Gestalten der ästhetischen Moderne, die an eine unüberschreitbare Grenze gelangt zu sein scheinen.[59] Im öffentlichen Bewußtsein ist Mallarmé darüber hinaus lebendig als Autor schwer verständlicher Gedichte, deren eigenartige Schönheit in einem Gestus der Negation von Gegenständlichkeit liegt, sowie als Programmatiker des Ästhetizismus. Das radikal Moderne an seinem Kunstbegriff gilt es allererst freizulegen. Er selbst hat es, sieht man von einer Jugendschrift ab, durch konsequente Verdunkelung seiner Prosa eher verdeckt.

Einen ersten Zugang zum Dichtungsbegriff Mallarmés eröffnet die Jugendschrift *Hérésies artistiques: l'art pour tous*. Niemals wieder hat Mallarmé später seine Position mit solcher Schärfe und Klarheit formuliert wie in diesem Pamphlet.[60]

> Toute chose sacrée et qui veut demeurer sacrée s'enveloppe de mystère. Les religions se retranchent à l'abri d'arcances dévoilés au seul prédestiné: l'art a les siens (257).

59 Sartre hat ihn deshalb als *mystificateur triste* bezeichnet: »il a créé et maintenu chez ses amis et disciples l'illusion d'un grand œuvre où soudain se résorberait le monde; il prétendait s'y préparer. Mais il en connaissait parfaitement l'impossibilité.« Aber er fügt hinzu: »Mais c'est une mystification *par la vérité*« (J.-P. Sartre, *Mallarmé*, in: ders., *Situations IX*. Paris: Gallimard 1972, 191-201; hier: 199). Nicht nur weil er durch sein Leben sein aporetisches Projekt beglaubigt, kommt Mallarmé zu seiner Wahrheit, sondern vor allem, weil er die Leere dessen, was ihm das Höchste ist, eingesteht.

60 Der jüngst von Augustin Gill vertretenen Auffassung, es handle sich bei dem Eingangsabschnitt des Aufsatzes um ein rhetorisches Bravour-Stück – »what is asserted with such ostentatious eloquence is not written in good earnest« –, kann ich mich nicht anschließen; wohl aber ist nicht zu übersehen, daß Mallarmé sich in dem Aufsatz an der Radikalität mancher Formulierungen Baudelaires orientiert. (*The Early Mallarmé*, Bd. II. Oxford: Clarendon Press 1986, 92ff., hier: 94).

Mallarmé vertritt hier einen kompromißlos elitären Literaturbegriff. Jede Demokratisierung des Zugangs zur Literatur (Literaturunterricht im Gymnasium und billige Klassikerausgaben) lehnt er ab. Denn seiner Auffassung zufolge ist Literatur als Kunst dadurch definiert, daß sie nur einer kleinen Elite zugänglich ist: »un art, c'est-à-dire un mystère accessible à de rares individualités« (259).

Es hat keinen Sinn, sich über antidemokratische und massenfeindliche Ausfälle des jungen Autors zu entrüsten. Er übernimmt hier eine Attitüde, wie sie uns aus den kunstkritischen Schriften Baudelaires bekannt ist. Wichtiger ist etwas anderes. Mallarmé macht keinen Versuch, das Mysterium der Dichtung inhaltlich zu bestimmen. Literatur ist Kunst insofern, und nur insofern sie den Massen unzugänglich ist. Ihr Wesen fällt mit ihrem Status als einer Praxis von Eingeweihten zusammen. Der Vergleich mit der Institution Religion, den Mallarmé in dem Aufsatz verwendet, trifft nur zur Hälfte zu. Die meisten Religionen kennen Stufen der Teilhabe am religiösen Mysterium, sie unterscheiden Priester und Laien. Aber während die Laien am religiösen Leben teilnehmen, will Mallarmé die Massen ganz von der Teilhabe am künstlerischen Leben ausschließen, um gleichsam eine Kunstreligion nur für Künstler zu schaffen.[61] Noch in einer andern Hinsicht ist der Vergleich mit der Religion ungenau. Deren Mysterien sind substantiell (der Opfertod Christi ein Zeichen der Versöhnung); bei Mallarmé dagegen ist das Mysterium rein formal gefaßt, nämlich als Abgrenzung eines Bereichs. War die Analogie mit der christlichen Religion in der idealistischen Ästhetik noch substantiell, insofern diese einen nicht-religiös gebundenen Modus von Versöhnung dachte, so wird sie hier zur Form entleert. Aber gerade in dieser Entsubstantialisierung liegt zugleich eine Radikalisierung der Autonomieästhetik. Der potentielle Gehalt der Werke fällt mit dem Status absoluter Autonomie zusammen, den sie als unzugängliche bestätigen.

61 Allerdings muß betont werden, daß Mallarmé den massenfeindlichen Aspekt seiner Ausführungen später zurückgenommen hat. In *Le Mystère dans les Lettres* wird die Anziehung durch etwas Geheimnisvolles, Mysteriöses als allgemeinmenschliche Anlage bestimmt (»Il doit y avoir quelque chose d'occulte au fond de tous«; 383) und in dem Prosatext *Plaisir sacré* die Menge (*la foule*) sogar als *gardienne du mystère* apostrophiert (390).

Das Problem, vor dem Mallarmé steht, läßt sich folgendermaßen formulieren: Er muß das *mystère* der Dichtung präzisieren, ohne es dabei substantiell aufzuladen. Das gilt sowohl für den gesamten Prozeß, der Produktion und Rezeption umfaßt, als auch für das Einzelwerk. Wo dieses als ein für sich gehaltvolles sich darstellt, verfehlt es bereits die Reinheit, die einzig als Kunstwerk es ausweisen kann.
Konsequent hat Mallarmé in *Le Mystère dans les Lettres* aus dem Jahre 1896 die Kategorie der Bedeutung für den dichterischen Text zwar nicht gänzlich negiert, ihr aber doch eine untergeordnete Stelle zugewiesen:

Tout écrit, extérieurement à son trésor, doit, par égard envers ceux dont il emprunte, après tout, pour un objet autre, le langage, présenter, avec les mots, un sens même indifférent: on gagne de détourner l'oisif, charmé que rien ne l'y concerne, à première vue (382).

In der Dichtung ist Textbedeutung eine Konzession gegenüber denen, die die Sprache zur Bezeichnung von Gegenständen und Sachverhalten benutzen und die ihre Aufmerksamkeit nur auf das richten, was sie betrifft. Nicht wesentlich ist mithin die Bedeutung des dichterischen Textes, sondern nur Mittel, um die Nichteingeweihten dazu zu veranlassen, sich von ihm abzuwenden. Gerade die belanglose Bedeutung erfüllt diese Aufgabe am besten. Worauf es dagegen im dichterischen Text ankommt (*son trésor*), wird in dem Zitat kaum angedeutet: »pour un objet autre«, frei übertragen: auf eine andere Sprachverwendung.
Mit dieser Entwertung der Kategorie der Bedeutung ist die in der Jugendschrift noch ganz abstrakte Fundierung der Dichtung auf die Praxis einer Elite zwar konkretisiert, das Mysterium der Poesie selbst aber immer noch nicht näher bestimmt. Dies geschieht in der Sprachtheorie, die Mallarmé 1886 im *Avant-dire* zum *Traité du Verbe* von René Ghil skizziert.[62] Mallarmé unterscheidet zwischen alltäglicher und dichterischer Sprachverwendung (double état de la parole), wobei er eine eindeutige Wertung vornimmt.

62 Der Stellenwert, den diese Überlegungen für Mallarmé haben, erhellt daraus, daß er sie am Schluß von *Crise de vers* wiederaufnimmt (368).

Narrer, enseigner, même décrire, cela va et encore qu'à chacun suffirait peut-être, pour échanger la pensée humaine, de prendre ou de mettre dans la main d'autrui en silence une pièce de monnaie, l'emploi élémentaire du discours dessert l'universel reportage dont, la Littérature exceptée, participe tout entre les genres d'écrits contemporains (857).

Die Alltagssprache, zu der für ihn auch die erzählende und beschreibende Prosa gehört[63], dient dem, was er abwertend *universel reportage* nennt. Er charakterisiert sie durch den Vergleich der Sprachzeichen mit Geldstücken, die von Hand zu Hand gehen, Austausch von Zeichen gegen Bedeutung. Die Alltagssprache hat eine referentielle Funktion: »une fonction de numéraire facile et représentatif« (ebd.). Die Zeichen stehen für etwas anderes, nämlich für das, was sie bezeichnen. Im Gegensatz zur Alltagssprache hat die Gedichtsprache keine kommunikative Funktion. Auch sie verweist auf etwas, aber nicht auf die Realität, sondern auf die Idee.

A quoi bon la merveille de transposer un fait de nature en sa presque disparition vibratoire selon le jeu de la parole, cependant, si ce n'est pour qu'en émane, sans la gêne d'un proche ou concret rappel, la notion pure?
Je dis: une fleur! et, hors de l'oubli où ma voix relègue aucun contour, en tant que quelque chose d'autre que les calices sus, musicalement se lève, idée même et suave, l'absente de tous bouquets (ebd.).

Mounin hat darauf hingewiesen, daß der vielzitierte Satz »Je dis: une fleur...«, wörtlich genommen, eine linguistische Banalität bezeichnet: Wort und Sache, Zeichen und Bezeichnetes, sind nicht dasselbe.[64] Mallarmé meint aber offenkundig etwas anderes; Mounin deutet es als die subjektiven Konnotationen im Gegensatz zu den gesellschaftlich fixierten Denotationen der Sprachzeichen. Diese Interpretation kann sich allenfalls auf das bekannte Interview mit Jules Huret berufen, wo Mallarmé den Symbolbegriff durch das Verfahren der Anspielung erläutert (869), trifft aber auf seine Theorie dichterischer Sprache nicht zu. Diese zielt nicht auf das Unaussprechliche individueller Erfahrungsqualität, sondern auf etwas Allgemeines, den Verweis des poetischen Sprachzei-

63 Damit widerspricht Mallarmé der brieflich geäußerten Anerkennung von Zolas *Assommoir* als eines *poème* (vgl. *P*, 123).

64 G. Mounin, »Mallarmé et le langage«, in: *Europe*, No. 564-565 (avril-mai 1976), 10-17, hier: 14f.

chens auf einen Idee (bzw. *notion pure*) genannten Bereich. Einerseits wird dieser der Realität nicht schroff entgegengesetzt, er hat sie vielmehr zur Voraussetzung; andernfalls ließe sich nicht von Transposition sprechen. Andererseits bedarf es zur Erreichung der »Idee« einer Ablösung von der Realität, eines Vergessens (oubli où ma voix relègue aucun contour). Da Mallarmé den Begriff »Idee« nicht nur im Zusammenhang mit dichterischen, sondern auch mit musikalischen Werken verwendet (vgl. 649) und sogar bei der Darstellung eines Sonnenuntergangs die Natur als *Idée tangible* apostrophiert (402), wird man sagen können, daß er mit dem Begriff das Ästhetische bezeichnet. Dieses meint aber bei ihm, anders als bei Hegel, nicht etwas Substantielles, sondern eher einen Endpunkt der Verflüchtigung von Realität. Das Ästhetische hat bei Mallarmé keine bestimmbaren Konturen, es ist eine in ihrer reinen Idealität leere Sphäre.

Einem Begriff des Ästhetischen, der dieses als »leere Transzendenz« faßt (um den Ausdruck Hugo Friedrichs zu verwenden), kann auf der Seite des Produzenten kein aus der subjektiven Erfahrung schaffendes Individuum entsprechen. Der Dichter, der absolute Kunstwerke hervorbringen will, muß sich selber gleichsam auslöschen. Nach der Krise des Jahres 1866/1867 schreibt Mallarmé an seinen Freund Cazalis: »Je suis maintenant impersonnel, et non plus Stéphane que tu as connu, – mais une aptitude qu'a l'Univers Spirituel à se voir et à se développer, à travers ce qui fut moi« (*P*, 88). Nicht Subjekt-Ausdruck ist von nun an Ziel seines Dichtens, sondern das »reine Werk«, das aus der Bewegung der Wörter gegeneinander entsteht. »L'Œuvre pure implique la disparition élocutoire du poëte, qui cède l'iniatiative aux mots, par le heurt de leur inégalité mobilisés« (366).

Ist die Depersonalisierung des Autors eine Bedingung des dichterischen Schaffens, so Selbstkritik die andere. Nicht der Einfall zählt, die Inspiration, sondern das, was nach einem mühsamen Prozeß der Korrektur und des Weglassens übrigbleibt:

je n'ai créé mon œuvre que par *élimination*, et toute vérité acquise ne naissait que de la perte d'une impression qui, ayant étincelé, s'était consumée et me permettait, grâce à ses ténèbres dégagées, d'avancer plus profondément dans la sensation des Ténèbres Absolues. La Destruction fut ma Béatrice (*P*, 91).

Das Werk baut sich aus einer Überlagerung von Zerstörungen auf. Zerstört wird nicht nur der erste Eindruck, der ersetzt wird durch eine Wortfolge, die ihn zugleich evozieren und als besonderen vergessen machen soll. Diese wiederum wird weiteren Korrekturen unterworfen, deren Ziel es ist, ein Äquivalent absoluter Schönheit zu schaffen, die Mallarmé ebenso in einer Metaphorik des Lichts wie der Dunkelheit anspricht. Was in den frühen Gedichten *l'Azur* heißt, nennt er hier *Ténèbres Absolues*. Insofern ist bereits bei Mallarmé die Möglichkeit angelegt, die die aporetische Suche nach absoluter Reinheit umschlagen läßt in die nach absoluter Unreinheit und absoluter Zerstörung. Samuel Beckett hat diesen Strang der Entwicklung der Moderne mit großer Konsequenz verfolgt.

In der zitierten Briefstelle meint *destruction* ein Prinzip künstlerischer Arbeit, an das Valéry mit seiner Theorie des *refus* anknüpfen wird. Destruktion zielt dabei nicht auf das Werk, von dem Mallarmé nicht ohne Blasphemie sagt: »j'ai trouvé que cela était« (*P*, 91), auch nicht auf die Institution, deren die Werke bedürfen, um als Kunstwerke anerkannt zu werden. Nun bleibt aber zwischen den Aussagen Mallarmés über die Arbeit am sprachlichen Material und dem, was er »une transfiguration en le terme surnaturel, qu'est le vers« nennt (646), eine unüberbrückbare Kluft. Anders formuliert: Ebensowenig wie Mallarmé das Mysterium der reinen Schönheit anders als durch Formeln der Abwesenheit und der Negation bestimmen kann, vermag er anzugeben, was denn jene Transformation ausmacht, die den Vers an der *Beauté pure* teilhaben läßt. Dahinter verbirgt sich ein Problem, das Mallarmé in dem 1894 in London gehaltenen Vortrag *La Musique et les Lettres* unter dem Stichwort *crise idéale* angesprochen und in eine Parallele zur sozialen Krise gerückt hat.[65] Es geht darum, den Realitätsgehalt der LITERATUR im emphatischen Sinne zu bestimmen: »Quelque chose comme les Lettres existe-t-il« (645). Was unterscheidet, so fragt Mallarmé, die LITERATUR vom Bemühen um die Vollendung sprachlichen Ausdrucks, das andere intellektuelle Praxen charakterisiert? Eine erste Antwort hat er bereits in die Formulierung der Frage eingebaut. Während die Diskurse des Ar-

65 Vgl. dazu die eingehende Interpretation von H. Merkl in seiner Studie *Ein Kult der Frau und der Schönheit. Interpretationen zur französischen, italienischen und spanischen Lyrik des Fin de siècle*. Heidelberg: Winter 1981, 195-199.

chitekten, des Juristen und des Arztes eingebunden sind in das Netz gesellschaftlichen Handelns, trifft das für die LITERATUR nicht zu. Da ihr eine solche Verankerung in umgreifenden Handlungsfeldern abgeht, ist ihr Status äußerst prekär.
Verdeutlichen wir uns zunächst die Voraussetzungen der Frage nach der Existenz der LITERATUR. Solange Kunstwerke als Träger eines moralisch-politischen Gehalts gefaßt sind, bleiben sie auch innerhalb einer autonomie-ästhetisch geregelten Institution Literatur auf gesellschaftliche Praxis beziehbar; die Frage, ob es Dichtung gibt, kann dann sinnvollerweise nicht gestellt werden. Erst in dem Augenblick, wo die Werke nur noch auf ihre eigene Idealität verweisen, kann die Frage danach aufgeworfen werden. Erst die ästhetizistische Radikalisierung der Autonomieästhetik, wie sie Mallarmé vornimmt, macht die Existenz der Dichtung problematisch.
Mallarmé beantwortet die selbstgestellte Frage mit der berühmten Hyperbel, die von der LITERATUR aus der Wirklichkeit Existenz abspricht: »Oui, que la littérature existe et, si l'on veut, seule, à l'exception de tout« (646).[66] Die eigentliche Antwort hat er zunächst in einem kleinen Satz versteckt: »Tout dessein dure; à quoi on impose d'être par une foi ou des facilités, qui font que c'est, selon soi« (ebd.). Die Existenz einer menschlichen Praxis hängt entweder von der Gewohnheit oder von einem Glauben ab. Bleibt als Fazit die Einsicht, daß die Dichtung keine andere Grundlage ihrer Existenz hat als den Glauben derer, die sie praktizieren. Was Mallarmé hier andeutet, spricht er im gleichen Aufsatz wenig später mit aller Deutlichkeit aus:

Nous savons, captifs d'une formule absolue que, certes, n'est que ce qui est. Incontinent écarter cependant, sous un prétexte, le leurre, accuserait notre inconséquence, niant le plaisir que nous voulons prendre: car cet *au-delà* en est l'agent, et le moteur dirais-je si je ne répugnais à opérer, en public, le démontage impie de la fiction et conséquemment du mécanisme littéraire, pour étaler la pièce principale ou rien. Mais, je vénère comment, par une supercherie, on projette, à quelque élévation défendue et de foudre! Le conscient manque chez nous de ce qui là-haut éclate.
A quoi sert cela –
A un jeu (647).

66 Auf dieser Umkehrung hat Georges Poulet in seiner Rekonstruktion der *aventure spirituelle* Mallarmés insistiert: »Pour faire exister son

Der Text ist, jedenfalls für Mallarmé, von beinahe brutaler Eindeutigkeit. Vorgeführt wird die Destruktion des Glaubens an die Substantialität der Kunst (»le démontage impie de la fiction«), auch wenn der Autor vorgibt, dies nicht zu tun. Das Argument ist einfach: Nur das Gegebene existiert, die Natur und die Welt materieller Objekte; ihm vermag der Mensch nichts hinzuzufügen (»La Nature a lieu, on n'y ajoutera pas«, ebd.). Der Glaube an die Kunst als ein Absolutes ist nur ein Köder, freilich ein notwendiger, wenn es ästhetischen Genuß geben soll. Dieser beruht auf einem Mechanismus (Mallarmé führt die Technik-Metapher konsequent durch), dessen Besonderheit darin besteht, daß das, was ihn in Gang hält, nicht existiert, genauer: daß es die bloße Projektion eines Mangels ist, kurz ein Betrug.
Indem Mallarmé den metaphysischen Grund der Kunst als leere Setzung enthüllt, ist sein Gestus der eines Aufklärers, von dem er sich jedoch dadurch unterscheidet, daß er sein Tun nicht als Destruktion, sondern als notwendige Selbstaufklärung über die Sache versteht. Das kann er deshalb, weil er nicht nur die Leere der metaphysischen Setzung konstatiert, sondern auch die durchaus irdischen Bedingungen dieser Setzung benennt, das Fehlen von etwas, was wir in den Dingen nicht finden. So wird der Überdruß an den Dingen in ihrer bedrängenden Festigkeit (»l'ennui à l'égard des choses si elles s'établissaient solides et prépondérantes«; ebd.) zur eigentlichen Kraft, die das Verlangen nach Idealität erzeugt.

Igitur

Sartre hat das Außerordentliche an der *aventure spirituelle* Mallarmés zu erfassen versucht, indem er ihn paradoxerweise, wie es zunächst scheint, als engagierten Autor versteht, so den Begriff zugleich von der engen politischen Auslegung ablösend, die er ihm in der *Présentation* der *Temps Modernes* gegeben hatte. Engagiert wäre Mallarmé deshalb, weil er im Gegensatz zu den meisten Autoren des Second Empire das epochale Thema des Scheiterns, das die andern bedichten, zu seiner persönlichen Chiffre macht und

rêve il faut nier le reste« (»Mallarmé«, in: ders., *Etudes sur le temps humain II. La Distance intérieure*. Paris: Plon 1952, 298-355, hier: 336).

bis in ihre letzten Paradoxien hinein lebt.[67] Der frühe Tod der Mutter, in dem sich die Nicht-Existenz der Frau in der Beamtenfamilie des 19. Jahrhunderts spiegelt, hat den kleinen Stéphane der Wirklichkeit beraubt, die er nur im Blick der Mutter als bedeutungsvolle erfahren konnte. Zwar gewinnen für ihn jetzt die Dinge die Festigkeit des Gegebenen, aber dieses sagt ihm nur immer wieder den Tod der Mutter. »Die Realität bleibt jene trübe Anwesenheit, über die eine Abwesenheit dahinflattert«.[68] An der Unmöglichkeit, die Tote wieder zum Leben zu erwecken, übt das Kind die Niederlage als Lebensform ein. Später wird es, das negiert wurde, sich selbst zum Negierer machen.[69]

Ein Problem der Sartreschen Analyse, die eigenwillig das existentialistische Theorem der Selbst-Wahl am historischen Material fiktiv beglaubigt, besteht darin, daß sie nicht Texte zum Gegenstand hat, sondern ein gelebtes Leben. Zwar produziert Sartre eine plausible Erklärung für die Mallarmésche Poetik der Negativität (und das ist nicht wenig); aber die Texte selbst werden dabei zu Dokumenten, in die Bewegung nur durch den Gedanken Sartres kommt.

Der junge Autor, der unter seiner *impuissance* leidet, will schreiben. Er hat sich – mit Sartre zu sprechen – bereits als Dichter gewählt, und zwar als einen, der nicht nur Verse machen kann wie die Autoren des Parnaß und Baudelaire. Aber warum will er schreiben? Eine Antwort auf diese Frage gibt die Fragment gebliebene philosophische Erzählung *Igitur*: »pour ne pas douter de moi« (439f.). Noch zu Beginn des späten Villiers-Aufsatzes wird Mallarmé den Terminus Zweifel zur Begründung des Schreibens wiederaufnehmen: »s'arroger, en vertu d'un doute [...] quelque devoir de tout recréer, avec des réminiscences, pour avérer qu'on est bien là où l'on doit être« (481). Der Zweifel ist kein methodischer, eher könnte man ihn einen existentiellen nennen. Er zielt auf die Frage nach dem Warum der eigenen Geburt: »je ne veux pas connaître le Néant, avant d'avoir rendu aux miens ce pourquoi ils m'ont engendré« (451). Die eigene Geburt ist zufällig. Läßt sich dieser Zufall »zurückgeben«? Läßt sich eine Notwendigkeit kon-

67 Vgl. J.-P. Sartre, *Mallarmés Engagement [...]*, hg. u. übers. v. T. König. Reinbek b. Hamburg: Rowohlt 1983, 76f.

68 Ebd., 119.

69 Vgl. ebd., 138.

struieren, die die Bedingungen, aus denen sie hervorgeht, selber erzeugt? Und gesetzt einmal, dieses in sich aporetische Projekt ließe sich verwirklichen, wer bezeugte sein Gelingen?
Wie jedes Tun entgeht auch das Schreiben nicht der Dialektik der Anerkennung. Handeln bedeutet: »produire sur beaucoup un mouvement qui te donne en retour l'émoi que tu en fus le principe, donc existes: dont aucun ne se croit, au préalable, sûr« (369). Gegen Ende dieses Textes mit dem charakteristischen Titel *L'Action restreinte* führt Mallarmé jedoch aus, daß das Buch im emphatischen Sinn keinen Leser verlange; es genügt sich selbst als ein daseiendes: »il a lieu tout seul: fait, étant« (372). Schreiben ist, folgt man Mallarmé, eine monologische Praxis. Sie setzt die Absonderung des Schreibenden voraus (»Qui l'accomplit, intégralement, se retranche«; 481). Die Intimität des Schreibakts ist nicht kommunikativ zurückholbar in einen Kreis von Gleichgesinnten, sei dieser auch so erlesen wie der berühmte *Cénacle*, der um Mallarmé sich bildete (vgl. *Solitude*; 405 ff.).
Es geht also darum, sich der Dialektik der Anerkennung zu verweigern. Wenn das Ich sich nicht mehr im andern erkennen will, muß es entweder auf Anerkennung verzichten oder sich selbst zur Instanz der Anerkennung machen. Im ersten Fall würde es den Anspruch der Selbstvergewisserung aufgeben, im zweiten begibt es sich im wörtlichen und im übertragenen Sinne in ein Spiegelkabinett, dessen Schrecken *Vie d'Igitur* schildert:

Écoutez, ma race, avant de souffler ma bougie – le compte que j'ai à vous rendre de ma vie – Ici: névrose, ennui (ou Absolu!)
J'ai toujours vécu mon âme fixée sur l'horloge. Certes, j'ai tout fait pour que le temps qu'elle sonna *restât* présent dans la chambre, et devînt pour moi la pâture et la vie – j'ai épaissi les rideaux, et comme j'étais obligé pour ne pas douter de moi de m'asseoir en face de cette glace, j'ai recueilli précieusement les moindres atomes du temps dans des étoffes sans cesse épaissies. – L'horloge me fait souvent grand bien.
(Cela avant que son Idée n'ait été complétée? *En effet, Igitur a été projeté hors du temps par sa race.*)
Voici en somme Igitur, depuis que son Idée a été complétée: – Le passé compris de sa race qui pèse sur lui en la sensation de fini, l'heure de la pendule précipitant cet ennui en temps lourd, étouffant, et son attente de l'accomplissement du futur, forment du temps pur, ou de l'ennui, rendu instable par la maladie d'idéalité: cet ennui, ne pouvant être, redevient ses éléments, tantôt, tous les meubles fermés, et pleins de leur secret; et Igitur

comme menacé par le supplice d'être éternel qu'il pressent vaguement, se cherchant dans la glace devenue ennui et se voyant vague et près de disparaître comme s'il allait s'évanouir en le temps, puis s'évoquant; puis lorsque de tout cet ennui, temps, il s'est refait, voyant la glace horriblement nulle, s'y voyant entouré d'une raréfaction, absence d'atmosphère, et les meubles, tordre leurs chimères dans le vide, et les rideaux frissoner invisiblement, inquiets; alors, il ouvre les meubles pour qu'ils versent leur mystère, l'inconnu, leur mémoire, leur silence, facultés et impressions humaines, – et quand il croit être redevenu lui, il fixe de son âme l'horloge, dont l'heure disparaît par la glace, ou va s'enfouir dans les rideaux, en trop-plein, ne le laissant même pas à l'ennui qu'il implore et rêve. Impuissant de l'ennui (439f.).[70]

Die philosophische Erzählung *Igitur*, deren einzelne Fragmente Mallarmé während seiner Krise Ende der 60er Jahre aufzeichnete, geht von Kindheitserlebnissen aus. Diese werden freilich nicht evoziert, sondern transformiert; sie liefern dem ganz ungegenständlichen Sujet jenes Minimum an Gegenständlichkeit, ohne das die Begegnung des Bewußtseins mit sich selbst nicht erzählt wer-

70 *Igitur* ist einer der schwierigsten Prosatexte der französischen Literatur. Entsprechend divergieren die Deutungen. Das Spektrum reicht vom Wort-für-Wort-Kommentar R. G. Cohns (*Mallarmé. »Igitur«*. Berkeley/Los Angeles/London: Univ. of California Press 1981) bis zu J. Kristevas freudianisierender Interpretation: »la transgression de l'interdit qui est un interdit de la mère, conduit à la rupture de la liaison symbolique et, à travers la perversion et le substantialisme, mène à la folie et à la mort, le noyau de ce trajet renvoyant à un traumatisme enfantin« (*La Révolution du langage poétique [...]*. Paris: Seuil 1974, 200). Dazwischen läßt sich die Deutung von J.-P. Richard verorten, der, ausgehend von einer Poetik des Blicks, auch diese hoch abstrakte Erzählung von der Seite des Sinnlichen her zu begreifen sucht: »Chaque fois qu'un miroir me renvoie un reflet de moi-même, je résorbe et je détruis ma propre image négative. Niant ma négation, je me récupère en somme moi-même à l'étage de la synthèse. Mais cette synthèse se brise bientôt en de nouveaux reflets, qu'il me faut encore poursuivre, puis détruire. Le regard qui me relie à mon miroir fait ainsi sans arrêt circuler entre lui et moi comme un courant alternatif de négativité« (*L'Univers imaginaire de Mallarmé*. Paris: Seuil 1961, 192). H. Blumenberg schließlich deutet *Igitur* im Sinne einer »gegenplatonischen Wendung« (*Die Lesbarkeit der Welt*. Frankfurt: Suhrkamp 1981, 320). – Daß jeweils die Perspektive des Interpreten die Deutung bestimmt, ist überdeutlich.

den könnte. In der Stunde des Zubettgehens wollen die Eltern die Kerze ausblasen, bei der das Kind liest; das Kind sagt: »Noch nicht«. Daß es selber die Kerze ausblasen kann, erscheint ihm als etwas Bedeutendes: es vermag das Dunkel zu erzeugen (vgl. 433). Aus dem alltäglichen Drama des Zubettgehens macht der Text eine Bedrohung durch die Vorfahren, und beim Ausblasen der Kerze erahnt das Kind, daß die einzig schöpferische Fähigkeit des Menschen das Negieren ist.

Auch das Interieur mit Wandspiegel, Standuhr, schweren Möbeln und dicken Vorhängen hält Kindheitsängste fest, die ihren historischen Ort haben. Aber durch sie hindurch wird die Krise des Ich gestaltet, das im Akt der Selbstvergewisserung sich selbst verliert. Der von der Außenwelt abgeschlossene Raum wird so zur unheimlichen Vergrößerung eines Schädels. Was Adorno über den »Schein des Räumlichen im Bilde des Intérieurs« bei Kierkegaard sagt[71], trifft auch auf den Text Mallarmés zu. Die einzelnen Gegenstände scheinen zugleich einander ganz nah und unendlich fern gerückt, getrennt durch eine Leere. Entwirklicht wird das Interieur als klar begrenzter Raum vor allem durch den Spiegel, der die Möbel von einer Seite zeigt, die der Betrachter ohne ihn nicht zu sehen vermöchte. Die gespenstische Lebendigkeit dieser Wohnlandschaft, in deren Stille der Uhrschlag fällt und deren Vorhänge und Wandbespannungen sich zu bewegen scheinen, haben die Surrealisten mit der Distanz der Enkel in ihren Collagen sichtbar gemacht; Mallarmé beschreibt sie aus allernächster Nähe. Gerade die Bemühung, ganz im Deskriptiven zu bleiben, treibt das Halluzinatorische hervor.

Was geschieht, wenn die Dialektik der Anerkennung nicht als Auseinandersetzung zweier Subjekte stattfindet, sondern als Konfrontation eines Subjekts mit sich selbst, wenn der, der Anerkennung sucht, auch die Instanz ist, die sie zu vergeben hat? Da das Ich beide Positionen nicht zugleich einzunehmen vermag, wird es zwischen ihnen hin- und hergehen. Der Zweifel am eigenen Selbst, mit dem die Szene beginnt, ist Ausdruck fehlender Anerkennung. Igitur bedarf des Spiegels und der Schläge der Uhr, um sich seiner selbst zu versichern. Doch die so gewonnene Sicherheit

71 Th. W. Adorno, *Kierkegaard [...]* (suhrkamp taschenbuch wiss., 74). Frankfurt 1974, 80f.

erhält sich nur in der reinen Gegenwart; diese aber ist eine Fiktion. Das Bewußtsein gibt sich mit ihr nicht zufrieden, drängt über sie hinaus. Das aus den Dingen aufsteigende Gefühl der Endlichkeit macht, was eben noch kostbarer Augenblick war, zur lähmenden Zeit des *ennui*.

Um die Bewußtseinsbewegung zu verstehen, die aus der Perspektive der Wirklichkeit als Krankheit sich darstellt (maladie d'idéalité), muß man sich die eigentümliche Verwendung des für den Abschnitt zentralen Begriffs *ennui* verdeutlichen. Einmal bezeichnet er die Befindlichkeit des Ich, die mit Langeweile unzulänglich, aber doch annäherungsweise wiedergegeben werden kann; zum andern aber auch die »reine Zeit«, Synthese von Vergangenheit, Gegenwart und Zukunft, und d.h. das Absolute. Mallarmé, dessen erklärtes Ziel es ist, mit Hilfe dieser Erzählung seine Sterilität zu überwinden – »c'est un conte, par lequel je veux terrasser le vieux monstre de l'Impuissance«, schreibt er an Cazalis[72] –, setzt also das, was ihn quält, und den Gegenstand seines Strebens in eins. Der *ennui*, die Last der Vergangenheit, die die Gegenwart zu etwas Erstickendem macht, ist zugleich »reine Zeit«, und als solche der Spiegel, in dem das Ich sich betrachtet.

Die Idealität der reinen Zeit kann nicht sein; sie kann nicht von einem Bewußtsein erfahren werden; Igitur kehrt daher zurück zur dumpfen Erfahrung der Gegenwart des Vergangenen in den verschlossenen Möbeln. Als Bewußtsein eines Bewußtseins ist er körperlos, sieht sich im Spiegel verschwinden; die Reinheit des sich denkenden Bewußtseins ist zugleich erschreckend. Also negiert er nun das reine Bewußtsein, sucht sich als Subjekt gegenwärtigen Erlebens wiederherzustellen und muß sehen, daß der Spiegel (das Bewußtsein) sich entleert. Dafür zeigen jetzt die Möbel ein unheimliches Leben. Sie drehen sich mit ihren geschnitzten Ungeheuern in der Leere des Zimmers, aus ihren Schubladen steigen Erinnerungen an abgelebte Vergangenheiten auf. Gegen sie sehnt er den *ennui* herbei, zu dem ihm nun jedoch die Kraft fehlt.

Die Bewegung des Bewußtseins, das sich selbst zu erfassen sucht, treibt Igitur hin und her zwischen einer monoton vergehenden Zeit vor verschlossenen Gegenständen und einer reinen Idealität,

72 Brief vom 14. 11. 1869 in: *Correspondance avec Henri Cazalis 1862-1897*, hg. v. L. A. Joseph, in: *Documents Stéphane Mallarmé*. Bd. VI, Paris: Nizet 1977, 429.

die die Wirklichkeit vertilgt. Igitur, dieser Hamlet des 19. Jahrhunderts, hat als einziges Objekt möglicher Erfahrung die Vergangenheit, die ihm in den Möbeln der Vorfahren als bedrückende Realität entgegentritt. Gegen sie aber setzt er sich zur Wehr, will sie durchstreichen. Sein Projekt ist die Selbstschöpfung aus dem *ennui*; sie mißlingt, da er das Bewußtsein seiner Vergangenheit nicht auslöschen kann, es sei denn im absurden Akt der Selbsttötung. – Das Werk, das die schöpferische Sterilität besiegen soll, muß Fragment bleiben, soll es das Absolute der *aventure spirituelle* bezeugen, mit der es zusammenfällt.

5. Zwischenbetrachtung: Subjektivität, Form, Alltäglichkeit

Geschichte als Prozeß zu denken, ist heute schwierig geworden. Das Bewußtsein von der Gleichzeitigkeit dessen, was gemessen an der idealtypischen Konstruktion von Gegenwart ungleichzeitig ist, hat sich derart geschärft, daß die Legitimität historischer Konstruktionen fragwürdig zu werden beginnt. Anders formuliert: Wir wissen, daß die Konstruktion das Falsche ist und können ihrer doch nicht entraten, weil ohne sie eine Erkenntnis der Vergangenheit als einer uns betreffenden unmöglich ist. Was der Geistesgeschichte als Epoche der Frühromantik gilt, die Zeit um 1800, bezeichnet Friedrich Schlegel im *Gespräch über Poesie* als »unser unromantisches Zeitalter« (*KS*, 509). Romantisch wird die Epoche erst für uns, indem wir sie von einer kleinen Gruppe von Intellektuellen in Berlin und Jena her definieren. Aber die Verengung des Blicks macht unsere Kultur aus; wir können sie uns bewußt machen, nicht aber ihr entgehen. Wir müssen sie sogar praktizieren, wenn wir in den Texten der Vergangenheit mehr lesen wollen als ein Stück Sozialgeschichte (das auch in ihnen steckt), nämlich Beziehungsfiguren von Subjektivität und Welt, in denen wir das uns Vertraute wiederfinden als ein Fremdes. Die Beschleunigung geschichtlicher Wandlungsprozesse, die uns den Boden unter den Füßen wegzureißen scheint, das Brüchigwerden zentraler Kategorien individuellen und kollektiven Selbstverständnisses, diese Erfahrungen, die wir heute mit dem eher hilflosen Begriff der Postmoderne zu fassen suchen, sind nicht neu. In je besonderer epochaler und individueller Brechung antworten die Texte der modernen Literatur seit den Fragmenten der Romantiker auf Erfahrungen diesen Typs. Daher können sie für uns zum Medium der Reflexion werden.

Die Beziehungsfiguren von Subjektivität und Welt, die wir an den Texten ablesen, haben ihren genauen historischen Ort; aber sie sind nicht an ihn gebannt. Unter andern geschichtlichen Bedingungen können sie erneut auftreten. Die frühromantische Formel Friedrich Schlegels bleibt bis heute ebenso produktiv wie die Formel Heines oder Baudelaires. Ihr Nebeneinander ist keines der

Ungleichzeitigkeit im Blochschen Sinne, sondern Signatur der literarischen Moderne. Nicht als Überreste einer vergangenen Epoche stehen sie in der Gegenwart, sondern als Versuche gleichen Geltungsanspruchs, die Stellung des modernen Ich zur Welt zu bestimmen. (Die Abstraktheit dieser Rede gesteht die Ausschließungen ein, an denen sie teilhat. Der literarische Diskurs der Moderne ist ein bürgerlicher; das Volk, die Masse, das Proletariat kommt darin nur als Objekt vor, nicht als Subjekt. Auch hier muß die Reflexion sich damit begnügen, die Sache erkennbar zu machen.) Wenn wir nun die Abfolge der Beziehungsfiguren von Subjektivität und Welt als geschichtliche Entwicklung darstellen, dann ist die Geschichte, die wir erzählen, immer auch eine fiktive. Denn die ältere Gestalt wird von der nachfolgenden weder überholt noch außer Kraft gesetzt. Allenfalls in dem Augenblick, wo eine neue Beziehungsfigur auftaucht, mag es den Anschein haben, daß die ihr voraufgehende verschwindet; aber sie ist nur in den Schatten getreten, aus dem eine neue geschichtliche Konstellation sie wieder ans Licht bringen kann.
Die geschichtliche Bewegung der Subjektivität ist immer auch eine im Stillstand. Der Rückzug auf die eigene Innerlichkeit, den das romantische Ich durchleidet oder durchspielt, vermag sich vom Gegenbild des Philisters ebensowenig zu lösen wie das weltzugewandte Ich vom heimlichen Wissen um das Loch, das es seine Seele nennt. Das Ich, das sich selber die Form der Allgemeinheit gibt, um seine Bedürfnisse befriedigen zu können, und das Ich, das eben diese Formung verweigert und dadurch formlos wird, mögen sich zwar als einander ausschließende Gestalten bürgerlicher Subjektivität interpretieren – und dieser Gegensatz kehrt heute wieder als der von postmoderner Identitätsdiffusion und aufklärerischem Festhalten an der Ich-Identität –, sie sind doch nur die voneinander abgekehrten Seiten des bürgerlichen Subjekts, das als eines sich nicht hat. So wird das starke Ich den leeren Allmachtstraum des romantischen Subjekts kritisieren, das den Selbstbezug an die Stelle des Weltbezugs gesetzt hat (Hegels Romantik-Kritik), und das sich im Reichtum seiner fantastischen Setzungen spiegelnde Ich wird seinerseits die Verhärtung des starken Ich kritisieren, das, um die Allgemeinheit in sich zu verwirklichen, das Opfer der Besonderheit gebracht hat (Adornos Hegel-Kritik). Das bürgerliche Subjekt, dessen Tod die poststrukturali-

stische Philosophie verkündet, hat es als ein ganzes wohl nie gegeben, sondern nur als mit sich selbst entzweites.[73]
Die moderne Literatur besetzt nicht nur die verfügbaren Positionen der Subjektivität, so die Dialektik im Stillstand inszenierend; sie nimmt die geschichtlichen Bedingungen ihres Entstehens in sich auf, so veränderte Gestalten schaffend: Realillusionen gleichsam, die der Historiker darzustellen vermag, der sich auf die Texte einläßt.
Wenn in der neueren Forschung zur Französischen Revolution die Kontinuität zwischen vor- und nachrevolutionärer Gesellschaft sowohl im ökonomischen als auch im staatlich-administrativen Bereich hervorgehoben wird[74], so wird man trotzdem den Bruch, den die Revolution für das Selbstverständnis der Menschen bedeutete, kaum überschätzen können. Die Erfahrung, daß eine gesellschaftliche Ordnung zerbrechen kann, muß die Zeitgenossen tief geprägt haben. Selbst Robespierre definiert politische Revolutionen als »les phénomènes les plus irréguliers de la nature morale«[75], mit Carl Schmitt zu sprechen als Ausnahmezustand. Die Faktizität des revolutionären Geschehens erhält normative Kraft; denn es gibt keine Instanz mehr, von der her ein Handeln sich legitimieren könnte. Die Erschütterung, die von dieser Erfahrung ausgeht, trennt die traditionale von der modernen Gesellschaft. Sie läßt zugleich den Schein entstehen, daß in der traditionalen das Ich in der Welt geborgen gewesen sei. Die Welt, in die das moderne Ich hineingeboren

73 Karl Heinz Bohrer hat jüngst den Versuch unternommen, das Subjekt, das sich der Prägung durch die zweckrationale Gesellschaft zu entziehen trachtet, unter dem Titel »ästhetische Subjektivität« dem »sozialen Subjekt« entgegenzusetzen und es zugleich aus allen gesellschaftlichen Bedingungszusammenhängen herauszulösen. Wenn er dabei das »soziale Subjekt« auf Selbsterhaltung, das »ästhetische« dagegen auf Selbstentblößung festlegt, so versäumt er freilich die intrikate Dialektik zu verfolgen, die auch die Selbstentblößung in ein Mittel der Selbstbehauptung umschlagen läßt. Sartre hat das gesehen, wenn er Flauberts Absage an die bürgerliche Gesellschaft unter dem Stichwort des »qui perd gagne« untersucht. (*Der romantische Brief. Die Entstehung ästhetischer Subjektivität*. München: Hanser 1987, Kap. I).

74 Vgl. R. Reichardt/E. Schmitt, »Die Französische Revolution – Umbruch oder Kontinuität?«, in: *Zeitschrift für historische Forschung* 7 (1980), 257-320.

75 Robespierre, *Réponse à Jérome Petion*, in: ders., *Textes choisis*, 61.

wird, hat keine selbstverständliche Geltung mehr; sie ist nur noch ein faktisch Gegebenes. Das Ich muß seinen Bezug zur Welt allererst schaffen. Das kann auf verschiedene Weise geschehen. Es kann entweder an den alten Bindungen festhalten, obwohl diese die Fraglosigkeit ihrer traditionalen Geltung eingebüßt haben. Daß diese Haltung gerade im napoleonischen Frankreich und in der Zeit der Restauration weit verbreitet war, dafür spricht der schichtenübergreifende Erfolg des *mélodrame*, das allabendlich Bedrohung und Sieg der Ordnungsmächte Familie, Staat und Religion spektakulär zur Schau stellte.[76] Es kann aber auch sich der Krise aussetzen. Das tut der frühromantische Friedrich Schlegel, und darin gründet die fortdauernde Faszination, die von seinen Texten ausgeht.
Das aus der Welt traditionaler Bezüge herausgefallene Ich vermag alles zu kritisieren, aber nicht, sich für etwas Bestimmtes zu entscheiden; dazu bedürfte es eines Bodens, den es auch in sich nicht finden kann. So entdeckt es das eigene Selbst als Abgrund. Vor dem Absturz rettet nur die Bewegung. Die ziellose Tätigkeit des Verstandes, die den Grund der Verzweiflung ausmacht, ist zugleich die einzige Rettung. Indem das Denken sich in die Extreme hineinbegibt, zwingt es diese zusammen, gleichsam Inseln der Rettung schaffend (im Fragment). Der Ohnmacht gegenüber der Welt der Dinge und der Mitmenschen entspricht die Unbegrenztheit freier Verfügung über sprachliche Zeichen, die unendlicher Kombination fähig sind. So erfährt das ohnmächtige Ich sich als ein allmächtiges. In den Begriffen beherrscht es die Welt, kann sie umgestalten, negieren. Die Welt, in der dieses Ich lebt, ist eine der Literatur, nicht der Fakten; in ihr gilt, was Menschen vereinbaren. In ihr kann das »liberale Ich« tatsächlich Macht entfalten. Aber diese seine Macht ist immer auch reale Ohnmacht. Erträglich ist dieser Gedanke nur, wenn das Ich ihn in seinen Willen aufnimmt und aus dem Verhängten seine Tat macht. Das geschieht durch die Ironie. Mit ihr hebt das Ich sein Tun auf, zerstört sich selbst und versichert sich eben dadurch seiner Kraft. Romantische Ironie ist Selbstvernichtung und Selbstaffirmation in einem, zugleich Lebens- und Formprinzip.

76 Vgl. P. Brooks, *The Melodramatic Imagination*. New Haven: Yale Univ. Press 1976 sowie die Bremer Dissertation von Anna Humburg, *Artigiano teatrale et predicatore. Il mélodrame di Guibert de Pixerécourt* (1987).

Was Hegel als mangelnde Bestimmtheit der romantischen Subjektivität kritisiert, eröffnet doch zugleich eine Dimension moderner Erfahrung: das Ich, das sich der Widerständigkeit der Welt entzieht, erfährt sich als Leere. Diese wird von den Romantikern in Erfahrungsprotokollen festgehalten. »Es gibt ein Verstummen der Seele [...], wo alles tot ist in der Brust«, gesteht die Günderrode ihrer Freundin Bettina von Arnim.[77] Und diese klagt ihrem Bruder Clemens: »Mich befällt auch oft eine tiefe Melancholie über mein Nichts«.[78] Friedrich Schlegel und Novalis entwickeln ein Verfahren, um der Leere zu entgehen. Das Subjekt, das die eigenen Begriffe in eine ununterbrochene Bewegung versetzt, kann sich selbst als Zentrum und Motor dieser Bewegung erfahren. Es versichert sich seiner selbst, indem es bestehende semantische Bezüge auflöst und neue stiftet. Wenn Friedrich Schlegel in seinen Aphorismen und Aufzeichnungen ständig Gattungen neu definiert und Einzelwerke kategorisiert, so erzeugt er eine Art Wirbel der Begriffe. Es geht dabei weniger um das je besondere Ergebnis dieses rastlosen Tuns, als vielmehr um die Bewegung selbst, in der das Ich sich lustvoll als ein tätiges erlebt: »eine Definition, die nicht witzig ist, taugt nichts, und von jedem Individuum gibt es doch unendlich viele reale Definitionen« (*KS*, 34). Das Fichtesche Prinzip, demzufolge das Ich sich selbst setzt und das Nicht-Ich, wird von Schlegel wörtlich genommen. Dabei enthüllt die idealistische These von der absoluten Produktivität des Subjekts, die philosophisch überschwenglich ist, ihre ästhetische Wahrheit.[79]
In einer Hinsicht ist die Lösung, die Schlegel für die Krise des modernen Bewußtseins formuliert, einfach. Sie klammert die Welt aus; nur in der ironischen Selbstvernichtung des Ich ist diese in Rechnung gestellt, aber auch hier nur ganz allgemein als Macht, die das Ich zur Ohnmacht verdammt. Sonst aber ist die Wirklichkeit dem Romantiker eines der Worte, über die er verfügt. Wo diese

77 Bettina von Arnim, *Die Günderrode*, hg. v. E. Bronfen. München: Matthes & Seitz 1982, 183.

78 Bettina von Arnim, *Clemens Brentanos Frühlingskranz [...]*, in: dies., *Werke und Briefe*, hg. v. G. Konrad. 5 Bde., Frechen: Bartmann 1959-1961, Bd, I, 74.

79 Vgl. Carl Schmitts kritische Analyse des romantischen Verfahrens, die freilich deren poetische Produktivität nicht in den Blick rückt (*Politische Romantik*. Berlin: Duncker & Humblot 1919, ^{3}1968, Kap. II).

Lösung nicht akzeptiert wird und das Ich darauf besteht, sein Verhältnis zur Welt zu gestalten, scheitert es. Die Auflösung der Kontinuität des Ich und die Unfähigkeit, soziale Beziehungen einzugehen, greifen ineinander. Das Ich wird pathologisch, zugleich aber scharfsichtig für die eigenen Schwächen und für die Kälte der Welt (Kleists Briefe).

Wenn das Subjekt die Abstraktheit der romantischen Weltabkehr erkannt hat, wird es erneut auf Positionen zurückgreifen, die die Aufklärung ausgearbeitet hat. Es wird versuchen, die Welt zu gestalten. Aber vom frühaufklärerischen Optimismus trennen es nicht nur historische Erfahrungen, sondern vor allem seine eigene romantische Zerrissenheit. Diese läßt sich nicht einfach abtun, auch nicht in einer historischen Situation wie der des Vormärz, die eine Umgestaltung der Gesellschaft erneut als möglich erscheinen läßt. Heine wird daher gegen die Romantik zu Felde ziehen, um freilich am Ende seines Lebens einzugestehen, daß er ein Romantiker geblieben sei, ein »romantique défroqué« allerdings (*SW* VI, 19).

Konstituiert sich die romantische Subjektivität in einer doppelten Absetzungsbewegung gegenüber der Politik und dem bürgerlichen Alltag, so konfrontiert Heine seine Subjektivität gerade mit diesen. Einerseits bleibt das Ich der romantischen Innerlichkeit verhaftet (es weiß, daß es innerhalb der modernen Welt verloren ist), andererseits hat es innerhalb des Heineschen Textes eine neue Funktion erhalten und ist eben dadurch auch ein anderes geworden. Seine (romantische) Weltlosigkeit wird zum privilegierten Medium der Erfassung von Welt. Gerade weil es selbst weder in den Konkurrenzmechanismus der bürgerlich-kapitalistischen Gesellschaft noch in traditionale Beziehungen eingebunden ist, vermag es beide gleichermaßen von außen zu sehen. Die romantische Abkehr von der Welt wird so in ein Instrument der Erkenntnis verwandelt, dessen die Moderne bedarf, will sie ein Bewußtsein von sich selbst festhalten im beschleunigten Prozeß der von ihr in Gang gesetzten Veränderungen.

Der Fragmentarismus Schlegels ist ein modernes Formprinzip, insofern er einen doppelten Bezug zur modernen Gesellschaft unterhält, die er als konkret gegenständliche von sich abweist. Indem der Autor Extreme als je einzelne in den Blick nimmt, stellt er sich der Entzweiung, indem er sie zusammenzwingt; so eine punktuelle imaginäre Beziehung schaffend, hält er die Sehnsucht nach Einheit wach. Die Abkehr von der modernen Welt als konkreter Erscheinung ist der Preis, den Schlegel zu entrichten hat, um das Fragment zur modernen Form zu machen. Hierin folgt Heine ihm nicht. Er läßt sich auf die Alltäglichkeit der modernen Welt ein. Damit droht seine Prosa der Beliebigkeit des Gegenständlichen anheimzufallen. Modern wäre sie dann nur noch durch ihre Gegenstände, nicht aber durch ihre Form. Will er diese Gefahr vermeiden, so muß er das alltägliche Detail aus der bloßen Tatsächlichkeit herausheben und als ein bedeutendes erkennbar machen. Das tut Heine, indem er es in einen doppelten Bezugsrahmen stellt, der durch die eigene Subjektivität und eine Geschichtskonstruktion gebildet wird. Die beiden gleichermaßen modernen Bezugspunkte arbeiten gegeneinander: die Konstruktion der Geschichte im Zeichen des Fortschritts wird gebrochen durch die Erfahrung des Subjekts, das nicht nur im Lied der alten Zeit nachtrauert: »Das Herz ist mir bedrückt, und sehnlich / Gedenke ich der alten Zeit; / Die Welt war damals noch so wöhnlich, / Und ruhig lebten hin die Leut'« (*SW* I, 114). Da der Begriff des Fortschritts (und mit ihm die Geschichtskonstruktion) als derart brüchig erfahren wird, läßt sich die Realität nicht ausschließlich von ihm her perspektivieren. Aber auch das Ich ist kein verläßlicher Perspektiventräger; denn es steht mit sich selbst im Widerspruch. Einerseits hat es sich die Leitbegriffe der Französischen Revolution, Freiheit und Gleichheit, zu eigen gemacht und bejaht die Entwicklung, die zur modernen kapitalistischen Gesellschaft führt, andererseits weiß es sich an die zum Untergang bestimmte »alte Zeit« gebunden. Aus diesem Dilemma gewinnt Heine sein Formprinzip der Ironie.

Erinnern wir uns an den *London*-Text. Das »Stoßen« der vorbeihastenden geschäftigen Engländer ist zunächst ein konkretes Realitätsdetail. Leitmotivisch herausgehoben wird es im Text zur Metonymie kapitalistischer Verhältnisse. Konfrontiert mit der Erfahrungsbereitschaft des »deutschen Poeten«, enthüllt die Wirklichkeit ihren Zeichencharakter; sie scheint sich selbst zu bedeuten, während sie zum Zeichen gemacht wird. Der Stilisierung der Realität entspricht die des »deutschen Poeten«, der, ganz Weltfremdheit, gebannt ist von der je einzelnen Erscheinung, so auch von einem zufällig erblickten Bild, das den Rückzug der napoleonischen Armee aus Rußland darstellt. Indem er das Bild als Metapher moderner Lebensverhältnisse deutet, schlägt seine Weltfremdheit um in die Fähigkeit, das Ganze der gesellschaftlichen Verhältnisse zu erfassen, das der darin Verwobene niemals zu sehen vermag. Ermöglicht wird das wechselseitige Infragestellen des durch die »alte Zeit« geprägten weltfremden Beobachters und des weltstädtischen Geschehens dadurch, daß im Text das Ich eine Reflexionsinstanz von sich abspaltet, die die Gegenüberstellung der beiden Welten als Beziehungsfigur organisiert. In dieser Verdopplung, die immer auch wieder zurückgenommen wird (denn das reflektierende Ich ist ja das des »armen Poeten«), besteht das Formprinzip der Heineschen Ironie.

Das ironische Ich nimmt eine Perspektive ein, die ihm erlaubt, ständig den Blickpunkt zu wechseln, die modernen großstädtischen Verhältnisse aus dem Blickwinkel des gemütlich zurückgebliebenen Deutschland zu sehen, dieses aber wiederum aus der Sicht eben jener Modernität (Heine verwendet den Begriff an anderer Stelle der *Reisebilder*; *SW* III, 116) als Diminutiv des Absolutismus lächerlich zu machen. Während der »arme Poet« und John Bull im Text als Gestalten auftreten, die sich jeweils aus einer bestimmten Gesellschaftsformation herleiten, trifft das für das ironische Ich nicht zu. Das sich über sich selbst erhebende Bewußtsein des »armen Poeten« ist eine Reflexionsbewegung. Es hat in der dargestellten Realität keinen Ort, weder in der »alten Zeit« noch in der neuen. Die Ortlosigkeit des ironischen Bewußtseins beschreibt präzise die Bedingungen einer Erkenntnis, die (mag sie sich auch als eingreifende auffassen) abgetrennt ist vom Universum des Handelns. Gerade deshalb vermag es zwischen der tätigen, auf Profitmaximierung gerichteten Subjektivität und der kontemplativen des Poeten, die einander abstoßen, zu vermitteln, indem es zwischen ihnen sich hin und her bewegt. Die Ironie als Formprinzip ist eine Art Umkehrung des Mechanismus der *mauvaise foi*, den Sartre analysiert hat.[80] Der sich selbst Täuschende verdunkelt partiell sein Bewußtsein, ›übersieht‹ Gesten seines Partners, weil er sonst zu einer Entscheidung gezwungen wäre. Der Ironiker spaltet eine Bewußtseinsinstanz von sich ab, die ihm

80 Vgl. J.-P. Sartre, *L'Etre et le néant [1943]* (Coll. Tel/Gallimard, 1). Paris 1976, 90ff.

erlaubt, die Position des Gegners einzunehmen und von dieser aus die eigene zu relativieren. Beide suspendieren das Handeln; aber während die Selbsttäuschung Erkenntnis ausblendet, bringt die Ironie Erkenntnisgewinn, der freilich nicht (jedenfalls nicht unmittelbar) handlungsrelevant ist.

Nicht eine Weise uneigentlichen Sprechens ist die Heinesche Ironie, sondern eine Bewegung des Bewußtseins. Das hat sie mit der Schlegelschen gemein. Während diese jedoch auf dem abstrakten Prinzip der Umwertung bzw. der Verknüpfung der Extreme beruht, ist die Heinesche auf Realität bezogen, freilich nicht auf die ganze Fülle des Gegebenen, sondern auf ein virtuell bedeutendes Realitätsfragment. Indem Heine das ökonomisch tätige Subjekt der Innerlichkeit entgegensetzt, kann er die Wirklichkeit zwingen, sich selbst zu deuten. Den Schein, der dadurch entsteht, gibt er als Schein zu erkennen durch das Offenlegen der Konstruktion (Leitmotivtechnik und Markieren der Kontraste). Literarische Erkenntnis bleibt bei Heine gebunden ans Prinzip der Konstruktion. Der Schlegel der Fragmente hat eher dem Gegenprinzip vertraut, dem Zufall. Die weitere Entwicklung der ästhetischen Moderne wird beider Prinzipien bedürfen.

*

»Der Begriff des Fortschritts ist in der Idee der Katastrophe zu fundieren. Daß es ›so weiter‹ geht, *ist* die Katastrophe« (*GS* V/1, 592). Der Satz Benjamins bringt eine geschichtliche Erfahrung auf eine prägnante Formel, die die Generation von Baudelaire und Flaubert wohl als erste gemacht hat. Es geht »so weiter« nach 1848, obwohl das Bürgertum, das in der Februarrevolution im Zeichen der *fraternité* angetreten war, im Juni die aufständischen Pariser Arbeiter hat niederschießen lassen. Die Junimassaker von 1848 sind das historische Trauma, dem für lange Zeit der Gedanke des Fortschritts innerhalb der bürgerlichen Gesellschaft zum Opfer fällt.[81] Baudelaire, der während der Februarrevolution an der

81 Jean-Paul Sartre hat in seiner monumentalen Flaubert-Studie die psychosoziale Situation der französischen Bourgeoisie nach dem Staatsstreich als »névrose objective« charakterisiert. Anerkennung sozialer Forderungen in der Februarrevolution, Duldung der Juni-Massaker und Entmachtung durch den Staatsstreich befördern im Bürgertum eine pessimistische Grundstimmung. Die Handelnden erkennen sich

Zeitschrift »Le Salut public« mitgearbeitet hat, in deren Artikeln das Vertrauen auf die Vernunft und moralische Überlegenheit des Volkes pathetisch sich ausspricht, bezeichnet 1855 anläßlich der *Exposition universelle* den Fortschritt als eine groteske Idee: »cette idée grotesque, qui a fleuri sur le terrain pourri de la fatuité moderne« (*OC*, 693). Neben den moralischen Begriffen der Pflicht und der Verantwortung wird von Baudelaire die Liebe zum Schönen einem Fortschrittsbegriff entgegengesetzt, den er im Bewußtsein seiner Zeitgenossen auf technische Erfindungen eingeschränkt sieht. Nicht daß sich in bestimmten Lebensbereichen Fortschritte konstatieren lassen, bezweifelt Baudelaire, wogegen er sich wendet, das ist das letztlich geschichtsphilosophisch begründete Vertrauen auf die Fortdauer des Fortschritts (la garantie du progrès pour le lendemain). Sicherlich war der Fortschrittsoptimismus Heines bereits gebrochen; aber er vermochte doch die Geschichte als dialektischen Prozeß zu konstruieren und von dieser Konstruktion her die Wirklichkeit zu deuten. Über diese Möglichkeit historischer Perspektivierung verfügt Baudelaire nicht mehr. Das hat Konsequenzen sowohl für das Subjekt des Autors als auch für den Begriff der Form.

Das Subjekt ist sich selbst in dem Maße transparent, wie ihm die Welt als eine geordnete entgegentritt. Die (wenngleich resignativ gebrochene) Geschichtskonstruktion Heines ermöglicht es ihm, das eigene Selbst in wechselnden Rollen zu inszenieren, als Tribun oder als armer Poet. Diese Rollen verwandeln Aspekte der eigenen widersprüchlichen Identität in konkrete Gestalten, die die Realität zum Sprechen bringen. Das Ich, das sich in ihnen zu offenbaren scheint, verbirgt sich. Der romantische Ausdrucksgestus wird Teil eines aufklärerischen Projekts.

Wem die konkrete Erfahrung von Geschichte zum Trauma wurde, dem verdunkelt sich auch das eigene Selbst.[82] »Je com-

im Resultat ihrer Handlungen nicht wieder. So entsteht ein kollektiver Handlungsverzicht, den Sartre gerade auch an der Wissenschaftsgläubigkeit des Positivismus ausmacht (*L'Idiot de la famille*. Bd. III, Paris: Gallimard 1972, bes. 255 f.).

82 Oskar Sahlberg hat die *Fleurs du mal* und die Prosatexte des *Spleen de Paris* als Stufen einer phantastischen Verarbeitung traumatischer Erfahrungen gedeutet, die Baudelaire im Juni 1848 und während des Staatsstreichs von Napoleon III. gemacht hat (*Baudelaire und seine*

prends qu'on déserte une cause pour savoir ce qu'on éprouvera à en servir une autre. Il serait peut-être doux d'être alternativement victime et bourreau« (*OC*, 1206). Der Satz aus den erst posthum veröffentlichten tagebuchähnlichen Notizen *Mon Cœur mis à nu* wirft ein Schlaglicht auf die Subjekt-Konstitution dessen, dem die Sache, für die er einst gekämpft hat, gleichgültig geworden ist. Sein Interesse verschiebt sich vom zu erreichenden Handlungsziel auf den subjektiven Erlebnisgehalt des Geschehens. Unter diesem Gesichtswinkel betrachtet, werden Opfer und Henker austauschbare Rollen. Das Ich will keine, sei es auch widersprüchliche Identität mehr ausbilden, sondern beschränkt sich darauf, sich den Erfahrungsgehalt von Extremsituationen anzueignen, sei es auch nur in der Vorstellung. Heine macht das eigene Ich zur Zeigefigur, an der die Wirklichkeit sich offenbart. Für Baudelaire dagegen wird es zum Gegenstand eines Experiments, dessen einziges Ziel die Intensität der Erfahrung ist. »J'ai cultivé mon hystérie avec jouissance et terreur« (*OC*, 1233), lautet eine andere Eintragung, die vorausweist auf Rimbauds *Lettre du voyant*.
Der traumatische Verlust der Geschichte als eines sinnhaften Zusammenhangs verändert auch die Wahrnehmung des Alltäglichen. Teil eines größeren gesellschaftlichen Ganzen, ist das Stück Wirklichkeit bei Heine bedeutend, weil es erhellt wird von einer Geschichtskonstruktion. Die Szenen dagegen, auf die das Ich in Baudelaires Prosagedichten trifft, stehen in keinem andern Zusammenhang als dem ganz allgemeinen des Lebens. Von sich aus bedeuten sie sowenig etwas wie jenes Wirtshausschild, dessen bizarre Inschrift aufzuschreiben Baudelaire nicht verschmäht: *A la vue du cimetière. Estaminet.*[83] Erst der Verlust der übergreifenden Orientierungen läßt Kontingenz entstehen, macht das Abseitige

Muse auf dem Weg zur Revolution. Frankfurt: Suhrkamp 1980, passim).

83 Freilich hat das Wirtshaussschild, das auf den Friedhof anspielt, eine literarische Tradition, die Baudelaire allerdings kaum gekannt haben dürfte. In der Vorbemerkung zur Schrift *Zum ewigen Frieden* schreibt Kant: »*Zum ewigen Frieden.* Ob diese satirische Überschrift auf dem Schilde jenes holländischen Gastwirts, worauf ein Kirchhof gemalt war, die Menschen überhaupt, oder besonders die Staatsoberhäupter, die des Krieges nie satt werden können, oder wohl gar nur die Philosophen gelte, die jenen süßen Traum träumen, mag dahin gestellt sein.«

merkwürdig, z.B. jene mysteriöse Frau, die Beziehungen nur zu Ärzten hat und dem Erzähler gesteht, sie wünsche sich, daß einer ihrer Freunde sie mit Instrumententasche und blutbefleckter Schürze besuche (*OC*, 354). Vergebens sucht der Erzähler dem Ursprung dieser »passion si singulière« durch Fragen auf die Spur zu kommen; das Rätsel bleibt unaufgelöst. Hier zeichnet sich ein Erkenntnisanspruch ab, der seine Ergebnisse nicht durch quantifizierende Verfahren erreichen will, sondern durch Konzentration aufs Individuum in seiner Besonderheit. Der Erkenntniswille ist zugleich das Mittel, mit dessen Hilfe das Ich die Kontingenz zum Verschwinden bringt, denn was bloß der Fall ist, bedroht das Ich, indem es ihm seine Ohnmacht vor Augen führt. So zwingt es dem Wahrgenommenen Bedeutungen auf und bestätigt damit nur noch einmal ungewollt, daß diesem von sich aus kein Sinn zukommt. Hier liegt der Grund für die Wiederbelebung der Allegorie durch Baudelaire.

Die Allegorie ist die Form einer Epoche, die das Vertrauen in die notwendige (symbolische) Form verloren hat, ohne sie doch aufgeben zu können. Die Formbegriffe Schlegels und Heines haben bei aller Unterschiedlichkeit eines gemeinsam, sie entstehen aus dem Bezug auf zentrale normative Gehalte der Moderne (Entzweiung und Einheit bei Schlegel, Subjektivität und Geschichtskonstruktion bei Heine). Man kann diese Formbegriffe daher als substantiell bezeichnen. Vieles spricht dafür, daß diese Substantialität die Krise bürgerlichen Selbstverständnisses von 1848 nicht überdauert. Form ist jetzt zunächst ein leeres Prinzip, das dem dahinfließenden Dasein Einhalt gebietet, indem es sich ihm entgegensetzt; es ist aber nicht auf bestimmte normative Gehalte der modernen Gesellschaft bezogen. Baudelaire schreibt mit den *Fleurs du mal* strenge Versgedichte, die er selbst im Rahmen einer an klassischen Maßstäben ausgerichteten Poetik begreift; mit den *Petits Poèmes en prose* aber, deren künstlerischer Anspruch nicht geringer ist, wendet er sich ganz vom klassischen Formideal ab, um an Gattungen alltäglicher Literaturproduktion wie dem Feuilleton anzuknüpfen.

Nicht eine bestimmte Weise des Umgangs mit dem Material ist im

(in: ders., *Werke*, hg. v. W. Weischedel. Darmstadt: Wiss. Buchgesellschaft 1971, Bd. IX, 195).

Formbegriff nun gesetzt, sondern einzig der Wille, ein Gebilde zu schaffen, das überdauert. Da aber die realen Bedingungen des Überdauerns außerhalb der Macht des Autors liegen, wird die Formanstrengung zur Sisyphus-Arbeit, über deren Gelingen der Autor niemals Gewißheit erlangen kann. Gerade auch der Erfolg ist kein Maßstab mehr des künstlerischen Gelingens, seit der Autor den (unmöglichen) Bruch mit seiner Klasse als Abkehr vom Publikum vollzogen hat. Baudelaire verfaßt bereits im *Salon de 1846* anläßlich der Darstellung des Malers Horace Vernet eine regelrechte Publikumsbeschimpfung (*OC*, 655 f.). Und Flaubert schreibt 1852 an Louise Colet: »De la foule à nous, aucun lien. Tant pis pour la foule, tant pis pour nous surtout«.[84] Der durch die historische Situation nahegelegte Verzicht auf eine Bestätigung durch den Publikumserfolg drängt die Autoren zu theoretischer Reflexion, um sich auf diesem Wege des eigenen Projekts zu versichern. Er treibt zugleich einen emphatischen Werkbegriff hervor, den Heine und Stendhal noch nicht kennen. Daß das Leben des Autors in der Arbeit am Werk aufgeht, davon zeugen die Briefe Flauberts. Der Wille, die Vollendung des Werks nur der eigenen Leistung zu verdanken, führt ihn konsequent zu dem Gedanken der reinen Form, dem Traum vom Buch, das an keine Gegenständlichkeit mehr gebunden wäre – »affranchissement de la matérialité« (*Corr.*, 62).

Ce qui me semble beau, ce que je voudrais faire, c'est un livre sur rien, un livre sans attache extérieure, qui se tiendrait de lui-même par la force interne de son style, comme la terre sans être soutenue se tient en l'air, un livre qui n'aurait presque pas de sujet, ou du moins où le sujet serait presque invisible, si cela se peut. Les œuvres les plus belles sont celles où il y a le moins de matière; plus l'expression se rapproche de la pensée, plus le mot colle dessus et disparaît, plus c'est beau [...] La forme en devenant habile, s'atténue; elle quitte toute liturgie, toute règle, toute mesure; elle abandonne l'épique pour le roman, le vers pour la prose; elle ne se connaît plus d'orthodoxie et est libre comme chaque volonté qui la produit (*Corr.*, 62).

Nicht mehr durch die dargestellte Welt wäre ein solches Werk auf die moderne Gesellschaft bezogen, sondern einzig durch die Ne-

84 G. Flaubert, *Extraits de la Correspondance [...]*, hg. v. Geneviève Bollème. Paris: Seuil 1963, 70; diese Ausgabe wird im folgenden abgekürzt zitiert: *Corr.*

gation einer an Regel und Maß orientierten Rationalität im Begriff der Form. Suche nach einem Ausdruck, den keine Differenz mehr vom Ausgedrückten trennt, Verzicht auf Rhetorik, Abkoppelung des Poetischen von der Versform – das alles sind Einstellungen, die einem Begriff der Form entsprechen, der diese ganz ins je einzelne Gebilde zurücknimmt. War der vormoderne Begriff der Form an meßbaren Regularitäten festgemacht und stand insofern im Einklang mit dem Rationalitätsprinzip der entstehenden bürgerlichen Gesellschaft, so macht sich der moderne Formbegriff von dieser Bindung frei.

Die zu Recht berühmte Brief-Stelle hält ein ungeheures Projekt fest: die Überwältigung der Wirklichkeit durch den Autor. Er, der außerhalb der sich über profitorientiertes Handeln reproduzierenden Gesellschaft steht, will diese zwingen, ein Werk anzuerkennen, in dem es keine Stofflichkeit mehr gibt, das ganz dem eigenen individuellen Gesetz gehorcht. Das Pathos der Reinheit, das darin zum Ausdruck kommt, hat Mallarmé noch entschiedener formuliert. Es wird einer der Leitgedanken der Moderne bleiben, der in den 50er und frühen 60er Jahren unseres Jahrhunderts – man denke an den Nouveau Roman – sogar Züge einer Orthodoxie annehmen wird. Heute hat er an Glanz verloren. Wir wissen, daß das reine Werk zum Ornament wider Willen werden kann. Man braucht die Rückkehr zu einer sich selbst mißverstehenden Unmittelbarkeit nicht gut zu heißen, um eher an einen andern Flaubert anzuknüpfen als den, der den Traum vom *livre sur rien* geträumt hat: den Autor der *Education sentimentale*, der sich einläßt auf die Kontingenz des Daseins, der es wagt, tote Zeit zu erzählen, Zeit des Wartens im nicht enden wollenden Regen.

III. Mimesis und Rationalität

1. »Je est un autre«. Poesie und Revolte bei Rimbaud

Baudelaire und Flaubert sind die Exponenten einer künstlerischen Moderne, die um den Begriff des Werks zentriert ist; ihre Ästhetik trägt – als Reaktion gegen die Romantik – deutlich klassizistische Züge. Ausgehend von Mallarmé wird Valéry diese Spielart der Moderne systematisieren. Ihr Antipode ist Rimbaud. Er ist der Antiklassizist unter den Autoren der Moderne; sein Zentrum ist nicht das Werk, sondern das Subjekt des Schreibenden. Wo der klassizistische Modernist die größtmögliche Distanz legt zwischen den Produzenten und sein Werk, strebt Rimbaud danach, dem Werk den Charakter eines Akts zu geben, es mit dem Produzenten gleichsam zu verschmelzen. Diese Struktur des Werks hat die Rimbaud-Forschung immer wieder auf den Irrweg biographischer Erklärung gelenkt. Dabei soll die Lebensgeschichte des Autors die Texte erhellen, die ihrerseits wiederum als Dokumente der Lebensgeschichte aufgefaßt werden. So führt z. B. Suzanne Bernard über den Eingangstext der *Saison en enfer* aus, Rimbaud zeichne darin die wesentlichen Etappen seiner moralischen und literarischen Vergangenheit nach.[1] Gegen diese Deutung spricht eine Äußerung Rimbauds in einem Brief.

Je fais de petites histoires en prose, titre général: Livre païen, ou Livre nègre. C'est bête et innocent. [...] Mon sort dépend de ce livre pour lequel une demi-douzaine d'histoires atroces sont encore à inventer. Comment inventer des atrocités ici? (352f.).

Bezieht man diese Äußerung, wie Suzanne Bernard es tut, auf die *Saison en enfer*, dann läßt sich diese nicht mehr umstandslos als autobiographisches Werk interpretieren; denn in dem Brief ist gleich zweimal davon die Rede, daß er Geschichten erfinde. Noch problematischer als die Annahme, der »Sinn« der *Saison* sei in der Lebensgeschichte des Autors zu suchen, ist die damit eng verknüpfte, der Text habe den Charakter eines Dokuments. Wenn die Kommentatorin von einem der Texte der *Saison* sagt, er er-

1 S. Bernard, *Notes* zu *Une Saison en enfer*, in: Rimbaud, *Œuvres*, hg. v. Suzanne Bernard. Paris: Garnier 1960, 455; die Seitenzahlen in diesem Kapitel beziehen sich auf diese Ausgabe.

laube uns, das gemeinsame Leben von Verlaine und Rimbaud in England zu verstehen (465), dann hat sich die Perspektive der Interpretation verkehrt: nicht mehr um eine Erhellung des Texts durch die Biographie geht es, sondern der Biographie durch den Text. Unbefriedigend ist das Vorgehen deshalb, weil es unser Interesse am Text verfehlt. Dieses gilt nicht den Lebensumständen von Individuen, sondern den Grenzerfahrungen von Subjektivität in der bürgerlichen Gesellschaft.

Die Mängel der biographischen Interpretation haben einen andern Umgang mit den Texten Rimbauds hervorgerufen; dabei wird die Nichtübereinstimmung von Text und realer Erfahrung des Autors hervorgehoben. Nicht Ausdruck einer »gelebten Vision« seien die Texte der *Illuminations*, sondern »Resultat eines sprachlichen Verfahrens«.[2] Die hinter dieser Behauptung stehende generelle Problematisierung referentieller Interpretation wird von Todorov radikalisiert zum Interpretationsverbot: »Vouloir découvrir ce qu'ils [sc. les textes des *Illuminations*] veulent dire, c'est les dépouiller de leur message essentiel, qui est précisément l'affirmation d'une impossibilité d'identifier le référent et de comprendre le sens«.[3] Während einige Kommentatoren unermüdlich biographischen Sinn ausmachen, sehen andere die entscheidende Leistung der Prosa Rimbauds gerade darin, daß sie sich jeder Sinnzuweisung entzieht. Zwar handelt es sich im ersten Fall um *Une Saison en enfer*, im zweiten dagegen um die *Illuminations*; dennoch veranschaulicht die Gegenüberstellung zwei Extreme des Redens über Rimbaud. Merkwürdigerweise stimmen sie in einem Punkt überein: sowohl bei Bernard wie bei Todorov hat der einzelne Rimbaud-Text für den Interpreten keine Bedeutung. Wenn die *Saison* uns nur etwas über das Individuum Rimbaud sagt und die *Illuminations* nur die Unmöglichkeit jeglicher Bedeutungszuweisung demonstrieren, dann ist in beiden Fällen der hermeneutische Prozeß der Aneignung vergangener Texte gestört. Nun ließe sich

2 K. Stierle, »Möglichkeiten des dunklen Stils in den Anfängen moderner Lyrik in Frankreich«, in: *Immanente Ästhetik – ästhetische Reflexion. Lyrik als Paradigma der Moderne*, hg. v. W. Iser. München: Fink 1966, 157-194, hier: 190.

3 T. Todorov, »Une Complication de texte: les ›Illuminations‹«, in: *Poétique* 1978, 252. Vgl. auch J.-L. Baudry, »Le texte de Rimbaud«, in: *Tel Quel* No. 35 (1968), 46-63, bes. 48, und No. 36 (1969), 33-53.

zwar dagegen einwenden, zumindest Todorov sei es doch um ein eminent gegenwärtiges Phänomen zu tun, die Krise der Referentialität. Darauf wäre zu erwidern, daß diese These einen so hohen Grad von Allgemeinheit hat, daß sie den einzelnen Text zum beliebigen Demonstrationsobjekt macht und schon deshalb einen unbefriedigenden Typus des Umgangs mit Rimbaud darstellt. Freilich soll damit weder geleugnet werden, daß Rimbauds Texte etwas mit dem Subjekt Rimbaud zu tun haben, noch daß eine beträchtliche Anzahl von Textstellen sich tatsächlich gegen Interpretation sperrt. Die Rimbaud-Deutungen von Rivière und Valéry haben diese unterschiedlichen Aspekte akzentuiert. 1914/1915 veröffentlicht der angesehene Kritiker Jacques Rivière in der *Nouvelle Revue Française* eine Rimbaud-Studie, in der er dessen *aventure spirituelle* im Sinne einer metaphysischen, nicht einer gesellschaftlichen Revolte deutet.[4] Valéry hat Rivières Studie nicht geschätzt. Sein Rimbaud-Bild, das er sich Anfang der 90er Jahre nach der Lektüre der *Illuminations* macht, faßt er in einem späten Brief dahingehend zusammen, Rimbaud habe die Wirkung der »harmonischen Inkohärenz« entdeckt.[5] Rivière interessiert an Rimbaud die Intensität einer Erfahrung, die sich dem Leser mitteilt; er geht der existentiellen Dimension der Texte nach. Valéry dagegen fragt nach dem »System«, das diesen zugrundeliegt.[6] Für den einen sind sie Ausdruck einer Erfahrung, für den andern Anwendung eines künstlerischen Prinzips. Die beiden Interpretationen stehen unversöhnt einander gegenüber; doch genügt es, die berühmten *voyant*-Briefe aus dem Jahre 1871 näher anzusehen, um zu erkennen, daß tatsächlich beide Aspekte darin enthalten sind: Revolte *und* Suche nach einem neuen poetischen Verfahren.

4 »Nous apercevons maintenant quelle est la véritable essence de la haine de Rimbaud. C'est une révolte non pas d'ordre social, mais d'ordre métaphysique« (J. Rivière, *Rimbaud. Dossier 1905-1925*, hg. v. R. Lefèvre. Paris: Gallimard 1977, 86).

5 »R. a inventé ou découvert la puissance de ›l'incohérence harmonique‹« (Brief an J.-M. Carré vom 23.2.1943, in: P. Valéry, *Lettres à quelques-uns*. Paris: Gallimard 1952, 240).

6 »Quand j'ai subi le choc des *Illuminations*, j'ai essayé de m'expliquer le système, conscient ou non, que supposent les passages les plus virulents de ces poèmes« (ebd.).

Charleville, (13) mai 1871.
Cher Monsieur!
Vous revoilà professeur. On se doit à la Société, m'avez-vous dit; vous faites partie des corps enseignants: vous roulez dans la bonne ornière. – Moi aussi, je suis le principe: je me fais cyniquement *entretenir*; je déterre d'anciens imbéciles de collège: tout ce que je puis inventer de bête, de sale, de mauvais, en action et en paroles, je le leur livre: on me paie en bocks et en filles. *Stat mater dolorosa, dum pendet filius.* – Je me dois à la Société, c'est juste, – et j'ai raison. – Vous aussi, vous avez raison, pour aujourd'hui. Au fond, vous ne voyez en votre principe que poésie subjective: votre obstination à regagner le râtelier universitaire – pardon! – le prouve. Mais vous finirez toujours comme un satisfait qui n'a rien fait, n'ayant rien voulu faire. Sans compter que votre poésie subjective sera toujours horriblement fadasse. Un jour, j'espère, – bien d'autres espèrent la même chose, – je verrai dans votre principe la poésie objective, je la verrai plus sincèrement que vous ne le feriez! – Je serai un travailleur: c'est l'idée qui me retient quand les colères folles me poussent vers la bataille de Paris, – où tant de travailleurs meurent pourtant encore tandis que je vous écris! Travailler maintenant, jamais, jamais; je suis en grève.
Maintenant, je m'encrapule le plus possible. Pourquoi? Je veux être poète, et je travaille à me rendre *voyant*: vous ne comprendrez pas du tout, et je ne saurais presque vous expliquer. Il s'agit d'arriver à l'inconnu par le dérèglement de *tous les sens*. Les souffrances sont énormes, mais il faut être fort, être né poète, et je me suis reconnu poète. Ce n'est pas du tout ma faute. C'est faux de dire: Je pense. On devrait dire: On me pense. Pardon du jeu de mots.
JE est un autre. Tant pis pour le bois qui se trouve violon, et nargue aux inconscients, qui ergotent sur ce qu'ils ignorent tout à fait! (343 f.)

Die Kommentatoren haben die *voyant*-Briefe als Darstellung von Rimbauds Dichtungsauffassung gelesen. Zweifellos sind sie das, aber sie sind es nicht allein. Die *voyance* ist kein poetisches Verfahren, sondern Teil eines Lebens- und Gesellschaftsprojekts. Die Briefe sind während der Kämpfe um die Pariser Kommune geschrieben, und Rimbaud nimmt ausdrücklich auf die Ereignisse Bezug. Er sucht einen Begriff von Dichtung zu entwerfen, der wirklich auf der Höhe der Zeit ist.
Trotz der vermeintlichen Inkohärenz folgt der zitierte Brief an seinen Rhetoriklehrer Izambard einer strengen Logik, freilich einer Logik des Bruchs. Die Argumentation umkreist die Frage, wie das von Izambard formulierte Prinzip der Verpflichtung des einzelnen gegenüber der Gesellschaft ausgelegt und beurteilt werden kann. Rimbaud lehnt es zunächst als bloßen Konformismus ab,

um es gleich darauf in zynischer Umkehrung für sich selbst in Anspruch zu nehmen. Mit einer erneuten Wendung des Gedankens ist er dann jedoch bereit, auch Izambard recht zu geben, insofern dieser sein Prinzip als Selbstrechtfertigung erkennt (poésie subjective), denn das, worum es Izambard wie jedem andern in dieser Gesellschaft geht, ist der individuelle Erfolg. Rimbauds Hoffnung dagegen ist es, das Prinzip der Verpflichtung gegenüber der Gesellschaft ins Objektive zu wenden. Vorerst hat er dafür nur den ganz unbestimmt bleibenden Begriff des Arbeiters, der durch den Kampf der Pariser Kommunarden eine ungeheure Ausstrahlung für ihn gewonnen hat. Wenn er es trotzdem ablehnt, jetzt zu arbeiten (Travailler maintenant, jamais), dann ist das kein Selbstwiderspruch, sondern ein Akt der Verweigerung gegenüber der bestehenden Gesellschaft. Aber auch das ist nicht sein letztes Wort. Rimbaud sieht sehr wohl eine mögliche ›Arbeit‹, die er hier und jetzt verrichten kann: die Herstellung des Dichters. Er verwendet dabei einen Begriff von Arbeit, der sich von dem herkömmlichen grundlegend unterscheidet. Nicht die Herstellung von Produkten bezeichnet der Begriff, sondern die des Produzenten. Diesen gilt es zu formen durch eine systematische Selbstdeformation. Rimbaud ahnt etwas von der Grausamkeit des historischen Prozesses, in dem der moderne Arbeiter entstanden ist[7] ; er will ihn an sich selbst nachvollziehen, um die eigene Zeit aussprechen zu können. Existentielle und poetische Dimension, die in den Rimbaud-Deutungen von Rivière und Valéry auseinandertreten, sind bei Rimbaud selbst nur Aspekte ein und desselben Akts der Revolte.

Auch der *Chant de guerre parisien*, mit dem der zweite *voyant*-Brief einsetzt, ist ein Dokument der Revolte. Zum einen verspot-

7 Einen Aspekt dieses Prozesses hat M. Foucault in dem Kapitel »Le grand Renfermement« seiner *Histoire de la folie à l'âge classique* (Bibl. 10/18, 169/170; Paris: Union d'Editions 1964) dargestellt, wo er hervorhebt, daß das »Hôpital général« ebenso wie die gleichfalls im 17. Jahrhundert entstehenden deutschen »Zuchthäuser« und englischen »workhouses« vor allem der Bekämpfung der Arbeitsunwilligkeit diente. Die als Repressionsinstrument eingesetzte Arbeit bezweckt die Erziehung derjenigen, die sich der Arbeitsgesellschaft verweigern (vgl. ebd., 73 ff.). Vgl. auch E. P. Thompson, »Zeit, Arbeitsdisziplin und Industriekapitalismus«, in: ders., *Plebejische Kultur und moralische Ökonomie [...]* (Ullstein Buch, 35046). Frankfurt/Berlin/Wien 1980, 35-60.

tet Rimbaud die Versailler Regierung, die von »grünen Besitzungen« aus die Vororte von Paris bombardiert; zum andern ist der Text eine Revolte gegen die Poesie in poetischer Form.

> Le Printemps est évident, car
> Du cœur des Propriétés vertes,
> Le vol de Thiers et de Picard
> Tient ses splendeurs grandes ouvertes!
>
> O Mai! quels délirants culs-nus!
> Sèvres, Meudon, Bagneux, Asnières,
> Ecoutez donc les bienvenus
> Semer les choses printanières! (88)

Der Eingangsvers des Gedichts ist ein doppelter Affront gegen die Dichtung. Die Konnotationen, die durch die Wörter *printemps* und *évident* im Leser wachgerufen werden, sind derart unterschiedlich, daß es zunächst schwerfällt, diese überhaupt aufeinander zu beziehen, bis man entdeckt, daß Rimbaud auf die lateinische Wurzel von *évident* (videre ›sehen‹) anspielt. Das darauf folgende *car* ist gleichfalls antipoetisch: einmal, weil es eine exakte Begründung verspricht und damit quersteht zum romantischen Prinzip dichterischer Unbestimmtheit, zum andern weil die Konjunktion durch die Stellung im Reim eine herausragende Position erhält.[8] Nicht weniger deutlich ist die Wendung gegen die Poesie (d.h. die von der Romantik geprägte Auffassung von Poesie) auf der Ebene der Aussageinhalte. Der Anfang der zweiten Strophe läßt die Wiedergabe eines Natureindrucks erwarten (etwa: O Mai! quels délirants parfums), statt dessen setzt Rimbaud: »O Mai! quels délirants culs-nus!« Und nicht Knospen und Blüten machen den Frühling »évident«, sondern Artilleriegeschosse, die Rimbaud ironisch »choses printanières« nennt.

Als Beispiel seines Begriffs von gegenwärtiger Dichtung – er bezeichnet den *Chant de guerre parisien* als »psaume d'actualité« – zitiert Rimbaud ein Spottgedicht. Die Verspottung ist ein perfor-

8 Daß im 17. Jahrhundert *car* Gegenstand einer heftigen Auseinandersetzung war, dürfte Rimbaud bei seinem Rhetorik-Lehrer Izambard gelernt haben. Während die Puristen die Konjunktion bekämpften, wurde sie von Voiture und dem Grammatiker Vaugelas verteidigt (F. Brunot/Ch. Bruneau, *Précis de Grammaire historique de la langue française*. Paris: Masson 1964, 453).

matives Genus, d.h. eines, in dem Reden und Handeln zusammenfallen; die Handlung des Verspottens ist mit der Spottrede identisch. Auf diese Weise kann Rimbaud einen Dichtungsbegriff zumindest andeuten, der die Dichtung nicht von gesellschaftlichem Handeln trennt. Vor dem Kriterium der Einheit von Dichtung und Tat (»En Grèce, ai-je dit, vers et lyres *rhythment l'Action*«; 345 f.) vermag freilich die abendländische Dichtung nicht zu bestehen. Sie wird denn auch von Rimbaud als Spiel und Unterhaltung abgetan. Verseschmiede, nicht Schöpfer seien die Dichter gewesen. Am Ende des Briefes wird er einige Autoren der jüngsten Vergangenheit, besonders Baudelaire, aus diesem Urteil ausnehmen, indem er ihnen die Fähigkeit zuerkennt, *voyant* zu sein. Doch dadurch wird die Abrechnung mit der abendländischen Dichtung nur geringfügig abgeschwächt, auf deren Hintergrund er sein Konzept der *voyance* formuliert.

Deren Besonderheit ist nicht leicht zu bestimmen, denn ohne Zweifel hat sich Rimbaud vor allem von den französischen Romantikern anregen lassen. In Victor Hugos großem poetologischen Gedicht *Les Mages* werden Kunst und Wissenschaft einander angenähert und Dichter und Erfinder als diejenigen gepriesen, die Abgründe erhellen und Unbekanntes entdecken. Auch für Hugo ist die Dichtung handlungsbezogen (»La poésie est un pilote«), und die Ekstatiker erscheinen als Führer des Menschengeschlechts (»Conduit par les hommes d'extase, / Le genre humain marche en avant«).[9] Bei Rimbaud heißt es: »La Poésie ne rhythmera plus l'action; elle sera *en avant*« (348). Auch Hugo kennt einen pathetischen Begriff des Sehens, und er verknüpft diesen sogar mit dem Gedanken des Fortschritts[10]; aber der *mage* bleibt bei ihm doch ein von Gott Inspirierter, so sehr er sich auch bemüht, seinem Gott keine auf eine bestimmte Religion verweisenden Umrisse zu geben (»Une sorte de Dieu fluide / Coule aux veines du genre humain«). Bei Rimbaud dagegen fehlt der für Hugo zentrale Gedanke der göttlichen Inspiration.

9 V. Hugo, *Les Contemplations*, in: ders., *Œuvres poétiques*, hg. v. P. Albouy (Bibl. de la Pléiade). Bd. II, Paris: Gallimard 1967, 797.

10 »Oui, grâce aux penseurs, à ces sages, / A ces fous qui disent: Je vois! / Les ténèbres sont des visages, / Le silence s'emplit de voix! / L'homme, comme âme, en Dieu palpite, / Et comme être se précipite / Dans le progrès audacieux« (ebd., 791).

Gegen diese Deutung scheinen die Erläuterungen zu sprechen, die Rimbaud zu dem vielzitierten »Je est un autre« gibt: »Si la cuivre s'éveille clairon, il n'y a rien de sa faute« (345). So ist es denn verständlich, daß manche Interpreten in dem berühmten Satz nicht mehr haben sehen wollen als eine Wiederaufnahme alter Inspirationslehren.[11] Andere dagegen lesen den Satz im Sinne der Subjektkritik der poststrukturalistischen Philosophie.[12] Gegen die erste Deutung spricht, daß Rimbaud gerade die Aktivität des schöpferischen Ich hervorhebt: »je travaille à me rendre *voyant*« (343). Das Ich ist nicht bloßes Gefäß einer fremden Eingebung, sondern tätiges Subjekt, das sich selber zurichtet, um zum Dichter zu werden. Gegen die poststrukturalistische Lektüre spricht hier der emphatische Umgang Rimbauds mit den Begriffen Autor, Schöpfer und Dichter. Er will nicht etwa den Autor annullieren, sondern ihn allererst schaffen; denn bisher gab es nur Verseschmiede und Literaturbeamte: »Des fonctionnaires, des écrivains: auteur, créateur, poète, cet homme n'a jamais existé!« (346).

Wenn das »Je est un autre« weder alte Inspirationslehren erneuert, noch die poststrukturalistische Subjektkritik vorwegnimmt, wie ist es dann zu deuten? – Einerseits betont Rimbaud das Unbewußte des schöpferischen Prozesses: »C'est faux de dire: Je pense. On devrait dire: On me pense« (344). Das Ich ist eher Objekt als Subjekt des schöpferischen Tuns. Andererseits geht es ihm aber gerade darum, ein Bewußtsein dieses Prozesses zu haben: »l'œuvre, c'est-à-dire la pensée chantée *et comprise* du chanteur« (345). Wenn unmittelbar darauf der Satz folgt »Car Je est un autre«, dann wird man diesen als Formel verstehen müssen, mit der Rimbaud die Pole von unbewußtem schöpferischen Tun und Bewußtsein dieses Tuns zusammenzwingt. Anders gesagt, es geht um die Identität dessen, was nicht identisch ist. Zerlegen wir das ungewöhnliche Syntagma in zwei Glieder, so stoßen wir nicht etwa auf eine Annullierung des Ich, sondern auf dessen Setzung (Je est). Aber es ist nicht, was es zu sein vermeint: ein mit sich identisches (Je = Je), sondern es ist das Bewußtsein der Nichtüberein-

11 Vgl. z.B. Suzanne Bernard (546, Anm. 7, und 549, Anm. 5).

12 »[le producteur] s'annule en tant que sujet responsable, auteur d'une œuvre qui serait la sienne [...] loin que ce soit l'auteur qui engendre l'œuvre, c'est le texte qui produit son scripteur« (J.-L. Baudry, »Le Texte de Rimbaud«, in: *Tel Quel* No. 35 [1968], 60).

stimmung mit sich selbst (Je est un autre). Das Ich ist es selbst nur, indem es den Schein der Ich-Identität durchschaut und sich weiß als einen anderen. Das schöpferische Ich umgreift die eigene Produktion als willentlich handelndes (»je lance un coup d'archet«) und als Bewußtsein der Produktion (»je la regarde, je l'écoute«), aber der Prozeß selber entgleitet ihm (»la symphonie fait son remuement dans les profondeurs, ou vient d'un bond sur la scène«). Der »andere«, der das Gedicht hervorbringt, ist nicht irgendein anderer, sondern der andere des Ich. Diesen »anderen« sucht Rimbaud zu stimulieren, indem er ihn durch Eingriffe zur Produktion zwingt.

Um die Dimension dieses Eingriffs zu verstehen, wird man einen Blick werfen müssen auf Michelets Studie *La Sorcière*, der Rimbaud mehr verdankt als den emphatischen Gebrauch des Partizips *voyant*[13], den Gedanken nämlich einer andern, satanischen Erkenntnis. Michelets Hexe ist die aus der Gesellschaft Ausgestoßene, die ihr Ausgestoßensein annimmt und dadurch fähig wird, mit der Natur zu kommunizieren. Sie macht sich das satanische Prinzip der Umkehrung zu eigen. Wo die Kirche durch geistige Mittel auf den Körper einzuwirken sucht, verwendet Satan materielle, um auf die Psyche einzuwirken.[14] Rimbaud übernimmt dieses Prinzip. Um den eigenen Geist (den »anderen«) produktiv zu machen, deformiert er seinen Körper: »Mais il s'agit de faire l'âme monstrueuse [...] Imaginez un homme s'implantant et se cultivant des verrues sur le visage« (346). Wie die Hexe Michelets mit ihrem eigenen Körper experimentiert, ihn Giften aussetzend, um neue Heilmittel zu finden, so will Rimbaud eine bewußte Entregulierung seiner Sinne herbeiführen, um das Unbekannte zu entdekken. Nicht Selbstausdruck ist das Ziel des dichterischen Projekts (Rimbaud spottet: »tant d'*égoïstes* se proclament auteurs«; 346), sondern Erkenntnisgewinn (»Car il arrive à l'*inconnu*«). Und wie Michelets Hexe die Zukunft nicht nur vorhersagt, sondern sie schafft, so begreift Rimbaud den Dichter als »multiplicateur de progrès« (347).

13 Bei Michelet konnte er über die Frau in »primitiven Völkern« lesen: »La femme s'ingénie, imagine; elle enfante des songes et des dieux. Elle est *voyante* à certains jours; elle a l'aile infinie du désir et du rêve« (J. Michelet, *La Sorcière [1862]*. Paris: Garnier/Flammarion 1966, 31).

14 Ebd., 111.

Klaus Kröger

Peut-on s'extasier dans la destruction, se rajeunir par la cruauté! (Rimbaud)

Der Weg, den Rimbaud beschreitet, läßt sich mit Adornos Begriff der Mimesis umreißen. Nicht ein Verhältnis der Abbildlichkeit bezeichnet der Begriff bei Adorno, auch nicht Nachahmung, sondern die Fähigkeit, sich gleichzumachen, im wörtlichen Sinne der/die andere zu werden (*ÄT*, 169ff.). Für Baudelaire – wir erinnern uns – war der große Verbrecher ein Gegenstand der Ästhetik, an dem er einen Typus moderner Schönheit ausmachen konnte; Rimbaud will selbst der *grand criminel* werden. Der *poète* tritt aus der Passivität dessen heraus, der eine Inspiration empfängt oder Wahrnehmungen notiert und stellt selber sein Produktionsinstrument her, den *voyant*. Das rationale Projekt eines Eingriffs in die eigene Psyche ist verbunden mit der rational nicht belegbaren Hoffnung, dadurch neue Erkenntnisquellen zu erschließen. Der Protest gegen die bürgerliche Gesellschaft sperrt sich nicht mehr gegen deren Prinzip der Rationalität, sondern macht diese einem nicht-rationalen Ziel dienstbar.

Die Rekonstruktion des Ziels darf die Bedeutung des Wegs nicht verdecken. Dieser führt über die willentliche Selbstdeformation. Hier scheint mir auch die genau erfaßbare Geschichtlichkeit des *voyant*-Konzepts zu liegen. Der Brief setzt ein mit einer Verspottung der Versailler Regierung, deren Handeln dem mit der Kommune sympathisierenden Rimbaud als monströs erscheint.[15] Dieser Monstrosität der historischen Akteure der herrschenden Klasse ist eine humanitäre Protest-Dichtung wie diejenige Victor Hugos nicht mehr gewachsen. Nur indem der Künstler sich seinerseits dem Entsetzlichen gleichmacht, vermag er es zu erkennen und auszusprechen. Die in der Forschung letztlich ergebnislos erörterte Frage, ob Rimbaud während der Kommune in Paris war und auf seiten der Arbeiter mitgekämpft hat oder nicht, ist belanglos im Vergleich zu der viel wichtigeren Einsicht, daß das *voyant*-Konzept in der historischen Erfahrung der Kommune gründet. Was Adorno »Mimesis ans Verhärtete« genannt hat, die Fähigkeit des modernen Künstlers, sich dem gleichzumachen, was er verabscheut, ist wohl von kaum einem Autor mit solcher Konsequenz

15 In den Rimbaud-Ausgaben hat es sich durchgesetzt, die in den Briefen zitierten Gedichte Rimbauds nicht nochmals abzudrucken, sondern sich mit der Wiedergabe des Titels und der ersten Zeile zu begnügen. Dadurch ist aber der Zusammenhang zwischen dem zweiten *voyant*-Brief und dem *Chant de guerre parisien* verdeckt worden.

verwirklicht worden wie von Rimbaud. Vor allem gelingt es ihm, sich mit der historischen Stunde gleichsam kurzzuschließen und den Schock der geschichtlichen Erfahrung in ein Konzept zu verwandeln, in dem Revolte und poetisches Projekt zur untrennbaren Einheit verschmelzen.

Auch die 1873 geschriebene und veröffentlichte *Saison en enfer* ist im emphatischen Sinne Gegenwartsdichtung. Die Kommune ist niedergeschlagen, die Kommunarden, soweit sie die *semaine sanglante* überlebt haben, sind im Gefängnis, in der Verbannung oder im Exil. Rimbaud unterzieht jetzt sein *voyant*-Konzept einer scharfen Kritik: »l'histoire d'une de mes folies« (228 ff.). Die Niederlage Frankreichs im deutsch-französischen Krieg fördert in den konservativen Teilen der Bevölkerung eine Stimmung religiöser Erneuerung: Berichte von Wundern und Prophezeiungen außerordentlicher Ereignisse schaffen eine Atmosphäre gesteigerter Heilserwartung, die den Bischof von Orléans Anfang 1874 veranlaßt, vor den Chimären zu warnen, denen eine ganze Generation zu verfallen drohe.[16] Man wird Rimbauds *Saison* in diesem Kontext sehen müssen: Mimetische Übernahme einer aktuellen Gefühlslage (in der *Saison* wird u.a. von einer »fausse conversion« berichtet) und Revolte dagegen.

In der Forschung wird die *Saison* im allgemeinen als autobiographischer Text aufgefaßt und damit unterstellt, Rimbaud erfülle das Wahrhaftigkeitsprinzip der Gattung, er berichte von realen Erfahrungen. Gegen diese Annahme spricht der oben erwähnte Brief an Delahaye vom Mai 1873, in dem Rimbaud schreibt, er hätte noch ein halbes Dutzend scheußlicher Geschichten zu erfinden. Wenn der Brief sich auf die *Saison* und nicht auf die *Illuminations* bezieht (und dafür sprechen außer den Daten die von Rimbaud erwogenen Titel »Livre païen, ou Livre nègre«, sowie die Tatsache, daß er den Freund um die Übersendung von Goethes *Faust* bittet), dann läßt sich die Auffassung der *Saison* als einer Autobiographie traditionellen Typs nicht mehr unproblematisch aufrechterhalten. Das bedeutet jedoch nicht, daß wir sie einfach als fiktionales Werk ansehen können, und zwar deshalb nicht, weil dem Leser sich der Eindruck des Authentischen geradezu aufdrängt.

16 J.-M. Mayeur, *Les Débuts de la IIIe République 1871-1898* (Nouvelle Hist. de la France contemporaine, 10). Paris: Seuil 1973, 12f.

Lektüre-Eindruck und Selbstkommentar des Autors widerstreiten einander. Verzichtet man darauf, den Widerspruch nach der einen oder der anderen Seite aufzulösen und nimmt beide gleichermaßen ernst, dann zwingt uns der Text dazu, etwas wie authentische *invention* oder produzierte Authentizität zu denken. Das entspricht nicht mehr dem traditionellen Typus der Autobiographie, für die der Ort der Wahrheit außerhalb des Textes in der vorgängig gemachten Erfahrung liegt, so daß sich die Authentizität des Textes aus der Übereinstimmung zwischen Aussage und Erfahrung ergibt. Bei Rimbaud ist dagegen Authentizität das Ergebnis der Textproduktion. Existentielle Erfahrung und Arbeit am Text sind nicht mehr getrennt.[17]
Eine sprachliche Analyse der *Saison* vermag zu zeigen, daß diese (in der Buchfassung) wesentliche Merkmale spontaner Niederschrift aufweist[18]: emotional geprägte Sprechhaltung, Vorliebe für Parataxe, nicht eindeutig festgelegte Beziehung zwischen den einzelnen Sätzen, unaufgelöste Widersprüche zwischen einzelnen Aussagen. Der Vergleich mit den erhaltenen Skizzen zeigt, daß Rimbaud zwischen erster Niederschrift und endgültiger Fassung tiefgreifende Veränderungen am Text vorgenommen hat, die jedoch keineswegs eine größere diskursive Verständlichkeit herstellen. Im Gegenteil, Rimbaud sucht dem Text nicht nur den Charakter der Unmittelbarkeit zu bewahren, sondern diesen noch zu forcieren. Der Schluß von *Alchimie du verbe*, wo er mit der Kunst im allgemeinen und dem *voyant*-Konzept im besonderen abrechnet, lautet im *brouillon*:

Je hais maintenant les élans mystiques et les bizarreries de style. Maintenant je puis dire que l'art est une sottise. Nos grands poètes [illisible] aussi facile: l'art est une sottise. / Salut à la bont (338).

In der endgültigen Fassung entsprechen dem die rätselhaft verknappten Sätze: »Cela s'est passé. Je sais aujourd'hui saluer la

17 Die Unterscheidung der beiden Typen der Autobiographie verdanke ich dem Aufsatz von M. Waltz, »Zur Topologie und ›Grammatik‹ der Abbildung des Lebens in der Autobiographie« (Typoskript). Zum Problem der Autobiographie vgl. auch Ph. Lejeune, *Le Pacte autobiographique*. Paris: Seuil 1975, bes. das einleitende Kapitel.
18 Vgl. Eva Riedel, *Strukturwandel in der Lyrik Rimbauds* (Romanica Monacensia, 19). München: Fink 1982, 151 ff.

beauté« (234). Interpreten pflegen das »Cela s'est passé« durch Hinweis auf die *brouillon*-Fassung zu erläutern; sie versichern uns, Rimbaud habe die *voyant*-Phase überwunden und zu einer neuen Ästhetik gefunden – sozusagen eine Rückkehr zur Ordnung.[19] Vor allem wird immer wieder darauf insistiert, daß er sich keineswegs von der Kunst überhaupt lossage, sondern einzig von der *voyance*.[20] Dabei geht man offenbar davon aus, daß er schon deshalb nicht endgültig von der Kunst Abschied genommen haben kann, weil er ja (nach der heute überwiegend vertretenen Datierung) die *Illuminations* nachher geschrieben, jedenfalls zur Publikation vorbereitet hat. Ich kann nicht einsehen, aus welchem Grunde man Rimbaud unbedingt Folgerichtigkeit in seinem Verhalten unterstellen muß. Da Revolte und Bruch seine Existenz und seine Dichtung beherrschen, kann er sehr wohl zunächst einen Abschied von der Kunst formuliert und trotzdem an poetischen Projekten weitergearbeitet haben. Der Entwurf ist diesbezüglich eindeutig: »l'art est une sottise«, d.h. die Kunst als ganze. Hier wird – noch im Rahmen der Kunst – der avantgardistische Angriff vorweggenommen. Die Buchfassung sagt davon nichts mehr. Das »Cela s'est passé« scheint sich eher auf die *voyance* zu beziehen. »Je sais aujourd'hui saluer la beauté« ist nicht eindeutig: Ironischer Abschiedsgruß? Rückkehr zum traditionellen Schönheitsbegriff? Hinweis auf die Ästhetik der *Illuminations*?

Zwar läßt der Vergleich der beiden Fassungen der *Saison* durchaus auch Veränderungen erkennen, die sich im traditionellen Sinne als stilistische ›Verbesserungen‹ deuten lassen; das Interessante aber besteht darin, daß die definitive Fassung den Charakter der Unmittelbarkeit nicht nur bewahrt, sondern verstärkt. Spontaneität und Unmittelbarkeit sind hier Resultat eines Arbeitsprozesses. Im Extremfall wird der bereits ausformulierte Text so weit verkürzt, daß er rätselhaft wird. Nicht das abgerundete Werk, sondern das Fragment ist das Ziel. Es geht um Intensivierung des Ausdrucks durch Zurücknahme der Mittel.[21]

19 Vgl. M. Davies, *Une Saison en enfer d'Arthur Rimbaud. Analyse de texte* (Archives des Lettres Modernes, 155). Paris: Minard 1975, 92.

20 Dies ist die These, die Suzanne Bernard in ihren Kommentaren verficht.

21 Die Bearbeitung, der Rimbaud *Nuit d'enfer* unterzieht, weist ähnliche Charakteristika auf wie die von *Alchimie du verbe*. Auch hier wird der

Blickt man von unsern Interpretationsskizzen noch einmal auf den Gegensatz der Deutungen von Rivière und Valéry zurück – Rimbaud als Gestalter einer existentiellen Erfahrung vs. Rimbaud als Erfinder der »incohérence harmonique« –, dann scheint in ihnen das auseinandergerissen, was in den Texten zusammenschießt: Revolte und dichterische Produktion. Verknüpft sind beide durch Mimesis. Wie Rimbaud sich in der *voyant*-Phase der Monstrosität der Herrschenden gleichmacht, so identifiziert er sich in der *Saison* mit den Kolonialvölkern: »Je suis bête, un nègre. [...] Les blancs débarquent. Le canon! Il faut se soumettre au batême, s'habiller, travailler« (217). Im mimetischen Verhalten verschränken sich miteinander schwer vereinbare Einstellungen: die Weigerung, eine soziale Rolle in der bürgerlichen Gesellschaft einzunehmen, das Sicheinlassen auf ein mit allen geläufigen Wahrnehmungs- und Erlebnisstrukturen brechendes Erfahrungsmuster und die Arbeit am Text, die allererst die Wahrheit der Erfahrung produziert. Was in der Kunst des 20. Jahrhunderts oft auseinanderfallen wird in avantgardistische Protestaktion und Arbeit am künstlerischen Material, ist bei Rimbaud eine Einheit. Doch diese Einheit ist alles andere als Ausgewogenheit der Gegensätze; Resultat einer gegen sich selbst ausgeübten Gewalt, ist sie an eine emphatisch aufgeladene »Jetztzeit«(Benjamin) gebunden und daher in hohem Maße gefährdet. Die Überstürztheit, mit der die Phasen der künstlerischen Entwicklung bei Rimbaud aufeinanderfolgen, weist auf den momentanen Charakter der gefundenen Synthesen. 1870 preist er noch Banville und erhofft die Aufnahme eines seiner Gedichte in den »Parnasse contemporain«; unter dem Eindruck des Bürgerkriegs verwirft er 1871 im Zeichen der Entdeckung der *voyance* fast die gesamte abendländische Dichtung, die er durch »Mimesis ans Verhärtete« zu überbieten hofft; bereits ein Jahr später schreibt er seine letzten Verse und unterzieht 1873 diese sowie das

ursprüngliche Entwurf einem Prozeß der Verdichtung unterworfen. So streicht Rimbaud z. B. aus dem Anfang des Entwurfs den Satz »La rage du désespoir m'emporte contre tout la nature les objets, moi, que je veux déchirer« (332). Und etwas später: »ma haine. [R] Je recommence l'existence enragée, la colère dans le sang, la vie bestiale, l'abêtissement« (333). Offenbar verzichtet Rimbaud deshalb auf diese Sätze, weil sie eher interpretierend sind und mithin dem beabsichtigten Eindruck der Unmittelbarkeit entgegenstehen.

voyant-Konzept in der *Saison* einer Kritik, die selbst zugleich mimetischer Akt der Identifikation mit den Unterdrückten und Produktion eines Werks als Fragment ist; die in den Entwürfen zur *Saison* formulierte Absage an die Kunst wird er ein Jahr später nach Abschluß der *Illuminations* auch tatsächlich vollziehen. Mimesis ist kein künstlerisches Verfahren, das sich auf Dauer stellen läßt.

2. Parodie und Pathos. Lautréamonts Zerstörungsphantasien (Christa Bürger)

Den Interpreten seiner Dichtungen hat Lautréamont selbst ein Stichwort gegeben: »cette poésie de révolte«[22], und er hat dieses noch mit einem historischen Index versehen, indem er sich in die Traditionslinie eines romantischen Luziferismus, die von Milton zu Baudelaire führt, einstellt.[23] Bis heute ist das Bild Lautréamonts – nicht nur, weil wir von dessen Leben so gut wie nichts wissen[24] – eigentümlich unscharf geblieben. In ihm scheinen die Elemente der Literatur des 19. und 20. Jahrhunderts sich unauflösbar zu verwirren: Romantik, ästhetische Moderne, Avantgarde. André Bre-

22 Brief vom 27.10. [1869], in: Isidore Ducasse, *Œuvres complètes*, hg. v. M. Saillet (Livre de Poche, 1117/18). Paris 1963, 436. Die im folgenden in Klammern gesetzten Ziffern beziehen sich auf diese Ausgabe.

23 Mario Praz hat den Hinweis wörtlich genommen, wenn er der Herkunft des Namens nachgeht, den der Autor Ducasse einem Roman Sues entlehnt habe: »Hier schildert der volkstümliche Romancier den Abenteurer Lautréamont, welcher der böse Geist bei der Verschwörung des Chevalier de Rohan gegen Ludwig XIV. ist, als satanischen Zyniker, der seine Peiniger unter der Folter mit Hohn und Herausforderungen überschüttet« (*Liebe, Tod und Teufel. Die schwarze Romantik* [dtv, 4051/52]. München ²1970, Bd. II, 454). Noch Karl Heinz Bohrer folgt dem Autor, indem er ihn als Beispiel einer romantischen »*Rhetorik* des Bösen« zitiert, die nichts anderes sei als »die Fortsetzung einer ›Ästhetik des Erhabenen‹«, im Gegensatz zum Modernismus von Flauberts *Salammbô*, wo das Böse als »*Modus künstlerischer Phantasie* entdeckt« werde und nicht mehr bloß »Thema einer emphatisch-romantischen Ästhetik« sei. Diese neuerliche Ausgrenzung Lautréamonts aus dem Kanon der ästhetischen Moderne, die zugleich die bis heute rätselvolle Widersprüchlichkeit des Autors nach der Seite eines romantischen Satanismus hin auflöst, mag sich aus Bohrers ungeklärtem Verhältnis zur Avantgarde herleiten (K. H. Bohrer, »Die permanente Theodizee. Über das verfehlte Böse im deutschen Bewußtsein«, in: *Merkur* Nr. 458 (April 1987), 267-286; hier: 268 f.).

24 Vgl. das Vorwort von Maurice Saillet zu der zitierten Ausgabe.

ton, der ihn 1919 allererst entdeckt, um ihn sogleich zum Vorläufer des Surrealismus zu erklären, rückt ihn in die Nähe Baudelaires: »C'est toute la vie moderne, en ce qu'elle a de spécifique, qui se trouve d'un coup sublimée«.[25] Der Begriff des Sublimen wie wenige Zeilen später der »lumière même de l'apocalypse« sucht tentativ zu erfassen, was Lautréamonts Großstadtgesänge so rätselhaft macht, nämlich gerade ihre Distanz zur ästhetischen Moderne.

Fast auf jeder Seite der *Chants de Maldoror* werden die Namen von Plätzen und Straßen von Paris aufgerufen, doch evozieren diese weniger die Atmosphäre einer Großstadt des 19. Jahrhunderts als vielmehr unbestimmt metaphysische Räume von ungeheuren Dimensionen, auf denen Objekte in jener traumhaften Präzision angeordnet sind, wie wir sie auf den Bildern des frühen Chirico sehen. Zwischen Landschaftsbildern und denen der Stadt scheint Lautréamont jeglichen Unterschied zu tilgen, so daß die vertrauten Namen der Place Royale, der Place Vendôme, der Madeleine und des Pont du Carrousel oder des Jardin des Tuileries seltsam fremd und bedrohlich klingen.[26]

Lautréamont zieht gleichsam die Alltäglichkeit, welche Heine und Baudelaire in die Lyrik der Moderne hineingebracht haben, aus dem Raum der Großstadt wieder ab, und taucht diesen erneut ins *clair obscur* der Romantik, nicht ohne die eigene Technik sogleich wieder ironisch zu reflektieren.

Où sont-ils passés, les becs de gaz? Que sont-elles devenues, les vendeuses d'amour? Rien ... la solitude et l'obscurité! Une chouette, volant dans une direction rectiligne, et dont la patte est cassée, passe au-dessus de la Madeleine, et prend son essor vers la barrière du Trône, en s'écriant: ›Un malheur se prépare‹. Or, dans cet endroit que ma plume (ce véritable ami qui me sert de compère) vient de rendre mystérieux, si vous regardez du côté par où la rue Colbert s'engage dans la rue Vivienne, vous verrez ... (321).

Es ist das Paris Meryons, das uns in den *Chants de Maldoror* begegnet. Lautréamont leugnet seine Herkunft aus der Romantik nicht, sondern sucht sie mit einer unerbittlichen Grausamkeit in

25 A. Breton, *Anthologie de l'humour noir* (Livre de Poche, 2739). Paris [2]1970, 176.

26 Vgl. z.B. 354f., 268, 217ff. oder 362ff.

sich auszumerzen. Dies ist es wohl auch, was die Kritik gegenüber dem Phänomen Lautréamont so ratlos macht. Das Parodistische ist bei ihm kein Stilelement, sondern es bemächtigt sich seiner Texte zu einem Grad, daß es deren Substanz zu zersetzen scheint. In einem der wenigen von ihm erhaltenen Briefe bekennt sich Lautréamont provokativ zu diesem Furor der Parodie:
»Naturellement, j'ai un peu exagéré le diapason pour faire du nouveau dans le sens de cette littérature sublime qui ne chante le désespoir que pour opprimer le lecteur, et lui faire désirer le bien comme remède« (433). Der zitierte Satz ist in sich so widersprüchlich, daß er zwei einander ausschließende Aussagen nur syntaktisch verbindet. Der erste Teil ist eine Selbstentwertung: mein einziges Interesse geht dahin, meine Vorgänger zu überbieten, anders ausgedrückt, mein Satanismus ist eine Marktstrategie. Der zweite Teil, nicht minder aggressiv, enthält – in ironischer Verkehrung – ein Programm: die Revolte gegen eine den moralischen Normen der bürgerlichen Gesellschaft sich fügende Literatur, die er mit der polemischen Gleichsetzung von Hugo, Musset und Baudelaire treffen will.
Nun gibt es einen Brief Lautréamonts, ein Jahr nach der Publikation der *Chants de Maldoror* geschrieben, wo er seine *poésie de révolte* widerruft, ähnlich wie Rimbaud die Energie der Destruktion nun gegen sich selber wendend.

Voilà pourqoi j'ai complètement changé de méthode, pour ne chanter exclusivement que *l'espoir*, *l'espérance*, Le CALME, *le bonheur*, Le DEVOIR. Et c'est ainsi que je renoue avec les Corneille et les Racine la chaîne du bon sens, et du sang-froid, brusquement interrompue depuis les poseurs Voltaire et Jean-Jacques Rousseau (444).

Daß auch dieser Widerruf parodistisch gemeint ist, bezeugt nicht nur die Tatsache, daß Lautréamont in den *Poésies* nicht an Corneille und Racine anknüpft, sondern an Pascal, La Rochefoucauld und Vauvenargues, sondern mehr noch die offensichtlich schiefe Identifikation von Rousseau und Voltaire; denn nur auf die *Confessions* kann jenes »toujours pleurnicher« (ebd.) gemünzt sein, gegen das Lautréamont polemisiert.
Erstaunlicherweise bringt die beobachtete Bodenlosigkeit der Texte Lautréamonts nun jedoch nicht den Effekt hervor, daß wir dem Autor nichts glauben, sondern vielmehr den, daß wir seine

Revolte für authentisch halten und stets versucht sind, hinter ihr eine Figur zu entdecken, deren proteushafte Züge kein noch so akribischer biographischer Spürsinn je wird fixieren können.[27] So hat Breton den Vorgänger verstanden, wenn er die *Chants de Maldoror* nicht als Ausdruck einer Revolte, sondern *der* Revolte schlechthin liest:

la révolte de Maldoror ne serait pas à tout jamais la Révolte si elle devait épargner indéfiniment une forme de pensée aux depens d'une autre. Un principe de mutation perpétuelle s'est emparé des objets comme des idées, tendant à leur délivrance totale qui implique celle de l'homme.[28]

Bezeichnenderweise scheint Breton zwischen dem luziferischen Protagonisten der *Chants de Maldoror* und ihrem Autor nicht zu unterscheiden (für ihn haben die Prosagedichte Lautréamonts denselben literarischen Status wie sein eigener dokumentarischer Prosatext *Nadja*). Die Zersetzungsenergie, die in den Texten Lautréamonts am Werk ist, unterschiedslos Dinge, Gedanken, Wörter in einen vernichtenden Strudel der Analogien hineinreißend, versteht Breton als ein auf ein bestimmtes Ziel gerichtetes Projekt: die Befreiung des Menschen.

Doch läßt wohl Lautréamont sich so einfach zum Vorläufer des Surrealismus nicht machen. Fragt man, wogegen dessen *poésie de révolte* sich richtet, so könnte eine erste Antwort Ernüchterung bringen: Die *Chants de Maldoror* sind der literarische Befreiungsakt eines Schülers[29], der sich gegen die verlogene Moralerziehung des Gymnasiums auflehnt.[30] In einem Gespräch mit einem Totengräber gibt Maldoror ein Stück seiner Biographie preis.

27 Zum autobiographischen Hintergrund der *Chants* (dem Krieg zwischen Argentinien und Uruguay) vgl. die Anmerkungen von P.-O. Walzer zu der von ihm herausgegebenen Pléiade-Ausgabe (Lautréamont/Germain Nouveau, *Œuvres complètes*. Paris: Gallimard 1970, 1103 ff.), die sich auf Forschungen von C. Pichois stützen. Vgl. auch (wenig dokumentiert) E. Peyrouzet, *Vie de Lautréamont*. Paris: Grasset 1970, bes. 39 ff.

28 A. Breton, *Anthologie de l'humour noir*, 176 f.

29 Noch der *refus* Valérys wird *auch* Ergebnis seines Widerstands gegen das Schulwissen sein (vgl. dazu den Abschnitt *Ego*, in: ders., *Cahiers*, hg. v. Judith Robinson [Bibl. de Pléiade]. 2 Bde., Paris: Gallimard 1973/74; Bd. I, bes. 161 ff.).

30 Es ist wichtig zu wissen, daß das Ende des zweiten Kaiserreichs auch in

Quand un élève interne, dans un lycée, est gouverné, pendant des années, qui sont des siècles, du matin jusqu'au soir et du soir jusqu'au lendemain, par un paria de la civilisation, qui a constamment les yeux sur lui, il sent les flots tumultueux d'une haine vivace, monter, comme une épaisse fumée, à son cerveau, qui lui parat près d'éclater. Depuis le moment où on l'a jeté dans la prison, jusqu'à celui, qui s'approche, où il en sortira, une fièvre intense lui jaunit la face, rapproche ses sourcils, et lui creuse les yeux. La nuit, il réfléchit, parce qu'il ne veut pas dormir. Le jour, sa pensée s'élance au-dessus des murailles de la demeure de l'abrutissement, jusqu'au moment où il s'échappe, ou qu'on le rejette, comme un pestiféré, de ce cloître éternel; cet acte se comprend (78).

Der Text, der, freilich abgeschwächt wie ein lang wiederholtes Echo, im ersten surrealistischen Manifest Bretons weiterwirkt, hält die Erinnerung fest an das Kind, das der Schreibende war, und mit ihr den Haß auf die Institution und ihre Repräsentanten, die dieses Kind getötet haben. Das Schreiben, gezeugt aus diesem Haß, ist der Akt, der, weil er die verlorene Kindheit nicht wiederherzustellen vermag, die Zerstörung mit Zerstörung vergilt. Der Ich-Erzähler, der in der zitierten Passage – falls man diese überhaupt auf eine bestimmte Figur der *Chants* beziehen kann – von sich selbst in der dritten Person spricht, insistiert darauf, daß sein Haß keine spontane Gefühlserregung ist, sondern das Ergebnis von Reflexion. Diese zielt auf die Demontage gesellschaftlicher Institutionen, genauer auf deren normativen Kern. So wird die Schule identifiziert mit Rhetorik[31] und mit einer bestimmten Kunstauffassung.
Die Haltlosigkeit rhetorischer Formeln, denen zugleich spezifische moralisch geprägte Denkformen zugrundeliegen, entlarvt er durch ihre inflationäre Anwendung. So parodiert er im Schlußabschnitt des ersten Gesangs das der Literaturgeschichtsschreibung offenbar unentbehrliche Darstellungsschema in Kategorien der organischen Entwicklung:

einer Serie von Schüleraufständen sich ankündigte (vgl. dazu Th. Zeldin, *France 1848-1945. Intellect and Pride*. Oxford: Oxford Univ. Press ²1980, 259f.).

31 Zur Bedeutung der Rhetorik im französischen Gymnasium des 19. Jahrhunderts und zum Widerstand dagegen vgl. Th. Zeldin, *France 1848-1945. Intellect and Pride*, 227ff.

Ne soyez pas sévère pour celui qui ne fait encore qu'essayer sa lyre: elle rend un son si étrange! Cependant, si vous voulez être impartial, vous reconnaîtrez déjà une empreinte forte, au milieu des imperfections (90).

Damit ist aber nur die Oberfläche der Lautréamontschen Zersetzungsarbeit gestreift. Das Prinzip von dessen Revolte scheint mir darin zu liegen, daß sie das eigene Projekt in den Strudel der Zerstörungen hineinreißt. Indem er gegen Ende der *Chants* einen »kleinen Roman von 30 Seiten« ankündigt (316), wozu das Voraufgegangene nur die *Préface* gewesen sei, führt er in einer doppelten Verneinung sein Werk ad absurdum. In der zeitgenössischen konservativen Literaturkritik bezeichnet *petit roman* ein Genre erotischer Unterhaltungsliteratur.[32] Insofern in der Tat der *Sechste Gesang* »leichter« ist (er hat die Form einer Erzählung), wird vom Ende her die *poésie de révolte* der ersten Gesänge entwertet. Die zweite Negation erfolgt durch eine bis zum Irrsinn getriebene Dissoziation von Form und Inhalt. Lautréamont führt die luziferische Rebellion als Thema einer Rhetorikübung vor, in der alle Regeln der *dissertation* verletzt werden:

En conséquence, mon opinion est que, maintenant, la partie synthétique de mon œuvre est complète et suffisamment paraphrasée. C'est par elle que vous avez appris que je me suis proposé d'attaquer l'homme et Celui qui le créa. Pour le moment et pour plus tard, vous n'avez pas besoin d'en savoir davantage! Des considérations nouvelles me paraissent superflues, car elles ne feraient que me répéter, sous une autre forme, plus ample, il est vrai, mais identique, l'énoncé de la thèse dont la fin de ce jour verra le premier développement. Il résulte, des observations qui précèdent, que mon intention est d'entreprendre, désormais, la partie analytique [...] (315).[33]

Daß der programmatische Text *Poésies II* fast ausschließlich aus

32 Vgl. dazu W. Grauert, »Ästhetische Erkenntnis gegen bürgerliche Moral [...]«, in: P. Bürger (Hg.), *Zum Funktionswandel der Literatur* (Hefte für krit. Litwiss., 4; ed. suhrkamp, 1157). Frankfurt 1983, 163-193; hier: 168.

33 Der Ich-Erzähler verstößt gegen die Logik der Reihenfolge, indem er den synthetischen Teil vor den analytischen stellt; er löst das Klappern der grammatischen Kategorien auf durch umgangssprachliche Einsprengsel (vous n'avez pas besoin d'en savoir davantage) und durch semantische Abweichungen (pour le moment *et* pour plus tard; la thèse dont la fin de ce *jour* ...).

Entstellungen klassischer Aphorismen von Pascal, La Rochefoucauld und Vauvenargues besteht, ist bekannt. Doch auch unter der Rede Maldorors ließe sich ein durchgängig anderer Text entziffern, zusammengestückelt aus Zitaten der Weltliteratur, den der darübergelagerte zweite zersetzen soll.[34] Man versteht die Wut Lautréamonts besser, wenn man sich verdeutlicht, daß im Gymnasium des 19. Jahrhunderts literarische Texte den Status von Lehrbeispielen hatten, an denen rhetorische Figuren geübt oder die als Vorlagen für Übersetzungen ins Lateinische oder Griechische benutzt wurden. Bevorzugtes Haßobjekt Lautréamonts ist in den *Chants* wie in den *Poésies* Musset.[35] Gegen dessen moralisierende Bekenntnislyrik polemisiert er, indem er in die parodistische Entwertung ein Bruchstück seiner eigenen Biographie hineinzieht, das bezeichnenderweise die intellektuelle Unterdrükkungsmaschinerie des Gymnasiums trifft.

Lorsque le sauvage pélican se résout à donner sa poitrine à dévorer à ses petits, n'ayant pour témoin que celui qui sut créer un pareil amour, afin de faire honte aux hommes, quoique le sacrifice soit grand, cet acte se comprend. Lorsqu'un jeune homme voit, dans les bras de son ami, une femme qu'il idolâtrait, il se met alors à fumer un cigare [...] cet acte se comprend. Quand un élève interne, dans un lycée [...] (78; vgl. auch *Poésies I*, 385 f.).

Gedichte wie *Rolla*, *La Nuit de mai* oder die *Lettre à Lamartine* sind ihm verächtlich nicht nur als Unterrichtsstoff, sondern als Beispiele eines Kunstbegriffs, um dessen Destruktion es ihm geht: in Musset bekämpft er den Vertreter einer Bekenntnislyrik und

34 Zu den literarischen Quellen Lautréamonts finden sich viele Hinweise in den Anmerkungen von Walzer zur Pléiade-Ausgabe. – Für D. Rieger tragen aufgrund des parodistischen Verfahrens die *Chants* das Signum der Inauthentizität (»Der Esel und die Feige. Lautréamonts literarische Quellen und die Inauthentizität der ›Chants de Maldoror‹«, in: *Romanische Forschungen* 88 Nr. 1 (1976), 43-56; bes. 52ff.).

35 Vgl. dazu auch die Ausfälle Rimbauds gegen Musset, etwa in dem (*voyant*-)Brief an Paul Demeny vom 15. Mai 1871 (*Œuvres*, 348f.). – So nützlich das Ergebnis der rezeptionssoziologischen Studie von B. Guthmüller ist, wonach Musset im Second Empire den Höhepunkt seiner Popularität erreicht, so abwegig scheint mir sein Versuch, Lautréamonts Musset-Polemik der moralischen Literaturkritik zuzuordnen (*Die Rezeption Mussets im Second Empire*. Frankfurt: Athenäum 1973, 154ff.).

des Bündnisses von Kunst und herrschender Moral (für dessen Formulierung in Frankreich ein Eklektiker wie Cousin und Literaturkritiker wie Nisard verantwortlich sind).[36] Mit der Kündigung dieses Bündnisses steht Lautréamont, der das »génie du mal« besingt[37], in der Tradition des französischen Frühsozialismus.

Il faut, quoi qu'en puisse dire la pudibonderie classique et morale, que la littérature déchiquette pièce à pièce et dissèque minutieusement notre civilisation vieillie; il faut qu'elle l'expose au grand jour avec hardiesse et cynisme; sans voile, toute nue, difforme, hideuse, telle qu'elle est.[38]

Was ihn freilich von den Frühsozialisten trennt, ist der Verzicht auf das Pathos der Aktion; seine Maske ist die des Renegaten (vgl. 316), der jede Sache schon verraten hat, bevor sie noch Gestalt angenommen hat.

Das Schreibprojekt Lautréamonts läßt sich vielleicht am deutlichsten aus dem *Zweiten Gesang* ablesen, weil hier Ich/Maldoror in der Rolle des Erzählers auftritt. Freilich wird auch hier die narrative Struktur des Texts gleichsam bodenlos, weil die Erzählperspektive ständig wechselt. Der Gesang besteht aus einer Serie von Exempelgeschichten, deren – dem Leser überlassene – moralische Nutzanwendungen in entgegengesetzte Richtungen weisen. Als er im Jardin des Tuileries einen kleinen Jungen entdeckt, der, statt mit anderen Kindern zu spielen, nachdenklich auf einer Bank sitzt, schlüpft Maldoror in die Rolle eines *raisonneur du mal* (reli-

36 Für die Wirksamkeit dieses Bündnisses von Kunst und herrschender Moral ist der auf einen ministeriellen Erlaß von 1851 zurückgehende Faucher-Preis ein gutes Beispiel: dieser sollte an Autoren vergeben werden, die auf »wünschenswerte« Weise moralerzieherische Absicht (vor allem mit Blick auf die arbeitende Bevölkerung) und »brillante Ausführung« verbinden (vgl. dazu W. Grauert, »Ästhetische Erkenntnis gegen bürgerliche Moral«, 183). Ganz in diesem Sinne begreift Nisard seine Tätigkeit als »eine zugleich literarische und moralische Pflicht« (ebd., 182f.).

37 P. Leroux, in der *Revue encyclopédique*, Sept. 1831, zit. nach K. Heitmann, *Der Immoralismus-Prozeß gegen die französische Literatur im 19. Jahrhundert* (Ars poetica, 9). Bad Homburg/Berlin/Zürich: Gehlen 1970, 65.

38 V. Considérant, in: *Le Phalanstère*, 8.2.1833, zit. nach K. Heitmann, *Der Immoralismus-Prozeß*, 64.

giös gedeutet: des Verführers)[39], der eine doppelte Strategie verfolgt: die Demonstration der Prinzipien der bürgerlichen Ordnung (»te faire comprendre sur quelles bases est fondée la société actuelle«, 111) und die daraus abzuleitenden Maximen des Handelns. Wenn das geheime Triebziel des Menschen die Herrschaft über seinesgleichen ist, so gilt es zunächst, das Haupthindernis abzuräumen, das dessen Verwirklichung entgegensteht, den christlichen Glauben (»Il n'est pas nécessaire que tu penses au ciel; c'est déjà assez de penser à la terre«, 110). Wenn dies geschehen ist, genügen wenige Grundregeln: Das Ziel entschuldigt die Mittel; um Erfolg zu haben, braucht man Geld; zu seiner Beschaffung gibt es zwei Wege, die List und den Mord. Dem Einwand des Jungen, er würde andere Mittel vorziehen, begegnet Maldoror mit einem »philosophischen« Argument. Man muß nur einen ausreichend hohen Standpunkt gewinnen, von dem aus man den Horizont seiner Zeit umfassen kann, wo alles konkrete Einzelne sich auflöst (»Il faut savoir embrasser, avec plus de grandeur, l'horizon du temps présent«, 112). Das Lehrgespräch der *Chants de Maldoror* steht am Ende einer literarischen Reihe, in der es um das Problem einer vernünftigen, aus religiösen Bindungen emanzipierten, den Interessen der Handelnden nicht widerstreitenden Begründung moralischen Handelns geht. In Diderots Dialogroman *Rameaus Neffe* steht dem Aufklärer-Ich der Schmarotzer und erfolglose Künstler Rameau gegenüber, dessen Erziehungskonzeption sich auf die einzige Maxime der totalen Entfaltung der physischen Bedürfnisse gründet. Aus dieser Bestimmung menschlichen Glücks ergibt sich als Erziehungsziel die bedingungslose Anpassung an das herrschende System. In Rameau portraitiert Diderot den skrupellosen Normalbürger, jedoch in einer Konsequenz des Denkens und Handelns, vor der dieser gewöhnlich zurückschreckt. Ihm gegenüber versagen die Argumente des Aufklärers. Auch die »Verbrecher« der Romane Sades treten als überzeugte Aufklärer auf, deren Ziel es ist, tugendhaftes Verhalten als ein durch Hirngespinste und Vorurteile geleitetes zu entlarven. Die Provokation besteht darin, daß Sade den konsequenten Rationalismus in die Rechtfertigung des Verbrechens überführt und die

39 Walzer weist auf die Parallele dieser Szene zum Melmoth von Maturin hin (Lautréamont/Germain Nouveau, *Œuvres complètes*, 1109).

aufklärerische Verbindung von Rationalität und Humanismus zerstört.
Lautréamont führt die Entlarvungsstrategie Diderots und Sades weiter, indem er sie einerseits radikalisiert, andererseits aber aus dem aufklärerischen Rahmen, auf den auch Sade noch sich bezieht, herausbricht. Zunächst einmal legt er die Dialoge Diderots und Sades übereinander und verschiebt sie in polemischer Weise, indem er die Katechismusform wählt, wie sie nicht selten in den Lesebüchern für den Schulgebrauch der Epoche anzutreffen ist.[40] Auch hier bezieht sich Lautréamont mit großer Wahrscheinlichkeit auf einen historisch bestimmten Kontext. Der Anwalt der Moral ist in dem Katechismusgespräch nicht, wie bei Diderot, der Aufklärer, sondern das Kind, d.h. aber, sie erscheint als nichtrationale Einstellung, die mit Hilfe der Erziehung überwunden wird. Anders als bei Sade richtet sich der moralische Diskurs nicht an das Opfer, vielmehr erkennt Maldoror in dem Kind sein eigenes Bild, den künftigen Feind der Menschheit.[41]
Die Erzählung von dem kleinen Jungen auf der Bank im Jardin des Tuileries, welche in der skizzierten Interpretation eindeutig erscheint, verliert diese Eindeutigkeit aber, wenn man versucht, Maldorors Definition des Rechts ihr einzufügen. Den Einwand des kleinen Jungen, man dürfe nicht töten, weil es »verboten« ist, widerlegt Maldoror, wie zu erwarten, mit dem Rat, man dürfe sich nicht erwischen lassen, beläßt es jedoch nicht bei dieser pragmatischen Behandlung der Frage, sondern setzt einen eigenen Begriff

40 Zwar wird die Moralerziehung erst in der Dritten Republik zum Schulfach, doch hatte das Unterrichtsministerium bereits 1848 Handbücher herausgebracht mit Beispielen zur Einübung und Befestigung republikanischer und moralischer Tugenden (vgl. dazu Th. Zeldin, *France 1848-1945. Intellect and Pride*, 178).

41 Es ist vielleicht ganz nützlich, sich klarzumachen, daß im Verlauf des 19. Jahrhunderts in Frankreich der Einfluß Rousseaus und seiner Auffassung, daß Kinder von Natur aus gut und mit einer Fähigkeit zur Vernunft ausgestattet seien, schwächer wird. Ein billiges Handbuch, *Le Livre de famille*, aus dem Ende des Jahrhunderts stellt das Kind als Personifizierung von Grausamkeit und Egoismus dar (vgl. dazu P. Robertson, »Das Heim als Nest: Mittelschichten-Kindheit in Europa im neunzehnten Jahrhundert«, in: L. de Mause (Hg.), *Hört ihr die Kinder weinen. Eine psychogenetische Geschichte der Kindheit* [suhrkamp taschenbuch wiss., 339]. Frankfurt [2]1980, 565-600; hier: 587).

des Rechts gegen den herrschenden: »La justice qu'apportent les lois ne vaut rien; c'est la jurisprudence de l'offensé qui compte« (111). Es ist aus dem Kontext nicht zu erschließen, ob der Satz sich auf die konkrete Situation bezieht, die Maldoror für den Kleinen evoziert (würde es dir nicht Spaß machen, einen Schulkameraden umzubringen, der dich beleidigt hat?), oder ob er eine Verallgemeinerung fordert, die der Revolte Lautréamonts eine politische Dimension gäbe: es ginge dann nicht um das Recht des Stärkeren, sondern um die prinzipielle Rechtfertigung der Gewalt der Unterdrückten. Damit wäre allerdings eine Perspektive angedeutet, aus der die Figur Maldorors verständlich werden könnte: dieser identifizierte sich mit dem entstellten Gesicht der Menschheit. Die Entstellung aber ist auf beiden Seiten, der Unterdrücker und der Opfer. Dieser Deutung würde sich auch die Gegengeschichte von der Pferdebahn fügen. Diese weist eine Reihe von Merkmalen auf, die vom übrigen Kontext abweichen, was wiederum erlaubt, eine bestimmte Textintention zu erschließen: die Darstellungsform ist eine unverdeckt empathische, die Alltäglichkeit der Geschichte wird nicht durch surreale Bilder verfremdet, die emotionale Intensität wird durch die Engführung des Refrains verstärkt. Der Ich-Erzähler beobachtet auf einem seiner nächtlichen Streifzüge durch Paris, wie der Kutscher mit einem Peitschenknall anfährt, ohne auf den Hilferuf eines Kindes zu achten, das am Straßenrand zusammengebrochen ist, die Fahrgäste wenden sich gleichgültig ab, jeder versunken in die Unbeweglichkeit seines Egoismus (»dans l'immobilité de son égoïsme«, 103), einige Fenster öffnen und schließen sich wieder, ein junger Mann empfindet Mitleid mit dem Kind, läßt sich aber durch die feindseligen Blicke der anderen einschüchtern; nur ein zufällig vorbeikommender Lumpensammler hebt das Kind auf und schickt einen Schrei der Anklage hinter der davonfahrenden Bahn her. Wie in den meisten Sequenzen der *Chants* wechselt auch hier die Perspektive mehrfach: als zufällig Vorübergehender beobachtet der Ich-Erzähler den alltäglichen Vorfall von außen, als auktorialer Erzähler begleitet er die Geschichte mit moralischen Bewertungen, er trägt aber auch die Maske des verhärteten *bourgeois* und verfolgt die Gemütsbewegungen des jungen Mannes, der im Kampf mit der herrschenden Gleichgültigkeit unterliegt. Es vollstreckt sich an diesem das unwiderrufliche Gesetz der Geschichte des Menschen, daß der

Enthusiasmus der Freundschaft und des Mitgefühls, womit die Kinder aufbrechen, zerbricht am steinernen Widerstand der Wirklichkeit. Der junge Mann, den der Ich-Erzähler als seinesgleichen erkennt, stellt die große Frage des Zweifels, die sich unter der luziferischen Maske Maldorors verbirgt:

Le coude appuyé sur les genoux et la tête entre ses mains, il se demande, stupéfait, si c'est là vraiment ce qu'on appelle *la charité humaine*. Il reconnaît alors que ce n'est qu'un vain mot, qu'on ne trouve plus même dans le dictionnaire de la poésie, et avoue avec franchise son erreur. Il se dit: ›En effet, pourquoi s'intéresser à un petit enfant? Laissons-le de côté.‹ Cependant, une larme brûlante a roulé sur la joue de cet adolescent, qui vient de blasphémer (103).

In der Figur des jungen Mannes, der sein Mitleid erstickt, weil er sich allein damit findet, inmitten von Kadavern (102), setzt Lautréamont sich mit der pathetischen Mitleidsdichtung Hugos auseinander. Der junge Mann führt die Pose des Denkers vor, die Hugo für den Dichter in Anspruch nimmt: »ton rôle est d'avertir et de rester pensif«[42]; die Beschreibung der *bourgeois*, die in der nächtlichen Pferdebahn sitzen, entspricht Hugos apodiktischem Urteil über die Menschen, die er nach lebendigen (Arbeiter und Denker) und toten (indifferente Masse) unterscheidet.[43] Die Exempelgeschichte als ganze schließlich läßt sich lesen als Antistrophe zu Hugos sentimentalem Appell an das Mitleid der Reichen, ein Appell, der zeigt, wie sehr dieser Anwalt der Armen gefangen ist in bürgerlichem Zweckdenken, für das Schenken nicht anders vorstellbar ist als in Erwartung eines Äquivalents, sei's auch nur ein besserer Platz im Himmel.[44] Maldorors Welt dagegen ist eine ohne Gnade, wo der Mensch dem Menschen ausgeliefert ist. Die *Chants de Maldoror* sind auch eine Negation der Dichtung Hugos.

42 V. Hugo, *Ce que le poète se disait en 1848*, in: ders., *Les Châtiments* [1853], in: ders., *Œuvres poétiques*, hg. v. P. Albouy (Bibl. de la Pléiade). 2 Bde., Paris: Gallimard 1964/1967; II, 96.

43 V. Hugo, *Ceux qui vivent*, in: ebd., II, 107f.

44 Vgl. z.B. V. Hugos Gedicht *Pour les Pauvres* aus den *Feuilles d'automne*, den Herbstblättern von 1831, das das Bild des frierenden Bettlerkindes vor den festlich erleuchteten Fenstern der Reichen evoziert mit den parallel gebauten appellativen drei Schlußstrophen:

Ma poésie ne consistera qu'à attaquer, par tous les moyens, l'homme, cette bête fauve, et le Créateur, qui n'aurait pas dû engendrer une pareille vermine. Les volumes s'entasseront sur les volumes, jusqu'à la fin de ma vie, et, cependant l'on n'y verra que cette seule idée, toujours présente à ma conscience! (105).

Doch würde man Lautréamonts Schreibprojekt unterbewerten, wollte man es auf die Überbietung bzw. Negation der romantischen Bekenntnislyrik (Musset) oder Mitleidsdichtung (Hugo) festlegen. Maldoror ist zugleich Täter und Schreibender, Rebell und Märtyrer, Wahnsinniger und Verneiner. Schreiben ist zugleich Flucht vor dem Wahnsinn und Tat, die den Schöpfungsakt negiert.

Ainsi donc, horrible Eternel, à la figure de vipère, il a fallu que, non content d'avoir placé mon âme entre les frontières de la folie et les pensées de fureur qui tuent d'une manière lente, tu aies cru, en outre, convenable à ta majesté, après un mûr examen, de faire sortir de mon front une coupe de sang! ... (96).

Die Insurrektion als Grundhaltung, die sich im Akt des Schreibens Ausdruck verschafft, ist eine der reinen Verneinung. Sie ist das, was übrig bleibt, wenn nach der tragischen Religion Pascals auch der aufklärerische Glaube an den Menschen verlorengegangen ist. Dieser stirbt mit jeder einzelnen Kindheit.[45]

J'établirai dans quelques lignes comment Maldoror fut bon pendant ses premières années; où il vécut heureux; c'est fait. Il s'aperçut ensuite, qu'il était né méchant (37f.).

Diesen Tod der Kindheit will das Ich der *Chants* nicht anerkennen. Und so muß es in sich selbst die Erinnerung an das Kind, das es war, buchstäblich ermorden.

»Donnez! afin que Dieu, qui dote les familles,
Donne à vos fils la force, et la grâce à vos filles;
Afin que votre vigne ait toujours un doux fruit;
Afin qu'un blé plus mûr fasse plier vos granges;
Afin d'être meilleurs; afin de voir les anges
Passer dans vos rêves la nuit!« (in: ebd., I, 780).

45 Maurice Blanchot spricht von Lautréamonts Komplizenschaft mit der Kindheit (*Lautréamont et Sade*. Paris: Editions de Minuit 1963, 306ff.).

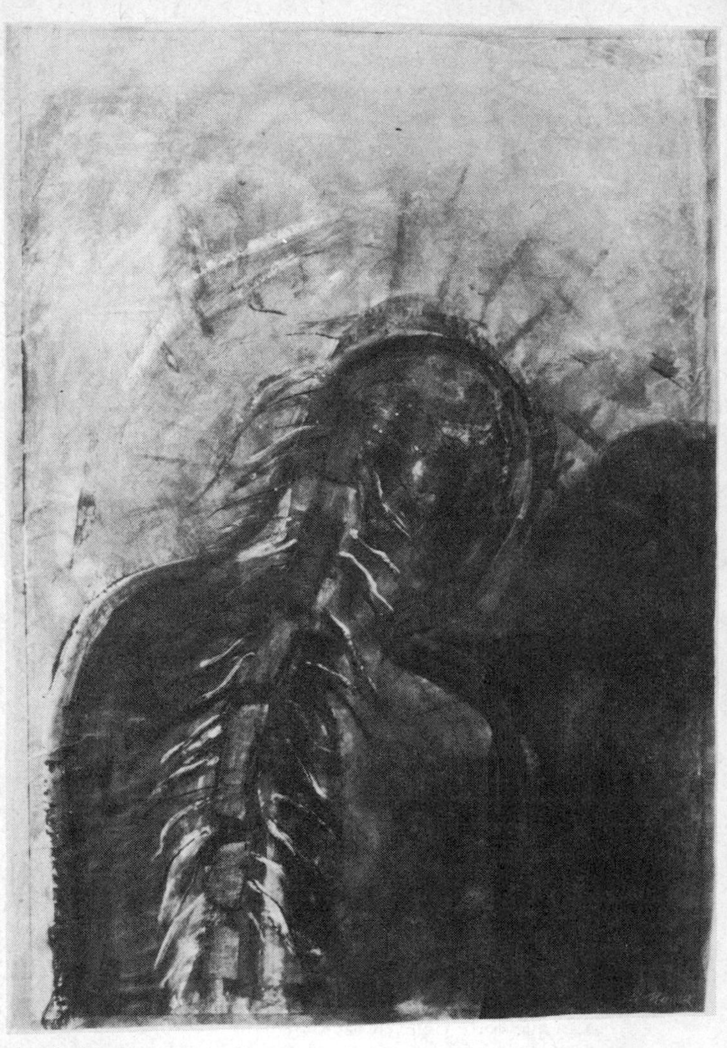

Maria Moser

Die Angst, das Selbst zu verlieren, und mit dem Selbst die Grenze zwischen sich und anderem Leben aufzuheben, die Scheu vor Tod und Destruktion, ist einem Glücksversprechen verschwistert, von dem in jedem Augenblick die Zivilisation bedroht war (Horkheimer/Adorno)

Ne me rappelais-je donc pas que, moi, aussi, j'avais été scalpé, quoique ce ne fût que pendant cinq ans (le nombre exact du temps m'avait failli) que j'avais enfermé un être humain dans une prison, pour être témoin du spectacle des ses souffrances, parce qu'il m'avait refusé, à juste titre, une amitié qui ne s'accorde pas à des êtres comme moi? Puisque je fais semblant d'ignorer que mon regard peut donner la mort, même aux planètes qui tournent dans l'espace, il n'aura pas tort, celui qui pretendra que je ne possède pas la faculté des souvenirs. Ce qui me reste à faire, c'est de briser cette glace, en éclats, à l'aide d'une pierre ... Ce n'est pas la première fois que le cauchemar de la perte momentanée de la mémoire établit sa demeure dans mon imagination, quand, par les inflexibles lois de l'optique, il m'arrive d'être placé devant la méconnaissance de ma propre image! (243).

Die Dunkelheit dieser Stelle mag verräterisch scheinen. Hinter der finsteren Gestalt Maldorors wird für einen Augenblick das schmerzverzerrte Gesicht des Schreibenden sichtbar, wenn auch nur, um sofort wieder hinter seinen Spiegel zurückzutreten.[46] Sie gibt einen Hinweis auf das Trauma Lautréamonts, den Verlust der Kindheit: die Schulzeit, ein qualvoller Mord, der Lebenszeit enteignet, eine Dauer, für die es kein Zeitmaß gibt. Gleichwohl ist die Erinnerung daran so mächtig, daß der Erinnernde bei der Verleugnung seine Zuflucht sucht, er verschiebt die Erinnerung von der ersten auf die dritte Person, so zugleich die Mitschuld eingestehend, die jeder am Tod der eigenen Kindheit trägt. Was ihm angetan wurde, übersetzt das Ich in einen von ihm selbst vollzogenen Akt der Gewalt (j'avais enfermé un être humain dans une prison). Wie in den Exempelgeschichten von dem kleinen Jungen auf der Bank im Park und von der Pferdebahn ist das Ich zugleich Opfer und Täter. Als Opfer aber verweigert es seiner anderen Möglichkeit, dem Täter, die Anerkennung. Am Ende dieses luziferischen Bildungsprozesses, der über die Zerstörung der Erinnerung und des eigenen Bildes verläuft, steht, was man Maldorors experimentellen Wahnsinn nennen könnte: der Wille, den Blick in die Monstrosität des eigenen Innern auszuhalten (placé devant la méconnaissance de ma propre image).

46 Ganz ähnlich versteckt Lautréamont in dem bereits zitierten Brief, wo er sein eigenes Schreibprojekt parodiert, die Antriebskraft seiner Dichtung: »Et cependant il y a une immense douleur à chaque page« (434).

Der Schrei des Hasses[47], der die Gesänge Maldorors begleitet[48], gilt dem entstellten Bild des Menschen, das er im Spiegel seines Innern erblickt, und der Vorstellung eines Gottes, der ihn zum Dasein verurteilt hat. Maldorors Erzählung von seiner Initiation zum Haß steht in überdeutlicher Analogie zur biblischen Geschichte vom Sündenfall. Das Kind, noch nicht im Besitz der Sprache, entdeckt eines Tages das »Geheimnis des Himmels«, ein menschenverschlingendes Ungeheuer, auf einem Thron von Exkrementen.[49] Beim Anblick dieses Moloch-Gottes stößt es einen Schrei aus. Dieser Augenblick, der es in den Besitz der Sprache setzt, ist zugleich der des Verzichts auf die Sprache, die Sinn nur hätte, wenn sie den Schöpfungsakt rückgängig machen könnte (vgl. 120ff.).

Den Verzicht auf die Sprache, als Ausdrucksgeste der Revolte, überbietet Maldoror noch durch ein »freiwilliges Martyrium« (236), das Opfer des Schlafs und die Abwehr der Träume.

Chaque nuit, je force mon œil livide à fixer les étoiles, à travers les carreaux de ma fenêtre. Pour être plus sûr de moi-même, un éclat de bois sépare mes paupières gonflées. Lorsque l'aurore apparaît, elle me retrouve dans la même position, le corps appuyé verticalement, et debout contre le plâtre de la muraille froide. Cependant, il m'arrive quelquefois de rêver, mais sans perdre un seul instant le vivace sentiment de ma personnalité et la libre faculté de me mouvoir: sachez que le cauchemar qui se cache dans les angles phosphoriques de l'ombre, la fièvre qui palpe mon visage avec son moignon, chaque animal impur qui dresse sa griffe sanglante, eh bien, c'est ma volonté qui, pour donner un aliment stable à son activité perpétuelle, les fait tourner en rond. [...] Humiliation! notre porte est ouverte à la curiosité farouche du Céleste Bandit. Je n'ai pas mérité ce supplice infâme, toi, le hideux espion de ma causalité! Si j'existe, je ne suis pas un autre. Je n'admets pas en moi cette équivoque pluralité. Je veux résider seul dans mon intime raisonnement. L'autonomie ... ou bien qu'on me change en hippopotame. Abîme-toi sous terre, ô anonyme stigmate, et ne reparaîs plus devant mon indignation hagarde. Ma subjectivité et le Créateur, c'est trop pour un cerveau (278ff.).

47 Vgl. z.B. 92, 99, 108, 124, 136, 140, 150, 157, 256.

48 G. Bachelard beschreibt den »Lautréamontisme« als eine »poésie primitive«, die im Schrei, d.h. der Antithese zur Sprache gründe (*Lautréamont* [1939]. Paris: Corti ²1970, 103 und 112).

49 Vgl. dagegen die freudianische Interpretation der Szene bei J. Kristeva (*La Révolution du langage poétique [...]*. Paris: Seuil 1974, 572ff.).

In Maldoror lebt, wie in kaum einer anderen Gestalt der literarischen Moderne, die uralte Angst vor dem antizivilisatorischen Glücksversprechen des Schlafs, der Träume und des Rauschs (l'hypocrite pavot), die Angst, das Subjekt könnte »in jene bloße Natur zurückverwandelt werden, der es sich mit unendlicher Anstrengung entfremdet hatte, und die ihm eben darum unsägliches Grauen einflößt«.[50] An den aufgerissenen Augen Maldorors ist die Anstrengung, das Ich zusammenzuhalten, erkennbar und zugleich die »blinde Entschlossenheit zu seiner Erhaltung«.[51] Am eigenen Ich demonstriert Maldoror das Herrschaftsgesetz des Zivilisationsprozesses. Das von Zivilisation total erfaßte Selbst ist nicht mehr unterscheidbar von der Unmenschlichkeit, aus der es sich zu befreien suchte. Maldoror kennt den Preis für die totale Autonomie des Selbst: seinem Blick antwortet überall eine ins Chaos zurückgesunkene Natur; wie der Mythos kennt auch die Welt Maldorors die Hoffnung nicht (»Maldoror, tu as vaincu l'Espérance«, 193).

Der Schluß der zitierten Stelle, mit der Radikalisierung des Descartesschen Zweifels, Lautréamonts »si j'existe, je ne suis pas un autre«, korrespondiert Rimbauds »je est un autre«, das er nicht gekannt haben kann, als eine existentiell gefaßte Form der Revolte. Rimbaud geht es um die Herstellung der *voyance*. Sein Protest gegen die bürgerliche Gesellschaft unterwirft zugleich die eigene Subjektivität deren Rationalitätsprinzipien. Es mag die in dieser Konstellation zutagetretende eigentümliche Geschichtslosigkeit Lautréamonts sein, die bis heute seine *Chants* so fremd erscheinen läßt. Die historisch verhängte Schwächung des Individuums legt er religiös aus: Zwischen hybrider Autonomieerklärung und Selbstbestrafung schwankend, ist Maldoror bedroht vom Wahnsinn. Die Revolte wendet sich gegen das eigene Ich zurück; sie erschöpft sich in der Selbstzerstörung. Paradoxerweise bezeugt sie gerade hierin ihre Wahrheit: in Maldoror, Opfer und Täter zugleich, enthüllt sich das Wesen des historischen Fortschritts. In einem Akt heroischer Mimesis schneidet sich Maldoror mit einem Küchenmesser die Mundwinkel auf, weil er mitlachen will über das Theater der Grausamkeit, als das die Ge-

50 M. Horkheimer/Th. W. Adorno, *Dialektik der Aufklärung*. Amsterdam: Querido ²1955, 44.
51 Ebd., 47.

sellschaft der Menschen ihm erscheint. Er zerstört sein menschliches Gesicht, um dem sich gleichzumachen, wogegen er sich empört (39f.).[52] Aber als er sein blutendes entstelltes Gesicht im Spiegel erblickt, sieht er, daß er noch immer den Menschen nicht gleicht, daß das mimetische Verhalten vergeblich ist. Und so begibt er sich auf die Suche nach einer Seele, die ihm gleicht (»Je cherchais une âme qui me ressemblât«, 151). Die Beschreibung dieser Begegnung ist zugleich der einzige Glücksaugenblick der Maldororschen *Recherche*, die Versprechungen der Morgenröte und der Abenddämmerung in sich fassend: es ist, auf dem Höhepunkt eines Schiffsunglücks, das er mit einer »hymnischen Freude« beobachtet hatte, die Umarmung Maldorors und eines Haifischweibchens:

Ils se regardèrent entre les yeux pendant quelques minutes; et chacun s'étonna de trouver tant de férocité dans les regards de l'autre [...] chacun désireux de contempler, pour la première fois, son portrait vivant [...] ils se réunirent dans un accouplement long, chaste et hideux! ... Enfin, je venais de trouver quelqu'un qui me ressemblât! ... Désormais, je n'étais plus seul dans la vie! Elle avait les mêmes idées que moi! ... J'étais en face de mon premier amour (160f.).

52 Auch diese Sequenz erscheint wie eine höhnische Antwort auf Hugos ebenfalls 1869 erschienenen Roman *L'Homme qui rit*. Die Verstümmelung ist dort ein Akt feudaler Gewalt, und die Rollen der Opfer und Täter sind, gemäß der sozialen Botschaft des Romans, verteilt.

3. Hofmannsthal und das mimetische Erbe (Christa Bürger)

Im Kanon der ästhetischen Moderne ist Hugo von Hofmannsthal eine eigenartig verdeckte Rolle zugewiesen: in Hugo Friedrichs *Struktur der modernen Lyrik* wird er »übergangen«[53], Adorno hat den »gemäßigten Schüler Baudelaires« widerstrebend ihm zugeschlagen.[54] Man wird bei einer solchen Lage der Zuordnungsproblematik gut daran tun, nicht eine eindeutige Antwort zu suchen, sondern sich auf in dem Phänomen selbst verborgene Widersprüche gefaßt zu machen.

Hofmannsthals Sache ist nicht das Formexperiment. Seine Modernität läßt daher auch nicht als eine der künstlerischen Verfahrensweisen sich beschreiben, sondern wäre auf der Linie des Flaneurs zu bestimmen als Haltung. Im frühen Aufsatz über d'Annunzio (1893) finden wir die »Merkworte der Epoche«:

> Heute scheinen zwei Dinge modern zu sein: die Analyse des Lebens und die Flucht aus dem Leben [...]. Man treibt Anatomie des eigenen Seelenlebens, oder man träumt. Reflexion oder Phantasie, Spiegelbild oder Traumbild. Modern sind alte Möbel und junge Nervositäten [...], das Zerschneiden von Atomen und das Ballspielen mit dem All; modern ist die Zergliederung einer Laune, eine Seufzers, eines Skrupels; und modern ist die instinktmäßige, fast somnambule Hingabe an jede Offenbarung des Schönen.[55]

Die Intensität des Gegenwartsbewußtseins der Generation von Ästheten, der Hofmannsthal sich zugehörig fühlt, wird erkauft mit einem Verlust: der Alltag wird bodenlos für den, der seinem eigenen Leben zuschaut, die Vergangenheit entzieht sich dem, der über alle Epochen verfügt. Der junge Hofmannsthal nennt mo-

53 H. Friedrich, *Die Struktur der modernen Lyrik* (rowohlts deutsche enzyklopädie, 25-26a). Hamburg ²1968, 10.

54 Th. W. Adorno, »George und Hofmannsthal [...]«, in: ders., *Prismen. Kulturkritik und Gesellschaft* (dtv, 159). München ²1963, 190-231; hier: 230.

55 H. v. Hofmannsthal, *Prosa I* (Gesammelte Werke, hg. v. H. Steiner). 6.-10. Tausend, Frankfurt: Fischer 1956, 147-158; hier: 149; im folgenden abgekürzt: *P* I.

dern sein Leiden an der Unfähigkeit, mit einer bestimmten Vergangenheit in eine Konstellation zu treten.
Später hat er dieses Leiden umgewertet: Er hat den »Dichter« zum privilegierten Ort erklärt, wo alles sich mit allem begegnet, derart den poetischen Historismus in die Gegenwartserfahrung übertragend. Durchlässigkeit des produzierenden Subjekts für die Außenwelt ist das Gesetz, unter das er die ästhetische Moderne stellt: »keinem Ding den Eintritt in seine Seele zu wehren«, weder den Dingen, »die von ewig sind«, noch den Dingen, »die von heute sind«:

London im Nebel mit gespenstigen Prozessionen von Arbeitslosen, die Tempeltrümmer von Luxor, das Plätschern einer einsamen Waldquelle, das Gebrüll ungeheuerer Maschinen: die Übergänge sind niemals schwer für ihn [...], alles ist, als wäre es schon immer dagewesen, und alles ist auch da, alles ist zugleich da.[56]

Der zitierte Text vermag deutlich zu machen, wie im Gegensatz zu Heine, aber auch zu Baudelaire, Hofmannsthal dazu tendiert, Alltägliches, wo er es benennt, sogleich mit der Aura des Poetischen gleichsam zu isolieren. Was ihn interessiert, ist weniger die Außenwelt in der konkreten Vielfalt ihrer Erscheinungen als die Innenwelt des von den Dingen berührten Dichters. Daher gelingen ihm, vor allem in dem 1903 entstandenen *Gespräch über Gedichte*, Formulierungen von überraschender Aktualität über das Ausgesetztsein des modernen Künstlers, das er als einen Prozeß der Subjektauflösung beschreibt.

Draußen sind wir zu finden, draußen. Wie der wesenlose Regenbogen spannt sich unsere Seele über den unaufhaltsamen Sturz des Daseins. Wir besitzen unser Selbst nicht: von außen weht es uns an [...]. Wir sind nicht mehr als ein Taubenschlag (*P* II, 97).
Seine [sc. des Dichters] dumpfen Stunden selbst, seine Depressionen, seine Verworrenheiten sind unpersönliche Zustände, sie gleichen den Zuckungen des Seismographen (*P* II, 286).

Das Ich erscheint hier als eine diskontinuierliche Abfolge von Zuständen, über deren Entstehung es nicht Herr ist, die es sich von

56 H. von Hofmannsthal, *Der Dichter und diese Zeit*, in: ders., *Prosa II* (Gesammelte Werke, hg. v. H. Steiner). Frankfurt 1951, 264-298; hier: 283 f.; im folgenden abgekürzt: *P* II.

außen, von den Dingen diktieren läßt.[57] In dieser Auslieferung von Subjektivität an die Dingwelt sieht Adorno eine spezifisch moderne Spielart ästhetischer Entfremdungskritik:

[Subjektivität] überliefert sich jenem Wunderbaren, das geschähe, wenn die bloßen sinnverlassenen Stoffe von sich aus die verlöschende Subjektivität beseelten [...], bereit, in sich selber schließlich zu dem Ding zu erstarren, zu dem sie von der Gesellschaft ohnehin gemacht wird.[58]

Wenn in anderen Äußerungen Hofmannsthal eine zu dieser seismographischen Vorstellung des Künstlers im Gegensatz stehende auratische vertritt, so verrät sich darin ein der ästhetischen Moderne eigentümlicher Widerspruch: das produzierende Subjekt will zugleich genialisch inspiriertes und leidend aufnehmendes sein.

Mit seinem Werkbegriff allerdings gerät Hofmannsthal in jene Spannung zur Moderne, die seine Einordnung so schwierig macht. Werkorientiert ist auch die Ästhetik Baudelaires. Und selbst Hofmannsthals auf die Romantik zurückgreifende religiöse Aufladung des Werkbegriffs (»JEDES wirkliche Kunstwerk ist der Grundriß zum einzigen Tempel Gottes auf Erden«[59]) markiert noch nicht seine Grenze zur ästhetischen Moderne, dies tut erst seine kompensatorische Kunstauffassung, die an die Popularästhetiken des frühen 19. Jahrhunderts erinnert.[60] Wo jene den Wahrheitsgehalt der Werke an deren Kraft zur Negation bemißt[61], verbindet Hofmannsthal einen idealistischen Werkbegriff mit Vorstellungen wie Erlösung und Synthese (vgl. u. a. die Schlußabschnitte von *Der Dichter und diese Zeit*, *P* II, 292ff.).

57 Die Forschung bringt diese Auffassung mit dem Einfluß der zeitgenössischen Psychologie Ernst Machs in Zusammenhang. Vgl. u. a. M. Diersch, *Empiriokritizismus und Impressionismus [...]*. Berlin 1973.

58 Th. W. Adorno, »George und Hofmannsthal«, 228.

59 H. von Hofmannsthal, *Buch der Freunde*, in: ders., *Aufzeichnungen* (Gesammelte Werke, hg. v. H. Steiner). Frankfurt: Fischer 1959, 61; im folgenden abgekürzt: *A*.

60 Vgl. dazu Ch. Bürger, »Philosophische Ästhetik und Populärästhetik [...]«, in: *Zum Funktionswandel der Literatur*, hg. v. P. Bürger (Hefte f. krit. Litwiss., 4; ed. suhrkamp, 1157). Frankfurt 1983, 107-126.

61 »Ungemilderte Negativität« ist Adorno zufolge das »Erbe des Erhabenen« (*ÄT*, 296).

Es wird nun im folgenden zu fragen sein, ob der die programmatischen Schriften Hofmannsthals durchziehende Widerspruch auf der Werkebene wiederkehrt. Die Forschung hat die frühe Lyrik unterschiedlich beurteilt; die Wertungen bewegen sich zwischen den Polen bewußtlose (traumhafte) Produktion und äußerstes Artistentum.[62] Diese Spannung hält aber die Zuordnung Hofmannsthals zur Moderne offen. Man kann den Gegensatz auch anders formulieren: In den Essays und Rezensionen der 90er Jahre wird die Ich-Diffusion des modernen Künstlers als Leidenserfahrung beschrieben, die gleichzeitige Lyrik scheint von diesem Leiden nichts zu wissen.

Hofmannsthal selbst hat seine frühen Gedichte einem Vermögen zugeschrieben, worin Erfahrung und Ausdruck unmittelbar zusammenfallen, einem Zustand, den er Praeexistenz nennt (*A*, 213f.), oder – weniger theologisch: Magie. Es ist dies ein Zustand, in dem das mimetische Verhalten überdauert zu haben scheint. Aus der Trauer über den Verlust der Einheitserfahrung beschwört der Chandos-Brief das Glück dieses Zustands:

> Mir erschien damals in einer Art von andauernder Trunkenheit das ganze Dasein als eine große Einheit [...] überall war ich mitten drinnen, wurde nie ein Scheinhaftes gewahr: Oder es ahnte mir, alles wäre Gleichnis und jede Kreatur ein Schlüssel der andern (*P* II, 10f.).

Über die Grenze der Kindheit hinaus hält der junge Hofmannsthal Mimesis unmittelbar fest als mitteilbare Erfahrung.[63] Es ist ein Zustand, wo die Konturen des Ich lustvoll zerfließen, wo das Ich

62 Zum Vergleich: »Denn dieser junge Mensch schreibt, noch auf der Schulbank, Verse [...] die wie im Traum eingegeben scheinen, scheinbar ohne Körper und ohne Schwere, aber zugleich von einer Süßigkeit und Reife, deren man die deutsche Sprache vorher nicht für mächtig gehalten hätte« (R. Alewyn, »Hofmannsthals Wandlung«, in: ders., *Über Hugo von Hofmannsthal*. Göttingen: Vandenhoeck ²1960, 143-161; hier: 154); dagegen: Hofmannsthals frühe Gedichte sind als Produkte einer artistischen Verfahrensweise anzusehen, die vor allem »aus dem Zitat und der Anspielung auf bereits ausgeprägte ›Stile‹« lebt (M. Hoppe, *Literatentum, Magie und Mystik im Frühwerk Hugo von Hofmannsthals*. Berlin: De Gruyter 1968, 43).

63 Vgl. dazu Peter Szondis Interpretation von *Weltgeheimnis* (*Das lyrische Drama des Fin de siècle*, hg. v. J. Bollack u.a. [suhrkamp taschenbuch wiss., 90]. Frankfurt/Main 1975, 288ff.).

über die Dinge verfügt, die Gesetze der Schwerkraft aufgehoben sind. In den *Aufzeichnungen* findet sich eine Skizze zu dem Gedicht *Ein Traum von großer Magie*[64]:

[Der Magier] greift mit Fingern in die Erde, wie durch Wasser, Wasser aber ballt sich ihm wie Kristall, Fernes zieht er heran [...], schwebt in der Luft Früchten zu, liegt im Rasen wie am Rücken schwimmend; Vergangenes zieht er an sich (*A*, 125).

Nun ahnt freilich auch bereits der junge Hofmannsthal, daß das geschichtliche Urteil über Mimesis als archaisches Verhalten gesprochen ist, »daß diese, unmittelbar praktiziert, keine Erkenntnis ist; daß, was sich gleichmacht, nicht gleich wird, daß der Eingriff durch Mimesis mißlang« (*ÄT*, 169). In den Texten selbst wird daher immer wieder Mimesis unmittelbar der Unwahrheit überführt.[65] Das mimetische Verhalten duldet die Mitteilung nicht; es ist allenfalls als Zustand erfahrbar.

64 Auf die Nähe der Beschreibung des magischen Zustandes zu Schopenhauers *Versuch über das Geistersehen* hat die Forschung hingewiesen. Traum und Magie bestimmt Schopenhauer darin als Fähigkeit, »den Dingen von einer ganz andern Seite und auf einem ganz andern Wege, nämlich geradezu von innen, statt bloß von außen beizukommen«. »Es ist der Weg, der nicht am Gängelbande der Kausalität durch Zeit und Raum geht«. Schopenhauer (dem es darum geht, die materiale Existenz eines Dings an sich nachzuweisen) schließt aus der Tätigkeit einer besonderen Wahrnehmungsweise, wie wir sie vom Traum oder vom Somnambulismus kennen (er spricht von einem eigenen »Traumorgan«) auf das Vorhandensein einer anderen Ordnung der Dinge – so wie Hofmannsthal für den Dichter eine eigene Ordnung der Dinge postuliert –, in welcher die Naturgesetze aufgehoben wären, Zeit, Raum und Kausalität. Und diese Ordnung gilt ihm als »eine tiefer liegende, ursprünglichere und unmittelbarere« als die der gewöhnlichen Wahrnehmung zugängliche (A. Schopenhauer, *Versuch über das Geistersehen [...]*, in: ders., *Parerga und Paralipomena I* [detebe, 140/7]. Zürich: Diogenes 1977, 327f. und 289). Der Hinweis auf Schopenhauer findet sich bei M. Hoppe, *Literatentum, Magie und Mystik im Frühwerk Hugo von Hofmannsthals*, 104ff.

65 R. Alewyn versteht Hofmannsthals Frühwerk als implizite Kritik des Ästhetizismus (*Über Hugo von Hofmannsthal*, 148ff.).

Zustand: als wären meine Pulse geöffnet und leise ränne mein Blut mit dem Leben hinaus und mischte sich mit dem Blut der Wiesen, der Bäume, der Bäche (*A*, 106; vgl. auch *A*, 113 und 121).

Bereits die feudale Inszenierung des *Traums von großer Magie*, hinter welcher Böcklins Landschaften erkennbar sind, zerstört den Zauber. »Meinen Phantasiebildern wohnt, selbst höchst traumhaften, etwas Aneignendes an, ein Vor- oder Nachgefühl von Besitz, selbst wo es sich um Landschaft handelt«, gesteht hellsichtig Hofmannsthal in seinen *Aufzeichnungen* (*A*, 148).[66] Es stimmt ja nicht, daß der Magier sich den Dingen gleichmacht, sich eins fühlt mit allem, er beherrscht sie, verwandelt, was er anfaßt. Der Edelstein ist das Bild, in dem Form und Besitz sich treffen.

> Vom dünnen Quellenwasser aber fingen
> Sich riesige Opale in den Händen
> Und fielen tönend wieder ab in Ringen.[67]

Derart enthüllt sich »die Seele der Dinge, etwas das aus den Dingen uns mit Liebesblick anschaut« (*A*, 108), als Tauschwert. »Das Geheimnis der intentionslosen Stoffe ist das Geld«, heißt es bündig bei Adorno.[68] Für die geheime Beziehung des Künstlers zur Welt der Waren, der er doch gerade entrückt werden soll, findet sich in *Der Dichter und diese Zeit* eine Parabel von geradezu schockierender Klarheit: Der »Dichter« wird dort verglichen mit einem fürstlichen Pilger, dem »auferlegt« ist, erst Haus und Familie zu verlassen und nach dem Heiligen Land zu ziehen, zurückgekehrt dann als unerkannter Bettler in seinem eigenen Haus zu wohnen, unter der Stiege, wo alle vorüber müssen. So ist er »der lautlose Bruder aller Dinge [...] er leidet an allen Dingen, und indem er an ihnen leidet, genießt er sie. Dies Leidend-Genießen, dies ist der ganze Inhalt seines Lebens« (*P* II, 282). Innerhalb des Vortrags *Der Dichter und diese Zeit*, wo er sie erzählt, dient diese »Legende« als eine späte Rechtfertigung des Ästhetizismus. Geor-

66 Vgl. auch den autobiographischen Text *Age of Innocence*: »Dann kam ein fieberhaftes Verlangen nach Besitz [...]« (*P* I, 130).

67 H. von Hofmannsthal, *Ein Traum von großer Magie*, in: ders., *Gedichte und lyrische Dramen* (Gesammelte Werke, hg. v. H. Steiner). Frankfurt: Fischer 1952, 20.

68 Th. W. Adorno, »George und Hofmannsthal«, 226.

ges herrische Ausschließlichkeit, die bis in die Typographie der *Blätter für die Kunst* hinein ihre Verachtung der bürgerlichen Lebensformen zum Ausdruck bringt, ist bei Hofmannsthal zur Gebärde des leidenden Verzichts gemildert. Der »Dichter« erscheint als eine Art moderner Heiliger, der der Welt entsagt, die ästhetizistische Verabsolutierung der Kunst als Akt der Askese. Aber durch die lehrhafte Auslegung der Legende vom fürstlichen Pilger, der in dem Haus, das ihm gehört, als Bettler lebt, überführt der Text sich selbst der Lüge. Der Aristokratismus Hofmannsthals ist nicht Protest; hinter ihm verbirgt sich der Trieb nach einem Besitzen, das größere Lust gewährte als das bürgerliche Eigentum.[69]

Dies alles zu besitzen wie niemals ein Hausherr sein Haus besitzt – denn besitzt der die Finsternis, die nachts auf der Stiege liegt, besitzt er die Frechheit des Koches, den Hochmut des Stallmeisters, die Seufzer der niedrigsten Magd? Er aber, der gespenstisch im Dunkeln liegt, besitzt alles dies (*P* II, 281).

Das mimetische Verhalten, Trotz nur mehr, nicht mythisches Erbe, enthüllt sich als Apologie, Mimikry an die Eigentumsverhältnisse.

Im *Prolog* von 1897, der als Darstellung des mimetischen Verhaltens gelesen werden kann, schildert der »Dichter« einem Freund, wie er in einem Zustand traumhafter Icherweiterung sein Stück geschrieben habe. Im Traum gleitet er auf einem primitiven Floß einen Fluß hinunter. Im Ohr hat er die sinnlosen Reden eines irren Hirten, dessen Sprache er nicht kennt, wohl aber versteht. Ihm ist nur die Erinnerung geblieben an jene archaischen Praxen, »wo Traum und Bild nicht als bloßes Zeichen der Sache [galten], sondern mit dieser durch Ähnlichkeit oder durch den Namen verbunden« waren.[70] Der Hirte hält einen wilden Stier an einer Kette: Symbol des »Lebens«. Die Erzählung des »Dichters« nennt so zugleich den Preis des mimetischen Verhaltens; es ist der Verrat an

69 Die zitierte Stelle gibt der These von Carl E. Schorske Recht, derzufolge »der Ästhetizismus, der anderswo in Europa die Form des Protestes gegen die bürgerliche Zivilisation annahm, in Österreich deren Ausdruck« wurde (*Wien. Geist und Gesellschaft im Fin de siècle*. Frankfurt: Fischer 1982, 283).

70 M. Horkheimer/Th. W. Adorno, *Dialektik der Aufklärung*, 21.

der Gegenwart zugunsten eines von barbarischer Herrschaft gezeichneten Begriffs des Lebens. In eine feudale Vergangenheit zurück weist auch die Vorstellung von Arbeit, in die der »Dichter« auf dem Floß sich versenkt:

> Am Ufer waren Bauten: starke Mauern
> In breiten Stufen, welche Bäume trugen.
> Von diesen wußt ich alles: jeden Stein,
> Wie er gebrochen war und wie gefügt,
>
> Und spürte, wie die andern auf ihm lagen,
> Und wie du deine Hände spürst, wenn du sie
> Ins Wasser hältst, so spürte ich die Schatten
> Der Tausende von Händen, die einmal
>
> Hier Steine schichteten und Mörtel trugen,
> Von Tausenden von Männern und von Frauen
> Die Hände, manche von ganz alten Männern,
> Von Kindern manche, spürte wie sie schwer
>
> Und müde wurden und wie eine sich
> Schlafsüchtig öffnete und ihre Kelle
> Zu Boden fallen ließ und dann erstarrte
> Im letzten Schlaf (*G*, 132).

Unmittelbarkeit der Erfahrung und Verzicht auf die Gegenwart gehören im mimetischen Verhalten zusammen. Daß seine Dichtung die Wirklichkeit verfehlt, gesteht der »Dichter« ein, indem er sich vorstellt, daß sein Stück von Puppen gespielt werden und daß ein dünner Schleier vor der Bühne hängen müßte (*G*, 136). Das mimetische Verhalten, »eine Stellung zur Realität diesseits der fixen Gegenübersetzung von Subjekt und Objekt« (*ÄT*, 169), überführt sich im *Prolog* selbst der Scheinhaftigkeit.

Hofmannsthal hat dieses Verfehlen der Gegenwart später moralisch interpretiert. In *Ad me ipsum* ist der Begriff der Verschuldung zentral. Und die Aufzeichnung zum *Traum von großer Magie* bringt diesen in Zusammenhang mit dem uralten Versprechen des Verführers: *eritis sicut Deus*. Angesprochen ist damit die Anmaßung einer Kunstauffassung, die wähnt, den Sündenfall rück-

gängig machen und die Entzweiung der Welt heilen zu können: »Wie die Schlange links, der Engel rechts gegeneinander harmonieren auf dem Sündenfallsbild von Michelangelo, solche Visionen hat er fortwährend« (*A*, 125).
Bereits für den jungen Hofmannsthal scheint jedoch die im magischen Zustand behauptete Unmittelbarkeit der Erfahrung ein Problem gewesen zu sein. In dem Maße, wie die moderne Gesellschaft zum System allseitiger Abhängigkeit geworden ist, hat sie das mimetische Verhalten verfemt. An seine Stelle ist die rationale Praxis, Arbeit, getreten. Das mimetische Verhalten nimmt daher die Züge dessen an, wodurch es historisch abgelöst wurde; es wird methodisch produziert. Aus dem *Culte du moi* von Barrès, den er rezensiert, notiert sich Hofmannsthal den Satz: »Mon âme mécanisée sera toute en ma main, prête à me fournir les plus rares émotions« (*P* I, 46). In den autobiographischen Fragmenten, die er Anfang der neunziger Jahre unter dem ironischen Titel *Age of Innocence* geschrieben hat, beobachtet Hofmannsthal sein früheres Ich bei der Produktion seiner selbst als methodisch beherrschtes.

Nachmittag, wenn er allein zuhause war, kniete er vor dem Ofen und sah regungslos in das Schwelen und Knistern der Glut und sog den heißen Hauch ein, der um seine Wangen leckte, bis ihm die Augen tränten und die Stirn glühte. Da bog er sich zurück, und schrie manchmal, wie in einer Trunkenheit, und warf sich auf den Teppich, zuckend und sehr glücklich. Oder er lief in die Küche – die war leer – und schlug mit dem Holzmesser auf den Holzklotz in bacchantischer Zerstörungslust und atemlosem Wohlsein. Dann trank er Wasser in langen schlürfenden Zügen.
An Frühlingsabenden aber, wenn er allein war und die Fenster offen, beugte er sich aus dem Fenster weitüber und hing lange, mit gepreßter Brust, die laue Luft im Haar, bis ihm schwindelte und vor dem Stürzen graute. Dann lief er zu seinem Bett und vergrub den Kopf in die Kissen, tiefeinwühlend, und Tücher und Decken in erstickendem Knäuel darüber: vor seinen Augen strömte es dunkelrot, seine Schläfen hämmerten und nachbebende Angst schüttelte ihn.
Aber ihm waren das heimliche Orgien und er liebte die Augenblicke, vor denen ihm graute. ––
Auch mit der Angst im Dunkeln spielte er gern, und sich selbst zu quälen, machte ihm Vergnügen. Dazu benützte er spitze Nägel, das heiße Wachs und Blei von Kerzen und geschmolzenen Spielsoldaten, das Berühren von Raupen und Tieren, vor denen ihm ekelte, oder auch harte Aufgaben, die er sich stellte, asketische Verzichtleistungen. Dies alles betrieb er anfangs

ohne bestimmten Zweck, aus unklar gefühltem Wohlgefallen an der Macht über sich selbst und weil er seine Empfindungen gleichsam auskostete, wie man eine Weinbeere erst ausschlürft und aussaugt und dann mit den Zähnen preßt und zerquetscht, bis dahin, wo ihre Süße herb und bitter wird (*P* I, 129f.).

Die Spiele, von denen Hofmannsthal berichtet, lassen sich verstehen als Einübungsrituale, die das Subjekt an sich selbst vollzieht, um seine Empfindungsfähigkeit zu steigern bis zu jenem »Leerpunkt«, an dem das Ich keine festen Grenzen mehr hat und nur noch Wahrnehmungsorgan ist. So verhält er sich wie der nomadische Wilde der *Dialektik der Aufklärung*, der »sich selbst ins Wild verkleidete, um es zu beschleichen«.[71] Solche Praxis hat keine Stelle im Zweckzusammenhang der Selbsterhaltung, dem sie gleichwohl nicht entrinnen kann, zeigt es sich doch, daß die mimetische Haltung Ergebnis einer Arbeit am Ich ist, die dieses selbst zum Mittel macht. Dieser Arbeit haftet darüber hinaus unübersehbar ein Moment von Gewalt an. Das Tagebuch legt offen, was die Gedichte und lyrischen Dramen vergessen zu haben scheinen: daß die Entgrenzung des Ich erkauft ist um den Preis der Selbstunterwerfung, zum Zeichen, daß Mimesis in der Moderne nicht unmittelbar sein kann. Die Kunst nur ist Zuflucht des mimetischen Verhaltens, unter der Bedingung freilich, daß sie dessen Unversöhnlichkeit mit Rationalität in sich austrägt, das heißt die Arbeit an der Form nicht verdeckt.[72]

Die Preisgabe des Wahns vom unmittelbaren Eingriff des Geistes, der intermittierend freilich in der Geschichte der Menschheit unersättlich wiederkehrt, wird zum Verbot dessen, daß das Eingedenken durch die Kunst der Natur unmittelbar sich zuwende. Trennung kann widerrufen werden einzig durch Trennung. Das kräftigt in der Kunst das rationale Moment und entsühnt es zugleich, weil es der realen Herrschaft widersteht; allerdings als Ideologie stets wieder mit ihr sich verbündet (*ÄT*, 86).

Vom Bündnis mit der realen Herrschaft aber hat Hofmannsthal sich nicht freihalten können; Adorno sagt von ihm, er habe »sich

71 Ebd., 33.

72 W. Mauser liest *Age of Innocence* als Dokument einer Adoleszenzkrise, die er allerdings nicht individual-, sondern sozialpsychologisch zu erfassen sucht (*Hugo von Hofmannsthal. Konfliktbewältigung und Werkstruktur [...]*. München: Fink 1977, bes. 62ff.).

bei den Feudalen als Zwischenhändler des fin de siècle beliebt gemacht«.[73] Die heroische Mimesis von Lautréamont oder Rimbaud, seiner Vorgänger in der mimetischen Praxis, richtet sich gegen das produzierende Subjekt selbst; dieses will sich dem gleichmachen, wogegen es revoltiert: der Monstrosität der bürgerlichen Gesellschaft. Hofmannsthal inszeniert das mimetische Verhalten. Sein Rollen-Ich, der Magier, ist dazu ausgestattet mit den erlesenen Insignien einer Herrschaft, die vor aller Zeit ist, geschichtslos und entrückt. In den sozusagen offiziellen Selbstdarstellungen Hofmannsthals äußert sich nicht selten eine fundamentale Gebrochenheit, die um so schockierender wirkt, als sie ganz offensichtlich dem Schriftsteller nicht bewußt ist; für den »Dichter« nimmt er beides in Anspruch, das mimetische Verhalten und den sicheren Besitz eines mit sich identischen Ich.[74]

Dieser Eindruck freilich schwindet, sowie man die Sphäre der werkhaften Produktion Hofmannsthals verläßt, der Jugendgedichte und Dramen, und sich den Tagebucheintragungen, Fragmenten oder dem *Märchen* zuwendet. Diese zeugen nämlich von einer äußerst luziden Einsicht in die Bedingungen der eigenen künstlerischen Existenz. Von ihnen sollte man bei der Beurteilung Hofmannsthals ausgehen.

Göding, am 14. VI. abends. – Kühl, hell und windig. Ich habe Wein getrunken. Bin dann ein Stück auf der Straße gegen Mutenitz sehr schnell gegangen. Plötzlich unter einer großen Pappel stehengeblieben und hinaufgeschaut. Das Haltlose in mir, dieser Wirbel, eine ganze durcheinanderfliegende Welt, plötzlich wie mit straff gefangenem Anker an die Ruhe dieses Baumes gebunden, der riesig in das dunkle Blau schweigend hineinwächst. Dieser Baum ist für mein Leben etwas Unverlierbares. In mir der Kosmos, alle Säfte aller lebendigen und toten Dinge höchst individuell schwingend, ebenso in dem Baum (*A*, 121).[75]

73 Th. W. Adorno, »George und Hofmannsthal«, 199.

74 Vgl. dazu den Schlußsatz von *Der Dichter und diese Zeit* (*P* II, 298): »[der Dichter ist] ein Sklave aller lebendigen Dinge und ein Spiel von jedem Druck der Luft: indem er an solchem innersten Gebilde der Zeit die Beglückung erlebt, sein Ich sich selber gleich zu fühlen und sicher zu schweben im Sturz des Daseins, entschwindet ihm der Begriff der Zeit und Zukunft geht ihm wie Vergangenheit in eine einzige Gegenwart über.«

75 Unschwer erkennt man in diesem Text ein Grundmuster von Erfah-

In diesem Text aus dem Jahre 1896, welcher der Chandoserfahrung zu präludieren scheint, werden wir Zeuge einer eigenartigen Ichverdoppelung. Da ist ein erlebendes Ich, das sich dem Wechsel seiner Stimmungen überläßt, und ein beobachtendes, das das Nacheinander von Befindlichkeiten registriert. Hofmannsthal sucht nun die beiden Ich-Instanzen als Einheit zu denken; im Augenblick einer profanen Erleuchtung fließen erlebendes und beobachtendes Ich ineinander. Auf »ekstatische Momente der Erhöhung« folgen jedoch solche der Leere: »Sehr große Depression. Abends Spaziergang im Wald, Birken, schwarzes Wasser, Sumpfgräser, alles tot, ich mir selber so nichts, so unheimlich. Alles Leben von mir gefallen« (*A*, 121). Diese Depression hat ihren Grund in der für Hofmannsthals Frühwerk charakteristischen Überhöhung des eigenen Ich, »jenes große Ich, ›das nicht in uns wohnet und seinen Stuhl in die oberen Sterne setzt‹« (ebd.). Sie führt Hofmannsthal in eine endgültige Krise, der man den Namen seines fiktiven Ich, des Lord Chandos, gegeben hat. Im Chandos-Brief sucht Hofmannsthal ein Leiden zu beschreiben, das nichts anderes ist als das bis ins Unerträgliche gesteigerte Auseinandertreten von erlebendem und beobachtendem Ich. Das Ich kann sich nur noch als diskontinuierliche Abfolge von Wahrnehmungen einzelner Oberflächenerscheinungen erfahren; vom Zerfall betroffen sind aber auch seine Wert- und Normvorstellungen. Sich dem Strom seiner Empfindungen überlassend, wechselt es ständig seine Einstellungen, keine kann es festhalten. Der Ich-Verlust ist für den Schreibenden um so schmerzhafter, als dieser (wie wir gesehen haben) seine Kindheit und frühe Jugend als eine Phase ekstatischen Ich- und Weltbesitzes erlebt hatte.

Auf der Suche nach einer anderen (sozusagen nach-mimetischen) Erkenntnisweise wird Chandos/Hofmannsthal wieder aufs Ich zurückgeführt. Er wählt den Weg der Introversion, den Weg des »Mystikers ohne Mystik« (*A*, 215). Das Ich macht die Erfahrung, daß es in zwei Zeiten lebt: mitten im leeren Dahinfließen seiner Tage kann plötzlich irgendeine Erscheinung seiner alltäglichen Umgebung als mit Bedeutung beladen ihm sich zeigen:

rung und Darstellung, das auch der Prosa Handkes, seit der *Langsamen Heimkehr*, zugrundeliegt.

Es erscheint mir alles, alles, was es gibt, alles, dessen ich mich entsinne, alles, was meine verworrensten Gedanken berühren, etwas zu sein [...]. Es ist mir dann, als bestünde mein Körper aus lauter Chiffern, die mir alles aufschließen. Oder als könnten wir in ein neues, ahnungsvolles Verhältnis zum ganzen Dasein treten, wenn wir anfingen, mit dem Herzen zu denken (*P* II, 18).

Kommt in der frühen Lyrik ein Ich zur Sprache, das aus der magischen Verfügung über die Dinge noch nicht herausgetreten ist, so beschreibt der Chandos-Brief einen Zustand, den man am ehesten als intermittierende Mimesis bezeichnen könnte. Hofmannsthal scheint dem mimetischen Tabu der Moderne sich zu beugen. Das Pascalsche Paradox, das er zitiert, zielt auf die Unmöglichkeit, die Erfahrungen eines Mystikers ohne Mystik mitteilbar zu machen. Es gibt dafür keine Sprache. Die ärmlichsten Dinge haben für ihn »eine solche Gegenwart der Liebe« (*P* II, 18), daß »ein unnennbares Etwas« ihn zwingt, darüber »in einer Weise zu denken, die mir vollkommen töricht erscheint, im Augenblick, wo ich versuche sie in Worten auszudrücken« (ebd., 21).
Tatsächlich hat Hofmannsthal nach dem Chandos-Brief seine ästhetische Produktion auf Jahre unterbrochen. Aber er hat das Problem der Herstellung und Mitteilbarkeit mimetischer Augenblicke später in einem programmatischen Text noch einmal aufgenommen. *Augenblicke in Griechenland* lautet der Titel eines Aufsatzes, worin er den paradoxen Versuch, Mimesis zu produzieren, unternimmt: Mimesis, mittelbar.
Die Konstruktion von Mimesis erfolgt in diesem Lehrbuch des Augenblicks in mehreren Stufen. Die Griechenlandreise, die Hofmannsthal mit zwei Freunden unternimmt, ist bereits die Wiederholung einer mythischen Reise: sie folgt dem Weg des Ödipus vom Fuß des Parnaß nach Theben. Die erste Nacht verbringen die Freunde in einem Kloster auf einer Anhöhe über Delphi:

Ganz nahe von uns knurren große Hunde. Auf dem Altan über dem Torweg lehnt eine Gestalt. Ein andrer, ein Dienender, tritt seitwärts aus den Hecken hervor, dort, wo die Hunde knurren. »Athanasios!« ruft der Mönch vom Altan, »Athanasios!« Er sagt es mehr als er es ruft, gelassen und sanft befehlend. »Athanasios, was gibt es da?« »Es sind die Gäste, die beiden Fremden, die herumgehen.« »Gut. Gib acht auf die Hunde.« Diese Worte sind wenige. Dies Zwiegespräch ist klein zwischen dem Priester und dem dienenden Mann. Aber der Ton war aus den Zeiten der Patriarchen. [...] Und dennoch, dies Unscheinbare, diese wenigen Worte, gewechselt in der Nacht, dies hat einen Rhythmus in sich, der von Ewigkeit her ist. Dies reicht zurück, dies Lebendige, wohin die uralten Ölbäume nicht reichen. Homer ist noch ungeboren, und solche Worte, in diesem Ton gesprochen, gehen zwischen dem Priester und dem Knecht von Lippe zu Lippe. Fiele von einem fernen Stern nur ein unscheinbares, aber lebendiges Gebilde, der Teil einer Blume, weniges von der Rinde eines Baumes, es wäre dies dennoch eine Botschaft, die uns durchschauert. So klang dieses Zwiegespräch. Stunde, Luft und Ort machen alles.[76]

Der Konjunktiv am Schluß des zitierten Abschnittes deutet an, daß der Traum von großer Magie vergangen ist. Auf der Stufe reflektierter Mimesis gewinnt der Augenblick geschichtliche Tiefe. Landschaft ist in der Moderne entzifferbar einzig auf der Folie der Geschichte. Die Verschränkung von Natur und Kultur aber, die hier als quasi-mythischer Augenblick erfahren wird, beruht auf der Kontinuität von Herrschaft. Der den Reisenden an vorhomerische Patriarchenzeit erinnernde Dialog wird ihm zum Zeichen für eine Zeitentiefe, welche die Natur nicht kennt. So ist die Bedingung für die Erfahrung des Augenblicks die Erinnerung an archaische Bilder der Herrschaft.

Der zweite Augenblick wird ausgelöst nicht durch einen kulturell beglaubigten Ort, sondern durch die Begegnung mit einem Fremden: Die Freunde gehorchen dem alten Gesetz der griechischen Landschaft, indem sie einen irren Wanderer mit einem Maultier und Speise versorgen. Die flüchtige Erscheinung verschließt in sich eine Bedeutung, die dem Reisenden in der unwillkürlichen Wiederholung einer antiken Szene aufgeht: die Freunde rasten an einer Quelle, wo zuvor der Fremde getrunken hat. Bei der Wiederholung der Geste des Trinkens werden in dem Reisenden Erinnerungsbilder in Bewegung gesetzt, deren Strömen er sich widerstandslos überläßt. Längst vergessene Bilder menschlichen Elends werden zurückgerufen. Die mimetische Versenkung des über die Quelle gebeugten Reisenden wird gelenkt von einem Bedürfnis, alles dies beim Namen zu nennen. Doch der Versuch mißlingt, auf dem Boden der Erinnerung findet das Ich nur sich selbst. Das mi-

76 H. von Hofmannsthal, *Augenblicke in Griechenland*, in: ders., *Prosa III* (Gesammelte Werke, hg. v. H. Steiner). Frankfurt: Fischer 1952, 7-42; hier: 14f.; im folgenden abgekürzt *P* III.

metische Verhalten, zurückgewendet auf das Selbst, verhilft diesem nur zu einer gegen den Erfahrungsverlust der Moderne abgesicherten Form der Erfahrung von Landschaft: es liefert nur die Gefühlsenergien, deren das sich zeitlos machende Ich bedarf, um die Landschaft mit Bedeutungen zu besetzen, die es aus seinem kulturellen Gedächtnis abrufen kann.

Hier war vor wenigen Stunden auch er gelegen, der Schiffbrüchige, das wandelnde nackte Menschenleben, und ringsum lauerte die ganze Welt wie ein einziger Feind. Mir war, da ich nun hier trank, als flösse das Wasser von seinem Herzen zu meinem. [...] Ohne Übergang wurde etwas in mir gegenwärtig, etwas Fernes, lieblich-angstvoll Versunkenes: ein Knabe, an dem Gesichter von Soldaten vorüberziehen, Kompagnie auf Kompagnie, unzählig viele, ermüdete, verstaubte Gesichter, immer zu vieren, jeder doch ein Einzelner und keiner dessen Gesicht der Knabe nicht in sich hineingerissen hätte, immer stumm von einem zum andern tastend, jeden berührend, innerlich zählend: »Dieser! Dieser! Dieser!«, indes die Tränen ihm in den Hals stiegen [...].
Aber diese Stunde [...] sah ich eine Landschaft, die keinen Namen hat. Die Berge riefen einander an; das Geklüftete war lebendiger als ein Gesicht; jedes Fältchen an der fernen Flanke eines Hügels lebte: dies alles war mir nahe wie die Wurzel meiner Hand. Es war, wie ich nie mehr sehen werde. Es war das Gastgeschenk aller der einsamen Wanderer, die uns begegnet waren.
Einmal offenbart sich jedes Lebende, einmal jede Landschaft, und völlig: aber nur einem erschütterten Herzen (*P* III, 25 f.).

Überraschend taucht in der Einleitung zum dritten, *Die Statuen* überschriebenen Augenblick der Begriff der Magie wieder auf. Der Reisende, diesmal allein, hat sein Ziel erreicht, er steht auf der Akropolis; inmitten der Trümmer der antiken Kultur macht er eine peinliche Erfahrung. Umgeben von den Zeugen der Vergangenheit, überkommt ihn ein intensives Gefühl der Entfremdung. Er ruft sich alle Namen in Erinnerung, die er kennt, aber vermag ihnen keine Bedeutung abzugewinnen. »Was war das, was ich an ihnen trieb? Ich prüfte mich selber. Es war nichts anderes als der Fluch der Vergänglichkeit, mit dem ich sie behauchte [...]. Daß sie längst dahin waren, darum haßte ich sie« (*P* III, 29). Das Ich will jedoch diese Entfremdung nicht anerkennen. Es erfindet ein Verfahren, das die stumm gewordene Vergangenheit zum Sprechen bringen soll: es imaginiert sich als Objekt eines Blicks, dessen

Subjekt Platon wäre. Dieser Blick voller Verachtung erklärt ihn zum Schuldigen, sein Verbrechen besteht in der Unfähigkeit, Ewigkeit zu erfahren, und das heißt die Vergangenheit zu beleben. »Meine Schuld lag am Tage. Es ist deine eigene Schwäche, rief ich mich an, du bist nicht fähig, dies zu beleben. Dies alles ist Anruf der Ewigkeit – wer ihn zu hören vermöchte! Wie kannst du ihn hören? Du selber zitterst vor Vergänglichkeit, alles um dich tauchst du ins fürchterliche Bad der Zeit« (*P* III, 30). Das Schuldgefühl, welches das Ich in sich erzeugt, ist die Vorbereitung für die folgende Inszenierung des Augenblicks.

Der Reisende begibt sich in ein kleines Museum mit Gegenständen des täglichen Gebrauchs aus der Antike. Es bannt ihn der Anblick einer Gruppe weiblicher Statuen, die er dort nicht hatte vermuten können, auf der Stelle fest; mit einer zeitlichen Verschiebung erlebt er, wonach er gesucht hat: die Erleuchtung durch die Kunst. Der Zustand, in den ihn der Anblick der Statuen versetzt, gleicht jenem verloren geglaubten der Magie. Aber jetzt ist es nicht mehr unmittelbare Einheit mit der Welt, sondern ein Aufgehen des Subjekts in der ästhetischen Kontemplation, in der sich abgeschlossenes Objekt und rein erlebendes Subjekt begegnen. Auf die Vollkommenheit des Kunstwerks, das, um wirklich zu werden, des Aufnehmenden bedarf, antwortet dieser mit einer intentionslosen »Unbedürftigkeit«. Das Subjekt vor dem Kunstwerk zieht sich zurück auf eine Erlebnisimmanenz, die alles fernhält, was die Reinheit des Augenblicks beeinträchtigen könnte.[77] Dieses Erlebnis macht das Subjekt leer von allen äußeren Beziehungen (»es ist ein grandioses Abwerfen«, *P* III, 40f.), bis es auf allen Dingen nur noch die Hieroglyphe »ewig« zu entziffern vermag. In der Leere bzw. Reinheit des ästhetischen Augenblicks lösen die Grenzen zwischen Subjekt und Objekt sich auf: »Nur diese [sc. die Statuen] brauche ich, die Trägerinnen der Ewigkeit, mit denen ich mich selbst zur Gottheit mache« (*P* III, 41). Derart wird die Kunst-

77 Historisch einzuordnen wäre die Kunstmetaphysik Hofmannsthals als letzte Stufe der idealistischen Ästhetik; vgl. zur Präzisierung des Problemstandes G. Lukács, *Heidelberger Ästhetik* (1916-1918), hg. v. G. Márkus/F. Benseler. Darmstadt/Neuwied: Luchterhand 1974, bes. 12f. und 97ff.

rezeption zu einem säkularen Akt der substantiellen Verwandlung.

Nun muß man nicht die Nähe der *Augenblicke in Griechenland* mit der Bilderlehre von Klages in Zusammenhang bringen[78], um auf das Problematische der Hofmannsthalschen Kunstmetaphysik aufmerksam zu werden. Hofmannsthal spricht ja den »eigentlichen Inhalt dieses Augenblickes« aus und tritt damit gleichsam neben dessen Erlebnisimmanenz; der Text wird zweideutig. Die Entgrenzungsphantasien des Ich-Erzählers, in denen Grauen und Lust sich mischen, gelten zunächst dem verlorenen Ich der magischen Kindheit: »so furchtbar mußte ich mich in mir berühren, um wieder zu werden, der ich war« (*P* III, 37). Der Schrecken, mit dem der Anblick der Statuen ihn schlägt und außer sich setzt, erinnert an die Gewalt, von der die Geschichte der Menschheit gezeichnet ist und von der in jeder Kindheit sich etwas wiederholt. Je weiter jedoch Hofmannsthal dem »eigentlichen Inhalt« des Augenblicks nachzugehen sucht, um so rückhaltloser verrät er das mimetische Verhalten ans Schauen von »Urbildern«, worin das »Bedürfnis, Leiden beredt werden zu lassen, Bedingung aller Wahrheit«[79], umzuschlagen droht in die Identifikation mit der Gewalt: In einer Vision, die das Dasein des Erlebenden in das der Statuen hineinphantasiert, lösen in schneller Folge unklar beleuchtete Bilder einander ab, von Schlachten und Opferritualen. Hier kehren Motive wieder, die im *Gespräch über Gedichte* eine zentrale Stelle einnehmen. Hofmannsthal stellt dort die Kunst unter den Begriff des Symbols und erklärt ihn aus der Institution des Opfers, indem er versucht, sich »den ersten, der opferte«, vorzustellen:

Er fühlte, daß die Götter ihn haßten [...]. Da griff er, im doppelten Dunkel seiner niedern Hütte und seiner Herzensangst, nach dem scharfen krummen Messer und war bereit, das Blut aus seiner Kehle rinnen zu lassen, dem furchtbaren Unsichtbaren zur Lust. Und da, trunken vor Angst

78 Vgl. etwa *P* III, 40f. mit folgender Stelle: »Den Schauenden umfängt die Vergangenheit, wie ihn die Raumesferne umfängt, und sein Erinnern, falls wir den Namen dafür entleihen wollen, ist gedächtnisloses Wiederinnewerden des gewesenen Augenblickes oder Rückflugs in die Ferne der Zeiten« (L. Klages, *Der Geist als Widersacher der Seele [1929]*. Bonn: Bouvier/Grundmann [6]1981, 845).

79 Th. W. Adorno, *Negative Dialektik*. Frankfurt: Suhrkamp [2]1970, 27.

und Wildheit und Nähe des Todes, wühlte seine Hand, halb unbewußt, noch einmal im wolligen warmen Vließ des Widders. – Und dieses Tier, dieses Leben, dieses im Dunkel atmende, blutwarme, ihm so nah, so vertraut – auf einmal zuckte dem Tier das Messer in die Kehle, und das warme Blut rieselte zugleich an dem Vließ des Tieres und an der Brust, an den Armen des Menschen hinab: und einen Augenblick lang muß er geglaubt haben, es sei sein eigenes Blut [...]. Das Tier starb hinfort den symbolischen Opfertod. Aber alles ruhte darauf, daß auch er in dem Tier gestorben war, einen Augenblick lang. Daß sich sein Dasein, für die Dauer eines Atemzugs, in dem fremden Dasein aufgelöst hatte. – [...] Darum ist Symbol das Element der Poesie, und darum setzt die Poesie niemals eine Sache für eine andere: sie spricht Worte aus, um der Worte willen, das ist ihre Zauberei (*P* II, 103 f.).[80]

Indem Hofmannsthal den »Dichter« gleichsetzt mit dem Priester *und* dem Opfer (»denn ich bin der Priester, der diese Zeremonie vollziehen wird – ich auch das Opfer, das dargebracht wird«; *P* III, 37), unterschlägt er die geschichtliche Distanz, die uns von der Vorzeit trennt. Die Sehnsucht nach der Überwindung des verdinglichenden Begriffs führt nicht nach vorn, sondern weit zurück in eine rauschhaft bannende archaische Bilderwelt. »Der ehrwürdige Glaube ans Opfer«, heißt es in der *Dialektik der Aufklärung*, »ist wahrscheinlich bereits ein eingedrilltes Schema, nach welchem die Unterworfenen das ihnen angetane Unrecht sich selber nochmals antun, um es ertragen zu können. Es rettet nicht durch stellvertretende Rückgabe die unmittelbare, nur eben unterbrochene Kommunikation, welche die heutigen Mythologen ihm zuschreiben, sondern die Institution des Opfers selber ist das Mal einer historischen Katastrophe, ein Akt von Gewalt, der Menschen und Natur gleichermaßen widerfährt«.[81] Wenn »der zum festen Bild vergegenständlichte Schauder zum Zeichen der verfestigten Herrschaft von Privilegierten« wird[82], so zielt Hofmannsthals Dichtung nicht auf die Abschaffung des Opfers, sondern auf dessen unendliche Fortsetzung. Mimesis und Ich-Vergottung sind die

80 Vgl. zur Kritik dieser Passage Th. W. Adorno, »George und Hofmannsthal«, 227 f.

81 M. Horkheimer/Th. W. Adorno, *Dialektik der Aufklärung*, 67.

82 Ebd., 33.

zwei Seiten einer Subjektivität, die ihren Ort in der Gegenwart nicht zu bestimmen vermag.[83]

83 »Und indem ich mich immer stärker werden fühle und unter diesem einen Wort: Ewig, ewig! immer mehr meiner selbst verliere, schwingend wie die Säule erhitzter Luft über einer Brandstätte, frage ich mich, ausgehend wie die Lampe im völligen Licht des Tages: Wenn das Unerreichliche sich speist aus meinem Innern und das Ewige aus mir seine Ewigkeit sich aufbaut, was ist dann noch zwischen der Gottheit und mir?« (*P* III, 42).

4. »Ma méthode, c'est moi«. Valéry und der Surrealismus

Valéry und Breton als Antipoden

Littér[ature] modernissime – A[ndré] B[reton] etc. – Maximum de facilité et maximum de scandale – produire le max[imum] de scandale par le maximum de facilité./ Surr[éalisme] – Le salut par les déchets.[84]

Diese Eintragung findet sich in Valérys *Cahier* von 1927/28. Sie sucht den Surrealismus auf eine Formel zu bringen, sein Prinzip zu entdecken, und ihn damit zugleich zu erledigen. Alle Begriffe der Notiz stehen in Opposition zu den Grundbegriffen der Valéryschen Kunsttheorie: Verzicht auf Wirkung und um wieviel mehr dann auf Skandal zugunsten der geduldigen Arbeit am Ich – das ist Valérys Programm. Schwierigkeit, und zwar durchaus auch selbstgesetzte, gilt ihm als Stimulans intellektueller Leistung; Leichtigkeit dagegen verachtet er. (»Mes dons me déplaisent. Mon facile m'ennuie. Mon difficile me mène«; *C* I, 48.) Der Begriff des Heils schließlich denunziert den Surrealismus als parareligiöse Bewegung, die der Kritik des Mythischen verfällt.

1927 war Valéry in die Académie française aufgenommen worden; Breton wählt diese Gelegenheit, um sich von ihm mit einer spektakulären Geste loszusagen: er verkauft die Briefe, die Valéry ihm geschrieben hat.[85] Dieser versteht die Geste; nicht ohne Bitterkeit notiert er, man behandle ihn bereits als Toten.[86] Schon die Veröffentlichung von Valérys langem Alexandriner-Poem *La jeune Parque* im Jahre 1917 hatte Breton als Verrat am antiliterarischen Ge-

84 P. Valéry, *Cahiers*, hg. v. Judith Robinson (Bibl. de la Pléiade). 2 Bde., Paris: Gallimard 1973/1974; Bd. II, 1208; diese Ausgabe wird im folgenden abgekürzt zitiert: *C*.

85 »Je choisis le jour qu'il entrait à l'Académie française pour me défaire de ses lettres, qu'un libraire convoitait« (A. Breton, *Entretiens [...]* (Coll. Idées, 284). Paris: Gallimard 1973, 25).

86 »On me fait l'honneur de me traiter en mort.« P. Valéry, *Ephémérides*, zitiert nach der *Introduction biographique*, in: P. Valéry, *Œuvres* (Bibl. de la Pléiade), hg. v. J. Hytier. 2 Bde., Paris: Gallimard 1957/1960; Bd. I, 51; diese Ausgabe wird im folgenden abgekürzt zitiert: *Œ*.

stus des *Monsieur Teste* aufgefaßt; Valérys Aufnahme in die Académie française nun deutet er als Anzeichen dafür, daß dieser sich endgültig vom offiziellen Literaturbetrieb habe vereinnahmen lassen.

Valéry und Breton markieren im Frankreich der 20er Jahre gegensätzliche Positionen der ästhetischen Moderne. Auf der einen Seite der Autor der *Jeune Parque*, Exponent einer klassizistisch ausgerichteten Moderne, der den künstlerischen Produktionsprozeß als rational kalkulierbaren faßt und dem Moment des Zufalls und der Eingebung nur eine unbedeutende Rolle im schöpferischen Prozeß zugesteht; auf der andern der Verfasser des *Surrealistischen Manifests*, der, ausgehend von einer scharfen Kritik des Rationalismus, den Kräften des Wunsches und der Einbildung vertraut und in der künstlerischen Produktion auf den Zufall setzt. Auf der einen Seite der konservative Einzelgänger und skeptische Rationalist; auf der andern der Begründer einer Bewegung, die die Rahmenbedingungen der Kunstproduktion in der bürgerlichen Gesellschaft nicht akzeptiert, mit Provokationen gesellschaftliche Veränderungsprozesse zu initiieren sucht und sich ernsthaft um eine Zusammenarbeit mit den Kommunisten bemüht.

Derart Valéry und Breton ins einprägsame Bild eines Gegensatzes bannend, nehmen wir eines der ältesten Schemata der Literaturkritik auf, den auf Plutarch zurückgehenden Vergleich zweier Autoren.[87] Das heißt aber: der so gestiftete Zusammenhang ist immer auch ein bloß gesetzter, der der Korrektur bedarf. Einen Anhaltspunkt dafür geben Äußerungen Bretons über Valéry, die sich in das entworfene Bild nicht fügen. Er vergleicht nämlich Valéry mit Rimbaud. Nicht den *académicien* und quasi-offiziellen Festredner der 20er und 30er Jahre hat er dabei im Blick, sondern den jungen Autor des *Monsieur Teste*, der auf eine Karriere als symbolistischer Dichter verzichtet, sich von der Literatur abwendet und sich 15 Jahre lang ausschließlich mit theoretischen Problemen beschäf-

87 Seit La Bruyères Wort, Corneille schildere die Menschen, wie sie sein sollten, Racine dagegen, wie sie sind, haben Literaturkritik und Literaturgeschichtsschreibung sich des Genus bedient. Valéry hat es als Beispiel »schulischer Einfältigkeit« (niaiserie scolaire) kritisiert, der Zwang zur Opposition erzeuge die Gegensätze (*C* II, 1563); das hat ihn jedoch nicht daran gehindert, es bei der Gegenüberstellung von Descartes und Pascal (*C* I, 600f., 615) selbst zu verwenden.

tigt, die Resultate seiner unsystematischen, aber steten Denkanstrengungen in den *Cahiers* festhaltend. Was Breton an diesem Valéry vor allem fasziniert, ist das Schweigen, der brüske Verzicht auf künstlerische Produktion. Der späte Breton deutet diesen Akt als einen, der dem Werk den Charakter des Unüberbietbaren verleiht und den Autor zur mythischen Figur macht[88], den jungen mag eher der existentielle Gestus dessen gefesselt haben, der sich mit der Produktion von Kunstwerken nicht zufrieden gibt.[89]
Daß hinter der intellektuellen Haltung Valérys eine Revolte Rimbaudscher Intensität stecken könnte, dieser Vermutung gilt es nachzugehen, nicht zuletzt weil sie die verborgene Gemeinsamkeit gegensätzlicher Positionen erkennbar machen würde.

»Je suis plusieurs«

La littérature commence à m'agacer, j'entends par littérature la cuisine gargotière des rimailleurs (*quorum pars parva sum*) et tout ce qui bafouille sur le style, le rythme, l'art etc., etc. Vous voyez que je suis bien bas! Oh! retrempez-moi un peu.
A dire vrai je crois plus que jamais que je suis *plusieurs*! Ainsi aujourd'hui je ne suis pas moi. J'ai envie de galoper dans ce bon vent septembral et frais sur un dos de licorne à travers un bois, et de tenir la blanche épée droite d'un féerique chevalier et de tout faucher devant moi! Je sens qu'à cette minute je donnerais tout ce qui a été écrit ou peint jusqu'à ce soir, pour une course à travers les ténèbres sur une fantastique locomotive, ou pour une déchirante et terrible fanfare ...[90]

Diese an Rimbaud erinnernden Sätze schreibt der junge Valéry an seinen Freund Pierre Louÿs. Er, der sich in einem voraufgegangenen Brief als *décadent*, d.h. als raffinierten Artisten charakterisiert hat (*LQ*, 12f.), läßt hier einer antiliterarischen Stimmung freien Lauf. Die gesamte Literatur und Malerei will er für eine unmittel-

88 A. Breton, *Entretiens*, 24.
89 Vgl. z.B. den Schluß von Bretons *Confession dédaigneuse* (in: ders., *Les Pas perdus*. Paris: Gallimard 1949, 24), einem Text, dessen sprachlicher Gestus sich deutlich an Valérys *Monsieur Teste* anlehnt.
90 P. Valéry, *Lettres à quelques-uns*. Paris: Gallimard 1952, 17f.; im folgenden abgekürzt zitiert: *LQ*.

bare Erfahrung hingeben. Doch was sich als freie Wunschphantasie darstellt, ist selbst wiederum durch ein literarisches Vorbild geprägt, Flauberts *Tentation de Saint Antoine*. Poetisches Klischee (der Ritt auf dem Einhorn) und freischwebende Aggressivität gehen eine seltsame Verbindung ein. Nachdrücklich hebt Valéry die Gegenwärtigkeit der Stimmungslage hervor; dennoch geht er in der Erfahrung nicht auf, sondern beobachtet und beurteilt diese. Ich-Pluralität ist also zugleich das Nacheinander von Befindlichkeiten und das Nebeneinander eines erlebenden und eines beobachtenden Ich. In der autobiographischen Notiz *Moi* aus demselben Jahr – sie ist in der dritten Person abgefaßt – spricht Valéry diese Neigung zur Selbstbeobachtung an: »Il contient beaucoup de personnages divers et un témoin principal qui regarde tous ces fantoches s'agiter« (*LQ*, 22). Diese Selbstverdoppelung wird Valéry später bei der Beobachtung mentaler Phänomene zum methodischen Prinzip machen. Die Unsicherheit darüber jedoch, welche Instanz denn nun das Ich sei, das handelnde oder das beobachtende Selbst, wird ihn auch später wiederholt beschäftigen. Noch 1940 notiert er: »Qu'est-ce qui est le plus MOI? Celui qui offre tant de sujets de plainte, de lacunes, de faiblesses, ou bien celui qui les constate?« (*C* I, 184). Offenbar besteht eine wesentliche Besonderheit der Valéryschen Ich-Erfahrung in dieser Selbstverdoppelung; die diskontinuierliche Abfolge von Ich-Zuständen wird zusammengehalten durch eine beobachtende Instanz. Das Ich wäre dann die Fähigkeit, sich von den konkreten Ich-Zuständen abzusetzen. Anders formuliert: die Identität gründet sich auf die Erfahrung von Nicht-Identität; Valéry kann sie daher auch nur in einer paradoxen Formel festhalten: »Je ne suis pas ce/celui/que je suis. Non sum qui sum« (*C* I, 128). Die Nähe zu Rimbauds berühmtem »Je est un autre« ist frappierend. In beiden Fällen geht es um die Abspaltung eines beobachtenden Selbst, das die diskontinuierlichen Erfahrungen des Ich festhält. Um literarischen Einfluß handelt es sich dabei nicht; die *voyant*-Briefe wurden erst 1912 bzw. 1926 veröffentlicht.
Pluralität des Ich bedeutet für Valéry auch ein Offenhalten von Möglichkeiten. Bereits der junge Valéry lehnt es ab, sich als Symbolist oder als *esthète* zu begreifen. Er will sich neben der ästhetischen andere Erfahrungswelten erhalten, vor allem die Unmittelbarkeit der Sinneserfahrung (»laisser crier mes sens«; *LQ*, 13):

Schwimmen im Mittelmeer als Befreiung vom Zwang während des Militärdienstes. Zwar ist auch hier die sinnliche Erfahrung literarisch überdeterminiert (Valéry schreit den Wellen Verse Merrills entgegen); aber sie geht doch nicht in Literatur auf. Die freischwebende Gewaltsamkeit, die in dem zitierten Brief an Pierre Louÿs noch in die literarische Phantasie eingebunden war, bricht unverhüllt hervor in einem Brief an Gide, der auf den blutig niedergeschlagenen Textilarbeiterstreik in Fourmies reagiert, von dem Valéry aus der Zeitung erfahren hat.

Ces soldats qui ont tiré sur la foule, je les ai enviés, et de tirer sur tout le Monde! Je déteste le peuple et plus encore les Autres! [...] Je désire presque une guerre monstrueuse où fuir parmi le choc d'une Europe folle et rouge, où perdre le souvenir et le respect de toute écriture et de tout rêve dans des visions réelles, trépignements funèbres de sabots clapotants et déchirement de fusillades, et n'en revenir![91]

Ekel an der Literatur (»La hideuse mécanique littéraire m'écœure«; ebd.) und Verlangen nach einem Blutrausch (das Ende des Briefes lautet: »Alors! du sang«) vermischen sich hier. Valéry identifiziert sich mit denen, die Gewalt ausüben, sieht sich zugleich aber als Betroffener fliehen. Von dem berühmt-berüchtigten Satz Bretons – »L'acte surréaliste le plus simple consiste, revolvers aux poings, à descendre dans la rue et à tirer au hasard, tant qu'on peut, dans la foule«[92] – sind wir hier nicht weit entfernt. Man wird in diesem plötzlichen Ausbruch von Gewaltsamkeit wohl nicht nur Literatur zu sehen haben wie Gide, der den Freund damit zu beschwichtigen sucht, sondern den Ausdruck einer fundamentalen Revolte. Es ist nicht leicht auszumachen, wogegen sich diese Revolte richtet. Eine späte Eintragung macht die Gleichförmigkeit des Lebens namhaft:

Je suis né, à vingt ans, exaspéré par la répétition – c'est-à-dire contre la vie. Se lever, se rhabiller, manger, éliminer, se coucher – et toujours ces saisons, ces astres, – Et l'histoire! – su par cœur ––/jusqu'à la folie (*C* I, 175).

Konkretere Auskunft gibt eine andere Stelle der *Cahiers*, wo Valéry über den Ursprung der für ihn so kennzeichnenden Haltung

91 Brief an Gide vom 8.5.1891, in: A. Gide/P. Valéry, *Correspondance 1890-1942*. Paris: Gallimard 1973, 82f.

92 A. Breton, *Second Manifeste du surréalisme [1930]*, in: ders., *Manifestes du surréalisme [...]*. Paris: Pauvert 1965, 155.

des *refus* nachdenkt. Unerträglich ist ihm bereits als Schüler der Gedanke, daß der Lehrer, den er verachtet (»tel rustre diplômé«), ihm etwas erklären will (*C* I, 161 f.). Das Ich mißt sich selbst einen unermeßlichen Wert bei, vermag diesen jedoch noch nicht konkret einzulösen. Indem es das Wissen des Lehrers zurückweist, vermag es die narzißtische Selbsteinschätzung gegen die Kränkung abzuschirmen, die eine Übernahme fremden Wissens für es bedeuten würde. Der Entschluß, einzig den eigenen Kräften zu vertrauen, der Valérys Projekt zugrunde liegt, beruht letzlich auf einer absoluten Wertsetzung des eigenen Ich, die, da sie dezisionistischen Charakters ist, auch nicht unter Beweis gestellt werden kann. Soziologisch läßt sich diese Weigerung, einen höheren Wert als das Ich anzuerkennen, als Anpassungsverweigerung bestimmen. Während der gute Schüler belohnt wird, weil er sich anpaßt, bestätigt der schlechte sich im *refus*.

Ich-Vielfalt und dezisionistische Wertsetzung des eigenen Ich – die beiden Seiten dieser Ich-Erfahrung scheinen auseinanderzufallen; denn nur ein mit sich identisches Ich, so wird man vermuten, vermag sich als höchsten Wert zu setzen. Daß dem nicht so ist, lehrt die Valérysche Selbstbeobachtung. Das vielfältige, gespaltene Ich ist nicht etwa eines, das sich aufgegeben hat; im Gegenteil, es behauptet paradoxerweise seine Unverwechselbarkeit im Wechsel der Einstellungen und Rollen, die es übernimmt. Krise des Ich und Hypostasierung des Selbstwerts fallen zusammen.

Die Lebensform, die sich daraus ergibt, ist skeptisch, hedonistisch und amoralisch. Sie verschafft dem Ich gegenüber theoretischen Erkenntnissen und praktischen Handlungsmaximen eine völlige Freiheit, da seine Identität nicht mehr in einzelnen theoretischen und praktischen Einstellungen festgemacht ist, sondern nur an dem als Wert gesetzten Ich-Kern. Zugleich ist diese Lebensform gegen Kränkungen jeder Art geschützt; weder moralische Vorwürfe noch wissenschaftliche Einsichten können das Ich treffen, das sich eingemauert hat im Turm seines Selbst.[93] *Einer* Bedro-

93 Allerdings gibt es beim jungen Valéry auch etwas, was man als Freundschaftskult bezeichnen könnte. In einem Brief an den Jugendfreund Fourment beklagt er sich darüber, daß keiner seiner Freunde seinen Versuch verstanden habe, die Freundschaft zu einer Verbindung zu machen, die durch ihren nicht-illusorischen Charakter die erotische übertrifft (Brief vom 17.12.1892, in: P. Valéry/G. Fourment, *Corre-*

hung allerdings ist es ausgesetzt, und diese ist tödlich: den andern anerkennen zu müssen.

La Nuit de Gênes

Pas de blessure plus directe, plus centrale que si autrui m'oblige à reconnaître son existence concurrente, par quelque raisonnement qu'il fait ou un chemin intellectuel tracé par lui dans mes propres terres – il se fait accorder à l'égard de mes éléments – ma place royale. Autrui, d'abord une chose, devient plus maître que moi. Mais Moi se place comme par axiome, au-dessus de toutes démonstrations – il ne veut reconnaître ses défaites et il trouve toujours de quoi amoindrir et mépriser la victoire d'autrui (*C* I, 38).

Der Text ist 13 Jahre nach der Krise von Genua niedergeschrieben; aber er handelt von dem gleichen Problem, der Bedrohung des Ich durch die Existenz des andern. Das mag ein erster Hinweis dafür sein, daß Valéry die Krise nicht eigentlich löst, sondern sie vielmehr stillstellt. Nicht zu einer radikalen Veränderung seiner Lebensform führt sie, sondern eher zu deren Verfestigung.
Bei dem Versuch, die Krise zu erfassen, die Valéry mit dem Kürzel »Die Nacht von Genua« bzw. »1892« bezeichnet und auf die er in den *Cahiers* immer wieder zu sprechen kommt, gilt es, die Abgründe der Frage nach der Authentizität des Berichteten zu vermeiden. Nicht ein vorgeblich reines Erlebnis ist zu rekonstruieren, sondern eine Erfahrung, die immer auch Produkt ist der methodischen Arbeit am Ich. Der äußere Anlaß der Krise hat nichts Besonderes. Der junge Valéry verliebt sich in eine Unbekannte, und er sieht sich außerdem gezwungen, die nicht zu überbietende Vollendung einzelner Dichtungen Mallarmés und Rimbauds anzuerkennen (*C* I, 178). Eine Krise provozieren diese höchst unterschiedlichen Erlebnisse nur deshalb, weil Valéry sie mit seiner hyperbolischen Selbsteinschätzung konfrontiert. Das subtile Spiel zwischen Ich-Rollen und Selbst versagt. Die Intensität der Liebeserfahrung läßt sich keinem momentanen Ich zuweisen, von dem ein beobachtendes als das eigentliche sich abzusetzen vermag. Die abstrakte Wertschätzung des Ich wird hinfällig angesichts der überlegenen Leistung anderer.

spondance 1887-1933, hg. v. O. Nadal. Paris: Gallimard 1957, 133f.).

Es wäre denkbar, daß Valéry nach dieser Erfahrung seine solipsistische Lebensform aufgegeben und eine neue entwickelt hätte. Das ist jedoch nicht der Fall; er mobilisiert vielmehr alle Kräfte, um den bedrohten Solipsismus zu retten.

Le jour où disputant le corps de mon esprit (pour la première fois) aux tourments, aux assauts, aux anxiétés d'une sensibilité surexcitée par une passion absurde, j'ai fini par observer le mécanisme de ces effets invincibles, sa puissance et la bêtise de sa puissance, – et par me répondre: Ceci est un phénomène mental – (C'était mal dit –) – le sort de mon esprit était réglé, fixé (*C* I, 207).

Um die Herrschaft des Selbst über die eigenen Gefühle wiederherzustellen, entwickelt Valéry ein Verfahren, eine »intellektuelle Beschwörungsformel« (*C* I, 208). Es besteht darin, den Wert der Gefühle, deren Intensität er nicht zu leugnen vermag, dadurch herabzusetzen, daß er sie als »mentale Phänomene« betrachtet, und d.h. objektiviert.
Über den dezisionistischen Charakter seines Akts, den er als *décision-découverte* bezeichnet (*C* I, 168), ist Valéry sich durchaus im klaren, und er unterschlägt auch das Gewaltsame daran nicht. »Je me sentais parfois le Pur, l'incorruptible, l'ange et le Robespierre impitoyable« (ebd.). Von den Begriffen, mit denen er die Lösung der Krise beschreibt – *révolution*, *réforme*, *coup d'Etat* –, ist Staatsstreich der wohl treffendste. Denn Valéry richtet in sich eine absolute Herrschaftsinstanz auf, das reine Selbst, für das alle Erfahrungen nur »mentale Phänomene« sind. Die Stichwörter, unter denen er sein Ideal der Selbst-Herrschaft aufzeichnet, lauten *Gladiator* und (damit nicht gleichbedeutend) *Caligula*.
Gladiator steht für das Projekt der Selbstdisziplinierung. Um sein in der Krise erschüttertes Selbstwertgefühl wieder aufzurichten, nimmt Valéry den eigenen Wahrnehmungs- und Empfindungsapparat in Zucht. Die Gewaltsamkeit, die in den Jugendbriefen ebenso plötzlich wie richtungslos hervorbrach, wird jetzt methodisch eingesetzt.

Gladiator – L'obéissance. La tenue en main, la connaissance des réactions de l'animal Sensibilité. Dresser la jument Sensibilité [...] Tel est le vrai *philosophe*, telle la vraie philosophie. Ce n'est pas une connaissance – C'est une attitude et une tendance au dressage, une volonté vers l'homme dressé par soi-même [...] Le dressage est acquis quand la confusion est remplacée par l'ordre, la multiformité par l'uniformité, les efforts non contrariés entre eux, l'énergie contenue quand il faut et dépensée quand il faut. Une machine est de la matière dressée (*C* I, 339).

Das Moment der gegen sich selbst ausgeübten Gewalt hat dieses Programm mit demjenigen Rimbauds gemein, von dem es sich jedoch in der Zielsetzung unterscheidet. Rimbaud will nicht-rationale Erfahrungsbereiche bis hin zum Wahnsinn erschließen, deshalb scheut er vor dem selbstzerstörerischen Eingriff in die eigene Psyche nicht zurück. Valéry dagegen sucht die eigenen Wahrnehmungs- und Empfindungsfähigkeiten zu beherrschen, nicht wie Rimbaud sie aufzustacheln. Ordnung, Gleichförmigkeit, Gehorsam sind die Leitvorstellungen eines Vorhabens, das Valéry selbst als Dressurakt beschreibt. Nicht die Herstellung von Werken steht im Zentrum dieses Projekts, sondern die Entwicklung von Fähigkeiten. Als wolle er in seiner Person den rationalen Menschen der Moderne exemplarisch verwirklichen, arbeitet er an seinem Ich. Das Echo Nietzsches ist unüberhörbar: »The Way to Uebermensch«, lautet eine Eintragung aus dem Jahre 1899 (*C* I, 324).[94]

Wiederholt spielt Valéry auf das dem römischen Kaiser Caligula zugeschriebene Wort an, Rom möge nur einen Kopf haben – zum Abschlagen. Energie der Zerstörung und Selbstzerstörung, verbunden mit dem Willen, bis zum äußersten zu gehen – dafür steht das Stichwort *Caligula*.

Mon Caligulisme. Sentiment puissant des mes moments les plus ... profonds – volonté d'épuiser mon principe de vie [...]. Je fus ou suis l'idée de ce moment qui foudroie t[ou]s les autres possibles ou connus. Moment-César. Idée latente – mais que je sens tout – énergie essentielle, qui juge et sacrifie tout – domine, du fond de moi, conduite réelle, amour, travail. Prononce »temps perdu« sur tout ce qui ne la renforce pas, et tyranne ... Pas de redites: construire pour se détruire (*C* I, 226).

Begriffe aus dem Wortfeld des Gefühls, die Valéry sonst wegen ihrer Unschärfe kritisiert[95], sind in dem Text (er stammt aus dem Jahre 1944) mit positiven Konnotationen verwendet. Die Legiti-

94 Vgl. dazu E. Gaède, *Nietzsche et Valéry [...]*. Paris: Gallimard 1962.

95 Vgl. z.B. »Oui, j'ai vécu longtemps dans le mépris et la crainte des ›sentiments‹« (*C* I, 173) sowie zur Kritik des Begriffs der ›Tiefe‹:

mationsgrundlage für die Absolutsetzung des Ich ist nicht eine rationale, sondern wurzelt in der Erfahrung eines höchsten Augenblicks. Aus ihr zieht das Ich eine Kraft, die es befähigt, »alles zu beurteilen und zu opfern«. (Auch diese Formulierung bringt einen rationalen und einen nicht-rationalen Akt zusammen.) Die Valérysche Lebens- und Denkform gründet also gerade im Bereich vorrationaler Erfahrung, den er mittels begrifflicher Anstrengung zu beherrschen sucht.

Die Enthauptung der Literatur

J'ai connu Mallarmé, *après* avoir subi son extrême influence, et au moment même où je guillotinais intérieurement la littérature. J'ai adoré cet homme extraordinaire dans le temps même que j'y voyais la seule tête, – hors de prix! – à couper pour décapiter toute Rome (*LQ*, 95).

Der Überwältigung durch die Liebe konnte das Ich begegnen, indem es das eigene Gefühl zum Gegenstand einer objektivierenden Beobachtung machte. Gegenüber der überragenden Leistung eines andern greift dieses Verfahren nicht; denn die zergliedernde Betrachtung macht deren Wert gerade erkennbar. Will das Ich trotzdem seinen »königlichen Platz« bewahren, so muß es ein Mittel finden, um das, was in seinen Augen Wert hat, zu verwerfen.
Indem er ein an den exakten Wissenschaften orientiertes Ideal der Genauigkeit zum Maßstab erhebt, kann Valéry die Literatur als ganze entwerten. Wie die Philosophie rechnet er sie zu den *choses vagues*. Gleichzeitig nimmt er eine Problemverschiebung vor vom Werk auf die Fähigkeit des Produzierens. Immer wieder betont er, daß es ihm nicht um das Werk gehe, sondern um das *pouvoir*, das Beherrschen von Fähigkeiten. Nicht das Ergebnis künstlerischer Arbeit ist ihm wichtig, sondern diese selbst als Prozeß der Erkenntnis und der Selbstverwandlung (*C* I, 277 u. 293). Damit ist zugleich der Vorrang von Mallarmé und Rimbaud gebrochen, der sich auf deren Werk gründete.

»Toute la profondeur que nous prêtons à de certains états n'est due qu'à leur *éloignement* de l'état de la vie normale, et non pas à leur *rapprochement* de choses très importantes et très cachées« (Œ II, 498).

Rimbaud gibt Mitte der 70er Jahre die dichterische Produktion auf, sein Abschied von der Literatur ist endgültig; Valérys Enthauptung der Literatur dagegen erlaubt ihm paradoxerweise jederzeit, zur literarischen Produktion zurückzukehren, vorausgesetzt, er kann diese als *exercice* begreifen. So kommt es zu einer Art von doppelter Bewertung des Schreibens. Insofern der Schreibende sich explizit oder implizit an ein Publikum wendet, ist er unfrei. »Ecrire enchaîne. Garde ta liberté« (*C* I, 238). Wer schreibt, kalkuliert Effekte und wird dadurch zum Scharlatan.[96] Dagegen steht ein zweiter, positiv konnotierter Begriff des Schreibens. Nicht eine publikumsorientierte Tätigkeit bezeichnet er, sondern ein Moment im Prozeß der Beobachtung und Selbstbeobachtung: »J'écris pour voir, pour faire, pour préciser, pour prolonger – non pour doubler ce qui a été« (*C* I, 244). Schreiben als Mittel, um geistige Abläufe zu erkennen, zu präzisieren, aber auch um sie zu verändern – diese Auffassung liegt den Fragmenten zugrunde, die Valéry ein Leben lang in seinen *Cahiers* aufgezeichnet hat. Diese verwirklichen konsequent ein Schreibprojekt nicht werkhaften Charakters.[97] Dessen Prinzip ist die Unabschließbarkeit; nur ein äußeres Ereignis wie der Tod kann ihm ein Ende setzen. Wenn Valéry wiederholt hervorhebt, er sei weder Dichter noch Schriftsteller[98], Literaturproduktion sei nicht sein Ziel, so wird man diese Beteuerungen als Versuche zu begreifen haben, sich des eigenen Schreibprojekts als eines nichtliterarischen zu versichern.

Als Valéry vor dem ersten Weltkrieg sich erneut der dichterischen Produktion zuwendet, nimmt er damit etwas von der Radikalität

96 Allerdings gibt es auch Gedanken, die in eine andere Richtung weisen: »Le but d'un ouvrage – honnête – est simple et clair: faire penser« (*C* I, 241).

97 »Ces cahiers sont mon vice. Ils sont aussi des contre-œuvres, des contre-fini« (*C* I, 11). »Pour comprendre cette entreprise écartez toute habitude littéraire« (*C* I, 5). – Die verdienstvolle Auswahlausgabe von Judith Robinson, die mit Hilfe eines von Valéry skizzierten Klassifikationsrasters eine thematische Gruppierung der Fragmente vornimmt, verwandelt das monumentale Nicht-Werk in eine Aphorismensammlung und verdeckt dadurch ungewollt das ursprüngliche Schreibprojekt.

98 Vgl. den Abschnitt *Ego scriptor* *C* I, 235-319.

seines Projekts zurück. Er weiß das und und reagiert daher zunächst lustlos auf Gides Vorschlag, seine frühen Dichtungen und den *Teste* bei Gallimard zu veröffentlichen. Wir begegnen hier erneut dem tiefsitzenden Mißtrauen gegenüber der Sphäre der Öffentlichkeit, die er mit Inauthentizität gleichsetzt. Dennoch gibt er dem Drängen des Freundes nach und entschließt sich, die alten Gedichte zu überarbeiten und ein neues hinzuzufügen, woraus dann die während des Weltkriegs geschriebene *Jeune Parque* wird. Damit ist jene Verwandlung eingeleitet, die aus dem jungen *révolté*, der die Literatur guillotinieren wollte, einen der Exponenten der offiziellen Kultur Frankreichs macht. Man braucht die moralische Entrüstung Bretons nicht zu teilen, um diese Veränderung als markant zu empfinden. Valéry selbst bewältigt sie, indem er zwischen dem, was er ist (oder zu sein meint), und seinem Erscheinungsbild in der Öffentlichkeit eine scharfe Trennungslinie zieht. So stellt er sich außerhalb der Dialektik der Anerkennung. Angesichts seines radikalen Solipsismus wird beinahe jede Anerkennung zur falschen[99].

Valéry entwickelt nämlich sehr wohl ein Ideal des Schreibens, aber dieses hat kaum mehr etwas mit dem gemein, was man üblicherweise als literarische Produktion bezeichnet. Auf eine kurze Formel gebracht, ließe sich sagen: es geht dabei um die Virtualisierung des Werks und um die Verwissenschaftlichung des Produktionsprozesses. Nicht ausgeführte Texte wären das wesentliche, sondern Denkmodelle und Programme, nach denen sich etwas imaginieren oder erzählen läßt (*C* I, 241). Literatur, verstanden als »allgemeine Kombinatorik der Wörter«, als eine den Wissenschaften vergleichbare Tätigkeit, bei der feste Rahmenbedingungen gesetzt sind und Umformungsprozesse beobachtet werden können (*C* I, 254 u. 263). Valéry will die literarische Produktion aus der Bindung an den Zufall augenblickshafter Eingebung befreien und sie dem Modell wissenschaftlicher Arbeit annähern. Während einer romantischen Dichtungskonzeption zufolge der Autor sich passiv gegenüber seinen Einfällen verhält, allenfalls bemüht, sich in eine

99 Als 1921 eine Zeitschrift aufgrund einer Umfrage Valéry zum größten lebenden Dichter erklärt, notiert er: »*Ils* m'ont élu le plus grand poète par 3 145 voix« (*C* I, 251). Und einige Jahre später schreibt er: »Rien de plus gênant que les grandeurs qu'on vous attribue et qui ne sont pas celles que l'on eût désirées« (*C* I, 259).

Lage zu versetzen, die deren Auftauchen günstig ist, unterwirft Valéry den Einfall bestimmten Bedingungen, deren wichtigste darin besteht, ihn systematisch zu verwandeln (*C* I, 281). Diese Verwandlungsprozesse wären dann Teil des Werks, das nicht nur die Vielzahl seiner Varianten mit umfaßt, sondern darüber hinaus seine eigene Unabschließbarkeit in Regie nimmt. Mit der Behauptung, man verfahre wissenschaftlich, ist in den Künstlerprogrammatiken unseres Jahrhunderts oft leichtfertig umgegangen worden; Valéry jedoch kann mit Recht von sich sagen, er habe Poesie und Philosophie mit den Anforderungen des modernen Geists der Wissenschaft in Übereinstimmung zu bringen gesucht (*C* I, 274).

Die Diktatur des Ich und ihre Grenze

Wohl kaum ein Schriftsteller des 20. Jahrhunderts hat mit ähnlicher Konsequenz wie Valéry das moderne Prinzip der Rationalität sowohl dem eigenen Leben wie der Produktion aufzuprägen gesucht.[100] Daß die Begriffe *raison* und *rationalité* in seinen Aufzeichnungen keine zentrale Stelle haben, mag auf den ersten Blick erstaunen. Die Erklärung für diesen zunächst befremdlichen Verzicht dürfte in der Bedeutungsvielfalt des Rationalitätsbegriffs liegen; derjenige Max Webers hat bekanntlich nicht weniger als drei voneinander unterscheidbare Bedeutungen. Eine ganze Reihe von Begriffen – wie *pouvoir, discipline, refus, calcul, précision, méthode* und *conscience* – stehen bei Valéry für verschiedene Aspekte von Rationalität. Den Mittelpunkt seines Interesses bildet das *pouvoir.* »Was vermag ein Mensch?« lautete die Frage von Monsieur Teste, und auch der Leonardo-Essay ist nach Valérys eigener Aussage der Erfassung des *pouvoir de l'Esprit* gewidmet

100 Eine der Valéryschen vergleichbare Position nimmt Roger Caillois in seinem Aufsatz »Les Impostures de la poésie« aus dem Jahre 1944 ein (in: ders., *Approches de la poésie [...].* Paris: Gallimard 1978, 15-50). Gegen die Verführungskraft des Traums und der Ekstase setzt der ehemalige Surrealist die »facultés qui servent à construire et à dominer« (ebd., 31). »En art comme en morale, l'essentiel est de fuir la nature et de substituer à ses lois des principes empreints d'une rigueur différente« (ebd., 39).

(Œ I, 1155). Die Termini *discipline* und *refus* bezeichnen Mittel, mit deren Hilfe der Mensch sich selbst produziert als einen, dessen Geist zur Lösung von Problemen fähig ist; *calcul*, *précision* und *méthode* dagegen meinen Verfahren des Umgangs mit Problemen. Das Auffinden einer bestimmten Verbindung von Wortklang und Wortbedeutung oder die effiziente Organisation einer Armee sind für Valéry gleichermaßen Probleme und vermögen die Spannweite der Gegenstände anzudeuten, mit denen er sich beschäftigt. Dabei ist die konkrete Problemlösung der Ausbildung des Vermögens, Lösungen zu produzieren, untergeordnet. *Conscience* schließlich ist diejenige Instanz, die alle Denkoperationen begleitet (*C* II, 203) und den ganzen Prozeß der Selbstformung lenkt.

Valéry ist nicht Monsieur Teste; dennoch kann man sein Projekt auf die Formel bringen: Rationalität als Lebensform. Ein solches Projekt kommt notwendig in Konflikt mit der Auffassung, daß das Leben im Bereich der Affekte und Emotionen seinen Ort habe und nicht in dem der Ratio. Selbstverständlich leugnet Valéry das Vorhandensein von Gefühlen ebensowenig wie das Unbewußte. Sie haben für ihn jedoch nur den Charakter einer Gegebenheit (*C* II, 213), nicht den eines Werts. Die Vorstellung, Gefühle seien um so wahrer, je spontaner sie sich einstellen, weist er zurück; Authentizität ist für ihn an das bewußte Ich gebunden (*C* II, 339). Insofern die Gefühle der Herrschaft des Ich entgleiten, sind sie bloßes Symptom unserer unzureichenden psychischen Ausstattung, Anzeichen einer nicht geleisteten Anpassung (*C* II, 354).

Die Abwertung des Gefühlslebens führt Valéry jedoch nicht dazu, daß er sich diesem gegenüber gleichgültig verhält. Im Gegenteil, es scheint ihn zu beunruhigen. Nur so läßt sich die Hartnäckigkeit erklären, mit der er die autobiographische Literatur kritisiert, die für das individuelle Erleben Authentizität beansprucht. »A quoi me sert ton trouble? Apprends-moi autre chose« (*C* II, 1240). Wenn Gefühlen Authentizität abgeht, weil sie dem Ich qua *conscience* etwas Fremdes sind, dann trifft das für deren literarische Darstellung erst recht zu; denn, so argumentiert Valéry, die Autobiographie präpariert die Erfahrung als literarischen Effekt. Der Schriftsteller ist ein Schauspieler; er sollte diesen seinen Status nicht verleugnen (»Ecrire, c'est entrer en scène – Il ne faut pas que l'acteur proclame qu'il n'est pas un comédien. On n'y échappe pas«; *C* II, 1218). Wahrhaftigkeit und Ehrlichkeit, auf die der autobiographische Schriftsteller seit Montaigne Anspruch erhebt, sind in Wahrheit nur eine Sprechhaltung (*C* II, 1240), die sich sehr wohl mit bewußter oder halbbewußter Fiktion verbinden kann.[101]

Die Welt des Gefühls (und deren literarische Darstellung) beschäftigt ihn deshalb so intensiv, weil sie als wesentlich unbestimmte seine eigene Lebensform der Herrschaft über sich selbst in Frage stellt. Gefühle sind dadurch definiert, daß der Verstand sie nicht zu beherrschen vermag (*C* I, 173). Dies ist der Grund, warum sie den autobiographischen Schriftstellern als authentisch erscheinen. Sie sind nicht manipulierbar durch den Verstand. Gerade das macht sie jedoch in den Augen Valérys verdächtig: »ma sensibilité est mon infériorité« (*C* I, 203). Sein Begriff der Authentizität ist von dem eines Tagebuchautors wie Gide grundverschieden. Nicht, was ihm zustößt, gilt ihm als authentische Erfahrung, sondern nur das, was er herzustellen vermag. Authentizität ist für ihn Resultat eines Tuns.

Eine Notiz aus dem Todesjahr Valérys wirft ein scharfes Licht auf die Grenzen der von ihm erstrebten Herrschaft über sich selbst.

> Je connais 1. assez mon esprit. – [...] 2. Je connais *my heart*, aussi. Il *triomphe*. *Plus fort que tout*, que l'esprit, que l'organisme. – Voilà le *fait*. Le plus obscur des faits [...] Il y a quelque chose en l'être qui est *créateur* de *valeurs* – et cela est tout-puissant –– irrationnel – inexplicable, ne s'expliquant pas (*C* II, 388).

Valéry gibt auch hier seine Einstellung nicht auf, er bemüht sich um eine exakte Bestimmung dessen, was er als *cœur* bezeichnet. Ergreifend aber ist der Text, weil er ein Scheitern eingesteht. Valéry, der die Wirkungen der Affekte kontrollieren und der Herrschaft des Selbst unterwerfen wollte, sieht sich gezwungen, deren Übermacht anzuerkennen. Betrachtet man die Valérysche Ich-Konstruktion von den Texten her, in denen er die Überwältigung

101 Übrigens schwankt Valéry in der Bewertung autobiographischen Schreibens. Der polemischen Ablehnung (»le difficile n'est pas de mettre bas sa chemise«; »mascarade de la nudité«; *C* II, 1160, 1200) stehen andere Äußerungen gegenüber, in denen er sogar die Freude an der Lektüre von Stendhals *Henry Brulard* und Pascal eingesteht (*C* II, 1218f.).

durch das Irrationale eingesteht (vgl. die Beschreibung einer affektiven Krise; *C* II, 385), dann erscheint jene als ein ungeheures Verteidigungssystem, das aber den Gegner nicht besser aufzuhalten vermag als die berühmte Maginot-Linie. Damit wird eine Grenze der Rationalität als Lebensform, wie Valéry sie praktiziert hat, erkennbar. Fundiert in einem dezisionistischen Akt der Wertsetzung des Ich, bleibt sie auf Beherrschung der eigenen Sensibilität und Abwehr des Draußen und der andern beschränkt. Nicht der Rationalismus ist die Achillesferse dieser Lebensform, sondern der diesem vorgelagerte dezisionistische Solipsismus, der die Möglichkeit einer Konstruktion zwischenmenschlicher Beziehungen und ihrer bewußten Gestaltung nicht in den Blick treten läßt.

Antinomien der künstlerischen Moderne

Mit der Einführung von Prinzipien der Rationalität, wie Kalkül, Präzision und Methode, in die Literaturproduktion erweist sich Valérys schriftstellerische Selbstauffassung einem emphatischen Begriff der Moderne verpflichtet.[102] In diesen Zusammenhang gehört auch, daß er die Vorstellung des inspirierten Dichters durch die des kleinen selbständigen Produzenten ersetzt (*Œ* II, 1069), und d.h. die Innenansicht durch die ökonomische Betrachtung. Dem Bemühen, einen Literaturbegriff theoretisch zu entwickeln und praktisch zu verwirklichen, der diese nicht gegen die moderne Gesellschaft definiert, sondern sie deren Prinzipien unterwirft, steht nun aber eine scharfe Kritik der modernen Literatur gegenüber. Valéry hält ihr ihre Ästhetik der Unmittelbarkeit vor, die die Arbeit der Transformation des ersten Einfalls verweigert: »La croyance que ce qui est plus désordonné, plus spontané, incohérent / informe / est par là plus proche de *secrets* importants, plus vrai, plus essentiel que ce qui l'est moins – ou que ce qui a été réfléchi, trié, choisi« (*C* II, 1214). In der *Lettre sur Mallarmé* aus

102 »Steigerung des Spezialistentums zur Universalität«, auf diese Formel hat Adorno einen wesentlichen Aspekt der Modernität Valérys gebracht (Th. W. Adorno, *Noten zur Literatur I*. [Bibl. Suhrkamp, 47]. Frankfurt 1958, 181).

dem Jahre 1927 charakterisiert er die Gegenwart als eine Epoche, die die Idee der Vollkommenheit preisgegeben habe zugunsten des Prinzips *jeder Schlag ein Treffer* (Œ I, 637). Die Anspielung auf die *écriture automatique* der Surrealisten ist unüberhörbar, in der Valéry nur Laxheit und Mangel an geistiger Disziplin zu erkennen vermag.

Das zweite Argument gegen die moderne Literatur betrifft die Suche nach Neuheit um jeden Preis, die er bereits im 19. Jahrhundert ausmacht (*C* II, 1213). Eine Eintragung von 1924, dem Erscheinungsjahr des surrealistischen Manifests, faßt Valérys Kritik zusammen:

> La littérature des modernes s'explique par le mouvement du faire autre (+facilité). La littérature de jadis – par le désir du faire mieux ou aussi bien que (*C* II, 1195).

Valéry macht sich hier unumwunden zum Anwalt der Tugenden der Vergangenheit. Der Widerspruch zu seinem eigenen Modernismus ist augenfällig. Er läßt sich aufhellen, jedoch nicht auflösen. Valérys an wissenschaftlicher Rationalität orientierter Begriff der Moderne ist auf die Avantgardebewegungen in der Tat nicht anzuwenden. Deren Projekt nimmt er nur verkürzt wahr, indem er den Blick einzig auf das Werk richtet. Das ist insofern erstaunlich, als er selbst eine deutliche Verschiebung der Wertbesetzung vom Werk auf den Produzenten vorgenommen hat. Da sein eigener Begriff künstlerischer Produktion als eines rationalen Kalküls jedoch dem surrealistischen der Befreiung des *désir* entgegengesetzt ist, wählt er den einfachen Weg einer Kritik der Werke. Dadurch gerät er aber in die Nähe eines Klassizismus, der das fertige Werk gegen die Skizze ausspielt (*C* II, 950 u. 1156), und gibt damit seine eigene Kritik am Begriff der Vollendung preis. Hatte er doch wiederholt betont, es gäbe für ihn kein abgeschlossenes Werk, der Abschluß sei ein bloß äußeres Ereignis.[103]

Sicherlich darf man Valérys Gedanken eines unendlichen Arbeitsprozesses nicht mit der surrealistischen Ästhetik des Unmittelba-

103 Eine *Politics of Thought* überschriebene Eintragung aus dem Jahre 1902 verurteilt das vollendete Werk als *facile*: »Donc l'œuvre – quelle qu'elle soit – accomplie et finie, est un rien ou un regret. Tout ce qui est facile ou devenu facile est fini« (*C* I, 29). Vgl. auch *C* I, 15, 254, 299; *C* II, 1010.

ren verwechseln. Aber seine Kritik am Werkbegriff hätte ihn empfänglicher machen können für die surrealistischen Intentionen. Dies um so mehr, als die Ästhetik, die den Fragmenten der *Cahiers* zugrunde liegt, dem »Automatismus« der Surrealisten nähersteht als dem Klassizismus, von dem aus er diese kritisiert. Er selbst spricht in diesem Zusammenhang von »Figuren, die sich selbst formen« (*C* I, 7) und schreibt die Herstellung ungewöhnlicher Gedankenverbindungen der Geschwindigkeit des Produktionsprozesses zu.[104] Die Geschwindigkeit der Niederschrift ist bekanntlich ein Kernstück der Gebrauchsanweisung zum Verfassen surrealistischer Texte im ersten *Manifeste du surréalisme*.[105] Gemeinsamkeiten und Unterschiede zwischen Valéry und dem Surrealismus lassen sich am Umgang mit dem Zufall erhellen.[106] In *Nadja* berichtet Breton von einigen zufälligen Ereignissen, denen er einen besonderen Wert beimißt. Dieser besteht vornehmlich darin, daß sie sich der rationalen Erklärung entziehen und daher etwas Abgründiges, Verunsicherndes für den Erzähler haben. Er bezeichnet sie deshalb auch als »Gleitfakten« oder »Abgrundfakten« (faits-glissades, faits-précipices).[107] Auch Valéry betont die kaum zu überschätzende Rolle, die der Zufall im Leben eines je-

104 Schon 1913 notiert Valéry: »Inventer – créer poétiquement, musicalement – cela dépend d'une certaine *vitesse*« (*C* II, 999). Vgl. auch *C* I, 8.

105 »Ecrivez vite sans sujet préconçu, assez vite pour ne pas retenir et ne pas être tenté de vous relire« (A. Breton, *Manifestes du surréalisme*, 44).
Man kann unschwer weitere Fragmente aus den *Cahiers* anführen, die einen Valéry erkennen lassen, der dem Surrealismus nähersteht, als die scharfe Polemik vermuten läßt: »L'invention n'est qu'une manière de voir. Se saisit des incidents et des accidents, en fait des chances, des signes – [...] Faire servir ce défaut, ce désordre, cet imprévu, ce rebut, ce rien, cette aspérité, cette coïncidence, ce lapsus ... à leurs contraires« (*C* II, 993). Der erste Teil könnte – beinahe – von Breton geschrieben sein, wäre da nicht das eingreifende Ich; der zweite zeigt den Unterschied deutlicher: das Ereignis wird nicht hingenommen als ein an und für sich bedeutendes, sondern es wird verwendet, um etwas anderes daraus zu machen.

106 Vgl. dazu E. Köhler, *Der literarische Zufall, das Mögliche und die Notwendigkeit*. München: Fink 1973, 68ff.

107 A. Breton, *Nadja* (Livre de Poche, 1233). Paris 1965, 21.

den spielt (vgl. *C* I, 693, 1448). Aber er nähert sich dem Phänomen ganz anders als Breton. Während dieser das je einzelne Ereignis als Träger einer sich entziehenden Bedeutung auffaßt, geht Valéry dem Zufall als einem allgemeinen Sachverhalt nach. Er fragt, woher der Eindruck des Zufälligen rührt und kommt zu dem Ergebnis, daß er aus der von uns nicht vorhergesehenen Überschneidung von mindestens zwei Ereignisreihen entspringt, von denen wir jedoch jeweils nur eine wahrnehmen (*C* I, 521). Der Begriff Zufall bezeichnet also nichts Objektives, sondern markiert eine Unzulänglichkeit unseres einsträngigen, kausalen Erklärungssystems. Dieses versagt vor der Vielzahl der Beziehungen, in die eine Sache treten kann (*C* I, 581 f.).

Il a fallu faire un mythe de cette insuffisance. L'homme a appelé *Hasard* la cause de toutes les surprises, la divinité sans visage qui préside à tous les espoirs insensés, à toutes les craintes sans mesure (*C* I, 1305).

Der Zufall erscheint als Ursache alles dessen, wofür wir keine Ursache angeben können. Indem wir unser Unvermögen in ein imaginäres Handlungssubjekt verwandeln, schaffen wir einen Mythos. Valéry, der diesen Mechanismus offenlegt, betreibt Mythenkritik in der Tradition der Aufklärung. Darüber hinaus richtet sich sein Interesse auf die Herstellbarkeit von Zufall. Wenn dieser ein »Effekt der Sensibilität« ist, »der aus dem Kontrast zwischen der Wahrnehmung eines Faktums und meiner Disposition resultiert« (*C* I, 749), dann müssen sich derartige Effekte auch erzeugen lassen, indem man Wahrnehmungstatsachen schafft, auf die man nicht vorbereitet ist. Valéry ist Aufklärer und Ingenieur zugleich; ihm geht es um die Aufhellung eines Mythos und um die Beherrschung und Nutzung eines Mechanismus.

Der surrealistische Begriff des *hasard objectif* liest sich wie eine Antwort auf Valérys Behauptung »Ce mot de hasard n'a pas de sens ›objectif‹« (*C* I, 504). Auch für Breton hat der Zufall mythischen Charakter; aber nicht um die Aufklärung des Mythos geht es ihm, sondern darum, ihn zu praktizieren. Er schreibt dem Zufall eine Bedeutung zu, ohne diese freilich erfassen zu können.[108] Charakteristisch für die surrealistische Einstellung gegenüber dem

108 Vgl. dazu im einzelnen meine Analyse von *Nadja*, in: P. Bürger, *Der französische Surrealismus [...]*. Frankfurt: Athenäum 1971, 129 ff. sowie den Abschnitt über *mythologie moderne*, ebd., 117 ff.

Zufall ist eine Erwartungshaltung. Der Surrealist, der planlos in der Stadt umherstreift, hat seine Aufmerksamkeit nicht auf bestimmte Mittel gerichtet, die er zur Erreichung von Zwecken anwenden muß, sondern versetzt sich in einen Zustand allgemeiner Rezeptivität. Dabei schenkt er allerdings dem Unnützen, Abstrusen und Befremdenden besondere Beachtung, und insofern ist auch seine Einstellung in gewisser Weise gelenkt. Diese bleibt jedoch diffus, da es darum geht, das Aufscheinen unerwarteter Konstellationen zu begünstigen. Während sich im allgemeinen die Erwartung auf etwas Bestimmtes richtet, ist die surrealistische *attente* unbestimmt: Erwartung eines Unerwarteten und Unerwartbaren.
Die Wirkung aber, die die Surrealisten von der zufälligen Ereigniskonstellation erhoffen, ist eine emotionale Erschütterung des psychischen Gleichgewichts, die das erlebende Ich ernsthaft gefährdet. Anzeichen dieser Gefährdung ist die Angst. Während Valéry alles daransetzt, um die Emotionen einer rationalen Kontrolle zu unterwerfen, läßt Breton sich bis an die Grenze der Selbsterhaltung auf sie ein, weil er jenseits der Konstruktionen der Vernunft eine Welt vermutet, die er sich auf dem Wege mimetischer Erfahrung zu erschließen hofft. Was er in der Beziehung zu Nadja zu realisieren versucht, ist Mimesis an den Wahnsinn; wobei er sich allerdings nie ganz auf die Welt des Wahns einläßt, sondern den Abstand des Beobachters wahrt. Die surrealistische Mimesis richtet sich nicht auf etwas Bestimmtes, Festumrissenes, sie ist weder Mimesis ans Böse noch Identifikation mit den Unterdrückten. Da ihr Objekt unbestimmt bleibt, das Unerwartete, ist sie vor allem Disponibilität.

Aujourd'hui encore je n'attends rien que de ma seule disponibilité, que de cette soif d'errer *à la rencontre* de tout, dont je m'assure qu'elle me maintient en communication mystérieuse avec les autres êtres disponibles, comme si nous étions appelés à nous réunir soudain. J'aimerais que ma vie ne laissât après elle d'autre murmure que celui d'une chanson de guetteur, d'une chanson pour tromper l'attente. Indépendamment de ce qui arrive, n'arrive pas, c'est l'attente qui est magnifique.[109]

Valéry und Breton, die hier paradigmatisch für Extrempositionen

109 A. Breton, *L'Amour fou* (Coll. Folio, 723). Paris: Gallimard 1976, 39.

innerhalb der künstlerischen Moderne stehen, scheiden sich an der Einstellung gegenüber der Rationalität. Wie Max Weber sieht auch Valéry in der Beherrschung von Dingen, der Kalkulierbarkeit von Handlungen und der Ausbildung einer methodischen Lebensführung entscheidende Errungenschaften der modernen Gesellschaft.[110] Breton dagegen spricht der Zweck-Mittel-Rationalität allenfalls eine untergeordnete Bedeutung zu und polemisiert gegen Triebunterdrückung und Disziplinierung des Alltagslebens. Der Anfang des ersten surrealistischen Manifests preist die Kindheit als Lebensstadium, dem Strenge abgeht und das nur die Leichtigkeit des Augenblicks kennt; zwei Leitbegriffe Valérys, *rigueur* und *facilité*, werden hier von Breton umgewertet. Während für Valéry die Transformation des Objekts (und des Subjekts) die Bedingung von Erkenntnis ist, setzt Breton auf eine unbestimmte Erwartungshaltung. Und während Valéry der Sprache mißtraut (wie Carnap ist er der Auffassung, daß die meisten philosophischen Probleme Scheinprobleme sind, die durch die Unschärfe der Begriffe entstehen)[111], sieht Breton in der Sprache eine Quelle von Erfahrung (»Après toi, mon beau langage«[112]). Wenn Breton im surrealistischen Manifest den berühmten Satz formuliert, er glaube »an die zukünftige Auflösung der scheinbar einander so entgegengesetzten Zustände des Traums und der Wirklichkeit in einer Art absoluter Realität oder Surrealität«[113], so läßt sich von Valéry aus darin ein archaisches Verhalten sehen, ebenso wie in der surrealistischen *mythologie moderne* eine Rückkehr zum

110 Die Dimension des Weberschen Rationalitätsbegriffs, die Wolfgang Schluchter als »Systematisierung von Sinnzusammenhängen, intellektuelle Durcharbeitung und wissentliche Sublimierung von ›Sinnzielen‹« charakterisiert (W. Schluchter, *Rationalismus der Weltbeherrschung. Studien zu Max Weber* [suhrkamp taschenbuch wiss., 322]. Frankfurt 1980, 11), hat bei Valéry, soviel ich sehe, keine Entsprechung.

111 »La plupart des problèmes classiques en philosophie naissent de l'*impureté* des ›conceptes‹ employés« (*C* I, 541). »Philosophie est le lieu des problèmes que l'on ne sait *énoncer*. Il ne s'agit point de les résoudre« (*C* I, 587f., vgl. 641). Vgl. die Kritik der Frage nach dem Wesen der Zeit (*C* I, 603).

112 A. Breton, *Point du jour* (Coll. Idées, 213). Paris: Gallimard [2]1970, 23.

113 A. Breton, *Manifestes du surréalisme*, 27.

Aberglauben aus Verzweiflung an der Vernunft. Umgekehrt wären in der Perspektive Bretons weite Bereiche des Valéryschen Denkens eben jener Rationalität verpflichtet, die die Entfaltung des Individuums ebenso verhindert wie das Entstehen einer »endlich bewohnbaren Welt« (»un monde enfin habitable«, wie Breton das surrealistische Projekt umreißt).

Doch auch diese Gegenüberstellung bedarf der Korrektur. Valéry ist zwar der kompromißlose Verfechter moderner Rationalität – »Nous n'avons pas à expliquer l'univers – mais à l'exploiter« (*C* I, 590) –, aber zugleich der entschiedenste Kritiker der Zivilisation, die das Produkt dieser Rationalität ist. Die Faszination, die die perfekte Kalkulation von Mitteln zur Erreichung von Zwecken auf Valéry ausübt, dokumentiert der frühe Aufsatz *Une Conquête méthodique*, in dem er die militärischen und wirtschaftlichen Erfolge Deutschlands aus durchrationalisierter Organisation erklärt: Unterordnung aller Handlungsbereiche unter ein einfaches strategisches Konzept (*Œ* I, 973). Doch bereits in dem 1895 verfaßten Aufsatz *Le Yalou*, in dem Valéry einen chinesischen Weisen über die westliche Zivilisation urteilen läßt, stellt er eben jenes Zivilisationsmodell in Frage, das ihn doch zugleich fasziniert: »Wir wollen nicht zu viel wissen (sagt der Chinese). Die Wissenschaft der Menschen darf sich nicht unendlich vermehren. Wenn sie sich immer weiter ausbreitet, verursacht sie eine nicht endende Verwirrung, und sie verzweifelt an sich selbst« (*Œ* II, 1019).

Was in der Rede des chinesischen Weisen noch Befürchtung war, ist für Valéry nach dem ersten Weltkrieg zur Gewißheit geworden: Die auf der technischen Nutzung wissenschaftlicher Ergebnisse und dem Triebverzicht der Individuen aufbauende Zivilisation hat sich als selbstzerstörerisch erwiesen. Gewissenhafte Arbeit, solide Kenntnis, Disziplin und Fleiß – Einstellungen, die Valéry eindeutig positiv wertet – sind durch die Ziele, denen sie dienstbar gemacht worden sind, in Frage gestellt:

> Les grandes vertus des peuples allemands ont engendré plus de maux que l'oisiveté jamais n'a créé de vices. Nous avons vu, de nos yeux vu, le travail consciencieux, l'instruction la plus solide, la discipline et l'application les plus sérieuses, adaptés à d'épouvantables desseins. [...] Savoir et Devoir, vous êtes donc suspects? (*Œ* I, 989).

Aus dieser Analyse zieht Valéry jedoch nicht die Konsequenz, die

die Surrealisten ziehen werden, nämlich daß er die auf Triebunterdrückung beruhenden Tugenden und die auf Zweck-Mittel-Kalkulation beschränkte Rationalität verwirft. Er wird vielmehr in den nächsten zwei Jahrzehnten eine facettenreiche Kritik der modernen Zivilisation vorlegen, ohne deren Grundprinzipien in Frage zu stellen. Es wäre ungerecht, diese Kritik als bloße Symptomkritik abtun zu wollen, obwohl Valéry auch Denkmotive der traditionellen konservativen Kulturkritik aufnimmt, wie das der Vermassung und des Verschwindens der Eliten. Entscheidender ist etwas anderes: Valéry erkennt, daß die fortschreitende Naturbeherrschung selbst chaotisch verläuft, daß es keine Instanz gibt, die Ausmaß und Richtung des Fortschritts zu bestimmen vermöchte. So ersinnt er einen neuen Mephisto, der den Menschen verrät, daß sie nur die Versuchskaninchen eines riesigen Experiments sind, bei dem sie immer größeren physischen und psychischen Belastungen ausgesetzt werden, und daß es niemanden gibt, der den Versuch kontrolliert, daß vielmehr unkontrollierte gesellschaftliche Kräfte den Prozeß vorantreiben (Œ II, 1061 f.).

Es kann hier nicht darum gehen, Valérys Zivilisationskritik ausführlich darzustellen, deren Einsichten von erstaunlicher Weitsicht sind, so z.B. wenn er das Problem der Verschwendung natürlicher Ressourcen anspricht (Œ II, 1026) oder die Einflüsse der technischen Lebenswelt auf die Wahrnehmungsfähigkeit der Menschen erörtert. Ein Gedanke aber muß herausgehoben werden, weil er mehr noch als die Epoche Valérys unsere eigene betrifft: die Krise des Unvorhergesehenen. In einem kaum vorstellbaren Maße sei die moderne Welt durch den Menschen, und d.h. durch den Geist geprägt, dieser jedoch sei im Gegensatz zur Natur nicht vorhersehbar, dadurch komme es zur Transformation des Unvorhergesehenen: dieses wird grenzenlos: »l'imprévu moderne est presque illimité« (Œ II, 1068).

Soweit Valéry eine politische Antwort auf die Probleme skizziert, die er aufwirft, ist diese kaum befriedigend. Da er sich Kontrolle nur von einem Individuum ausgeübt denken kann, sieht er – auch noch nach der Machtergreifung Hitlers – in der Diktatur eine politische Herrschaftsform, die geeignet ist, die anarchischen Tendenzen der bürgerlichen Gesellschaft zu bändigen, indem sie dieser einen einheitlichen Willen auf-

prägt.[114] Offenbar macht Valéry dabei den Versuch, seinen als individuelle Lebensform entwickelten *Caligulisme* politisch zu wenden. Der Gedanke, daß der Ausweg aus der chaotischen Entwicklung der durch den Rationalismus geprägten modernen Zivilisation selber rationaler Struktur sein müsse, führt ihn deshalb auf die Diktatur, weil sein Begriff der Rationalität solipsistisch ist.
Im Zeichen der Rationalitätskritik des französischen Poststrukturalismus ließe sich die Konstellation Valéry–Breton als Nachweis für die Triftigkeit dieser Kritik lesen. Die bei Valéry offen zutage liegenden Momente von Herrschaft und Disziplinierung würden dann nur einmal mehr belegen, daß Rationalität stets dem Besonderen Gewalt antut. Ich halte diese Lektüre für wenig ergiebig; sie bestätigt dem Interpreten bloß, was er bereits wußte. Sicherlich faßt Valéry die Ratio als Instrument der Herrschaft, und zwar sowohl über Dinge wie Menschen (sich selbst eingeschlossen); aber das liegt nicht an der Struktur der Ratio selbst, sondern an dem dezisionistischen Willensakt, mit dem das Ich sich als absoluten Wert setzt. Das Skandalon, das Valérys kompromißlose Selbstanalyse erkennbar macht, betrifft weniger den unterdrükkenden Charakter der Ratio als vielmehr die Einsicht, daß das cartesianische Projekt der Selbstschaffung des Subjekts sich einem methodisch gewendeten Zerstörungswillen verdankt, der es untergründig mit dem mimetischen Impuls verbindet, den es in sich verleugnet.

114 Vgl. den Aufsatz *L'Idée de dictature* aus dem Jahre 1934 (Œ II, 970ff.). 1939, nach dem deutschen Einmarsch in Polen und dem Ausbruch des deutsch-französischen Krieges, greift Valéry die Unterdrückung der intellektuellen Freiheit in Deutschland an (Œ II, 1117f.).

5. Mimetische Kunst und Kulturrevolution: Antonin Artaud

Ein Briefwechsel

Je regrette de ne pouvoir publier vos poèmes dans *la Nouvelle Revue Française*. Mais j'y ai pris assez d'intérêt pour désirer faire la connaissance de leur auteur. S'il vous était possible de passer à la revue un vendredi, entre quatre et six heures, je serais heureux de vous voir.[115]

Mit diesen distanziert höflichen Zeilen Jacques Rivières, des Direktors der angesehenen *Nouvelle Revue Française*, aus dem Jahre 1923, an den jungen unbekannten Schauspieler und Schriftsteller Antonin Artaud beginnt ein Briefwechsel, den man als intellektuelles Drama bezeichnen kann. Gesellschaftliche Position, seelische Lage und Kunstbegriff der beiden Partner liegen so weit auseinander, daß ein Scheitern des Dialogs geradezu vorbestimmt zu sein scheint. Wenn es dennoch zu einer Verständigung kommt, so wird man darin eine ungewöhnliche, nicht nur intellektuelle, sondern vor allem auch moralische Leistung beider erblicken können. Man verdeutliche sich den Gegensatz: Auf der einen Seite Jacques Rivière, bereits vor dem Ersten Weltkrieg ein einflußreicher Kritiker, der mit Gide und Claudel befreundet ist und die *Nouvelle Revue Française* leitet. Auf der andern Seite Antonin Artaud, ein unbekannter junger Autor, der psychisch krank ist, der dieser Krankheit aber eine Intensität der Lebensäußerung abringt, die ihn einige Jahre zu einer der zentralen Gestalten der surrealistischen Bewegung machen wird.[116]
Vordergründig betrachtet, geht es in dem Briefwechsel um die

115 A. Artaud, *Correspondance avec Jacques Rivière*, in: ders., *Œuvres complètes*. Bd. I, Paris: Gallimard 1970, 29; im folgenden bezeichnen die römischen Ziffern den Band, die arabischen die Seitenzahlen dieser Ausgabe.
116 In einem späten Rundfunkinterview hat Breton die Mischung aus Faszination und Verunsicherung geschildert, die Artaud auf ihn und die andern Surrealisten ausgeübt hat:

Veröffentlichung von Gedichten Artauds in der *Nouvelle Revue Française*, die Rivière beharrlich ablehnt. Auf einer zweiten Ebene stehen zwei einander entgegengesetzte Auffassungen von moderner Dichtung zur Debatte. Artaud schließlich geht es um die Anerkennung als geistig Produzierender. Schon im ersten Brief tut er einen ungewöhnlichen Schritt, indem er weniger von seinen Gedichten redet als von sich, genauer: von seiner Krankheit.

Je souffre d'une effroyable maladie de l'esprit. Ma pensée m'abandonne à tous les degrés. Depuis le fait simple de la pensée jusqu'au fait extérieur de sa matérialisation dans les mots. Mots, formes de phrases, directions intérieures de la pensée, réactions simples de l'esprit, je suis à la poursuite constante de mon être intellectuel. Lors donc que *je peux saisir une forme*, si imparfaite soit-elle, je la fixe, dans la crainte de perdre toute la pensée. Je suis au-dessous de moi-même, je le sais, j'en souffre, mais j'y consens dans la peur de ne pas mourir tout à fait (I, 30).

Der Widerspruch zwischen der formulierten Erfahrung des Denk- und Sprachverlusts und der außerordentlichen Genauigkeit, mit der diese Erfahrung festgehalten wird, prägt die meisten Texte Artauds. Nicht in unzusammenhängenden Sätzen und Abbrüchen

»Peut-être était-il en plus grand conflit que nous tous avec la vie. Très beau, comme il était alors, en se déplaçant il entraînait avec lui un paysage de roman noir, tout transpercé d'éclairs. Il était possédé par une sorte de fureur qui n'épargnait pour ainsi dire aucune des institutions humaines [...]. Sous l'impulsion d'Artaud des textes collectifs de grande véhémence sont à ce moment publiés. [...] Du fait même qu'ils s'étaient succédés à très bref intervalle et que cette activité de grande polémique tendait nécessairement à prendre le pas sur toutes les autres, j'avais l'impression que, sans bien le savoir, nous étions pris de fièvre et que l'air se raréfiait autour de nous« (A. Breton, *Entretiens*, 112f.). – Eine sorgfältig dokumentierte Darstellung der Biographie Artauds findet sich in Alain und Odette Virmaux, *Artaud. Un Bilan critique* (Paris: Belfond 1979, 17-82); das Buch enthält außerdem einen Überblick über die Forschung, in dem besonders die Leistung Derridas hervorgehoben wird, die Singularität Artauds erkannt zu haben (ebd., 302ff.). Zum Briefwechsel zwischen Artaud und Rivière vgl. M. Blanchot, *Artaud*, in: ders., *Le Livre à venir*. Paris: Gallimard 1971, 53-62. Blanchot interpretiert Artauds Kunstproduktion als Ausdruck der leidvollen Erfahrung an dem existentiellen Bruch zwischen Kunst und Leben, den Artaud um der Authentizität willen ständig zu negieren sucht.

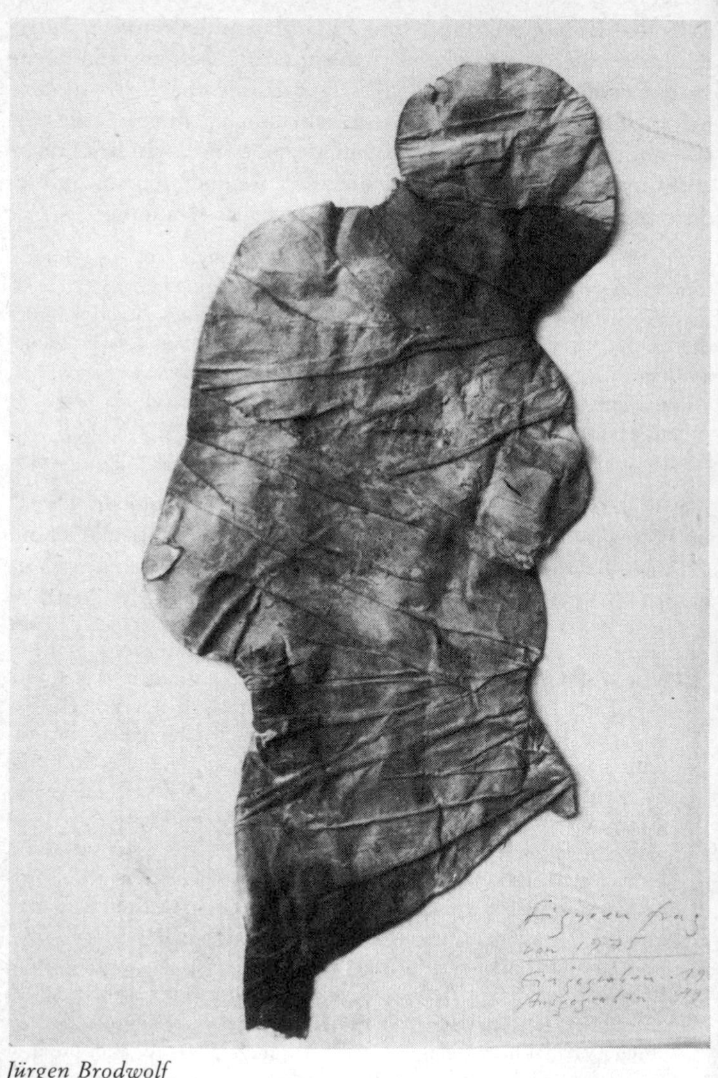

Jürgen Brodwolf

Figurenfragment von 1975. Eingegraben 1980. Ausgegraben 1982

L'artiste vit dans l'intimité de son arbitraire et dans l'attente de sa nécessité (Valéry)

der Rede spricht er von seiner Krankheit, sondern in einer klaren rationalen Sprache, in der Anschaulichkeit und Begriff sich verknüpfen. Offenbar entwickelt er ein von den Zusammenbrüchen der eigenen Denkfähigkeit weitgehend unberührt bleibendes zweites Bewußtsein, das die Ausfälle seines Denk- und Sprachvermögens mit überscharfer Genauigkeit beobachtet und festhält. Gerade in dieser Ich-Spaltung, so wird man vermuten dürfen, besteht sein Leiden.

Bevor wir mit der Nachzeichnung des Briefwechsels fortfahren, müssen wir einem Bedenken nachgehen. Handelt sich hier nicht, so könnte man fragen, um einen Krankheitsfall, den nachzuvollziehen dem Gesunden verwehrt ist? Wenn man diese Frage mit Ja beantworten müßte, dann wären die Texte Artauds im strengen Wortsinne nicht interpretierbar; denn alle Interpretation setzt eine Gemeinsamkeit zwischen Autor und Interpret voraus. Nun zeigt der Briefwechsel gerade, daß es eine (wenn auch prekäre) Möglichkeit der Verständigung zwischen dem psychisch Kranken und dem Gesunden gibt. Artaud hat sich nicht in der Einzigartigkeit seiner Leidenserfahrung vermauert, sondern er hat diese immer wieder ausgesprochen. Der andere sollte das von ihm Erlebte nachvollziehen können, nicht indem er es unter Allgemeinbegriffe faßt, sondern indem er es als singuläre Grenzerfahrung anerkennt. Gerade weil seine Krankheit ihn tendenziell zu einem Fall macht, ist ihm die Anerkennung seiner Produktion als einer besonderen wesentlich. Er verlangt von seinem Briefpartner die Bestätigung seiner geistigen Existenz, deren Zusammenbruch er selbst immer wieder erlebt.

Die Art und Weise, wie Artaud sein Anliegen vorträgt, erscheint jedoch zunächst als äußerst widersprüchlich. Denn einerseits besteht er nachdrücklich auf der Veröffentlichung seiner Texte und macht davon seine »geistige Existenz« abhängig (»C'est tout le problème de ma pensée qui est en jeu«; I, 32). Andererseits schreibt er im zweiten Brief, daß ihm die Gedichte nichts bedeuten. Um diesen Widerspruch zu verstehen, müssen wir uns der Artaudschen Dichtungsauffassung nähern. Dies wird dadurch erschwert, daß er zunächst mit Begriffen arbeitet, die eher zur Sprache der Kritiker der *Nouvelle Revue Française* gehören als zu seiner eigenen. So wenn er vom »formalen Niveau« seiner Texte spricht oder von »ungeschickten Ausdrücken«. Aber die Art, wie

er mit diesen Begriffen umgeht, verweist auf ein Literaturverständnis, das sich von dem Rivières radikal unterscheidet. Artaud erklärt sich nämlich nicht nur für unfähig, seine Texte zu verbessern, er weigert sich, sie zu verändern, weil sie, so wie sie sind, sein Leiden unmittelbar ausdrücken. Jede Veränderung wäre eine Verfälschung. Der gefundene sprachliche Ausdruck ist nicht ein Zeichen, das durch ein anderes, treffenderes ersetzt werden könnte, sondern unmittelbare Wiedergabe einer Erfahrung. Insofern es Artaud um die Authentizität dieser Erfahrung geht, kann er den Ausdruck auch nicht korrigieren.[117] Man kann diese Kunstauffassung als eine mimetische bezeichnen, insofern sie keinen Abstand zwischen dem Ausdruck und dem Ausgedrückten zuläßt, sondern beide in eins setzt. Darin steckt ein Stück archaischer Weigerung, die Trennungen hinzunehmen, welche die moderne Gesellschaft allen Individuen aufzwingt, auch den Künstlern, indem sie sie zu Spezialisten der Handhabung von Zeichensystemen macht.
Kaum läßt ein größerer Gegensatz zu Artauds Ästhetik der Unmittelbarkeit sich denken als Rivières Ästhetik der Distanz:

Evidemment (c'est ce qui m'empêche pour le moment de publier dans *la Nouvelle Revue Française* aucun de vos poèmes) vous n'arrivez pas en général à une unité suffisante d'impression. Mais j'ai assez l'habitude de lire les manuscrits pour entrevoir que cette concentration de vos moyens vers un objet poétique simple ne vous est pas du tout interdite par votre tempérament et qu'avec un peu de patience, même si ce ne doit être que par la simple élimination des images ou des traits divergents, vous arriverez à écrire des poèmes parfaitement cohérents et harmonieux (I, 33).

Rivière hat kein Verständnis für Artauds mimetischen Kunstbegriff; deshalb kann er ihm ganz unbefangen Verbesserungsvorschläge machen. Seine Zentralbegriffe sind die einer Moderne, die das Werk nicht als Ausdruck, sondern als wirkungsorientiertes Produkt einer handwerklichen Tätigkeit faßt. Deren Ziel ist das kohärente und harmonische Gedicht. Erreicht wird es auf dem Wege geduldiger Arbeit, die das Abweichende tilgt, so die »Ein-

117 Die Ablehnung sprachlicher Hierarchien hebt Susan Sontag in ihrer Artaud-Studie hervor. »Artaud maintient la nécessité de mettre toutes ses manifestations sur un plan d'égalité« (*A la Rencontre d'Artaud*. Paris: Bourgois 1976, 25).

heit der Wirkung« herstellend. Dahinter läßt sich unschwer ein wichtiger Begriff der Valéryschen Ästhetik erkennen: der *refus*. Artauds Enttäuschung über die Antwort Rivières ist verständlich.

Je m'étais donné à vous comme un cas mental, une véritable anomalie psychique, et vous me répondiez par un jugement littéraire sur des poèmes auxquels je ne tenais pas, auxquels je ne pouvais pas tenir (I, 34f.).

Wie kann Artaud behaupten, daß ihm an seinen Gedichten nichts liege, wenn er andererseits von deren Veröffentlichung sich eine Anerkennung seiner geistigen Existenz erhofft? Im Rahmen seiner Ästhetik mimetischer Unmittelbarkeit läßt der Widerspruch sich lösen. Als vom Produzenten abgespaltene Produkte, die einem Prozeß der Bearbeitung unterworfen werden können, sind die eigenen Texte ihm tatsächlich gleichgültig; denn es geht ihm nicht um Werke und deren Vollkommenheit. Dieselben Produkte sind aber für ihn von unschätzbarem Wert als Träger einer authentischen Erfahrung; denn als solche sind sie eins mit seiner Person.
Angesichts fortdauernder Mißverständnisse bleibt Artaud nichts anderes übrig, als nochmals sein Leiden zu schildern, wobei er von Rivière erhofft, dieser möge ihm zu der Einheit seines Selbst verhelfen, die er schmerzlich vermißt. Auch diesmal liegt die Antwort Rivières quer zu dem Hilferuf Artauds. Hatte Rivière zunächst als ein an Valéry geschulter moderner Literaturkritiker geantwortet und Artauds Bitte um existentielle Anerkennung verfehlt, so spricht er jetzt als Psychologe, der das besondere Leiden auf Allgemeinbegriffe zurückführt. Die Unstetigkeit der Mechanismen des Geistes, so argumentiert er, lasse sich durchaus auch bei Gesunden beobachten. Der Wille, Artaud zu helfen, nimmt diesem zugleich das einzige, was er hat, die Besonderheit seines Leidens. Und auch die treffende Bemerkung, daß der Geist erst bei der Arbeit an Widerständen Sicherheit und Kraft gewinne, kann Artaud nicht helfen. Er selbst kennt seine »unauslöschliche Unfähigkeit, sich auf ein Objekt zu konzentrieren«, aber er vermag aus diesem Wissen keine für ihn selbst hilfreichen Konsequenzen zu ziehen.
Trotz der Intensität ihres Austauschs scheinen die beiden Briefschreiber aneinander vorbeizureden. Schließlich jedoch trifft Rivières Vorschlag, den Briefwechsel in der *Nouvelle Revue Fran-*

çaise zu veröffentlichen, Artauds Verlangen nach existentieller Anerkennung. Aber er trifft es nur halb; denn er geht davon aus, daß für eine Veröffentlichung »eine ganz kleine Anstrengung der Transposition« zu machen wäre (I, 48). Dem Empfänger und dem Absender sollten erfundene Namen gegeben und die Briefe überarbeitet werden. »L'ensemble formerait un petit roman par lettres qui serait assez curieux« (ebd.). – Die von Rivière vorgeschlagene Fiktionalisierung des Briefwechsels widerspricht zutiefst Artauds Auffassung:

Pourquoi mentir, pourquoi chercher à mettre sur le plan littéraire une chose qui est le cri même de la vie, pourquoi donner des apparences de fiction à ce qui est fait de la substance indéracinable de l'âme, qui est comme la plainte de la réalité? (I, 49).

Wieder stoßen die beiden Ästhetiken hart aufeinander. Was Rivière »eine kleine Anstrengung der Transposition« nennt, gilt Artaud als Lüge. Seine mimetische Kunstauffassung läßt zwischen Leidenserfahrung und künstlerischer Darstellung keine Differenz zu. Denn damit wäre in seinen Augen bereits der Weg zur Unauthentizität beschritten. Der Wert eines Textes ist für ihn untrennbar von der ihn tragenden Erfahrung. Kunst geht auf im Schrei.

Nun wäre es sicherlich zu einfach, Artaud entgegenzuhalten, daß seine Texte keineswegs im Schrei aufgehen, daß sie vielmehr eine präzise Leidensbeschreibung liefern. Denn eine solche Bemerkung verfehlt den Kern von Artauds Behauptung. Diese zielt weder auf den Grad sprachlicher Ausarbeitung, noch auf die mehr oder weniger große Bewußtheit der Erfahrung, sondern einzig auf deren Authentizität. Welche Bedeutung der Bewußtheit als einem Element der Artaudschen Leidenserfahrung zukommt, haben wir gesehen. Sie widerstreitet also der behaupteten Authentizität nicht. Trotzdem ist Authentizität im Bereich der Literatur keine unproblematische Kategorie; denn es gibt keine Möglichkeit, sie unter Beweis zu stellen. Wenn es im Fall Artauds dennoch etwas wie eine Beglaubigung gibt, dann besteht diese in seinem Leidensweg. Um seinen unerträglichen Ängsten zu entgehen, greift er zu Drogen, von denen er dann in schmerzvollen Entziehungskuren loszukommen sucht. Sein jahrelanges Dahinleben in der Heilanstalt in Rodez ist bekannt. Damit berühren wir die Grenze literarischen Selbstausdrucks. Insofern mimetische Literatur jeglichen Kompromiß mit der in Subjekt und Objekt aufgespaltenen Welt rationaler Verfügung über Menschen und Dinge ablehnt, bleibt ihrem Produzenten als Sigle seines Ernstes nur das Verstummen, der Tod oder der Wahnsinn. Die absolute Revolte bringt notwendig ihr eigenes Ende hervor.

Artaud und der Surrealismus

Gibt es einen anderen Weg? Läßt die mimetische Ausdruckskunst sich aus der todbringenden Verklammerung mit dem Ich des Autors lösen und in ein kollektives Projekt überführen? Man kann die weitere Entwicklung Artauds als den mit allen Konsequenzen durchlebten Versuch ansehen, eine Antwort auf diese Frage zu finden. In der Phase der Zusammenarbeit mit den Surrealisten um André Breton schreibt Artaud zwar weiterhin selbstanalytische Texte, wie wir sie aus dem Briefwechsel mit Rivière kennen, daneben treten jedoch andere, die sich bereits durch die Redeform von den bisher erörterten unterscheiden.

Idées, logique, ordre, Vérité (avec un grand V), Raison, nous donnons tout au néant de la mort. Gare à vos logiques, Messieurs, gare à vos logiques, vous ne savez pas jusqu'où notre haine de la logique peut nous mener. [...]
Qui nous juge, n'est pas né à l'esprit, à cet esprit que nous voulons vivre et qui est pour nous en dehors de ce que vous appelez l'esprit. Il ne faut pas trop attirer notre attention sur les chaînes qui nous rattachent à la pétrifiante imbécillité de l'esprit. Nous avons mis la main sur une bête nouvelle. Les cieux répondent à notre attitude d'absurdité insensée. Cette habitude que vous avez de tourner le dos aux questions, n'empêchera pas au jour dit les cieux de s'ouvrir, et une nouvelle langue de s'installer au milieu de vos tractations imbéciles [...] (I, 328f.).

Das Ich, das hier spricht, ist nicht das mit sich selbst zerfallene, ohnmächtige der Briefe an Rivière, sondern ein starkes, aggressives Ich, das sich von der Gruppe der Gleichgesinnten getragen weiß. Dementsprechend selbstbewußt tritt es auf mit der Geste dessen, der die Leitbegriffe abendländischen Denkens angreift. Ein anderer Text aus der gleichen Epoche läßt erkennen, wie Artaud versucht, die Erfahrung geistiger Ohnmacht ins Positive zu wenden. Die Zusammenbrüche seines Sprach- und Denkvermögens deutet er nun als einzig richtige Einstellung gegenüber der *conditio humana*: »il vaut mieux être dans un état d'abdication perpétuelle en face de son esprit. C'est un meilleur état pour l'homme« (I, 310).

Obwohl Artaud keineswegs den surrealistischen Optimismus teilt, vielmehr der Begriff des Lebens bei ihm dunkel gefärbt ist, sucht er sich doch das surrealistische Projekt einer Revolutionierung des Lebens zu eigen zu machen. Auch er setzt gegen den analytisch zergliedernden Verstand die mimetische Einstellung und hofft, indem er sich durchlässig macht für die Bewegung der Dinge, Bruchstücke einer andern, nicht mehr auf Gegensätze fixierten Sprache zu erfassen. »Se laisser emporter par les choses au lieu de se fixer sur tels de leurs côtés spécieux, de rechercher sans fin des définitions qui ne nous montrent que les petits côtés« (ebd.).

Radikale Vernunftkritik, Hoffnung auf die Entdeckung eines neuen spontanen Erfahrungsmodus und auf eine nicht mehr von den Gesetzen der Logik beherrschte Sprache – diese Denkmotive teilt Artaud mit den Surrealisten und ebenfalls den Gestus des Bruchs mit der Mitwelt (»Entre le monde et nous la rupture est bien établie. Nous ne parlons pas pour nous faire comprendre«; I, 344). Andere Begriffe jedoch – Kindheit, Traum, Imagination –, die bei den Surrealisten eine große utopische Kraft besitzen, fehlen bei Artaud entweder ganz, oder sie sind ins Negative gewendet. So vergleicht er seine Träume mit einer Art Ekelwasser voll blutiger Steine (»Mes rêves sont avant tout une liqueur, une sorte d'eau de nausée où je plonge et qui roule de sanglants micas«; I, 327). Bedenkt man, welch große Hoffnungen Breton lange auf eine Erneuerung des alltäglichen Lebens durch den Traum gesetzt hat, so läßt sich die Distanz ermessen, die Artaud von den Surrealisten trennt. Zwar erfolgt sein Bruch mit der Gruppe aus politischen Gründen (er ist nicht bereit, die Hinwendung der Surrealisten zum Kommunismus mitzuvollziehen), aber hinter dem politischen Zerwürfnis lassen sich tieferliegende Gegensätze ausmachen. Ohne die Ernsthaftigkeit des politischen Engagements der Surrealisten in Frage stellen zu wollen, wird man sehen müssen, daß die Entscheidung, sich an die Seite der Kommunisten zu stellen, für sie eine Möglichkeit war, zunächst einmal sich selbst von der Glaubwürdigkeit ihres Bruchs mit der bürgerlichen Gesellschaft zu überzeugen. Der Eintritt in die Kommunistische Partei hatte den Charakter eines Akts, der vor allem die Akteure selbst binden sollte. Während die Surrealisten, die ja zunächst nichts anderes waren als eine Gruppe bürgerlicher Literaten, sich letztlich nur durch einen derartigen Akt der Ernsthaftigkeit ihres revolutionären Projekts versichern konnten, war für Artaud die Notwendigkeit, das Leben zu ändern (wie die surrealistische Formel lautet), eine Frage des Überlebens. Der Bruch mit der Welt, den die Surrealisten mit einem politischen Entscheidungsakt vollziehen mußten, war für Artaud längst vollzogen. Die Hinwendung zum Kommunismus, die für die Surrealisten ein Praktischwerden ihres revolutionären Veränderungswillens bedeutete, macht Artaud bewußt, was ihn von den Surrealisten trennt.

Mais que me fait à moi toute la Révolution du monde si je sais demeurer éternellement douloureux et misérable au sein de mon propre charnier.
[...]
Je méprise trop la vie pour penser qu'un changement quel qu'il soit qui se développerait dans le cadre des apparences puisse rien changer à ma détestable condition. Ce qui me sépare des surréalistes c'est qu'ils aiment autant la vie que je la méprise (I, 365 ff.).

Während die Surrealisten ihre Kritik an der Entfremdung des bürgerlichen Alltagslebens auf das Vertrauen in die befreiende Kraft des Trieblebens gründen, ist der Begriff des Lebens bei Artaud negativ besetzt: eine Reihe einander feindlicher Begierden und Kräfte, deren Erfolg oder Mißerfolg vom Zufall abhängt (»Elle n'est qu'une série d'appétits et de forces adverses, de petites contradictions qui aboutissent ou avortent suivant les circonstances d'un hasard odieux«; I, 313). Zufall, ein Begriff, der im Wörterbuch Bretons mit den größten Erwartungen verbunden ist, steht hier als Zeichen für die Unentrinnbarkeit und Leere des Daseins.
Artauds Versuch, durch den Anschluß an die Surrealisten den Kerker des mit sich zerfallenen Ich zu verlassen, scheitert, weil er einsehen muß, daß er die emanzipatorischen Hoffnungen der Surrealisten auf ein befreites Triebleben nicht teilen kann. Für ihn ist das Leben letztlich etwas Unreines, eine »erzwungene Vermischung der Dinge mit dem Wesen unseres Ich« (I, 358). Der Akt, den er imaginiert, ist der Selbstmord.

Si je me tue, ce ne sera pas pour me détruire, mais pour me reconstituer, le suicide ne sera pour moi qu'un moyen de me reconquérir violemment, de faire brutalement irruption dans mon être, de devancer l'avance incertaine de Dieu. Par le suicide, je réintroduis mon dessin dans la nature, je donne pour la première fois aux choses la forme de ma volonté (I, 312).

Wenn das Leben als unabänderliche Entzweiung erfahren wird, dann stellt der Selbstmord den einzig denkbaren Akt dar, in dem das Ich sich als seiner selbst und der Welt der Dinge mächtig erweist. Die Logik Artauds ist eine der Destruktion und der Selbstdestruktion. Anders vermag er Befreiung nicht zu denken. Weil das so ist, mußte er sich von den Surrealisten trennen.

Das Theater der Grausamkeit

Artaud überläßt sich jedoch nicht der tödlichen Logik, die auf den Selbstmord als einzig möglichen Akt der Selbstverwirklichung abzielt, und er zieht sich auch nicht auf die quälende Wiederholung seiner Krankheitserfahrung zurück, vielmehr entwirft er erneut ein kollektives Projekt einer Kulturrevolution. War seine Zusammenarbeit mit den Surrealisten letztlich an dem gescheitert, was er seinen »integralen Pessimismus« genannt hat, so mußte das neue Projekt von diesem her konzipiert sein. Kultur mußte eben jene destruktiven Kräfte bearbeiten, die das Leben zu einem andauernden Entzug machten.
Die programmatischen Schriften über ein neues Theater, die Artaud 1938 unter dem Titel *Le Théâtre et son double* veröffentlicht, setzen mit einer Kulturkritik ein, die durchaus Bezüge zu der der Surrealisten aufweist. Ausgehend von dem Einspruch gegen die Trennung von Kultur und Leben, stellt er der Idee einer interesselosen Kunst die einer Kunst entgegen, die um den Begriff der »Kräfte« zentriert ist, der Kunst und Leben gleichermaßen durchströmenden Energien.[118] Soweit scheint er sich noch im Rahmen der surrealistischen Programmatik zu bewegen, von der ihn jedoch seine Radikalität zugleich unterscheidet.

118 A. Artaud, *Le Théâtre et son double*, in: ders., *Œuvres complètes*. Bd. IV, Paris: Gallimard 1970; hier: *Préface*; dieser Band wird im folgenden abgekürzt zitiert: IV.

Klaus Kröger

Il a disposé de moi jusqu'à l'absurde, ce Dieu; il m'a maintenu vivant dans un vide de négations (Artaud)

Angesichts der Gefahr eines gesamteuropäischen Faschismus hatten die Surrealisten sich 1935 zur Mitarbeit an dem »Kongreß zur Verteidigung der Kultur« entschlossen, Artaud dagegen lehnt eine Teilnahme an der Veranstaltung ab; nicht weil er mit dem Faschismus sympathisiert, sondern weil er in der herrschenden Kultur nichts Erhaltenswertes zu erkennen vermag.[119] Sein Rigorismus geht so weit, daß er an seiner kompromißlosen Verurteilung einer vom Leben getrennten Kultur auch dann noch festhält, als in Deutschland die Faschisten bereits im Begriff sind, diese Kultur abzuschaffen. Sein Abscheu gegenüber dem Geschriebenen, dem Fixierten, in dem er stets das Tote vermutet, läßt ihn sogar in Bücherverbrennungen eine heilsame Rückkehr zu den Kräften des Lebens sehen.

Breton hat den Ausschluß Artauds aus der surrealistischen Gruppe später damit begründet, man habe ein Abgleiten in die bloß literarische Produktion verhindern müssen.[120] Tatsächlich kann bei oberflächlicher Betrachtung der Eindruck entstehen, Artaud gebe das surrealistische Projekt einer Aufhebung der Kunst in Lebenspraxis preis. Denn er will das Theater als eine von andern Bereichen gesellschaftlicher Tätigkeit getrennte Einrichtung erhalten wissen; allerdings – und das ist das Entscheidende – als eine, die nicht wie die autonome Kunst ihre Legitimität aus ihrer gesellschaftlichen Funktionslosigkeit zieht, vielmehr eine fest umrissene Funktion erfüllt, die sich in erster Annäherung mit dem Begriff des Exorzismus umreißen läßt: »Il s'agit donc de faire du théâtre, au propre sens du mot, une fonction; quelque chose d'aussi localisé et d'aussi précis que la circulation du sang dans les artères, ou le développement, chaotique en apparence, des images du rêve dans le cerveau, et ceci par un enchaînement efficace, une vraie mise en servage de l'attention« (IV, 109). »Wirksame Verkettung«, »Versklavung der Aufmerksamkeit« – von dem surrealistischen Pathos der Befreiung sind wir hier denkbar weit entfernt.

119 Im Entwurf eines Antwortschreibens an die Organisatoren des Kongresses heißt es: »je ne me sens personnellement prêt à aucune guerre pour sauver une culture qui de toutes parts ne s'appuie que sur la force et sur les canons« (A. Artaud, *Œuvres complètes*. Bd. VIII, Paris: Gallimard 1980, 279).

120 A. Breton, *Entretiens*, 136, 152.

»Toute vraie liberté est noire«, heißt es in dem Aufsatz *Le Théâtre et la peste* (IV, 37).
Nicht in der psychologisierenden Literatur ist die Wahrheit über den Menschen ausgesprochen, sondern in blutigen Mythen. An sie muß eine kulturelle Praxis anknüpfen, die mehr sein will als Ablenkung. So entwirft Artaud in Anlehnung an rituelle Praktiken vormoderner Gesellschaften ein Theater, das dem Zuschauer ermöglicht, die eigenen Aggressionen auszuagieren. Um dem Leser eine Vorstellung zu geben von der Intensität der Erfahrung, die das Theater der Grausamkeit vermittelt, vergleicht Artaud es in einem seiner Aufsätze mit der Pest. Wie die Bedrohung durch den Tod die Regeln des alltäglichen Verhaltens außer Kraft setzt und den Charakterpanzer der Individuen sprengt, so soll auch das Theater der Grausamkeit das ungehemmte Ausleben von Zerstörungskräften erlauben.
Artaud, der zunächst von der einfachen Opposition zwischen toter herkömmlicher und zu schaffender lebendiger Kunst auszugehen schien, stellt am Ende auch das eigene Projekt unter das Zeichen des Todes. Da er nicht den hellen, vom Bild einer idealisierten Kindheit abgezogenen Begriff des Lebens hat, den Breton zu Beginn des *Surrealistischen Manifests* evoziert, sondern einen dunklen, letztlich auf der schmerzvollen Erfahrung der Nicht-Übereinstimmung mit sich selbst beruhenden – »Ni mon cri ni ma fièvre ne sont de moi«, heißt es im *Fragment d'un journal de l'enfer* (I, 135) –, gerät der Gegensatz von Leben und Tod in eine Dialektik, in der die Besetzungen sich verkehren. Diese Dialektik ergreift auch den Begriff der Form. Einerseits bezeichnet Artaud das Festhalten an künstlerischen Formen als das Übel der Epoche, andererseits spricht er den Formen magische Kraft zu. Scharf verurteilt er die Formen der herkömmlichen europäischen Kunst, die im Zeichen des Todes stehe (»l'idéal européen de l'art [...] qui engendre, à bref délai, la mort«; IV, 15); magische Kraft dagegen spricht er den lebenden Formen archaischer Kulturen zu (IV, 16). Leben und Tod scheinen einander gegenüberzustehen als Merkmale zweier Formvorstellungen und zweier Kulturen. Wenn Artaud dann aber die Formen, die er zu verwirklichen hofft, als Zeichen denkt, die Gemarterte von ihrem Scheiterhaufen aus geben, dann tritt auch die lebendige Form in den Bannkreis des Todes.

Et s'il est encore quelque chose d'infernal et de véritablement maudit dans ce temps, c'est de s'attarder artistiquement sur des formes, au lieu d'être comme des suppliciés que l'on brûle et qui font des signes sur leurs bûchers (IV, 18).

Den erstarrten Formen wird nicht eine lebendige entgegengesetzt, sondern eine – man kann es nur paradox formulieren –, in der der Tod gelebt wird. Unwiederholbares Zeichen eines Lebens im Augenblick des Todes.[121] Nicht mehr individueller Ausdruck wäre eine solche Kunst, sondern Ausdruck der Zerrissenheit des Lebens selbst.

Bei der Beantwortung der Frage, was die möglichen Folgen dieses Theaters für die Gesellschaft sein könnten, ist Artaud offenbar selbst unsicher. Er schwankt zwischen einer kathartischen Deutung seines Entwurfs, die die heilsamen Wirkungen der theatralischen Veranstaltung hervorhebt, und einer katastrophischen, die destabilisierende Wirkungen auf die Individuen nicht ausschließt. In dem Aufsatz *En finir avec les Chefs-d'œuvre* argumentiert er, die herrschende Kultur bearbeite die zerstörerischen Kräfte des Menschen nicht, sondern verdränge sie nur. Da diese dadurch aber nicht verschwinden, lasse sich voraussehen, daß sie in die Realität einbrechen werden (IV, 94f.). Obwohl er hier indirekt von der heilsamen Wirkung der Entladung von Aggressionen ausgeht, sitzt sein Pessimismus doch viel zu tief, als daß er sich mit einer derart optimistischen Deutung zufrieden geben könnte. Vielmehr schließt er die Möglichkeit einer zersetzenden Wirkung seines Theaters nicht aus (»Il se peut que le poison du théâtre jeté dans le corps social le désagrège«; IV, 38). Die Entgrenzung der Individuen kann soweit getrieben werden, daß das soziale Gefüge zerfällt. Aber auch diese mögliche Folge wird von Artaud hingenommen als Teil eines Naturprozesses, in dem Geschichte als von

121 Daß es Artauds Intention war, die Wiederholung zu tilgen (»Artaud a voulu effacer la répétition en général«), dies ist die These des wichtigen Aufsatzes von Jacques Derrida, »Le Théâtre de la cruauté et la clôture de la représentation«, in: ders., *L'Ecriture et la différence* (Coll. Points, 100). Paris: Seuil 1979, 341-368, hier: 361. Hingewiesen sei auch auf den zweiten Artaud-Aufsatz des Verfassers (»La Parole soufflée«, ebd., 253-292), in dem dieser bei Artaud das eigene Projekt einer Destruktion der dualistischen Metaphysik wiederfindet.

Menschen gemachte verschwindet. Einerseits begreift er sein Theater der Grausamkeit als Eingriff in einen sonst blind ablaufenden, katastrophischen Naturprozeß, als Akt der Bewußtwerdung, der Stiftung von Ordnung. Andererseits sieht er auch die durch das neue Theater ausgelösten psychischen Veränderungen nur als Teil eben dieses Naturprozesses an. Das durchaus moderne Pathos der Verantwortung des Menschen für sein Schicksal wird immer wieder überwältigt durch einen archaischen Fatalismus. Artaud vertritt keine These, er stellt sich dar als Kampfplatz einander widerstreitender Auffassungen.

Bei dem Versuch, Artauds Stellung zur modernen Gesellschaft auszumachen, sollte man sich nicht durch die überdeutliche Anlehnung an archaische Praktiken zu einem vorschnellen Urteil verleiten lassen. Zweifellos ist bereits die mimetische Ausdrucksästhetik, die er in den Briefen an Rivière entwirft, gegen die Moderne gerichtet, insofern sie die Kategorien der Vermittlung, Arbeit und Form, radikal in Frage stellt. Aber man darf nicht übersehen, daß das Anknüpfen an archaische Verhaltensweisen selbst wiederum eine Reaktion darstellt auf die durchaus moderne Erfahrung der Entzweiung. Ähnliches gilt auch für das Theater der Grausamkeit, dessen Beziehung zu archaischen Ritualen Artaud keineswegs verschleiert. Trotzdem wäre es verfehlt, ihm zu unterstellen, es ginge ihm um die Wiederherstellung vormoderner gesellschaftlicher Verhältnisse. Sein Gedanke ist vielmehr, daß bestimmte Praktiken, herausgelöst aus ihrem ursprünglichen sozialen Zusammenhang, geeignet sein könnten, vorhandenen Triebenergien zur Entfaltung zu verhelfen, ohne daß sie sich unmittelbar zerstörend auswirken. Statt diese zu unterdrücken und damit das aufgestaute seelische Zerstörungspotential immer mehr zu erhöhen, tritt Artaud für kollektive Exzesse der Triebentladung ein, wobei er sich der Gefahren, die sein Projekt birgt, durchaus bewußt ist. Es handelt sich also um den Versuch, unter Rückgriff auf archaische Praktiken das moderne Problem zu lösen, das Freud als das Unbehagen in der Kultur bezeichnet hat.

Et la question qui se pose maintenant est de savoir si dans ce monde qui glisse, qui se suicide sans s'en apercevoir, il se trouvera un noyau d'hommes capables d'imposer cette notion supérieure du théâtre, qui nous rendra à tous l'équivalent naturel et magique des dogmes auxquels nous ne croyons plus (IV, 39).

Der Schlußsatz der Abhandlung *Le Théâtre et la peste* benennt die Schwierigkeiten, die einer Verwirklichung des Artaudschen Projekts entgegenstehen. Zum einen wird man fragen, ob eine Kulturrevolution – um nichts Geringeres handelt es sich – von einer Gruppe durchgesetzt werden kann, ob sie nicht vielmehr tieferliegende gesellschaftliche Veränderungsprozesse zur Voraussetzung hat. Zum andern ist durchaus unsicher, ob sich »das natürliche und magische Äquivalent«, wie Artaud die archaischen Praktiken nennt, vom mythischen Boden ablösen läßt, auf dem es entstanden ist. Mit andern Worten, das Scheitern ist dem Unterfangen Artauds eingeschrieben. Nicht nur, weil das antiindividualistische Projekt das Werk eines einsamen Individuums ist, sondern vor allem, weil mit dem Verlust des kollektiven Glaubens, der die Rituale trägt, diese als sinnentleerte zurückbleiben. Daß Artaud nicht versucht, seinerseits einen Mythos zu fabrizieren, darin zeigt sich seine Unbestechlichkeit. Daß er sich die Ambivalenz seines Projekts eingesteht – es könnte sehr wohl die Aggressionen allererst hervorlocken, die es zu bearbeiten vorgibt –, darin liegt ein Moment von Selbstkritik, das uns daran hindern sollte, den faszinierenden Leidensweg Artauds und das daraus hervorgegangene Projekt eines Theaters der Grausamkeit für den Ausweg aus der mit sich im Streit liegenden Moderne zu sehen.

6. Mimesis und Rationalität

Erlauben die Gegensätze, die sich zwischen Valéry und Breton, Rivière und Artaud auftun, überhaupt noch, von *einer* ästhetischen Moderne zu sprechen, oder fallen die werkzentrierte Moderne und die werkfeindliche Avantgarde auseinander?[122] Läßt sich zwischen dem rationalistischen und dem mimetischen Kunstbegriff ein Gemeinsames ausmachen? Versuchen wir, uns einer Antwort auf diese Frage gleichsam vom Rande her zu nähern, von der Beziehung, die Benjamin zu beiden Lesarten der Moderne unterhielt. Benjamins Nähe zum Surrealismus ist bekannt, Ernst Bloch hat wohl als erster darauf hingewiesen, als er dessen *Einbahnstraße* als surrealistisches Philosophieren apostrophierte.[123] Aber erst die Veröffentlichung des *Passagen-Werks* hat erkennbar gemacht, daß Benjamin dem Surrealismus mehr als nur das organisierende Gedankenmotiv seines Projekts verdankt, daß er nämlich versuchen wollte, das Verfahren surrealistischen Umgangs mit der Wirklichkeit in die Wissenschaft zu übertragen.[124] Verdeckter dagegen ist Benjamins Bewunderung für Valéry, dessen scharfe Kritik am

122 Die Bedeutung, die diesem Gegensatz für die gegenwärtige Debatte um die Postmoderne zukommt, erhellt aus einem Aufsatz von Andreas Huyssen, der den amerikanischen *postmodernism* als eine (freilich um die politische Dimension gekappte) Wiederaufnahme des avantgardistischen Impulses deutet (»The Search for Tradition. Avantgarde and Postmodernism in the 1970s«, in: ders., *After the Great Divide. Modernism, Mass Culture, Postmodernism*. Bloomington/Indianapolis: Indiana Univ. Press 1987, 160-177).

123 E. Bloch, *Erbschaft dieser Zeit* (Gesamtausg., 4). Frankfurt: Suhrkamp 1962, 371.

124 Nicht am Mechanismus und Maschinismus des 19. Jahrhunderts hätte dessen Kritik anzusetzen, so führt Benjamin aus, sondern »an seinem narkotischen Historismus, seiner Maskensucht, in der doch ein Signal von wahrer historischer Existenz steckt, das die Surrealisten als die ersten aufgefangen haben. Dieses Signal zu dechiffrieren, damit hat der vorliegende Versuch es zu tun« (*GS* V/1, 493). Und wenig später folgt eine Eintragung, die sich wie eine Verschränkung Proustscher und surrealistischer Motive liest: »Was das Kind (und in der schwachen Erinnerung der Mann) in den alten Kleidfalten findet, in die es,

Surrealismus er gleichsam experimentierend übernimmt. Während der Arbeit am Surrealismus-Aufsatz schreibt er eine vernichtende Rezension über ein Buch Soupaults, in der er Valérys Kritik an der *facilité* der surrealistischen Schreibweise aufnimmt.[125] Wenn ein Autor von der Denkkraft Benjamins sich gleichzeitig auf die einander widerstreitenden Positionen einlassen konnte, so ist das ein Anzeichen dafür, daß es vielleicht doch Momente der Gemeinsamkeit gibt, auch wenn diese nicht an der Oberfläche liegen.

Während Benjamin Valéry und die Surrealisten nebeneinander liest, jeweils einer der beiden ›Logiken‹ folgend, hat Adorno in der *Ästhetischen Theorie* den Versuch unternommen, den in den Antinomien der Moderne zutagetretenden Gegensatz von Rationalität und Mimesis dialektisch zu vermitteln. Beide Begriffe gehören freilich zu den schwierigsten der Adornoschen Theorie.[126] Eine archaische Verhaltensweise bezeichnend, »eine Stellung zur Realität diesseits der fixen Gegenübersetzung von Subjekt und Objekt« (*ÄT*, 169), ist Mimesis auch in der Moderne anwesend als Idiosynkrasie, als Körperreaktion, die sich der Herrschaft des Subjekts entzieht.[127] Erst mit der Herausbildung eines selbstmächtigen Subjekts, das die Natur objektiviert und die andern von sich abtrennt, wird das archaische Schema der Selbsterhaltung durch Angleichung an das bedrohende Gegenüber zur Chiffre eines imagi-

wenn es am Rockschoß der Mutter sich festhielt, sich drängte – das müssen diese Seiten enthalten« (ebd., 494).

125 Die Rezension beginnt mit dem eher abfälligen Satz »Der berühmte ›Surrealismus‹ ist als Theorie jetzt gegen drei Jahre alt«, und sie endet mit folgender Bemerkung: »Vor kurzem hat in einem hübschen Wort Paul Valéry die merklichen Gefahren der neuen Dichterschule angedeutet. Es spielt auf die Pariser Würfelbuden an, die auf den großen Markt- und Straßenfesten das Publikum mit schreienden Plakaten an sich ziehen. Da heißt es ›Jeder Wurf ein Treffer‹. ›Chaque coup gagne‹ – das nennt er den Grundsatz der neuen Schule. Gewiß nicht mehr als ein kleines Bon-mot, aber gerade genug um ein schwaches Buch aufzuwiegen« (*GS* III, 72 u. 74).

126 Eine knappe Rekonstruktion des Adornoschen Mimesis-Begriffs gibt Christa Bürger in »Mimesis und Moderne [...]«, in: *Anstöße. Aus der Arbeit der Evangelischen Akademie Hofgeismar*, Heft 2 (1986), 63-65.

127 M. Horkheimer/Th. W. Adorno, *Dialektik der Aufklärung*, 212.

nären Glücks. Was einst zwanghafte Mimikry gegenüber dem Bedrohenden war, erscheint nun als Versprechen, den Panzer des Ich ablegen und in das andere eingehen zu können. Da er die Verwirklichung dieser Sehnsucht in der Moderne stets als falsche durchschaut (Nachahmung jüdischer Gestik durch den Antisemiten und Aufgehen in der faschistischen Masse), ist Adorno unbestechlich in der Absage an Mimesis unmittelbar. Wohl aber gesteht er ihr einen Platz innerhalb der autonom gewordenen Kunst zu, wo sie, zum Schein entmächtigt, der Sehnsucht nach Unmittelbarkeit eine prekäre Erfüllung gewährt. Dies freilich nur bei gelingender Vermittlung mit ihrem Widerpart, der Rationalität, ohne die das moderne Kunstwerk ein quasi-archaisches Gebilde wäre. Ausgetragen wird die Dialektik von Mimesis und Rationalität in der Form, die technisches Verfahren ist, aber eines, das auf mimetischen Ausdruck zielt. »Mimesis [...] wird von der Dichte des technischen Verfahrens herbeizitiert« (*ÄT*, 174), d.h. nur vermittelt über die Anstrengung der Form geht sie ins Werk ein. Umgekehrt aber ist auch die ästhetische Rationalität für Adorno nicht bloße Verfügung übers Material, sondern bleibt gebunden an den mimetischen Impuls: »Mit verbundenen Augen muß ästhetische Rationalität sich in die Gestaltung hineinstürzen, anstatt sie von außen, als Reflexion über das Kunstwerk, zu steuern« (*ÄT*, 175).

Adorno, der die Erfahrungen des Produzenten in die ästhetische Reflexion einbringt, gelingt es, die einander entgegengesetzten Haltungen des Mimetischen und des Rationalen als Momente eines Schaffensprozesses zu bestimmen, der sein Ziel – das Werk – gleichermaßen verfehlen würde, wenn er reine Ausdrucksunmittelbarkeit oder reine Form erstrebte. Diese Lösung ist theoretisch befriedigend, weil sie Kriterien ästhetischer Wertung formuliert, die eine Konkretisierung am Einzelwerk nicht nur zulassen, sondern erforderlich machen, und sie dürfte darüber hinaus in der Arbeit moderner Autoren eine Bestätigung erfahren. Trotzdem ist sie nicht die Lösung unseres Problems der Einheit der ästhetischen Moderne, und zwar deshalb nicht, weil Adorno die Dialektik von Mimesis und Rationalität einzig mit dem Blick auf das Werk entfaltet. Gerade das aber geschieht bei den von uns behandelten Autoren nicht. Artaud denkt Mimesis nicht als vermittelt über die Form ins Werk eingehenden Impuls, sondern als Identität von Leid und Ausdruck, die Adorno (aus plausiblen Gründen) tabuiert. Und auch bei Valéry zielt Rationalität nicht in erster Linie aufs Werk, sondern auf die Disziplinierung des Ich. Adornos Theorie, die Mimesis und Rationalität als Momente des künstlerischen Produktionsprozesses behandelt, steht daher quer zu den Projekten, die die Grenze des Ästhetischen gerade nicht respektieren. Wenn Adorno den mimetischen Impuls ins Werk zu bannen sucht, dann hegt er ihn damit zugleich ein, denn er weiß, daß »Bleiben, Objektivation den mimetischen Impuls am Ende verneint« (*ÄT*, 326). Weil er erkannt hat, daß Mimesis unmittelbar in der Moderne nur als zerstörerische Kraft wirken kann, sucht er sie in eine ästhetische Produktivkraft zu verwandeln. Das ist ein legitimes Programm, gibt uns aber keine Antwort auf die Frage, ob ein Gemeinsames in den einander widerstreitenden Projekten Valérys und des Surrealismus sich ausmachen läßt.

Erinnern wir uns. Ausgangspunkt Valérys ist eine Revolte, die, an Radikalität der Rimbaudschen nicht nachstehend, sich in ungerichteter Gewaltsamkeit äußert. Wie bei Rimbaud wendet sich diese Energie gegen das Ich, das sich selbst zum Objekt eines Experiments macht, dessen Ziel es ist, die Möglichkeiten des Subjekts auszuschöpfen. Damit wird die Einheit des Ich aufgesprengt; das beobachtende Selbst stimmmt nicht mit den Ich-Zuständen überein, die es zugleich provoziert und registriert (»Je est un autre« – »non sum qui sum«). Die Rücksichtslosigkeit, mit der Valéry gegen sein eigenes Gefühlsleben vorgeht, sein *Caligulisme*, findet ihre Entsprechung in der Bereitschaft zur Selbstdeformation, von der die *voyant*-Briefe Rimbauds zeugen. Gemeinsam ist beiden der Wille, bis zum Äußersten zu gehen, keine von außen vorgegebene Grenze zu akzeptieren.

Die Umrisse eines Projekts der Herstellung von Erfahrung werden erkennbar, dem auch die Surrealisten verpflichtet sind. Auch sie gehen von einer Revolte aus (die freilich andere historische Ursachen hat als bei Rimbaud oder Valéry); auch sie sehen in einer ungerichteten Aggressivität ein Energiepotential; auch ihnen geht es um die Erweiterung der Erfahrungsmöglichkeiten des Ich. Die unverhohlene Bewunderung Bretons für den jungen Valéry, der wie Rimbaud sein Werk abbricht, läßt das Gemeinsame an den durchaus unterschiedlichen Positionen hervortreten: die Verbindung eines antibürgerlichen Lebensentwurfs mit einem Anspruch auf Erkenntnis, der allein der Kraft des Ich vertraut.

Damit sind die Unterschiede in der konkreten Auslegung dieses Projekts nicht geleugnet, die sich festmachen lassen an der Stellung gegenüber dem Handlungsparadigma Rationalität. Hier tun sich Gegensätze auf zwischen mimetischem und rationalem Vorgehen, die das Gemeinsame eines existentiell fundierten Projekts verdekken. Die Einheit der ästhetischen Moderne ist eine mit sich zerfallene.
Sowohl in der künstlerischen Produktion wie im Umgang des herrischen Selbst mit seinen Ich-Zuständen folgt Valéry dem Schema der Entgegensetzung von Subjekt und Objekt. Er sucht den Prozeß künstlerischen Formens dadurch an das Paradigma der Rationalität zurückzubinden, daß er ihn als Arbeit faßt, die wie jede andere Arbeit auf die Widerständigkeit ihres Objekts stößt. Der Dichter begegnet der Widerständigkeit der Sprache, er soll die arbiträren Zeichen so verwenden, daß sie als motivierte erscheinen. Die Form-Inhalts-Identität der idealistischen Ästhetik wird hier transformiert in ein Spannungsverhältnis zwischen dem eigensinnigen Stoff der Sprache und dem tendenziell unendlichen Formungsprozeß durch das Subjekt. Das Werk ist dann nicht mehr gesetzte Form-Inhalts-Identität, sondern ein Zustand, der stets wieder durch einen andern überboten werden kann. Gerade diese Entgegensetzung von Subjekt und Objekt suchen die Surrealisten in der *écriture automatique* zu unterlaufen, die ganz der Unmittelbarkeit des Ausdrucks vertraut. Irrig wäre freilich die Annahme, damit würde der Begriff der Form preisgegeben. Was Breton und weit radikaler Artaud zurückweisen, ist allein der Gedanke der Arbeit an der Form; hintergründig halten sie an einem Begriff der notwendigen Form fest, der der Idee der Form-Inhalts-Identität nähersteht, als sie selbst ahnen. Wenn Artaud Rivières Kritik an seinen Versen zurückweist, dann geht er davon aus, daß jede Arbeit an der Form den Ausdruck verfälschen würde, um den allein es ihm zu tun ist. Die Form-Inhalts-Identität wird nicht als Setzung der Form, sondern als Gegebenheit eines Inhalts ausgelegt. Paradoxerweise stehen die Avantgardisten trotz ihrer Werkfeindschaft dem Versöhnungsgedanken der idealistischen Ästhetik näher als Valéry, der Theoretiker der *poésie pure*.

7. Zwischenbetrachtung: Zur Dialektik der Selbstverwirklichung

J'ai reçu la vie comme une blessure et j'ai défendu au suicide de guérir la cicatrice. (Lautréamont)

Die moralischen Maßstäbe, mit denen die ersten Rezensenten den Protagonisten der *Education sentimentale* verurteilten, wirken auf uns deplaziert, nicht nur weil wir eine moralisierende Kritik literarischen Werken gegenüber als unangemessen empfinden, sondern auch weil eine solche Kritik im Falle eines Frédéric Moreau ins Leere stößt. Wo die einzelnen Handlungen des Individuums nur noch locker miteinander verbunden sind und dieses sich in eine Vielzahl von momentanen Ichzuständen aufzulösen beginnt, wird die ein identisches Ich unterstellende Moral ohnmächtig. Flauberts Roman ist der erste negative Bildungsroman. Nicht in der Auseinandersetzung mit der Welt wie einst Wilhelm Meister bildet Frédéric Moreau sein Ich; Dinge, Menschen und Ereignisse bleiben ihm vielmehr eigentümlich äußerlich. Sie sind einfach bloß vorhanden oder stoßen ihm zu, ohne daß er ihnen einen Sinn zu geben vermöchte. In dem Maße aber, in dem die Wirklichkeit nur noch als Kontingenz erfahren wird, werden auch die Konturen des Subjekts unscharf.

Die ersten Anzeichen eines Zerfalls des modernen Subjekts, die wir in Flauberts Roman ebenso beobachten können wie in Baudelaires *Petits Poèmes en prose*, gehen einher mit der Erfahrung der Kontingenz der Welt. Das Subjekt, dem die Welt nicht mehr als eine entgegensteht, an der und durch die es sich selbst verwirklicht, ist nicht das zu sich gekommene Ich, sondern gerade eines, das sich selbst fremd ist. Trotzdem hält es fest am Projekt der Selbstverwirklichung. Da sich ihm aber keine klar umrissenen Handlungsziele mehr bieten, wird dieses richtungslos. Der Zufälligkeit des Äußeren entspricht zunehmend die Leere des Inneren. Erkennbar wird eine Struktur: Das aus religiösen, traditionalen und familiären Bindungen befreite bürgerliche Subjekt ist, um ein Selbst zu werden, von der Welt abhängig. Es bedarf der Dinge, um sich an ihnen abzuarbeiten, und es bedarf der andern, um zu erkennen, wer es ist. Wo diese doppelte Dialektik zerbricht, begegnet es immer von neuem der eigenen Leere. Denn an sich ist das Subjekt nichts als ein verkörpertes Bewußtsein, dessen Unglück darin liegt, daß es sich eine Substantialität sucht, deren es doch nur habhaft werden könnte, indem es sich verliert an das andere. Flaubert dürfte einer der ersten gewesen sein, der leere Zeit dargestellt hat. Was der Erzähler des traditionellen Romans mit epischer Raffung übergeht, wird bei ihm thematisch. Die Kontingenz des Geschehens zeigt an, daß das Subjekt keine Erfahrungen mehr macht. Wenn es eine Gemeinsamkeit zwischen so unterschiedlichen Autoren wie Baudelaire, Rimbaud und Proust gibt, so betrifft diese ihr Bemühen um authentische Erfahrung. Dabei weist die Anstrengung der von ihnen ins Werk gesetzten Verfahren (es sind jeweils andere) auf die Schwierigkeiten des Unterfangens. Erfahrungsverlust bildet den dunklen Grund, dem die Werke abgewonnen wurden.[128] Freilich birgt die Rede vom Erfahrungsverlust als Signatur der Moderne die Gefahr, die vormoderne Gesellschaft als eine der Erfahrungsfülle zu denken.[129] Die Annahme einer solchen positiven Ausgangssituation ist jedoch selbst dann noch fragwürdig, wenn man sich dabei auf eine idealisierende Sicht der Aufklärung beschränkt. Verfallstheorien erzeugen die Illusion eines Positiven, das es als geschichtliche Realität nicht gibt; dennoch sind sie als Konstruktion brauchbar, sofern sie diese ihre Selbsttäuschung reflexiv einholen. Das, was als Erfahrung in den Texten der frühen Moderne eingeklagt wird, dürfte eine Qualität sein, die die Individuen nur als Mangel kennen. Denn erst das aus traditio-

128 Zum Problem des Erfahrungsverlusts vgl. W. Benjamin, in: *Über einige Motive bei Baudelaire* (*GS* I, 607ff.) sowie unten Kapitel IV/1.

129 Das Problem einer verfallstheoretischen Konstruktion läßt sich vermeiden, wenn man statt von einem Erfahrungsverlust von einem Strukturwandel der Erfahrung ausgeht, wie Hans Sanders das tut in seiner Arbeit *Das Subjekt der Moderne. Mentalitätswandel und literarische Evolution zwischen Klassik und Aufklärung* (Mimesis. Untersuchungen zu den romanischen Literaturen der Neuzeit, 2). Tübingen: Niemeyer 1987. Sanders zeigt, wie die erfahrungskonstitutive Wirklichkeitskonstruktion der absolutistischen Gesellschaft, die das Subjekt in die großen Institutionen Staat und Kirche integriert, in dem Maße in die Krise gerät, wie sie neue Erfahrungen (besonders der Triebnatur) nicht mehr zu verarbeiten vermag.

nalen Bindungen herausgelöste Ich vermag sein Leben in den Kategorien individueller Erfahrung und Selbstentfaltung zu deuten. Wenn Erfahrung jener Prozeß ist, in dem Wahrnehmung und Wissen von einem Gegenstand sich zugleich mit diesem verändern, dann ist sie auf die Identität eines Subjekts verwiesen, das gerade in dem Maße neue Erfahrungen zu machen imstande ist, wie es diese in Beziehung setzen kann zu einem identischen Selbst. Wo dieser Bezugspunkt nicht mehr vorhanden ist, zerfällt Erfahrung in eine endlose Reihe von punktuellen Gefühlsregungen, Wahrnehmungen und Bewußtseinsakten, denen sich keine Kontinuität mehr abgewinnen läßt.

Ist authentische Erfahrung bedingt durch die doppelte Beziehung des Subjekts zu den Dingen als Objekten seiner Bearbeitung und zu den andern als denen, die dem Subjekt das Bild seiner selbst zurückspiegeln, indem sie es anerkennen als das, was es ist, dann dürfte der Zerfall der Erfahrung sich jenem historischen Prozeß verdanken, in dem diese beiden notwendigen Bezugspunkte sich ihm entziehen. Daß das Subjekt die Dinge nicht mehr selbst bearbeitet, trifft bereits für die aristokratische Schicht der höfisch-feudalen Gesellschaft zu, in der sich daher auch die ersten Anzeichen moderner Entfremdungserfahrungen beobachten lassen (Racine hat sie in seinen Tragödien bloßgelegt). In dem Maße aber, wie mit der Massenproduktion der einzelne Gegenstand täglichen Umgangs die Spuren seines Gemachtseins durch Menschenhand verliert, die erlauben, ihn seelenhaft zu beleben, wird er zu einem toten, dem Subjekt fremden Ding.[130] Und wenn außerdem die Formen der alltäglichen Gegenstände keinem einheitsstiftenden Gestaltungsprinzip mehr unterworfen sind, sondern der Stileklektizismus historistischer Prägung an ihnen in Erscheinung tritt, dann werden sie dem Subjekt um so fremder, je mehr sie sich

130 Georg Simmel hat bereits um 1900 darauf aufmerksam gemacht, daß die Vielzahl der Gegenstände alltäglichen Gebrauchs und ihre Unterwerfung unter wechselnde Moden »zwischen dem Subjekt und seinen Geschöpfen eine immer wachsende Fremdheit stiftet« (*Philosophie des Geldes*. Berlin: Duncker und Humblot [7]1977, 519ff.). Freilich ist gegen Simmel darauf zu insistieren, daß erst die Erfahrung der Fremdheit der industriell hergestellten Gegenstände die »relativ große Einfachheit und Dauerhaftigkeit« (ebd.) der Gebrauchsobjekte früherer Epochen zu einem Wert macht.

mit dem erborgten Schein vergangener Echtheit umgeben. Daß wir hier eine der Grundlagen dessen fassen, was das moderne (bürgerliche) Subjekt als seine Entfremdung erlebt, dafür spricht die Vielzahl und Dauerhaftigkeit der Bemühungen, gerade den Gebrauchsgegenständen eine Form zurückzugeben, die einen nicht nur äußerlich nützlichen Bezug zum Subjekt ermöglicht. Sie reichen von den Entwürfen von Ruskin und Morris über die Arts and Crafts-Bewegung bis zu den Wiener Werkstätten und dem Bauhaus. Die Schönheit alter Geräte, die ihnen zuwächst, weil die verflossene Zeit und die Spuren des Gebrauchs sich an ihnen abzeichnen, läßt sich nicht nachahmen.[131] Aus dieser Einsicht entsteht die Hoffnung, der Funktion eine notwendige Form abgewinnen zu können (»die Form folgt der Funktion«). Das Scheitern der Funktionalisten, die den eigenen formalen Eingriff verkennen (sie sind es ja, die eine bestimmte Form als funktionale auszeichnen)[132], macht die Entfremdung als untilgbares Moment im Lebenszusammenhang der bürgerlichen Gesellschaft erkennbar.[133]

Wenn Proust den Protagonisten der *Recherche* eine gesteigerte Erfahrung in der Begegnung mit einer blühenden Weißdornhecke machen und Hofmannsthal den Lord Chandos belanglose Geräte wie eine alte vergessene Gießkanne als Offenbarung erleben läßt, dann sind auch dies Bilder, die die Entfremdung des Menschen von seiner alltäglichen Welt zugleich eingestehen und wie im Gegenzauber zu bannen suchen. Wir scheinen uns im Kreise zu bewegen. Ausgehend von der Frage nach den gesellschaftlichen Bedingungen des in der literarischen Moderne dargestellten Zerfalls einer einheitlichen Erfahrung stoßen wir auf Gegenbilder, die

131 Vgl. Ernst Blochs Reflexion über den alten Krug in *Geist der Utopie*. Zweite Fassung (Gesamtausg., 3). Frankfurt: Suhrkamp 1964, 17ff.

132 Vgl. Th. de Duve, *Pikturaler Nominalismus. Marcel Duchamp, die Malerei und die Moderne*. München: Schreiber 1987, 159.

133 Auch der Jugendstil, den Benjamin als »den letzten Ausfallsversuch der in ihrem elfenbeinernen Turm von der Technik belagerten Kunst« gedeutet hat (*GS* V/1, 53), gehört in diesen Zusammenhang, insofern er einen epochalen, nicht an überkommene Vorbilder angelehnten Stil intendierte, der alle Bereiche des Lebens vom Haus über die Wohnungseinrichtung bis zum Buchschmuck gleichermaßen prägen sollte.

selbst wiederum der Literatur entstammen. Zwar gibt es andere Medien, in denen Erfahrung in der bürgerlichen Gesellschaft sich aussprechen kann – Brief, Tagebuch und Memoiren sind solche –, aber sie alle sind doch wiederum durch literarische Stereotype zu sehr geprägt, als daß wir annehmen könnten, darin eines vorgängigen (d.h. nicht literarisch vorgeformten) Ausdrucks habhaft zu werden. So legitim die Frage nach den Bedingungen des Erfahrungszerfalls ist, wird man doch erkennen müssen, daß das Phänomen selber eben in der Literatur seinen wahren Ausdruck gefunden hat. Literatur ist mehr als Fiktion, nämlich – wie man, ein Hegel-Wort abwandelnd, sagen könnte – ihre Zeit in Geschichten erfaßt.

Wie die Entfremdung gegenüber den Gegenständen des alltäglichen Lebens die eine Quelle des Erfahrungsverlusts ist, so die andere die Isolierung des modernen Subjekts. Georg Simmel hat in seinen Fragmenten zu einer Theorie der gesellschaftlichen Moderne auf die neuartigen Lebensbedingungen in der Großstadt aufmerksam gemacht, und wiederum ist es kein Zufall, wenn der Soziologe Einsichten entwickelt, die bereits bei Baudelaire angedeutet sind.[134] Die Zusammenballung großer Menschenmassen auf engstem Raum, die das Leben in der Großstadt seit der Mitte des 19. Jahrhunderts charakterisiert, wäre für den einzelnen gar nicht erträglich ohne »gegenseitige Reserve und Indifferenz«.[135] Das großstädtische Leben zwingt dem einzelnen eine Beziehungsform zu seinen Mitmenschen auf, die durch Distanz und Gleichgültigkeit geprägt ist. So wird es aber für das Individuum immer schwieriger, in dem andern denjenigen zu erkennen, dessen es zur Verwirklichung seiner selbst bedarf, da nur dieser ihm sagen kann, wer es ist. Hinzu kommt – im 20. Jahrhundert sich immer deutlicher abzeichnend – die Lockerung der familiären Bindungen. Auch in dieser Hinsicht wird das bürgerliche Subjekt in eine zunehmende Isolierung gedrängt, die die typisch moderne Illusion erzeugt, Selbstverwirklichung ließe sich im Rückzug auf die In-

134 Vgl. D. P. Frisby, »Georg Simmels Theorie der Moderne«, in: H.-J. Dahme/O. Rammstedt (Hg.), *Georg Simmel und die Moderne* (suhrkamp taschenbuch wiss., 469). Frankfurt 1984, 9-79, hier: 10ff.

135 G. Simmel, »Die Großstädte und das Geistesleben«, in: *Jahrbuch der Gehe-Stiftung zu Dresden*, 9 (1903), 199; zit. bei Frisby, »Georg Simmels Theorie der Moderne«, 44.

nerlichkeit erreichen. Was die moderne Literatur in vielfältigen Spiegelungen als Zerfall der Erfahrung und des identischen Subjekts beschreibt, läßt sich begreifen als eine spezifische Antwort auf Lebensbedingungen, die durch Entfremdung von den Dingen des täglichen Gebrauchs und wachsende Distanz zu den Mitmenschen bestimmt sind.[136]

Da in der modernen Gesellschaft zwei der notwendigen Wirklichkeitsbezüge sich dem Subjekt entziehen, wird es dazu gedrängt, seine Selbstverwirklichung gegen die Welt der Dinge und gegen die andern zu verfolgen. Das heißt aber, es wird gegen die Realität universaler gesellschaftlicher Vermittlung Unmittelbarkeit zu erzwingen suchen. Universale Vermittlung ist von der Soziologie immer wieder als Merkmal moderner Gesellschaften herausgestellt worden. Auf das Leiden daran reagiert das Subjekt mit der Formulierung von Utopien der Unmittelbarkeit. Eine der ersten ist Rousseaus Traum von der Transparenz zwischenmenschlicher Beziehungen.[137] Auf die Erfahrung, daß in der entstehenden bürgerlichen Gesellschaft das Subjekt dem andern nicht trauen kann, da er sein Rivale ist, antwortet Rousseau mit einer doppelten Bewegung: dem Ideal der Transparenz der Beziehungen und der Konstituierung der Natur als Subjekt. Da unter Bedingungen universaler Konkurrenz die zwischenmenschlichen Beziehungen notwendig zugleich verzerrt und verdeckt sind, das Ideal der Transparenz sich mithin nicht verwirklichen läßt, setzt Rousseau die Natur als Partner des Menschen stellvertretend für jene ideale Beziehung, die er mit seinen Mitmenschen nicht herzustellen vermag. Die von den Romantikern aufgenommene Auffassung der Natur als eines Quasi-Subjekts ist auch Ausdruck eines Leidens an der Nicht-Verwirklichung authenti-

136 Wenn ich hier nicht auf die Theorie des Warenfetischismus zurückgreife, um das Phänomen der Entfremdung zu erklären, so deshalb, weil diese Theorie bei Marx (anders als bei Adorno) sich nicht auf die entwickelte kapitalistische Gesellschaft bezieht, sondern bereits auf die einfache Warenproduktion. Um eine dem Ansatz von Marx angemessene Theorie der Entfremdung in der kapitalistischen Gesellschaft zu formulieren, müßten auch die Begriffe des Geld- und des Kapitalfetisch entwickelt werden, die bei Marx nur angedeutet sind.

137 Vgl. dazu J. Starobinski, *Jean-Jacques Rousseau. La Transparence et l'obstacle [...]*. Paris: Gallimard 1971.

scher zwischenmenschlicher Beziehungen. Freilich wird man die verfallstheoretische Illusion vermeiden müssen, die traditionale Gesellschaft zum Ort der Authentizität zu verklären. Das Bedürfnis nach Authentizität entsteht erst im Prozeß der Herausbildung der modernen Gesellschaft, die es jedoch nicht befriedigen kann.

Die Konstituierung der Natur als Quasi-Subjekt vermag zwar dem einzelnen Trost zu bieten für die Versagung authentischer Kommunikation, aber sie kann doch niemals das Wort des andern ersetzen. Denn die Beziehung, die das Subjekt mit der Natur eingeht im Akt der Kontemplation, hat nur dem Anschein nach dialogischen Charakter. Da das Gegenüber weder den Widerstand des zu bearbeitenden Objekts bietet, noch jene Rückspiegelung des Gesagten, in der authentische Rede sich erfüllt, bleibt dem Subjekt nichts anderes übrig, als in einem Akt unendlicher Selbsterweiterung das geschaute Gegenüber in sich hineinzunehmen. Da dieser Akt jedoch innerhalb der Vorstellung verbleibt, haftet ihm ein Scheinhaftes an. Zwar hat das vereinzelte Subjekt sich bewegt, aber nur in sich selbst. Ob es aus der Kontemplation der Natur tatsächlich etwas zu ziehen vermag, bleibt unentschieden, weil erst in der Gemeinsamkeit mit einem andern die Wahrheit der Erfahrung auszumachen wäre.

Proust, der das romantische Motiv in einer beinahe experimentellen Haltung aufnimmt, schildert die Bezauberung im Augenblick der Kontemplation; aber er verheimlicht nicht den Eindruck des Ungenügens, den diese im Betrachter hinterläßt. Dieser kann nämlich nicht umhin, hinter der sinnlichen Erscheinung ein anderes zu vermuten, eine Bedeutung, einen Sinn, den herauszufinden er sich vergeblich bemüht. Erst viel später wird der Protagonist des Proustschen Romans die Entdeckung machen, daß er selbst die Bedeutung hervorbringen muß, die er vergeblich hinter dem Naturerlebnis gesucht hat, und zwar indem er ein künstlerisches Werk schafft. Die Selbstverwirklichung, die in der Realität mißlingt, wird ins Werk verlegt und damit scheinbar auf ewig gesichert.

Auch den andern, nicht weniger aporetischen Weg der Selbstverwirklichung des einzelnen in der Moderne hat Proust untersucht: die Liebe. Auf den ersten Blick scheint sie der Ort, wo Subjekte einander wechselseitig anerkennen. In Wahrheit ist das Bild des andern, das der Liebende entwirft, eine Projektion seiner Hoffnungen und Ängste; eben darum verfehlt es den andern. Da der Liebende dem andern nicht die Freiheit läßt, ihn nicht zu lieben, kann er auch die erhoffte Bestätigung nicht erhalten. Die Liebesbeziehung enthüllt sich als eine intime und besonders grausame Gegnerschaft. Auch hier ist das Werk der Ort, wo das Scheitern in der Realität erfaßt und damit zugleich sinnhaft besetzt wird. Noch Sartre in *La Nausée* und Butor in *La Modification* folgen diesem Schema, wenn sie das Kunstwerk zum Garanten einer Sinnerfahrung machen, die sie in der Wirklichkeit nicht mehr finden können.

So wird für das bürgerliche Subjekt von Flaubert bis Sartre das Werk zum privilegierten Medium der Selbstverwirklichung. Nur dem Zauber vergleichbar, verwandelt es das Scheitern in der Zeitlichkeit in dauerhaften Erfolg. Und im Gegensatz zum Natur- und Liebeserlebnis verdankt sich dieses Resultat einzig dem Subjekt. Das Unmögliche scheint hier Gestalt gewonnen zu haben. Die in das Werk gesetzten Hoffnungen sind freilich trügerisch; denn weder ist es das, als was es dem Produzenten erscheint: Produkt, das sich einzig ihm selbst verdankt, noch vermag es von sich aus Dauer zu stiften. Sowohl die Voraussetzungen seines Entstehens wie die Bedingungen seines Überdauerns liegen außerhalb der Macht dessen, der das Werk hervorgebracht hat. Man braucht nicht so weit zu gehen wie der Erzähler von Botho Strauß' *Theorie der Drohung*, der das eigene Schreiben als Plagiat entlarvt, um zu erkennen, daß jedes Werk von institutionellen Voraussetzungen abhängig ist, die seine Produktion und seine Wirkung allererst ermöglichen.

Das Werk verschwindet hinter den es bedingenden Voraussetzungen und hinter den Instanzen der Traditionsbildung, die es bis zur Unkenntlichkeit verwandeln. Es ist nicht jenes Feste, Eindeutige, als das es dem Autor erscheint und als das der Interpret es zu fixieren sucht. Ist es also nichts anderes als der vergegenständlichte Schein der Selbstrechtfertigung des Subjekts, ein Stück säkularisierter Heilsgewißheit, die vor dem Blick des Kritikers zergeht? Sartre hat die Sache so gesehen. Am Schluß seiner Autobiographie stellt er die Heilserwartung bloß, die noch der Autor der *Nausée* in das eigene Werk gesetzt hatte: »Ecrire, ce fut longtemps demander à la Mort, à la Religion sous un masque d'arracher ma vie au ha-

sard. Je fus d'Eglise. Militant, je voulus me sauver par les œuvres«.[138] Nun läßt sich nicht übersehen, daß auch die Kritik an der säkularisierten Heilserwartung selbst wieder Werkform annimmt. Sartre überbietet sein gelungenstes literarisches Werk (*La Nausée*) dadurch, daß er dessen Voraussetzungen bloßlegt. Damit bleibt er aber dem Modell der Selbstverwirklichung durchs Werk verhaftet. Das hat seinen Grund nicht etwa in der Schwäche des Autors, der sich von seinen Illusionen nicht freimachen kann, sondern in der Sache selbst. Auch das Werk vermag der Kontingenz des Subjekts keine Notwendigkeit zu verleihen. Es rechtfertigt niemanden; aber ohne das Werk bliebe das Subjekt schattenhaft, träte nicht heraus »aus der Nacht der Möglichkeit in den Tag der Gegenwart«.[139]
Was aber geschieht, wenn das Subjekt das Werk verschmäht? Wenn es sich der Einsicht beugt, daß sein Werk für andere ist, und damit ausgeliefert an all jene Zufälligkeiten, die durch die Konzentration auf die monologische Arbeit doch gerade gebannt werden sollten? Das Ich, das erfahren hat, daß es weder in der Kontemplation der Natur, noch in der Liebe zum andern, noch im Werk sich hat verwirklichen können, ist erneut zurückgeworfen auf jenes Selbst, das Konturen erst zu gewinnen vermag, wenn es sich entäußert an ein Gegenüber. Will es nicht sein Projekt preisgeben, indem es sich der Kontingenz alltäglichen Geschehens überläßt, so bleibt ihm nur noch eine Alternative: es muß zurückgehen hinter jene abgespaltene Subjektivität, an der es leidet und die das aporetische Streben nach Selbstverwirklichung ausgelöst hat. Wenn das Subjekt weder die Fremdheit gegenüber der Natur überwinden kann, die es zum Objekt seiner Zurichtung gemacht hat, noch das Mißtrauen gegenüber dem andern, dem es noch als liebendes Gewalt zufügt, und wenn auch das Werk als Produkt reinen Selbstausdrucks sich als ein ihm Fremdes enthüllt, dann bleibt ihm kein anderer Ausweg mehr, als die Logik seines Handelns umzukehren und sein Heil statt in der Vermittlung mit der Natur und dem andern in der Verschmelzung mit ihnen zu suchen. Anders ausgedrückt: als letzte Dimension der Selbstverwirklichung bleibt dem Subjekt nur noch die Selbstauslöschung im mimetischen Akt.
Wenn, Schelling zufolge, »die moderne Welt beginnt, indem der

138 J.-P. Sartre, *Les Mots*. Paris: Gallimard 1965, 209.
139 G. W. F. Hegel, *Phänomenologie des Geistes*, in: ders., *HW* 3, 299.

Mensch sich von der Natur losreißt«[140], dann bricht der Versuch, sich ihr gleichzumachen, aus den Koordinaten der modernen Welt aus. Mimesis, die bis zur Selbstaufgabe gehende Identifikation mit dem Gegenüber, wäre als ein archaisches Verhalten zu bestimmen. Nicht abtrennbar von der Mimikry des Tieres, das angesichts einer übermächtigen Natur sich reflexhaft der Umgebung anpaßt, ist Adorno zufolge auch die mimetische Verhaltensweise aus dem Selbsterhaltungstrieb entsprungen, »eine Stellung zur Realität diesseits der fixen Gegenübersetzung von Subjekt und Objekt« (*ÄT*, 169). Freilich geht sie in dieser Bestimmung nicht auf; denn der Impuls, dem sie sich verdankt, ist in der Moderne weniger einer der Selbsterhaltung als einer der Selbstvergewisserung. Das Subjekt, das sich der äußeren Natur gleichmacht, verfolgt immer noch das moderne Projekt der Selbstverwirklichung; aber es tut dies, indem es die festen Konturen des identischen Ich, das den Dingen und den andern entgegensteht, auflöst im Akt selbstzerstörerischer Identifikation. Gerade in seiner antimodernen Stoßrichtung ist das mimetische Projekt nicht abtrennbar von den es treibenden modernen Erfahrungen.

Der *Dialektik der Aufklärung* von Horkheimer und Adorno kommt das Verdienst zu, uns für die Anwesenheit des Archaischen in der Moderne den Blick geschärft zu haben. Freilich wird in ihrer Darstellung der dialektische Bogen so weit gespannt, daß die mimetische Angleichung ans Tote, mit der der archaische Mensch auf eine drohende Gefahr reagiert, in der modernen Technik wiederkehrt. »Technik vollzieht die Anpasssung ans Tote im Dienste der Selbsterhaltung nicht mehr wie Magie durch körperliche Nachahmung der äußeren Natur, sondern durch Automatisierung der geistigen Prozesse, durch ihre Umwandlung in blinde Abläufe«.[141] Was als Reflexion auf die der Technik zugrunde liegende Einstellung seine Berechtigung hat, wird fragwürdig, wo die Unterschiede zwischen archaischem und modernem Verhalten verschwimmen. Einerseits faßt Adorno die Kunst in der Moderne als Sphäre, in der Mimesis nach der Tabuierung des mimetischen Verhaltens überdauert; andererseits bestimmt er künstlerische Mimesis als Angleichung an den technischen Fortschritt. Mimetisch

140 F. W. J. Schelling, *Philosophie der Kunst*, § 42, in: ders., *Ges. Werke* I/V, 427.

141 M. Horkheimer/Th. W. Adorno, *Dialektik der Aufklärung*, 214.

verhält sich demnach der moderne Künstler, indem er die künstlerische Technik dem Stand der außerkünstlerischen angleicht. Anders ausgedrückt: gerade im rationalen, dem ›Stoff‹ Gewalt antuenden Umgang mit der Form folgt der Künstler einem mimetischen Impuls. Wenn derart Rationalität mit Mimesis gleichgesetzt wird, dann wirft das zwar ein Licht auf die nichtrationalen Ursprünge der Rationalität, zugleich aber wird es unmöglich, innerhalb der Moderne ein mimetisches Verhalten auszumachen, in dem das Subjekt die Selbstverwirklichung nur noch in der Selbstauslöschung zu realisieren vermag. Mit andern Worten: Indem Adorno den Begriff des Mimetischen derart überdehnt, daß er auch noch sein Gegenteil, die Rationalität, mit einbegreift, geht der Gegensatz verloren, um dessentwillen er den Begriff eingeführt hat.

Freilich hat diese Überdehnung des Mimesisbegriffs bei Adorno durchaus systematische Gründe, sie entspricht seiner ablehnenden Haltung gegenüber einer Kunst, die die Vermittlung durch die Form zu überspringen sucht, um der Unmittelbarkeit des Ausdrucks teilhaftig zu werden. Indem er Mimesis in der Moderne nur über die Form vermittelt zuläßt, in der stets auch ein rationales Moment sich auswirkt, grenzt er unmittelbar mimetische Kunst aus, die er unter Regressionsverdacht stellt (man denke an seine Strawinsky-Polemik in der *Philosophie der Neuen Musik*).[142]

Adorno argumentiert im Rahmen einer als autonome Sphäre institutionalisierten Kunst, die durch ihren Scheincharakter abgeschirmt ist gegenüber den Impulsen der Selbstzerstörung, die im mimetischen Verhalten stecken. Wo jedoch die Grenze, die Kunst als autonomen Bereich konstituiert, in Frage gestellt wird, da ist auch das Mimetische nicht mehr zum Schein entmächtigt, sondern bricht zerstörerisch ein in die Praxis der Menschen. Insofern die Avantgardebewegungen die Institution Kunst in Frage stellen, öffnen sie zugleich die Schleusen, die die Sehnsucht nach Selbstaufgabe des Ich von der Praxis fernhalten. Adorno kennt die

142 Daß Adorno das, was er als Theoretiker bekämpft, durchaus zu schätzen weiß, zeigt eine Bemerkung aus den *Minima Moralia*, wo er von der *Histoire du soldat* sagt: »Sie wurde seine beste Partitur, das einzig stichhaltige surrealistische Manifest, in dessen konvulsivisch-traumhaftem Zwang der Musik etwas von der negativen Wahrheit aufging« (*Minima Moralia [...]* [Bibl. Suhrkamp, 236]. Frankfurt ²1969, 57).

Verlockung, die im Mimetischen liegt, und er hat sie in der Deutung der Sirenen-Episode der *Odyssee* nachdrücklich angesprochen: »Die Angst, das Selbst zu verlieren [...], die Scheu vor Tod und Destruktion, ist einem Glücksversprechen verschwistert, von dem in jedem Augenblick die Zivilisation bedroht war«.[143] Aber gerade weil er sie kennt, weist er sie streng zurück und mit ihr die Avantgarden, sofern sie sich darauf eingelassen haben. Das ist als programmatische Position konsequent; aber es grenzt eine der entscheidenden Erfahrungen der ästhetischen Moderne aus bzw. versucht, sie einzuhegen in der abgegrenzten Sphäre der Kunst. Eben darin wollte die vorliegende Arbeit Adorno nicht folgen.

Das mimetische Projekt, sich vermittlungslos einem andern gleichzumachen, hebt die Struktur des Projekts selbst auf. Zielbestimmung, Mittelwahl und Realisierung lassen sich nicht mehr scharf voneinander trennen. Der Schmerz und dessen Ausdruck verschmelzen zur Einheit, innerhalb der das eine nicht das andere bezeichnet, sondern beide ein und dasselbe sind.[144] Wenn Maldoror sich mit dem Messer den Mund aufschneidet, dann ist das kein Zeichen für den Willen zur Selbstzerstörung, sondern der Akt der Verstümmelung ist Projekt, Mittel und Realisierung in einem. Alle Vermittlungen sind getilgt im Akt, der nicht über sich hinausweist, in der Gegenwart, die weder Vergangenheit noch Zukunft hat. Diese Distanzlosigkeit charakterisiert auch das mimetische Sprechen. Nicht Gegenstand der Bearbeitung ist die sprachliche Äußerung, sondern unmittelbarer Ausdruck, nicht Form, sondern Symptom. Sie tritt aus dem Ich heraus, ohne daß dieses sie zu beherrschen vermöchte.

Nun läßt sich aber nicht übersehen, daß uns das mimetische Verhalten nicht tel quel gegeben ist, sondern als Gegenstand von Texten. Damit tritt es ein in die Dialektik der Anerkennung. Das Unmittelbare enthüllt sich als vermittelt. Was das Ich als reinen Selbstbezug imaginiert, in dem es alle Rücksicht auf andere abgestreift hat, ist zugleich Inszenierung des Selbst für andere. Und die sprachliche Äußerung, die für es zusammenfällt mit dem authentischen Ausdruck seines Selbst, hat den paradoxen Charakter eines für andere produzierten Symptoms. Das mimetische Projekt, so

143 M. Horkheimer/Th. W. Adorno, *Dialektik der Aufklärung*, 47.

144 Vgl. J.-F. Lyotard, »La Dent, la paume«, in: ders., *Des Dispositifs pulsionnels* (Bibl. 10/18, 812). Paris 1973, 95-104.

scheint es, überführt sich seiner eigenen Unwahrheit. Es ist nicht das, was es zu sein vorgibt. Während es authentischer Ausdruck und nichts als das sein will, verlangt es doch zugleich nach Anerkennung als – Literatur. Diese Ambiguität hat nichts zu tun mit der von Sartre in *L'Etre et le néant* analysierten *mauvaise foi*, der Unaufrichtigkeit dessen, der sich die Bedeutung seines Tuns verschleiert. Sie ist vielmehr die Struktur, die das mimetische Projekt unter Bedingungen der Moderne annehmen muß. Noch in dem Augenblick, wo das Subjekt seine eigenste Leiderfahrung herausschreit, bedarf es des andern, der ihm bestätigt, daß sein Schrei mehr ist als der dumpfe Schmerzausdruck des Tieres, nämlich Manifestation eines Subjekts. Die Bewußtseinsspaltung Artauds, der absolute Authentizität für seine Texte beansprucht und sie zugleich als Literatur anerkannt wissen will, spiegelt die strukturelle Ambiguität mimetischer Kunst unter Bedingungen der Moderne wider. Weder den Anspruch auf Authentizität noch den auf Anerkennung vermag sie aufzugeben; so ist sie gezwungen, die eigene Wahrheit zu inszenieren.

Valéry hat zutreffend beobachtet, daß jeder autobiographische Schriftsteller der Schauspieler seiner selbst, Authentizität mithin stets inszeniert ist. Seine Schlußfolgerung, daß es etwas wie *sincérité* im Bereich der Literatur nicht geben könne, wäre jedoch nur dann richtig, wenn die ›reale‹ Erfahrung des Schreibenden der Ort wäre, an dem über die Authentizität eines Textes entschieden würde. Nichts ist aber abwegiger als die Frage, ob Maldoror/Lautréamont sich tatsächlich mit dem Messer das Gesicht entstellt hat. Die Authentizität des Textes liegt nicht *hinter* ihm in der überprüfbaren Erfahrung des Autors, sie ist auch keine bloße Projektion des Lesers; vielmehr entsteht sie *zwischen* Autor, Leser und Text. Der Leser konstruiert aus den Strukturen des Texts ein diesem zugrunde liegendes Autorsubjekt. Weil der mimetische Text suggeriert, daß *hinter* ihm etwas sich verberge, die Erfahrung des Autors, die doch nur *in* ihm für den Leser entsteht, konnte selbst Valéry, der erklärte Gegner biographischer Interpretation, in die biographische Falle tappen.

Der Leser, von dessen Anerkennung der Text abhängt, scheint in der Position des Überlegenen. Aber *was* ihn an den Text bringt, ist ein Mangel, seine Sprachlosigkeit. Er kann sein Leiden nicht sagen, es bleibt in ihm verschlossen. Erst der Text gibt ihm Sprache.

Der Leser findet sich im Ausdruck des andern. Die Authentizität, die er dem Autor zuspricht, der sein Leiden für ihn inszeniert hat, ist auch Produkt seiner Verstehensarbeit, die diejenige anderer Leser aufnimmt und weiterführt, vielleicht aber auch abbricht. Tradition ist kein Kontinuum, eher ein locker geflochtenes Netz, mit dessen Hilfe der Leser sich seine Welt erschließt. Da er in einer Welt universaler Vermittlung lebt, hat er Zugang zu dem, was er als sein Innerstes weiß, wiederum nur vermittelt über das Werk des andern. Sein eigenes Entsetzen vor einer Gesellschaft, die das »absolut Böse« (Kleist) kennt, ist stumm. In der Selbstverstümmelung jedoch, die Lautréamonts Text vorführt, gewinnt es Sprache.

Die paradoxe Struktur, die das mimetische Projekt ins Gegenteil seiner selbst verkehrt, prägt auch das, was man widersprüchlich genug das mimetische Werk nennen könnte. Der Intention des mimetischen Projekts zufolge soll dieses nicht Werk sein, sondern unmittelbarer Ausdruck, Geste, die dem Subjekt ebenso eigen ist wie ein Teil seines Körpers. Hineingestellt in die Dialektik der Anerkennung wird es jedoch zum Werk, insofern es für andere ist. Ausdruck und Werk müssen im Text selbst miteinander vermittelt werden. Als Ausdruck ist der Text formlos (tendenziell bloßer Schrei), als Werk untersteht er dem Formgesetz. Vermittelt sind die Gegensätze durch das Prinzip der Destruktion. Formzerstörung ist das Formprinzip des mimetischen Werks. Wenn Arnulf Rainer Portraitfotos, auf denen er sein Gesicht grimassierend entstellt, mit gestischen Pinselschlägen und fahrigen Linien überzieht, dann macht er die doppelte Zerstörung zum Medium des Ausdrucks. Und wenn Klaus Kröger die Konturen seiner Gestalten, deren Gesichter ausgelöscht oder durchgestrichen sind, im Verlauf der Jahre immer weiter auflöst, so daß im nachhinein die früheren Arbeiten beinahe klassisch wirken, so wird auch bei ihm Destruktion zum Formprinzip. Daß der Fragmentarismus von Rimbauds *Une Saison en enfer* jedenfalls zu einem Teil Ergebnis bewußten Eingreifens ist, und sich nicht der Spontaneität der ersten Niederschrift verdankt, haben wir gesehen. Das Ich, das sich ausdrücken will, muß sich der Sprache überlassen. Aber hier ist alles bereits vorgeprägt: hinter Rimbaud steht die übermächtige Gestalt Victor Hugos. Nur durch Akte der Destruktion hindurch ist das mimetische Ausdrucksprojekt zu verwirklichen. Diese richten sich zunächst auf das Ich, dann auf die logische Kohärenz sprachlichen Ausdrucks, schließlich konsequent auf die Produktion als ganze. Anders bei Lautréamont: Destruktion äußert sich hier nicht in bewußter Fragmentierung, sondern in unendlicher Reproduktion des Gleichen, der Reihung von Bildketten und dem Leerlauf der Rhetorik.

Von Anfang an steht das mimetische Projekt, das Selbstverwirklichung und Ausdruck unter Preisgabe des Selbst verfolgt, im Zeichen der Zerstörung. Der Abbruch des Werks, der Tod und der Wahnsinn sind ihm gleichermaßen eingeschrieben, so bleibt das Werk Episode, unwahrscheinliche Überschneidung des reinen Ausdrucks und der Form.

IV. Erzählen in der Moderne

1. Die entzauberte Welt: Flaubert, Zola, Proust

Erfahrungsschwund

> »Es ist, als wenn ein Vermögen, das uns unveräußerlich schien, das Gesichertste unter dem Sicheren, von uns genommen würde. Nämlich das Vermögen, Erfahrungen auszutauschen.«
> (W. Benjamin, *GS* II/2, 439)

Wie läßt sich erzählen, wenn es nichts mehr zu erzählen gibt? Seit dem Scheitern der Revolution von 1848 ist dies ein Grundproblem der modernen Prosa. Balzac ist ein moderner Autor, weil er sich auf die Fülle des Wirklichen einläßt. »Faire concurrence à l'Etat Civil«, lautet die Kurzformel seines Programms einer Gesamtdarstellung der französischen Gesellschaft seiner Zeit.[1] Aber er ist kein moderner Erzähler; denn die Form wird ihm noch nicht zum Problem, vielmehr gilt ihm der auktoriale Erzähler als selbstverständliches Medium der Darstellung von Wirklichkeit.[2] Heines als Hauptwerk geplanter *Rabbi von Bacherach* bleibt Fragment. Was

1 »La Société française allait être l'historien, je ne devais être que le secrétaire« (Balzac, *Avant-propos* der *Comédie humaine*, in: *Anthologie des préfaces de romans français du XIXe siècle*, hg. v. H. S. Gershman/K. B. Whitworth. Paris: Juillard 1964, 194).

2 Daß der moderne Roman aus der Opposition zum Realismus zu bestimmen sei, ist ein Topos der Moderne-Forschung (vgl. etwa die ältere, vor allem von Selbstzeugnissen der Produzenten ausgehende Arbeit von Jürgen Schramke, *Zur Theorie des modernen Romans*. München: Beck 1974, bes. 139ff.). Die Annahme liegt aber auch der anspruchsvollen neueren Arbeit von Ulf Eisele zugrunde, der den realistischen Roman durch »die Tendenz zur Negierung des diskurshaften Charakters von Literatur«, den modernen dagegen dadurch charakterisiert, daß »das zuvor so sorgsam verpackte Diskursive hervortritt« (*Die Struktur des modernen deutschen Romans*. Tübingen: Niemeyer 1984, 12). Ob durch die Übernahme des Diskurs-Begriffs, der bereits bei Foucault keineswegs eindeutig ist, die Thematisierung des Erzählens in der Literatur des 20. Jahrhunderts sich besser begreifen läßt, ist freilich nicht sicher.

der Autor mit dem Ungenügen seines Erzähltalents und der Sprödigkeit des Stoffs erklärt[3], läßt sich auch als Anzeichen dafür deuten, daß ihm die Selbstverständlichkeit traditionellen Erzählens nicht mehr, eine neue Form aber noch nicht verfügbar ist. Historische Konstruktion und deren Brechung durch ein ironisch sich selbst in Frage stellendes Autor-Subjekt sind die Verfahren, die Heine in den *Reisebildern* entwickelt, um dennoch von seiner Zeit erzählen zu können. Daß nach 1848 die historische Konstruktion einer gesellschaftlichen Entwicklung im Zeichen des Fortschritts absinkt zum Verfahren einer progressiven Massenliteratur, die das künstlerische Problem der Wirklichkeitsdarstellung durch moralische Perspektivierung der Handlung zu lösen versucht, kann man an den Romanen von Erckmann-Chatrian ablesen.[4]

Für Flaubert ist die Darstellung der *vie moderne* ein Formproblem. Seine Briefe über die mühevolle Arbeit an der *Education sentimentale* lassen erkennen, daß es aus dem Zusammenstoß der zeitgeschichtlichen Thematik mit einer klassizistisch ausgerichteten Kunstvorstellung entsteht. Die Roman-Konzeption Flauberts erscheint zunächst durchaus traditionell; sie verlangt Fakten und dramatische Höhepunkte, ja sogar eine Annäherung an die klassische Regel der Einheit der Zeit.[5] In einem andern Brief spielt er auf die ästhetische Norm der Einfachheit an, um bedauernd festzustellen: »Mais je ne vois de simplicité nulle part dans le monde moderne« (*Corr.*, 243). Baudelaire hatte im *Salon de 1846* ähnlich argumentiert, wenn er die Idealisierung bereits im Leben vormoderner Gesellschaften zu finden meinte. Die Komplexität der modernen Welt, in der die Individuen nicht mehr Träger großer Pläne

3 Vgl. Heines Brief vom 25. Juni 1824 an seinen Freund Moser (zitiert *SW* IV, 441).

4 Die *Histoire d'un homme du peuple [1865]*, wenige Jahre vor der *Education sentimentale* veröffentlicht, thematisiert die gleichen Ereignisse der Revolution von 1848 wie der Roman Flauberts, freilich in moralischer Perspektivierung, die sich Flaubert gerade versagt.

5 »Je veux faire l'histoire morale des hommes de ma génération; ›sentimentale‹ serait plus vrai. C'est un livre d'amour, de passion; mais de passion telle qu'elle peut exister maintenant, c'est-à-dire inactive. Le sujet tel que je l'ai conçu, est, je crois, profondément vrai, mais, à cause de cela même, peu amusant probablement. Les faits, le drame manquent un peu; et puis l'action est étendue dans un laps de temps trop considérable« (*Corr.*, 233).

sind, sondern kleiner egoistischer Handlungen, widerstreitet einer Ästhetik, die Größe und Einfachheit der Wirkung erstrebt. »La beauté n'est pas compatible avec la vie moderne« (*Corr.*, 240). Indem Flaubert die Kluft zwischen seinem Schönheitsbegriff und dem Projekt eines Gegenwartsromans notiert, formuliert er ein Dilemma, das er zwar auf der Ebene der Theorie nicht zu lösen vermag, wohl aber in seiner Praxis als Romancier.

Wie läßt sich erzählen, wenn es nichts mehr zu erzählen gibt? Wie muß ein Roman beschaffen sein, wenn nichts mehr aus dem Grau des Alltäglichen herausragt, wenn es keine großen Handlungen und Leidenschaften mehr gibt? Der Protagonist dieses Romans wird ein durchschnittliches Individuum sein, ein Jedermann, sein Tun eine Art von Nicht-Tun, leere Bewegung des Hin und Her. Damit ist aber das Formproblem noch nicht gelöst. Denn solange ein allwissender Erzähler das Geschehen ordnet und bewertet, wird die alltägliche Belanglosigkeit, um deren Darstellung es Flaubert geht, wiederum auf eine Folie sinnhafter Realitätsdeutung projiziert und dadurch selber in ein Sinnganzes eingefügt. Die Form des Romans würde in Widerspruch treten zu seinem Stoff. Wollte Flaubert das verhindern und das Sujet, von dessen Wahrheit er überzeugt war, zum Sprechen bringen, so mußte er auf den auktorialen Erzähler verzichten und die Perspektive des Erzählens in die Handlung selbst verlegen. Es genügte nicht, einen durchschnittlichen Protagonisten zu wählen, Flaubert mußte diesen darüber hinaus zum Perspektiventräger machen.[6] Das Formproblem entspringt dem Sujet (Darstellung der *vie moderne*), d.h. einem Inhaltlichen; seine Lösung, ein erzähltechnisches Verfahren, ist zugleich der Garant des Gehalts.

Die ersten Rezensenten haben das Neuartige der *Education sentimentale* durchaus erkannt, wenngleich sie es negativ beurteilen. Sie kritisieren die Durchschnittlichkeit und moralische Minderwertigkeit Frédéric Moreaus (»ce galopin sans esprit et sans caractère«) und dessen Passivität (»cette marionnette de l'événement qui le bouscule«); sie konstatieren das Fehlen von Handlung (»quant à l'action, elle n'existe pas«) und den Mangel an idealisie-

6 Wir fassen hier den von Peter Szondi am modernen Drama untersuchten Vorgang, »in dem sich Thematisches zur Form niederschlägt und die alte Form sprengt« (*Theorie des modernen Dramas*. Frankfurt: Suhrkamp 1956, 67).

render Überhöhung des Wirklichen (»la vulgarité n'est jamais belle«). Sogar die von Proust so geschätzte Kunst der Lücke, des *blanc* bei Flaubert, wird bemerkt (»l'art de briser son récit«).[7] Daß die Rezensenten die konsequente Thematisierung des Alltäglichen und den Verzicht auf moralische Perspektivierung und Überhöhung des Geschehens negativ bewerten, kann nicht verwundern, wenn man bedenkt, daß ja Flaubert selbst während der Arbeit durchaus an der Qualität seines Romans zweifelt, weil er mit seinen Kritikern eine ästhetische Auffassung teilt, die er in der Praxis bereits hinter sich gelassen hat.

Wenn es nichts mehr zu erzählen gibt, dann ist die *Education sentimentale* ein Meisterwerk, denn sie erzählt eben dies. Aber gibt es wirklich nichts mehr zu erzählen? Da ist schließlich die Revolution von 1848, der große Traum der Einheit von Bourgeoisie und *peuple*, der in den Juni-Massakern blutig untergeht. Flaubert stellt sich dem Ereignis, er läßt Frédéric Moreau die Revolution aus nächster Nähe erleben, aber unbeteiligt. Vom Volksaufstand nimmt dieser nur flüchtige Eindrücke wahr: eine Menge, einem Feld schwarzer Ähren gleichend. Die Einnahme der Tuileries durch das Volk beobachtet Frédéric mit seinen Freunden als Flaneur, belustigt und angewidert zugleich vom losbrechenden Vandalismus. Selbst als er in einem der republikanischen Clubs sich an den Debatten beteiligt, wird er nicht zum handelnden Subjekt, sondern bleibt ein Spielball zufälliger Geschehnisabläufe und Konstellationen. Auch die Revolution ist in Flauberts Sicht kein Ereignis, in dem gesellschaftliche Gruppen um die Verwirklichung von Zielen kämpfen, sondern »allgemeiner Wahnsinn«, ein pathologischer Zustand der Gesellschaft.

Für Flaubert steht fest: es gibt nichts zu erzählen, und eben dies ist das einzige, was erzählenswert ist. Aber warum gibt es nichts mehr zu erzählen? Flaubert hat auf diese Frage keine Antwort, denn die Antwort wäre ja wieder eine Erzählung, die Erzählung vom politischen Befreiungskampf und seinem Scheitern. Sie wird von Sartre gegeben in seiner monumentalen Flaubert-Studie, die eine eigentümliche Zwischenstellung zwischen theoretischer Er-

7 Die Rezensionen sind abgedruckt in der *Introduction* der folgenden Ausgabe: G. Flaubert, *L'Education sentimentale*, hg. v. R. Dumesnil. Paris: Société les Belles Lettres ²1958, Bd. I, CXff.; hier: CXIIff. und CXVIII.

klärung und historischer Narration einnimmt. In der Revolution von 1848 (so läßt sich Sartres Deutung zusammenfassen) erlebt die Bourgeoisie zunächst während der Februartage, als ihr soziale Zugeständnisse abgerungen werden, dann bei der blutigen Niederschlagung der Juni-Aufstände, schließlich im Staatsstreich, in dem sie sich entmachten läßt, eine Verkehrung ihrer Handlungsprojekte. Diese Ereignisabfolge wird nicht als bloßes Scheitern erlebt, sondern als die Erfahrung, daß das eigene Handeln Resultate hervorbringt, in denen die Handelnden sich nicht wiedererkennen. Daraus entsteht eine Kollektivneurose (névrose objective). Ihre Äußerungsformen sind zum einen der Handlungsverzicht, der in der Wissenschaftsgläubigkeit der Zeit seinen Ausdruck findet (die vom eigenen Handeln traumatisierte Bourgeoisie überträgt die Kompetenz der Wahl zwischen Alternativen auf die Wissenschaft), zum andern der Selbsthaß und der Proletarierhaß (mit deren Hilfe die Juni-Ereignisse bearbeitet werden).[8]
Die Sartresche Erklärung von Flauberts Pessimismus als Ausdruck eines historisch bedingten Selbsthasses der Bourgeoisie läßt sich auch als Erklärung jener Erfahrung des Erfahrungsschwunds lesen, die der Flaubertsche Roman zur Voraussetzung hat. Wenn ein voller Begriff von Erfahrung mehr ist als das Aufnehmen von etwas, das einem nur von außen zustößt, nämlich eine Bewegung des Bewußtseins, in der sich dieses zugleich mit seinem Gegenstand verändert, wenn ein voller Begriff von Erfahrung wesentlich Aktivität ist, ein Tun des Bewußtseins, das dieses ebenso verwandelt wie seinen Gegenstand, dann läßt sich die von Sartre dargestellte *névrose objective* als Regression der Erfahrung begreifen. Als Rückfall nämlich auf jenen passiven Erfahrungsmodus, der sich aufs bloße Wahrnehmen von Gegebenem beschränken will. Sartres Erklärungsansatz vermag den Erfahrungsschwund als epochales Lebensgefühl verständlich zu machen, das der Sujetwahl Flauberts zugrunde liegt. Aber indem Flaubert dieses darstellt, indem er diesem Sujet seine Form gibt (die perspektivische Erzählung), springt er aus eben jener Passivität heraus, an der er mit seinem Pessimismus Anteil hat. Die Möglichkeit der Formfindung, die den Roman erst zu dem macht, was er für uns sein kann,

8 J.-P. Sartre, *L'Idiot de la famille*. Bd. III, Paris: Gallimard 1972, bes. 255ff.

läßt sich nicht mehr aus der Neurose herleiten; denn sie ist eben jenes Vermögen aktiver Selbstveränderung, die der Pessimismus des Autors so hartnäckig leugnet.
Wenn die aus Sartres Flaubert-Studie gewonnene Erklärung des Erfahrungsschwunds den Vorteil hat, eine der Voraussetzungen des Erzählens in der Moderne historisch genau zu situieren, so läßt sich doch nicht übersehen, daß diese Situierung zu eng ist. Es liegt daher nahe, auf jene umfassende Theorie des Erfahrungsschwunds zurückzugehen, die Benjamin zu Beginn seines Essays *Der Erzähler* entwickelt hat. Benjamin fundiert das Erzählen im Vermögen, Erfahrungen auszutauschen, wie es in vormodernen Gesellschaften, besonders bei Ackerbauern und Seeleuten ausgebildet ist. Er charakterisiert es als eine kollektive mündliche Praxis, die stets auch einen Nutzen mit sich führt. »Sie verliert sich, weil nicht mehr gewebt und gesponnen wird« (*GS* II/2, 447). Der durch den Buchdruck erst ermöglichte, auf das einsame Individuum als Leser ausgerichtete Roman markiert eine erste Stufe des Niedergangs jener handwerklichen und ans Handwerk gebundenen Erzählkunst, deren zweite mit der Information als neuer Form der Mitteilung erreicht ist. In den nachgelassenen Notizen zu dem Essay gibt Benjamin noch eine weiterreichende Erklärung für den von ihm konstatierten Verfall des Erzählens, den Individualismus: »nichts tötet den Geist des Erzählens so gründlich ab, wie die unverschämte Ausdehnung, die in unser aller Existenz das ›Private‹ gewonnen hat« (*GS* II/3, 1282). In einer Gesellschaft atomisierter Individuen ist der Verfall des Erzählens und der Erfahrung unausweichlich.
Nicht unähnlich dem Rousseauschen Naturzustand dient auch das Konstrukt einer vormodernen Epoche des Erfahrungsreichtums vor allem als Folie, von der der Erfahrungsschwund als Signatur der Moderne sich deutlich abhebt. Darin liegt seine Legitimität. Allerdings läßt sich nicht übersehen, daß Benjamins Theorie nicht nur die Problematik geschichtlicher Verfallstheorien teilt, einen ›vollen‹ Ursprung annehmen zu müssen, sie setzt auch so tief an, daß sie den Erfahrungsschwund selbst nicht als einen Modus der Erfahrung begreiflich zu machen vermag. (Frédéric Moreau erfährt ja nicht nichts, sondern er erfährt, daß er nichts erfährt.) Dazu wäre freilich erforderlich, auch das vereinzelte Individuum, und nicht nur die Gruppe, als möglichen Träger von Erfahrung

anzuerkennen. An anderer Stelle tut Benjamin das durchaus; so wenn er Prousts Werk als Anstrengung begreift, »die Erfahrung, wie Bergson sie sich denkt, unter den heutigen gesellschaftlichen Bedingungen auf synthetischem Wege herzustellen« (*GS* I/2, 609).[9] Man tut daher gut daran, Benjamins Theorie des Erfahrungsschwunds nicht wörtlich zu nehmen, sondern als Hyperbel zu lesen für die Schwierigkeit, unter den Bedingungen der Moderne Erfahrungen zu machen.
Auch Max Weber stellt in seiner These von der Entzauberung der Welt vormoderne und moderne Gesellschaft einander gegenüber; er verbleibt dabei jedoch – anders als Benjamin – ganz im Bereich theoretischer Konstruktion, ohne auf geschichtliche Entwicklungsprozesse einzugehen. Worin besteht, so fragt er, die Rationalisierung des Alltagslebens durch Wissenschaft und Technik? Nicht etwa darin, daß der moderne Mensch ein umfassenderes Wissen von seinen Lebensbedingungen hätte – diesbezüglich ist ihm vielmehr der ›Wilde‹ überlegen –, sondern in dem Bewußtsein, daß man dieses Wissen erwerben könnte, im Bewußtsein der Beherrschbarkeit der Welt.

Die zunehmende Intellektualisierung und Rationalisierung bedeutet also *nicht* eine zunehmende allgemeine Kenntnis der Lebensbedingungen, unter denen man steht. Sondern sie bedeutet etwas anderes: das Wissen davon oder den Glauben daran: daß man, wenn man *nur wollte*, es jederzeit erfahren *könnte*, daß es also prinzipiell keine geheimnisvollen unberechenbaren Mächte gebe, die da hineinspielen, daß man vielmehr alle Dinge – im Prinzip – durch *Berechnen beherrschen* könne. Das aber bedeutet: die Entzauberung der Welt.[10]

Es wäre sicherlich unzutreffend, Max Webers Theorem von der Entzauberung der Welt mit dem des Erfahrungsverlusts gleichzusetzen; wohl aber lassen sich die Schwierigkeiten, denen das Erzählen in der Moderne begegnet, in das Webersche Konstrukt einzeichnen. Der Wilde weiß, wie man Feuer macht, er kennt die dazu nötigen Materialien ebenso wie die Handgriffe, die er voll-

9 Freilich wird man heute eher den Unterschied zwischen dem auf Dauer angelegten Zeitbegriff Bergsons und dem fragmentierten Prousts betonen.

10 M. Weber, *Vom inneren Beruf zur Wissenschaft*, in: ders., *Soziologie, universalgeschichtliche Analysen, Politik*, hg. v. J. Winckelmann (Kröners Taschenausgabe, 229). Stuttgart 1973, 317.

ziehen muß; die Natur als ganze aber bleibt für ihn rätselhaft und bedrohlich. Diese Bedrohung bearbeitet er mit Erzählungen. Der moderne Mensch weiß nicht, »wie man eine Trambahn so herstellt, daß sie sich bewegt« (M. Weber); aber die ihn umgebende Welt gilt ihm als berechenbar und beherrschbar. Mit dem Abnehmen der Bedrohlichkeit und Rätselhaftigkeit der Welt verkleinert sich auch der Raum, den Geschichten auszufüllen haben. Damit verschwindet jedoch keineswegs das Erzählen überhaupt, sondern nur das mythische Erzählen, dessen Aufgabe es war, die Bedrohung durch die Natur zu bannen.
Das Webersche Theorem ist in unserem Zusammenhang vor allem deshalb von Interesse, weil es etwas über die Wirkung wissenschaftlicher Rationalität auf das Alltagsbewußtsein aussagt. Weber selbst bringt mit der Intellektualisierung des Lebens die Tatsache zusammen, »daß unsere höchste Kunst eine intime und keine monumentale ist«.[11] Das Vorherrschen der Rationalität auch im Alltagsleben verdrängt »die letzten und sublimsten Werte« aus der Öffentlichkeit.[12] Proust, so wäre daraus zu folgern, läßt sich als Antwort auf die Entzauberung der Welt verstehen. Gilt das nicht auch, wenngleich mit entgegengesetzten Vorzeichen, von Zola?

Literaturproduktion im Zeitalter der Wissenschaft

Die Frage, ob Zola ein moderner Autor ist, wäre bündig nur innerhalb eines klassifikatorischen Modernekonzepts zu beantworten, das von einer Reihe vorab festgelegter Merkmale ausgeht, um den Autor daran zu messen. Soll die Frage dagegen Erkenntnis produzieren, so wird man den Modernebegriff selbst, statt ihn vorab zu fixieren, der Bewegung des Gedankens aussetzen. Es geht nicht darum, Zola einzuordnen, sondern auszumachen, was an seinen Texten für uns modern heißen kann.
Mit der 1880 veröffentlichten Studie *Le Roman expérimental* tritt Zola als Programmatiker des *roman moderne* auf, wie er den realistischen Roman in der Tradition von Balzac und Stendhal im Ge-

11 Ebd., 338.
12 Ebd.

gensatz zum romantischen nennt. Er reflektiert in dieser Schrift die gesellschaftlichen Bedingungen seines Schreibens: den literarischen Markt, die Entzauberung der Welt und den epochalen Erfahrungsschwund.

Anders als Mallarmé, dessen Anstrengung nicht zuletzt darauf gerichtet ist, seine Texte gegen das Universum öffentlicher Kommunikation abzuschotten und den der Gedanke eines Buchmarkt-Krachs nur belustigt, sieht Zola im literarischen Markt nicht nur eine notwendige Bedingung schriftstellerischer Produktion, sondern vor allem auch einen Garanten der Unabhängigkeit des Schriftstellers. Er versteht sich als Produzenten einer Ware, die wie jede Ware ihren Käufer suchen muß. Ziel seines Schreibens ist daher die Schaffung einer Massenliteratur mit literarischem Anspruch. Deren Marktabhängigkeit betrachtet er nicht als Unterwerfung der Literatur unter außerästhetische Bedürfnisse, sondern als Befreiung des Autors aus dem Joch mäzenatischer Bevormundung: »C'est l'argent, c'est le gain légitimement réalisé sur ses ouvrages qui l'a délivré de toute protection humiliante, qui a fait de l'ancien bateleur de cour, de l'ancien bouffon d'antichambre, un citoyen libre, un homme qui ne relève que de lui-même«.[13]

Auch die Entzauberung der Welt akzeptiert er als nicht hintergehbare Bedingung der Arbeit des Schriftstellers. Dieser hat keine Sonderstellung zu beanspruchen; er ist ein Arbeiter wie jeder andere. Da sein Gegenstand, die Darstellung gesellschaftlicher Verhältnisse, auch von der Wissenschaft bearbeitet wird, muß er sich an dieser orientieren. Zola tut dies in zweifacher Weise: einmal durch Übernahme wissenschaftlicher Theoreme (so legt er seinen Romanen die zeitgenössische Vererbungslehre zugrunde); zum andern, indem er sich bemüht, seine Arbeitsweise dem Verfahren der Naturwissenschaften anzugleichen (durch Übernahme des Experiment-Begriffs und des Verfahrens der Dokumentation). Auch den Erfahrungsschwund nimmt Zola als eine nicht rückgängig zu machende Tatsache hin. Während von Flauberts *Education sentimentale* über Prousts *Recherche* bis hin zu Sartres *Nausée* moderne Autoren auf autobiographische Stoffe zurückgreifen, um an diesen Erfahrung zu produzieren, verzichtet Zola fast ganz

13 Vgl. dazu den Abschnitt *L'Argent dans la littérature*, in: E. Zola, *Le Roman expérimental* (Garnier-Flammarion, 248). Paris 1971, 177-210, hier: 200.

auf diese Stoffschicht und vertraut statt dessen der quasi-soziologischen Dokumentation.[14]

Es kann hier nicht darum gehen, die Widersprüche herauszuarbeiten, in die sich Zola als Programmatiker verstrickt; sie betreffen vor allem die nicht geleistete Vermittlung zwischen künstlerischem und wissenschaftlichem Anspruch.[15] Vielmehr gilt es zunächst anzuerkennen, daß Zolas Programm insofern modern ist, als es sich positiv zu den von der Moderne geschaffenen Bedingungen schriftstellerischer Produktion verhält (was nicht mit einer unkritischen Position gegenüber der bürgerlichen Gesellschaft zu verwechseln ist).

Nun gilt Zola im allgemeinen nicht als moderner Autor, und dafür gibt es Gründe. Er hält nämlich an wesentlichen Elementen der traditionellen Romanform fest, am allwissenden Erzähler und an der linear fortschreitenden Handlungsführung. Hinzu kommt, daß mit Proust, Valéry und Breton moderne Autoren par excellence gegen den realistischen (bzw. den naturalistischen) Roman polemisiert haben, so daß es schon von daher nahe lag, diesen nicht in den Kanon der ästhetischen Moderne einzuordnen. Die sich realistisch nennende Literatur sei in Wahrheit nicht realistisch, so argumentiert Proust, weil sie die Wirklichkeit innerer Erfahrung (»notre vraie vie, la réalité telle que nous l'avons sentie«) verfehle und sich stattdessen mit einer bloßen Oberflächenbeschreibung zufriedengebe.[16] Valéry macht den Realisten den Vorwurf, daß ihre Beschreibungen zwar realitätsgetreu seien, nur

14 Zu den wenigen Arbeiten, die die programmatischen Äußerungen Zolas ernstnehmen, gehört die Studie von Jutta Kolkenbrock-Netz, in der die Programmatiken des deutschen und französischen Naturalismus als »Reaktionen auf eine Veränderung der gesellschaftlichen Produktionsbedingungen der Literatur« begriffen werden (*Fabrikation, Experiment, Schöpfung. Strategien ästhetischer Legitimation im Naturalismus* [Reihe Siegen, 28]. Heidelberg: Winter 1981, hier: 70).

15 Vgl. dazu die Zola-Studien von H. Sanders und mir in dem Band *Naturalismus/Ästhetizismus*, hg. v. Ch. Bürger/P. Bürger/J. Schulte-Sasse (Hefte für krit. Litwiss., 1; ed. suhrkamp, 992). Frankfurt 1979, 56-102; hier: 75 ff., sowie 18-55; hier: 23 ff.

16 M. Proust, *A la Recherche du temps perdu*, hg. v. P. Clarac/A. Ferré (Bibl. de la Pléiade). 3 Bde., Paris: Gallimard 1954; III, 881 und 885; in diesem Kapitel bezeichnen römische Ziffern den Band, arabische die Seitenzahl dieser Ausgabe.

könnten sie von den Figuren niemals in der beschriebenen Weise beobachtet werden. »Il en résulte que le réaliste introduit une ›réalité‹ qui n'est pas celle de la vie réelle« (*C* II, 1238). Breton schließlich kritisiert im surrealistischen Manifest die *attitude réaliste* als Ausdruck intellektueller Mittelmäßigkeit, die dem Prinzip der geringsten Anstrengung folge, und die Beschreibung als Klischeeproduktion, die den Leser auf Gemeinplätze festlegen soll.[17] Auffällig an dieser Kritik ist die Tatsache, daß zumindest Proust und Valéry explizit den Vorwurf erheben, die realistische Beschreibung erreiche das von ihren Verfechtern angestrebte Ziel nicht. Angenommen, die Beobachtung träfe zu, so wäre damit erwiesen, daß die Realisten nicht tun, was sie zu tun meinen, aber was sie wirklich tun, darüber ist damit noch nichts ausgemacht. Diesbezüglich kann eine Beobachtung von Georg Lukács weiterhelfen. Während Zola in seinen programmatischen Schriften den Naturalismus als systematische Weiterentwicklung des realistischen Romans der ersten Hälfte des 19. Jahrhunderts auffaßt, geht Lukács davon aus, daß es sich um zwei grundsätzlich verschiedene »schöpferische Methoden« handelt. Die neue Verfahrensweise nennt Lukács »Beschreiben«; er konfrontiert sie mit der für den klassischen Realismus von Goethe, Balzac, Stendhal und Tolstoi charakteristischen Methode des »Erzählens«. Beschreibungen, so führt Lukács aus, gibt es sowohl bei Balzac als auch im Naturalismus. Der Unterschied bestehe in dem andern Stellenwert, der ihnen jeweils innerhalb des Werks zukomme. Während bei den großen Realisten die beschreibenden Partien funktional den handelnden Personen untergeordnet seien, verselbständigten sie sich bei Flaubert und im Naturalismus. Bei der Beschreibung des Theaters in *Nana* z. B. erstrebe Zola eine stoffliche Vollständigkeit, der eine genaue Wiedergabe des Spezialvokabulars der Bühnentechnik entspreche. Dergleichen Bravourstücke seien für die Handlung gänzlich überflüssig, wendeten sich einzig an »den Literaten, der die mühsame literarische Erarbeitung dieser Sachkenntnisse, die Aufnahme der Jargonausdrücke in die Literatursprache kennerisch zu würdigen versteht«.[18]

17 A. Breton, *Manifestes du surréalisme*. Paris: Pauvert 1965, 18.

18 G. Lukács, »Erzählen oder Beschreiben? [...]«, in: *Seminar: Literatur- und Kunstsoziologie*, hg. v. P. Bürger (suhrkamp taschenbuch wiss., 245). Frankfurt 1978, 72-115; hier: 102.

Die Verselbständigung der Beschreibung gegenüber dem Werkganzen, die Lukács als künstlerischen Mangel tadelt, weil er von einem engen (von der idealistischen Ästhetik übernommenen) Begriff der Werkeinheit ausgeht, erkennt er jedoch zugleich als modernes Verfahren. Mit dieser Einschätzung (nicht dagegen mit seiner ästhetischen Bewertung, die hier nicht zur Debatte steht) befindet er sich in Übereinstimmung mit Mallarmé. In einem Brief an Zola unterscheidet dieser zwei Lektüretypen: die fortlaufende, die den alten, wie ein Theaterstück gebauten Romanen angemessen sei, und die moderne, die einzelne Fragmente isoliere (»pour l'étudier fragment par fragment«; *P*, 117). Die zweite Lektüreweise, die er neben der fortlaufenden auf den Roman Zolas anwendet, bezeichnet Mallarmé als modern und bringt sie mit den Lebensbedingungen seiner Zeit in Verbindung, die den Leser zum häufigen Unterbrechen seiner Lektüre zwingen. Die Möglichkeit einer fragmentierenden Lektüre der Romane Zolas entspricht auf der Seite der Rezeption der von Lukács beobachteten Verselbständigung der Beschreibungen. Auch dessen Feststellung, daß Zola durch die Einführung von Jargonausdrücken in die Nähe des Ästhetizismus gerate, wird durch eine Briefstelle Mallarmés zu *L'Assommoir* bestätigt: »Le plus sombre du livre et votre admirable tentative linguistique, grâce à la-quelle tant de modes d'expression souvent ineptes forgés par de pauvres diables prennent la valeur des plus belles formes littéraires puisqu'ils arrivent à nous faire sourire ou presque pleurer, nous lettrés!« (*P*, 122). Mallarmé, der die Suche nach dem *mot rare* eher in einem aristokratisch raffinierten Wortschatz befriedigt, gesteht hier umgangssprachlichen Wendungen poetische Kraft zu. Und er entdeckt darüber hinaus in den Beschreibungen alltäglicher Verrichtungen bei Zola eine geradezu epische Qualität: »La simplicité si prodigieusement sincère des descriptions de Coupeau travaillant ou de l'atelier de la femme [...] ces pages si tranquilles qui se tournent comme les jours d'une vie« (ebd.).
Nicht weniger als dreimal verwendet Mallarmé das Adjektiv *moderne* in den Briefen an Zola. Dieser dürfte für ihn der moderne Autor schlechthin gewesen sein. Das wird auch mit der Thematik der Zolaschen Romane zusammenhängen, geht aber nicht allein darauf zurück. Vielmehr erkennt Mallarmé im verdeckten Fragmentarismus Zolas, der mit einem geradezu tyrannischen Willen

zur Durchgestaltung des Ganzen in einem eigentümlichen Spannungsverhältnis steht (*P*, 123f.), ein wichtiges modernes Formelement.[19] Gehen wir der Anregung Mallarmés nach und isolieren wir eine der Beschreibungen des Großkaufhauses aus dem Roman *Au Bonheur des Dames*.

La machine ronflait toujours, encore en activité, lâchant sa vapeur dans un dernier grondement, pendant que les vendeurs repliaient les étoffes et que les caissiers comptaient la recette. C'était, à travers les glaces pâlies d'une buée, un pullulement vague de clartés, tout un intérieur confus d'usine. Derrière le rideau de pluie qui tombait, cette apparition, reculée, brouillée, prenait l'apparence d'une chambre de chauffe géante, où l'on voyait passer les ombres noires des chauffeurs, sur le feu rouge des chaudières. Les vitrines se noyaient, on ne distinguait plus, en face, que la neige des dentelles, dont les verres dépolis d'une rampe de gaz avivaient le blanc; et, sur ce fond de chapelle, les confections s'enlevaient en vigueur, le grand manteau de velours, garni de renard argenté, mettait le profil cambré d'une femme sans tête, qui courait par l'averse à quelque fête, dans l'inconnu des ténèbres de Paris.[20]

Die Transposition der Realität ist hier eine doppelte: einmal die leitmotivisch durchgeführte Metapher, die das Warenhaus mit einer riesigen Maschine bzw. mit einer Fabrik vergleicht; zum andern das Bild der *femme sans tête*, dessen surrealistische Konnotationen die unter eben diesem Titel veröffentlichten Collagen von Max Ernst erkennbar gemacht haben. Die Suche der Surrealisten nach dem »modernen Licht des Bizarren«[21] dürfte gerade auch bei Zola auf manche Anregung gestoßen sein. Der Unterschied ist freilich nicht zu übersehen. In der berühmten Beschreibung der Passage de l'Opéra im *Paysan de Paris* verwandelt Aragon das Schaufenster eines Stockgeschäftes in eine Unterwasserlandschaft, in der er eine Sirene schwimmen sieht.[22] Die Verwandlung ist hier

19 Hier ist auch die Ebene, auf der Mallarmé seine künstlerischen Intentionen bei Zola wiederfinden kann, hat er doch eigene Aufsätze nachträglich zu Fragmenten zerschlagen, in der Absicht, sie dadurch in *poèmes critiques* zu verwandeln.

20 E. Zola, *Au Bonheur des Dames* (Garnier-Flammarion, 239). Paris 1971, 65.

21 L. Aragon, *Le Paysan de Paris [1926]* (Livre de Poche, 1670). Paris 1966, 20.

22 Ebd., 30ff.

bezogen auf die Erwartungshaltung des Flaneurs, der gleichsam als Regisseur des Erlebnisses stets präsent bleibt. Anders im Text Zolas, wo das Bild der kopflosen Frau auf keinen in der fiktiven Wirklichkeit des Romans ausmachbaren Beobachter verweist und gerade deshalb eine befremdende Objektivität ausstrahlt.

Zola geht es nicht um eine surrealistische Transformation der Wirklichkeit, sondern um die Erfassung gesellschaftlicher Zusammenhänge. *Au Bonheur des Dames* schildert die Expansion des Großkaufhauses und den dadurch bedingten Untergang des Kleinhandels. Aber gleichsam in den Fugen des Projekts einer an der Wissenschaft orientierten Darstellung zeitgenössischer Wirklichkeit entsteht ein phantastischer Realismus, mit dem verglichen Aragons Sirene im Schaufenster geradezu konventionell wirkt.

Ein Bild wie das der Frau ohne Kopf ist im Werk Zolas kein einmaliger Fund. In *Nana* endet die Beschreibung der Auslagen einer Passage mit folgender Impression:

> le bariolage des étalages, l'or des bijouteries, les cristaux des confiseurs, les soies claires des modistes, flambaient, derrière la pureté des glaces, dans le coup de lumière crue des réflecteurs; tandis que, parmi la débandade peinturlurée des enseignes, un énorme gant de pourpre, au loin, semblait une main saignante, coupée et attachée par une manchette jaune.[23]

Die »Frau ohne Kopf«, die »abgeschnittene blutüberströmte Hand in gelber Manschette« – das sind nicht bloß phantastische Bearbeitungen von Wirklichkeit, sondern Bilder, in denen das kollektive Unbewußte der Gesellschaft aufblitzt. Das vom Kontext losgelöste Bild gibt den Blick frei auf die Abgründe der durchrationalisierten Welt: Zola hat mit großer Energie und Ausdauer das Projekt einer Literatur verfolgt, das die Entzauberung der Welt akzeptiert. Aber in dieser von der Wissenschaft bis in alle Winkel ausgeleuchteten Welt tauchen unversehens Bilder des Schreckens auf und enthüllen so die Ambivalenz der Rationalisie-

23 E. Zola, *Nana* (Garnier-Flammarion, 194). Paris 1968, 205; es handelt sich um den Anfang des VII. Kapitels. – Wie locker die Beschreibung mit der Handlung verknüpft ist, wird von Zola sogar explizit gemacht. Von dem alternden Grafen Muffat, der in der Passage auf Nana wartet, heißt es: »Il ne voyait rien, il songeait à Nana.« Die Möglichkeit, das Bild symbolisch auf die Situation Muffats zu beziehen, der in dem Kapitel den Boden unter den Füßen verliert, ist damit freilich nicht ausgeschlossen.

rung. Gerade in dem Auseinandertreten von Projekt und Umsetzung wird der Gehalt des Zolaschen Werks faßbar.

Die Wiederkehr des Zaubers

Zola hat noch den Anspruch erhoben, die Totalität der Gesellschaft zu erfassen – die *Rougon-Macquart* sind eine Gesamtdarstellung des Second Empire –, aber der Anspruch ist bereits positivistisch gebrochen. Jeder der Romane stellt einen Bereich der Gesellschaft dar, das Bergwerk (*Germinal*), das Kaufhaus (*Au Bonheur des Dames*), die Börse (*L'Argent*). Das Gesamtbild ist fragmentiert und zerfällt in jedem einzelnen Roman durch die Verselbständigung der Beschreibungen in weitere Fragmente. In der Spannung zwischen dem Willen zur Totalität und dem verdeckten Fragmentarismus liegt die Modernität Zolas. Proust verzichtet von vornherein auf extensive Totalität und beschränkt sich auf Wirklichkeitsausschnitte, die ihm aufgrund eigenen Erlebens zugänglich sind.[24] Er stellt sich damit in die Tradition der antinaturalistischen Wende zum Subjekt, die in Frankreich Barrès mit seinem *Culte du moi* eingeleitet hat. Im Gegensatz zu Barrès geht er jedoch nicht von der Annahme aus, daß das eigene Erleben bereits Erfahrung sei, die bloß wiedergegeben zu werden braucht. Vielmehr gilt ihm Erfahrung (er spricht von *impressions vraies*) als ein unter Begriffen, praktischen Zielsetzungen und Gewohnheiten verschütteter Bereich unseres seelischen Lebens, den freizulegen er dem Schriftsteller zur Aufgabe macht (III, 896).

Proust unterscheidet zwei Ebenen der Wirklichkeit, einmal diejenige, die in den Wörtern der Umgangssprache fixiert und die für alle Menschen die gleiche ist: »cette espèce de déchet de l'expérience, à peu près identique pour chacun, parce que nous disons: un mauvais temps, une guerre, une station de voitures, un restaurant éclairé, un jardin en fleurs, tout le monde sait ce que nous voulons dire« (III, 890). In dieser Realität alltäglicher Verständi-

24 Auf den Fragmentarismus Prousts hat Georges Poulet nachdrücklich hingewiesen: »Rarement la présentation des choses y apparaît comme totale ou panoramique. Elle est presque toujours fragmentaire.« »L'univers proustien est un univers en morceaux« (*L'Espace proustien*. Paris: Gallimard 1964, 52 und 54).

gung leben wir (sie entspricht dem, was Mallarmé *l'universel reportage* nennt). Sie ist aber für Proust nicht die wahre Wirklichkeit; vielmehr verbirgt sie diese. Die wahre Wirklichkeit, das ist die verschüttete Spur des ersten Eindrucks: »le petit sillon que la vue d'une aubépine ou d'une église a creusé en nous« (III, 891). Diese ist uns freilich nicht zugänglich, nicht nur weil wir sie vergessen haben, sondern weil sie bereits im Augenblick des Erlebens überlagert und deformiert wird von eingefahrenen Gewohnheiten und Einstellungen.

Diese wahre Wirklichkeit erschließt sich dem Erzähler zunächst durch das Lustgefühl, das einzelne, ganz belanglose Wahrnehmungen ihm bereiten: der Geschmack eines in Tee getunkten Gebäcks, das Geräusch eines Löffels, der an einen Teller stößt. Durch intensive Meditation des Eindrucks findet er den Grund des zunächst unerklärlichen Lustgefühls heraus; diesen entdeckt er in der Koinzidenz zweier Wahrnehmungen. Die gegenwärtige hat eine dem bewußten Gedächtnis nicht zugängliche vergangene in ihrer ursprünglichen Form evoziert: ein Stück authentischen Erlebens, das zum Kristallisationspunkt anderer, damit verknüpfter Erfahrungen zu werden vermag. Damit ist ein Zugang zu dem Bereich der wahren Wirklichkeit gewonnen, aber nur ein außerordentlich fragiler. Alles kommt darauf an, einen zu finden, der nicht vom Zufall der Wahrnehmungskoinzidenzen abhängig ist. Als dieser Zugang wird sich das Kunstwerk erweisen, genauer: das Verfahren der Stiftung von Analogiebeziehungen. Aber auf diese Lösung stößt der Protagonist der *Recherche* erst, nachdem er vergebens versucht hat, sich in der Realität zu verwirklichen.

Wenn Marcel vor der Weißdornhecke verharrt, um das Glücksgefühl zu erhellen, das diese in ihm hervorgerufen hat, dann sucht er im Objekt den Grund des Empfindens. Die Hecke aber bleibt stumm, sie klärt ihn nicht auf über das, was in ihm vorgeht (I, 138f.). Dieses Wissen aber würde sein Glück erst zu einem vollen machen; so bleibt es gepaart mit der Enttäuschung, daß es unmöglich ist, mit den Dingen zu sprechen, selbst dann, wenn sie sich mitzuteilen scheinen. Noch enttäuschender ist die Wirklichkeit dort, wo er sie mit der Idee konfrontiert, die er sich von ihr gebildet hat. Ein Freund der Familie hat ihm von dem Seebad Balbec erzählt und von seiner an persische Baukunst erinnernden Kirche. Marcel macht sich ein Bild: »J'apercevais les vagues soulevées autour d'une église de style persan« (I, 389). Als er später nach Balbec kommt, findet er nichts von dem vor, was er imaginiert hat (I, 658 ff.). Die Liebeserfahrungen des Protagonisten folgen dem gleichen Muster; sie stellen den aussichtslosen Versuch dar, einen Menschen zu zwingen, mit dem Bilde übereinzustimmen, das man sich von ihm gemacht hat.

Die Wirklichkeit, in der wir leben, Zwecke verfolgen, hoffen und leiden, enttäuscht, weil sie notwendig den Prinzipien affektiver und imaginativer Hervorbringung von Welt widerstreitet, die jedes Individuum entwickelt: »Je sentais bien que la déception du voyage, la déception de l'amour n'étaient pas des déceptions différentes, mais l'aspect varié que prend, selon le fait auquel il s'applique, l'impuissance que nous avons à nous réaliser dans la jouissance matérielle, dans l'action effective« (III, 877). Die Enttäuschung des Protagonisten der *Recherche* rührt letztlich daher, daß seine Imagination nicht die Macht hat, die Wirklichkeit zu gestalten. Diese ist immer schon als feste, gegebene vorhanden; er aber verfügt über kein Zaubermittel, mit dessen Hilfe er sie umzugestalten vermöchte nach dem von ihm entworfenen Bild. Aus dieser Enttäuschung zieht er nun aber nicht den resignativen Schluß, sich mit der Realität abzufinden, vielmehr hält er eigensinnig an seinem Verlangen nach einer Welt fest, die sein eigenes Produkt wäre. Da er nicht lassen will vom Glücksversprechen einer Welt, in der die Einbildung die Wirklichkeit bestimmt, aber die Enttäuschung durch die Realität nicht wegleugnen kann, bleibt ihm als Ausweg nur der Versuch, durch einen Akt der Setzung eine Welt zu schaffen, die streng den Koordinaten der eigenen Subjektivität gehorcht. Diese Welt ist keine andere als das Kunstwerk. Weder die Außenwelt hat dieses abzubilden, noch die Ereignisabfolge eines Lebens wiederzugeben (in beiden Fällen verdoppelte es nur das Vorhandene). Vielmehr hat es jene volle Erfahrung hervorzubringen, die dem Ich in der Wirklichkeit versagt blieb und bleiben mußte: »La vraie vie, la vie enfin découverte et éclaircie, la seule vie par conséquent réellement vécue, c'est la littérature« (III, 895).

Wenn Erfahrung eine Bewegung des Bewußtseins ist, in der sich dieses zugleich mit seinem Gegenstand verändert, und wenn in der Wirklichkeit das Subjekt keine Macht hat über Gegenstände und Menschen, dann wird das Kunstwerk zum Organon der Erfahrungsproduktion. Das klingt seltsam, weil wir gewohnt sind, Erfahrung als etwas zu begreifen, das uns zustößt, das wir also gerade nicht hervorbringen können. Auch bei Proust finden sich Spuren dieser Auffassung dort, wo er von den *impressions vraies* spricht, die es wiederzufinden gelte. Zugleich aber macht er deutlich, daß diese »wahren Eindrücke« uns im Augenblick des Erlebens nicht zugänglich sind, weil unser gewohnheitsmäßiges Handeln sie verdeckt. Um etwas wiederzufinden, was man als bewußt Handelnder gar nicht erlebt hat, muß man es hervorbringen, wie der Patient in der Analyse seine eigene Vergangenheit hervorbringt.[25] Mag der Blick sich in die Vergangenheit richten, das Ziel des Tuns ist doch ein eminent Gegenwärtiges: die Selbstvergewisserung des Ich.[26]

Wie aber ist Erfahrungsproduktion möglich, wenn der Autor zunächst nur über jene Fetzen authentischen Erlebens verfügt, die ihm die *mémoire involontaire* geliefert hat und deren Auftauchen vom Zufall abhängt? Wenn die Gewißheit, es mit einem Stück authentischen Erlebens zu tun zu haben, bei der Madeleine-Episode durch die Übereinstimmung zwischen zwei zeitlich voneinander getrennten Wahrnehmungen hervorgerufen war, dann galt es ein Verfahren zu entdecken, das derartige Übereinstimmungen zu erzeugen vermochte. Ein solches Verfahren der Gleichsetzung des Ungleichen ist der Vergleich. Er wird von Proust nicht mehr wie im naturalistischen Roman zur anschaulichen Vergegenwärtigung von Wirklichkeit verwendet[27], sondern zu deren Transposition. – Ein Wort Swanns aufnehmend, vergleicht der Erzähler der *Recherche* das Küchenmädchen im Hause seiner Eltern mit den allego-

25 »C'est bien cette assomption par le sujet de son histoire, en tant qu'elle est constituée par la parole adressée à l'autre, qui fait le fond de la nouvelle méthode à quoi Freud donne le nom de psychanalyse« (J. Lacan, *Ecrits*. Paris: Seuil 1966, 257).

26 »L'œuvre de Proust n'est pas tournée vers le passé et les découvertes de la mémoire, mais vers le futur et les progrès de l'apprentissage«, schreibt Gilles Deleuze in *Proust et les signes* (Paris: Presses Univ. de France ³1971, 34). Diesen Lernprozeß begreift Deleuze als einen in der Entzifferung einer Welt von Zeichen.

27 So deutet ihn Ernst Robert Curtius in seiner bereits 1925, also vor der Veröffentlichung des letzten Bandes der *Recherche* verfaßten Studie, die noch immer eine der anregendsten ist (*Marcel Proust* [Bibl. Suhrkamp, 28]. Frankfurt 1952, 50).

rischen Figuren der Tugenden und Laster von Giotto aus der Kapelle in Padua.

D'ailleurs elle-même, la pauvre fille, engraissée par sa grossesse jusqu'à la figure, jusqu'aux joues qui tombaient droites et carrées, ressemblait en effet assez à ces vierges fortes et hommasses, matrones plutôt, dans lesquelles les vertus sont personnifiées à l'Arena. Et je me rends compte maintenant que ces Vertus et ces Vices de Padoue lui ressemblaient encore d'une autre manière. De même que l'image de cette fille était accrue par le symbole ajouté qu'elle portait devant son ventre, sans avoir l'air d'en comprendre le sens, sans que rien dans son visage en traduisît la beauté et l'esprit, comme un simple et pesant fardeau, de même c'est sans paraître s'en douter que la puissante ménagère qui est représentée à l'Arena au-dessous du nom »Caritas« et dont la reproduction était accrochée au mur de ma salle d'études, à Combray, incarne cette vertu, c'est sans qu'aucune pensée de charité semble avoir jamais pu être exprimée pas son visage énergique et vulgaire. Par une belle invention du peintre elle foule aux pieds les trésors de la terre, mais absolument comme si elle piétinait des raisins pour en extraire le jus ou plutôt comme elle aurait monté sur des sacs pour se hausser; et elle tend à Dieu son cœur enflammé, disons mieux, elle le lui »passe«, comme une cuisinière passe un tire-bouchon par le soupirail de son sous-sol à quelqu'un qui le lui demande à la fenêtre du rez-de-chaussée (I, 81).

Durch die unscheinbare Bemerkung »et je me rends compte maintenant« wird der Vergleich verzeitlicht, genauer: die Aufmerksamkeit des Lesers wird von der Ebene des berichteten Geschehens abgezogen und auf die Arbeit der Transposition gelenkt. Diese schafft nicht nur eine Beziehung zwischen der äußeren Erscheinung des Küchenmädchens und den Figuren Giottos, sondern darüber hinaus zwischen dem Gesichtsausdruck und dem »Symbol«, das beide mit sich führen. Das ist aber nur möglich, wenn der Leib der Schwangeren als allegorisches Zeichen verstanden wird wie das brennende Herz der Caritas. Das Küchenmädchen wird dadurch weniger veranschaulicht als entwirklicht. Das Netz der Beziehungen, das Proust zwischen den verschiedenen Realitätsebenen der Erzählung stiftet, wird dadurch weiter kompliziert, daß der Vergleich, der zunächst auf der Ebene des Erzählens verortet war, durch die Erwähnung der Giotto-Reproduktion im Arbeitszimmer Marcels an das Erleben zurückgebunden wird und dadurch eine quasi-materielle Rechtfertigung erlangt. Der Le-

ser wird im Zweifel darüber gelassen, ob nicht die Wirklichkeit den Vergleich zumindest vorbereitet. Im Schlußteil des Zitats verändert sich die Perspektive: nicht mehr von dem Küchenmädchen ist die Rede, sondern von den Giotto-Figuren, die nun ihrerseits mit bäuerlichen Gestalten verglichen werden. Das heißt aber, die beiden Glieder des Vergleichs tauschen ihre Stelle.[28]
Das Verfahren beherrscht auch den weiteren Verlauf des Textes, wenn der Erzähler das regelmäßige Gesicht der Justitia mit dem gewisser »jolies bourgeoises pieuses et sèches« vergleicht, oder wenn er die Realitätsdichte, mit der bei Giotto die allegorischen

28 Im Proust-Kapitel seines Buches *Allegories of Reading* (New Haven/London: Yale Univ. Press 1979, 57-78) hat Paul de Man dieser Stelle besondere Aufmerksamkeit gewidmet, um zu erweisen, daß der Text selbst die totalisierende Metaphorik wieder zerstört, deren er sich bedient. Was der Erzähler an den Figuren Giottos hervorhebt, nämlich daß ihr Gesichtsausdruck und ihre allegorische Bedeutung nicht übereinstimmen, will de Man im Verfahren Prousts wiederfinden. Den Vergleich der Caritas mit einer Köchin, die einen Korkzieher durchs Kellerfenster reicht, deutet er als Vergleich mit der Köchin Françoise, deren ganz und gar nicht von Nächstenliebe geprägtes Verhalten wenig später ausführlich dargestellt wird (I, 120ff.). Der Text würde also seine Metaphern selbst dekonstruieren (ebd., 75f. und 72). Dazu einige Anmerkungen: Zunächst ist es keineswegs zwingend, die Köchin, von der der Vergleich redet, mit Françoise zu identifizieren. Aber selbst wenn man das akzeptiert, dann bleibt der Einwand, daß der Vergleich sich gerade nicht auf das Ganze der Figur der Caritas bezieht, sondern einzig auf die bäuerliche Geste, mit der sie Gott ihr Herz darreicht. Die Dekonstruktion der Metapher, die de Man dem Text zuschreibt, ist also abhängig von einer Deutung, die vom Text nicht gedeckt wird. Nicht die Metapher wird dekonstruiert durch den Text, sondern die forcierte Deutung, die der Interpret dem Text unterlegt. Dekonstruktion wäre dann eine Art Spiel des Interpreten mit der eigenen Überinterpretation. Ein letzter Einwand: Wenn die Verfahrensanalyse tatsächlich ergäbe, daß die Beziehung zwischen dem wörtlichen und dem figürlichen Sinn einer Metapher stets metonymisch, d.h. nicht notwendig ist (ebd., 71), dann würde Proust nur jene Theorie der Allegorie praktizieren, die er explizit im Text formuliert, wir hätten also eben jene notwendige Beziehung von Form und Inhalt, die den Begriff der symbolischen Form definiert, die aber de Man als eine der »mystified forms of language« gelten (vgl. P. de Man, *Blindness and Insight [...].* Minneapolis: Univ. of Minnesota Press ²1983, 226).

Zeichen dargestellt sind, nochmals mit der Präsenz der Leibesfülle des schwangeren Küchenmädchens in Beziehung setzt. Aber auch ganz andere Bereiche werden in das Metapherngeflecht verwoben, wie die Tatsache, daß Sterbende weniger an den Tod denken als an das Leid, das sie plagt. Was diese Beobachtung mit den voraufgegangenen verbindet, ist gar nicht leicht auszumachen. Der Erzähler, der sich reflektierend über sein Tun Rechenschaft gibt, hält schließlich als Gemeinsames, das die verschiedenen Realitätsebenen miteinander verbindet, die zumindest dem Anschein nach gegebene seelische Teilnahmslosigkeit eines Wesens gegenüber der von ihm verkörperten Tugend fest. Was zunächst nur ein einfacher Vergleich zu sein schien, dann als Theorie der Nicht-Übereinstimmung von wörtlicher und figürlicher Bedeutung spätmittelalterlicher Allegorien fortgeführt wurde, endet mit einer physiognomischen Beobachtung über den mitleidlosen Ausdruck von wahrhaft hilfsbereiten Menschen: »le visage antipathique et sublime de la vraie bonté« (I, 82).
Auch bei Zola verselbständigt sich die Beschreibung gegenüber dem Romankontext und gewinnt Eigenleben; die Metaphorik aber erlaubt dem Leser, in jedem Augenblick zwischen dem Gegenstand und dem Vergleichsobjekt zu unterscheiden. Dies ist bei Proust nicht der Fall; er schiebt verschiedene Realitätsebenen derart ineinander, daß diese Unterscheidung unmöglich wird. Es geht ihm nicht darum, etwas Bestimmtes anschaulich zu machen, sondern um die Beziehungsfigur, die verschiedene Realitätsfragmente miteinander bilden. Diese Figur aber – und das ist das Entscheidende – ist etwas anderes als die Realitätsfragmente, die in ihr zusammentreten, nämlich jene Wahrheit, die im Werk ihren Ort hat, nicht in der Wirklichkeit. »On peut faire succéder indéfiniment dans une description les objets qui figuraient dans le lieu décrit, la vérité ne commencera qu'au moment où l'écrivain prendra deux objets différents, posera leur rapport [...], et les enfermera dans les anneaux nécessaires d'un beau style« (III, 889). Die zunächst zufällig erlebte Wahrnehmungskoinzidenz vom Typus der Madeleine-Episode ist hier in ein künstlerisches Verfahren verwandelt. Wie die Wahrnehmungskoinzidenz vom erlebenden Subjekt deshalb als Glück erfahren werden kann, weil sie ihm erlaubt, die Raum- und Zeitbindung hinter sich zu lassen, so löst auch die metaphorische Transposition die Stelle aus allen konkreten Bezügen.

Die Wahrheit, auf die Proust Anspruch erhebt, fällt letztlich mit jenem idealen Gegenstand zusammen, den erst die Metaphorik erzeugt und der auf keinen realen Gegenstand mehr verweist.[29] Autonomie des Kunstwerks meint hier nicht mehr wie in der Ästhetik des deutschen Idealismus den Status ideeller Gebilde, insofern sie nicht theoretischen und moralisch-praktischen Urteilen unterliegen; Autonomie ist hier das Wesen der Sache selbst.

Aber, so wird man fragen, wie läßt sich der Wahrheitsanspruch, den Proust so emphatisch erhebt, überprüfen? Betont er nicht selbst immer wieder den individuellen Charakter der durch das Kunstwerk hervorgebrachten Wahrheit? »Seule l'impression, si chétive qu'en semble la matière, si insaisissable la trace, est un critérium de vérité« (III, 880). Für den Autor liegt das Wahrheitskriterium in einem nicht weiter herleitbaren Evidenzerlebnis. Damit ist aber der Anspruch allgemeiner Geltung, der im Wahrheitsbegriff auch dann mitgesetzt ist, wenn der Geltungsgrund der Wahrheit ins Subjekt verlegt wird, nicht eingelöst. Der literarischen Kritik mißtraut Proust; ihre Diskurse, die er als *logomachie* bezeichnet, bleiben eingebunden in eben jene Welt der Zwecke und des strategischen Handelns, gegen die sich das Werk gerade absetzt (III, 893 f.). Sie können daher das Werk nur verfehlen.

Bleibt als Instanz, an der der Wahrheitsgehalt des Werks sich erweisen kann, der Leser bzw. der Betrachter. Was Proust über dessen Umgang mit dem Kunstwerk sagt, ist freilich widersprüchlich.

En réalité, chaque lecteur est, quand il lit, le propre lecteur de soi-même. L'ouvrage de l'écrivain n'est qu'une espèce d'instrument optique qu'il offre au lecteur afin de lui permettre de discerner ce que, sans ce livre, il n'eût peut-être pas vu en soi-même. La reconnaissance en soi-même, par le lecteur, de ce que dit le livre, est la preuve de la vérité de celui-ci, et *vice versa* (III, 911).

29 Eine andere, wenn man will, ›realistische‹ Deutung der Proustschen Metaphorik hat Gérard Genette gegeben. Ausgehend von der Feststellung, daß Kirchtürme in der *Recherche* einmal mit Ähren, das andere Mal mit Fischen, schließlich sogar mit einem Velours-Kissen verglichen werden, macht er die unterschiedlichen Vergleichsterme aus dem jeweiligen Erzählkontext verständlich. Die Metaphorik Prousts wäre also in einer Metonymik gegründet bzw. durch diese motiviert (»Métonymie chez Proust«, in: ders., *Figures III*. Paris: Seuil 1972, 41-63).

Der Leser liest im Werk sich selbst; das Werk ist eine Art optisches Gerät, das ihm erlaubt, sich selbst zu erkennen. Indem er in sich wiederfindet, was das Buch sagt, bestätigt sich dessen Wahrheit. Die Stelle ist weniger klar, als sie zunächst scheint; denn *lecteur* wird darin in dreifacher Weise verwandt, im wörtlichen Sinne, im metaphorischen und schließlich in einem Sinn, der beide verknüpft.
Zu einer andern Auffassung des Kunstwerks, und mithin des Akts der Aufnahme, kommt Proust dagegen in einem Abschnitt, der dem Septett Vinteuils gewidmet ist.

Mais alors, n'est-ce pas que ces éléments, tout ce résidu réel que nous sommes obligés de garder pour nous-mêmes, que la causerie ne peut transmettre même de l'ami à l'ami [...] l'art, l'art d'un Vinteuil comme celui d'un Elstir, le fait apparaître, extériorisant dans les couleurs du spectre la composition intime des ces mondes que nous appelons les individus, et que sans l'art nous ne connaîtrions jamais? (III, 257f.)

Die Begegnung mit einem Kunstwerk ist die mit einem Gebilde, das die ganz spezifischen Wahrnehmungs- und Gefühlsmodi eines einzelnen so wiedergibt, wie er sie selbst im intimsten Gespräch nicht wiederzugeben vermöchte. Ein Kunstwerk aufnehmen heißt daher, die Welt mit den Augen eines andern sehen: »d'avoir d'autres yeux, de voir l'univers avec les yeux d'un autre« (ebd.). Das Wahrheitskriterium wäre dann das Evidenzerlebnis dessen, der etwas Neues sieht, eine ihm unbekannte Welt.
Einmal erscheint das Werk als ein Objekt, das dem Rezipienten erlaubt, in sich einzudringen, um sich selbst zu erkennen; das andere Mal dagegen als ein »Individuum«, das ihm ermöglicht, aus sich herauszugehen, um die Welt mit den Augen eines andern zu sehen: »Par l'art seulement nous pouvons sortir de nous, savoir ce que voit un autre« (III, 895).[30]
Eine für die Kunstauffassung Prousts zentrale Stelle ist der Besuch Marcels im Atelier des Malers Elstir in Balbec. An dessen Seebil-

30 Die Widersprüche der im Roman formulierten Ästhetik hat Vincent Descombes jüngst präzise herausgearbeitet; freilich nur, um sich gänzlich von ihr abzuwenden und den philosophischen Gehalt der *Recherche* an der Konstellation von Figuren und ihrer Welt festzumachen (*Proust. Philosophie du roman*. Paris: Editions de Minuit 1987, 47ff., bes. 56).

dern fällt ihm auf, daß der Maler das Meer mit Darstellungsmitteln gestaltet, die sonst für das Festland verwendet werden, und umgekehrt.

Mais j'y pouvais discerner que le charme de chacune consistait en une sorte de métamorphose des choses représentées, analogues à celle qu'en poésie on nomme métaphore, et que, si Dieu le Père avait créé les choses en les nommant c'est en leur ôtant leur nom, ou en leur en donnant un autre, qu'Elstir les recréait (I, 835).

Der Erzähler hält eine Rezeptionserfahrung fest; aber er tut dies, indem er beschreibt, was der Maler gemacht hat. Genauer: er vergleicht die auf den Bildern wahrgenommenen Gegenstandsverwandlungen mit der Metapher und erhellt den so hergestellten Zusammenhang durch einen Vergleich zwischen dem Tun des Schöpfergottes und dem Elstirs. Geht man dem Vergleich nach, so stößt man vor allem auf das, was Elstirs Vorgehen nur metaphorisch als Schöpfung ausweist. Die Dinge behalten ihre »Namen«, »a rose is a rose is a rose« (mit Gertrude Stein zu sprechen), nur in einer Als-ob-Handlung kann man sie umbenennen.
Die Theorie, die der Erzähler formuliert, ist selber ein Gewebe von Aussagen, die sich zueinander verhalten wie die Glieder einer unendlichen Vergleichskette. Im nächsten Absatz berichtet er von einer alltäglichen Beobachtung. Manchmal hat er, aus dem Fenster des Hotels blickend, einen dunkleren Teil des Meeres für ein entferntes Ufer gehalten oder eine diffuse blaue Zone am Horizont nicht eindeutig als Himmel oder Meer ausmachen können. Das Anders-Sehen gibt es auch im Alltag. Hier scheint sich bereits jener verfremdende Umgang mit dem Alltag anzukündigen, den die Surrealisten auf die Großstadt übertragen werden. Was eben noch in Analogie zum Schöpfungsakt stand, läßt sich auch, wenngleich in seltenen Augenblicken, in der Realität erleben.
Der Satz, in dem Proust beide Ebenen zusammenbringt, wirft freilich neue Probleme auf: »Mais les rares moments où l'on voit la nature telle qu'elle est, poétiquement, c'était de ceux-là qu'était fait l'œuvre d'Elstir« (I, 835). Die wahre Realität, die das Kunstwerk doch erst hervorbringen soll, ist zugleich der Stoff, aus dem es gemacht ist.[31] Stoff und Resultat sind austauschbar. Der Widerspruch erinnert an den oben beobachteten, daß das Kunstwerk

31 In *Le Temps retrouvé* wird der Begriff des Materials von Proust auch

zugleich als Objekt gefaßt ist, das der Selbsterkenntnis des Lesers dient, und als Subjekt, das die Erkenntnis des andern ermöglicht. Diese Widersprüche, die im Proustschen Text angelegt sind, die aber erst die Interpretation hervortreibt, rühren daher, daß Begriffe wie Stoff, Resultat, Transposition einer Sprache angehören, die der Bearbeitung und Beherrschung der Welt dient. Diese Sprache setzt nicht nur die Trennung zwischen Subjekt und Objekt, sondern auch die zwischen *signifiant* und *signifié* voraus. Ihren Begriffen eignet eine eindeutige Richtung. Wenn man etwas als Stoff bezeichnet, dann betrachtet man es nur unter dem Gesichtspunkt, daß es zur Herstellung eines andern dient; daß es selbst ein Gewordenes ist, wird ausgeblendet. Auch Proust muß sich dieser Sprache bedienen, aber indem er die Begriffe in ein Netz von Analogien verwebt, verlieren sie ihre lineare Gerichtetheit; Stoff und Resultat werden ebenso austauschbar wie Original und Übersetzung. Die Selbsterkenntnis des Lesers im Kunstwerk ist die Erkenntnis des andern, denn auch sein Selbst ist für ihn ein anderer. Die Wahrheit liegt dem Kunstwerk voraus in den Erlebnisfragmenten des Autors und wird doch erst durch das Werk hervorgebracht.

Die Theorie, die Kunstwerk und Metapher in Analogie setzt (nicht sie gleichsetzt), beschreibt nicht etwas außer ihr Gegebenes, sondern reflektiert das Werk, dessen Teil sie ist und dessen Bauprinzipien sie gehorcht. Das Verfahren der Verknüpfung von Analogien, die keinen festen Bezugspunkt mehr aufweisen, und in denen stets Ungleiches in eine Gleichheitsbeziehung gerückt wird, liegt auch der Stelle über die Bilder Elstirs zugrunde. Kunstproduktion, Schöpfungsakt und momentane Wahrnehmungserlebnisse werden zu einer Beziehungsfigur verbunden, die, übersetzt man sie in die Begrifflichkeit zweckrationalen Sprechens, Widersprüche produziert. Diese aber sind das Signum der Andersheit, in der die Wahrheit des Kunstwerks liegt. Wenn die Wahrheit des Kunstwerks die Abweichung ist, dann muß die Theorie, in der das Werk sich reflektiert, abweichende Theorie sein.

Konsequent hat Proust auch noch die Beglaubigung des Wahrheitsanspruchs der Kunst ins Werk hineingenommen. Der schon

verwendet: »Et je compris que tous ces materiaux de l'œuvre littéraire, c'était ma vie passée« (III, 899).

vom Tode gezeichnete Schriftsteller Bergotte geht ins Museum, um dort ein kleines gelbes Mauerstück auf einem Bild Vermeers zu sehen, das er liebt. Er setzt sein Leben aufs Spiel, um »le petit pan de mur jaune« zu sehen und stirbt vor dem Bild.

2. Kafkas Verfahren

> Unsere Kunst ist ein von der Wahrheit Geblendet-Sein: Das Licht auf dem zurückweichenden Fratzengesicht ist wahr, sonst nichts.[32]

Daß Kafka »alle erdenklichen Vorkehrungen gegen die Auslegung seiner Texte getroffen hat«, wie Benjamin bemerkt (*GS* II/2, 422), hat seine Interpreten nicht daran gehindert, die Texte auf jeweils einen Sinn festlegen zu wollen.[33] Freilich ist aus der Einsicht, daß die hermetische Prägung von Kafkas Schriften dazu verführt, »wohlfeilen Tiefsinn« abzusondern[34], kein Interpretationsverbot abzuleiten. Denn in den meisten Fällen verbirgt sich dahinter auch nur der Anspruch des letzten Interpreten auf ein Deutungsmonopol. Will man nicht bei der zwar zutreffenden, aber in ihrer Abstraktheit gleichfalls leeren Feststellung der Mehrdeutigkeit der

32 Ebenso wie die im folgenden zu analysierenden Texte entstammt auch der vorliegende einer von Kafka selbst aus seinen Notizheften zusammengestellten Aphorismensammlung, die Max Brod unter dem Titel *Betrachtungen über Sünde, Leid, Hoffnung und den wahren Weg* veröffentlicht hat, in: F. Kafka, *Hochzeitsvorbereitungen auf dem Lande und andere Prosa aus dem Nachlaß* (Ges. Werke, hg. v. M. Brod). Frankfurt: Fischer Taschenbuch Verlag 1983, 69; im folgenden abgekürzt: *H*.

33 Ein anschauliches Beispiel dafür bringt Norbert Rath, wenn er die verschiedenen Auslegungen zusammenträgt, die Kafkas Sirenen erfahren haben (»Mythos-Auflösung. Kafkas *Das Schweigen der Sirenen*«, in: Ch. Bürger [Hg.], *»Zerstörung, Rettung des Mythos durch Licht«* [Hefte für krit. Litwiss. 5; ed. suhrkamp, 1329]. Frankfurt 1986, 106; Anm. 24). Einen Überblick über die Kafka-Forschung geben P. U. Beicken, *Franz Kafka. Eine kritische Einführung in die Forschung*. Frankfurt: Athenäum Fischer 1974 und H. Binder (Hg.), *Kafka-Handbuch*. Bd. II: *Das Werk und seine Wirkung*. Stuttgart: Kröner 1979, 358ff.

34 Th. W. Adorno, »Aufzeichnungen zu Kafka«, in: ders., *Prismen [...]* (dtv, 159). München 1963, 248-281; hier: 268.

Texte stehenbleiben, so wird man sich zunächst an die Verfahrensweise des Autors halten. Das soll im folgenden geschehen.

Ich irre ab.
Der wahre Weg geht über ein Seil, das nicht in der Höhe gespannt ist, sondern knapp über dem Boden. Es scheint mehr bestimmt stolpern zu machen, als begangen zu werden (*H*, 52).

Unterlasssen wir jegliche Vermutung darüber, was mit dem »wahren Weg« gemeint sein könnte. Der Text gibt darüber keine Auskunft. Er führt einen Gestus vor, den der Leser nachvollziehen kann. Der kurze Text besteht – sieht man von der ›Überschrift‹ ab – aus zwei Sätzen, die in einer kaum merklichen semantischen Spannung zueinander stehen. Im ersten Satz erfahren wir, daß es den »wahren Weg« gibt. Dieser führt allerdings nicht über den Boden, sondern über ein Seil. Den »wahren Weg« einzuschlagen, käme mithin einem Gehen auf dem Seil gleich, freilich einem harmlosen, da »das Seil nicht in der Höhe gespannt ist, sondern knapp über dem Boden«. Der zweite Satz läßt sich an dieses Verständnis nicht ohne weiteres anschließen. Denn was eben noch als begehbares Seil angesprochen worden ist, erscheint jetzt als Stolperseil. Damit wird nicht nur die Funktion des Seils geändert, sondern auch der Weg umbestimmt: Er verläuft jetzt nicht mehr in der Richtung des gespannten Seils, sondern eher quer zum Seil. Da diese Aussage aber unsicher bleibt (»es scheint...«), wird die Richtung des »wahren Wegs« vollends ungewiß. Kehrt der so verunsicherte Leser zum ersten Satz zurück, den er ja zunächst als eindeutige Aussage über Vorhandensein, Richtung und Schwierigkeitsgrad des »wahren Wegs« gedeutet hat, so muß er feststellen, daß auch dieser zweideutig ist: »über« ein knapp über dem Boden gespanntes Seil kann man in der Tat entweder wie ein Seiltänzer gehen oder wie jemand, der das Seil überschreitet. Nicht nur ist der »wahre Weg« schwer zu begehen, nicht nur ist seine Richtung ungewiß, er »scheint« darüber hinaus so gebaut, daß er den, der sich auf ihn begibt, stolpern läßt. Durch die Häufung von Ungewißheiten und Zweideutigkeiten wird der semantische Kern des Begriffs »wahrer Weg« gleichsam angefressen. Er wird nicht negiert, wohl aber mit Vorbehalten umstellt, die auf die Frage, ob man auf ihm zum Ziel gelangen könne, keine sichere Antwort zu geben erlauben.

Kafka stellt in dem Text ein verkleinertes Modell von Welt vor. Darin gibt es nur ein Objekt, das Seil, und ein im Text nur implizit erschließbares Subjekt (einen »wahren Weg« kann es nur für ein Subjekt geben). Das Subjekt sucht sich in der Welt zu orientieren; es weiß, daß es den »wahren Weg« gibt (daran wird in dem Text nicht gezweifelt); aber dieses Wissen läßt sich nicht eindeutig auf die Welt beziehen. Ein anderer Aphorismus faßt den Sachverhalt folgendermaßen: »Es gibt ein Ziel, aber keinen Weg; was wir Weg nennen, ist Zögern« (*H*, 32). Man darf sich nicht dadurch verwirren lassen, daß einmal das Vorhandensein eines Wegs behauptet, das andere Mal dagegen geleugnet wird. Nicht auf die isolierten Begriffe kommt es an, sondern auf die Konstellation, in die sie zueinander treten. Die Konstellation aber ist insofern die gleiche, als in beiden Texten das Vorhandensein eines Orts der Wahrheit (»wahrer Weg«, »Ziel«) behauptet wird, jedoch unklar bleibt, ob dieser Ort erreicht werden kann. Diese Unklarheit wird jeweils durch eine semantische Verschiebung erzeugt. Im ersten Aphorismus wird das begehbare Seil zum Stolperseil; im zweiten wird »Weg« mit »Zögern« übersetzt und damit etwas Gegebenes in eine subjektive Einstellung überführt.
In den bisher erörterten Texten ging es um das Einschlagen des »wahren Wegs« und das Erreichen eines »Ziels«, also um Handlungsperspektiven, die beiden folgenden dagegen thematisieren Möglichkeiten, den Mißerfolg zu verarbeiten.

Gingest du über eine Ebene, hättest den guten Willen zu gehen und machtest doch Rückschritte, dann wäre es eine verzweifelte Sache; da du aber einen steilen Abhang hinaufkletterst, so steil etwa, wie du selbst von unten gesehen bist, können die Rückschritte auch nur durch die Bodenbeschaffenheit verursacht sein, und du mußt nicht verzweifeln (*H*, 31).

Auffällig ist zunächst die semantische Ambivalenz des Textes, die dadurch entsteht, daß Termini wie »Ebene«, »Abhang«, »hinaufklettern«, »Bodenbeschaffenheit« ein wörtliches Verständnis nahelegen, das durch die Verwendung des nur in übertragenem Sinne gebrauchten »Rückschritt« jedoch gerade ausgeschlossen wird. Der Text argumentiert gegen die Verzweiflung dessen, der sich vorwärtsbewegen will und doch Rückschritte macht. Die Ursache seines Mißerfolgs kann entweder in ihm selbst liegen (dann hat der Angeredete Grund zur Verzweiflung) oder an der Ungunst der objektiven Gegebenheiten (dann braucht er nicht zu verzweifeln).

Der erste Erklärungsansatz, in dem eine irreale Situation aufgebaut wird, dient offenbar nur der Bestätigung des zweiten. Dieser scheint durch die Verwendung des Indikativs Präsens zunächst als gesichert, wird dann aber durch das Modalverb »können« in Frage gestellt. Die Argumentation, die die Gründe zur Verzweiflung zerstreuen will, kommt nicht zu ihrem Ziel: Die Möglichkeit, daß der Angeredete an seinem Mißerfolg schuld ist, kann nicht ausgeschlossen werden. Das einzige, woran man sich halten kann, sind die Rückschritte. Der Text blockiert seine eigene Aussage.

Das Tier entwindet dem Herrn die Peitsche und peitscht sich selbst, um Herr zu werden, und weiß nicht, daß das nur eine Phantasie ist, erzeugt durch einen neuen Knoten im Peitschenriemen des Herrn (*H*, 32).

Der Text führt eine doppelte Verschiebung vor. Er suggeriert dem Leser Deutungen, die er unmittelbar darauf als falsch entlarvt. »Das Tier entwindet dem Herrn die Peitsche« wird man zunächst als Akt einer einfachen Befreiung lesen. Dann erfahren wir jedoch, daß das Tier die Gewalt, die ihm angetan wurde, verinnerlicht hat. Da für das Tier der Herr ist, wer es peitscht, muß es sich selber peitschen, »um Herr zu werden«. Eine zweite Verschiebung enthüllt diese Vorstellung als eine durch eine Veränderung an der Peitsche hervorgerufene »Phantasie« des Tieres. Im Vollzug der Lektüre werden zunächst die dem Leser nahegelegten Deutungen zurückgenommen. Freilich steht hier, im Gegensatz zu andern Texten, die »richtige« Interpretation der Wirklichkeit fest (es herrscht Gewalt, das Tier wird geschlagen); aber den Subjekten, die es angeht, ist diese Erkenntnis nicht zugänglich. Nicht durch semantische Entleerung (wie in dem Text vom »wahren Weg«) erfolgt hier der Entzug des positiv Gesetzten, sondern dadurch, daß das Wissen von seinem Adressaten getrennt wird. Auf die Frage nach der Hoffnung außerhalb dieser Welt sagt Kafka zu Max Brod: »Oh, Hoffnung genug, unendlich viel Hoffnung – nur nicht für uns« (zit. in: *GS* II/2, 414).

Leoparden brechen in den Tempel ein und saufen die Opferkrüge leer; das wiederholt sich immer wieder; schließlich kann man es vorausberechnen, und es wird ein Teil der Zeremonie (*H*, 31).

In dem Weltmodell dieses Textes stehen Natur und Kultur einander gegenüber. Die Natur bricht in Gestalt der Leoparden in die Kultur ein. Das Ereignis, das zunächst den Vollzug des Opfers stört (die Leoparden »saufen die Opferkrüge leer«), wird durch eine Umdeutung bewältigt: der Einbruch der Natur wird »Teil der Zeremonie«. Die Grenze zwischen Natur und Kultur, die uns als unverrückbar gilt, läßt sich verschieben. Ob etwas als Natur oder als Kultur angesehen wird, ist letztlich eine Frage der Interpretation, nicht des Wesens der Sache.

Das Leben ist eine fortwährende Ablenkung, die nicht einmal zur Besinnung darüber kommen läßt, wovon sie ablenkt (*H*, 242).

Die Behauptung des Hauptsatzes wird dadurch in Frage gestellt, daß der anschließende Relativsatz sie radikalisiert. Um etwas als Ablenkung zu erfahren, muß man das, wovon abgelenkt wird, noch im Blick haben. Ist das nicht der Fall, dann wird der Begriff semantisch entleert. Die Aussage scheint sich aufzuheben; aber es scheint nur so. Der Eindruck, den der Text beim Leser hinterläßt, ist ja nicht der, er teile gar nichts mit, vielmehr der, er teile etwas mit (ein unbestimmtes Gefühl des Entzugs), wofür er aber keine Worte habe. Man kann das auch so formulieren: Zwischen dem Gehalt des Textes und den Mitteln seiner sprachlichen Realisierung besteht eine Kluft. Ablenkung ist der falsche Begriff; da es den richtigen nicht gibt (auch ›Entzug‹ ist selbstverständlich nicht der richtige), bleibt dem Autor nichts anderes übrig, als den falschen zu verwenden und ihn als falsch erkennbar zu machen. Wird die Ablenkung nicht mehr einem andern gegenübergestellt, von dem sie ablenkt, wird sie vielmehr total, so hebt sie sich selbst auf. Das Universalwerden der Ablenkung fällt mit deren Selbstverständlichkeit zusammen.
Die analysierten Texte behandeln unterschiedliche Gegenstände; ihre Gemeinsamkeit liegt im Verfahren. Eine Aussage wird in Frage gestellt, zurückgenommen oder umgedeutet, ein Begriff semantisch entleert. Die Beziehung zwischen sprachlichem Zeichen und von ihm bezeichnetem Sachverhalt erweist sich als unsicher. So problematisch es ist, die einzelnen Texte unmittelbar symbolisch auslegen zu wollen, indem man den Aktanten eine feste Bedeutung zuspricht (etwa den »wahren Weg« als den Weg zu Gott oder das »Tier« als den ausgebeuteten Menschen auffaßt), sowenig läßt sich der Versuch abweisen, das Verfahren selbst zum Gegenstand der Deutung zu machen. Aber was heißt das genau? Sicherlich nicht ein dem Text Vorgängiges erfassen zu wollen, obwohl gerade das nahe-

zuliegen scheint. Fragen wir nach den Voraussetzungen des Verfahrens der Bedeutungsverschiebung, so stoßen wir auf bestimmte Einstellungen des produzierenden Subjekts zur Welt, zu sich selbst und zur Sprache. Über diese Einstellungen geben uns Kafkas *Tagebücher* Aufschluß. Insofern helfen uns die *Tagebücher* bei dem Bemühen, das Verfahren zu verstehen. Aber es wäre irrig anzunehmen, wir erhielten auf diesem Wege Zugang zu einer vorliterarischen Schicht des Erlebens, aus der dann das Verfahren der Bedeutungsverschiebung begriffen werden könnte. Auch die Tagebuchaufzeichnungen sind literarische Texte. Sie mögen sich im Grad der Ausarbeitung von andern Aufzeichnungen unterscheiden; einen grundsätzlich anderen Status (etwa den des unmittelbaren Erlebnisprotokolls) haben sie nicht. Die Nähe zwischen dem Ich der *Tagebücher* und andern Figuren Kafkas ist so groß, daß der Nachweis sich erübrigt. Diese Nähe ist jedoch nicht auflösbar: Die Erklärung des Werks durch die Autobiographie ist so falsch wie die Behauptung, alle Texte Kafkas seien bloße Fiktion.
Wenn sich aber Tagebuchaufzeichnungen und andere Texte nicht trennscharf voneinander abheben lassen, welchen Erklärungswert kann dann der Rückgriff auf die Aufzeichnungen noch haben? Er liegt darin, daß wir eine Bewegung an den Texten vollziehen. Nur scheinbar stoßen wir auf eine vorgängige Schicht, in Wahrheit produzieren wir den Werkgehalt, indem wir Texte in eine Konstellation rücken.
Die Einstellung, die das Ich der *Tagebücher* zur Familie und zum Beruf einnimmt, ist fast immer ambivalent. »Um es nicht zu vergessen, für den Fall, daß mich mein Vater wieder einmal einen schlechten Sohn nennen sollte«, notiert Kafka abfällige Bemerkungen des Vaters über zwei seiner Freunde und fügt gleich darauf hinzu: »Ich hätte es doch nicht aufschreiben sollen, denn ich habe mich geradezu in Haß gegen meinen Vater hineingeschrieben, zu dem er doch heute keinen Anlaß gegeben hat und der [...] unverhältnismäßig groß ist, im Vergleich zu dem, was ich als Äußerung meines Vaters niedergeschrieben habe, und der sich daran noch steigert, daß ich an das eigentlich Böse im gestrigen Benehmen des Vaters mich nicht erinnern kann«.[35] K. (so wollen wir im folgen-

35 F. Kafka, *Tagebücher 1910-1923* (Ges. Werke, hg. v. M. Brod). Frankfurt: Fischer Taschenbuch Verlag 1983, 97f.; im folgenden abgekürzt: *T*.

den die Ich-Figur der *Tagebücher* nennen) hat einerseits Anlaß zum Haß auf den Vater, der ihn »zu drücken« sucht; andererseits hat er im Augenblick der Niederschrift gerade keinen Anlaß, erfährt daher seinen Haßausbruch als schuldhaftes Vergehen. Doch im gleichen Satz, in dem er sich wegen der Unverhältnismäßigkeit seines Hasses beschuldigt, klagt er den Vater erneut an. Nicht nur weiß er nicht, ob er Grund hat zum Haß auf den Vater; er vermag auch nicht auszumachen, ob der Haß, den er verspürt, viszeral ist oder nur durch das Niederschreiben hervorgerufen. Unsicher ist die Beziehung zum andern, aber auch die zum eigenen Selbst. In einer andern Tagebuchnotiz reflektiert K. über das ambivalente Verhältnis zu seinen Eltern:

Der Anblick des Ehebettes zu Hause, der gebrauchten Bettwäsche, der sorgfältig hingelegten Hemden kann mich bis zum Erbrechen reizen, kann mein Inneres nach außen kehren, es ist, als wäre ich nicht endgültig geboren, käme immer wieder aus diesem dumpfen Leben in dieser dumpfen Stube zur Welt, müsse mir dort immer wieder Bestätigung holen [...]. Das ist das eine Mal. Das andere Mal aber weiß ich wieder, daß es doch meine Eltern sind, notwendige, immer wieder Kraft gebende Bestandteile meines eigenen Wesens, nicht nur als Hindernis, sondern auch als Wesen zu mir gehörig. [...] und haben sie, Vater von der einen Seite, Mutter von der andern, meinen Willen wiederum notwendigerweise fast gebrochen, dann will ich sie dessen auch würdig sehn (*T*, 375).

Auch hier ist die Ambivalenz in der Einstellung zu den andern mit der gegenüber dem eigenen Selbst verbunden. Der physische Abscheu vor dem elterlichen Leben ist nicht ablösbar von der Anerkennung der Eltern; deshalb muß K. dort Bestätigung suchen. Die Anerkennung wiederum ist nicht abtrennbar vom Vorwurf, seinen Willen »notwendigerweise fast gebrochen« zu haben. Wird durch das erste Adverb der Vorwurf gegen die Eltern zur Hälfte zurückgenommen, so erhält durch das zweite das Ich die unscharfen Konturen einer verwackelten Fotografie. Die Eltern sind zugleich schuld an seinem Unglück (sie haben seinen Willen gebrochen) und unschuldig (sie konnten gar nicht anders handeln, da Erziehung für sie das Brechen des kindlichen Willens bedeutet). Die Ambivalenz der Beziehungsstruktur zersetzt das Selbst, das sich nicht als ein identisches festzuhalten vermag: sein Wille ist gebrochen, aber er ist es nur »fast«.
Auf einer Reise, die K. unternimmt, um den Kontoristen des Va-

ters, der gekündigt hat, zurückzugewinnen, schäkert ein Kindermädchen mit ihm: »Ich weiß unter ihren Blicken nicht, was ich gerade bin, ob gleichgültig, verschämt, jung oder alt, frech oder anhänglich, Hände hinten oder vorn haltend, frierend oder heiß, Tierliebhaber oder Geschäftsmann [...], überlegen oder infolge meines leichten Anzugs lächerlich, ob Jude oder Christ usw.« (*T*, 76). Selbst im Augenblick vermag K. sich nicht als einen zu definieren, der etwas Bestimmtes tut, fühlt und denkt. Sein Selbst ist gleichsam zerstreut in verschiedene mögliche Einstellungen, die die Situation nahelegt. Eine andere Eintragung bringt diesen Identitätszweifel auf eine paradoxe Formel. »Was habe ich mit Juden gemeinsam? Ich habe kaum etwas mit mir gemeinsam und sollte mich ganz still, zufrieden damit, daß ich atmen kann, in einen Winkel stellen« (*T*, 255). Um entscheiden zu können, was er mit Juden gemeinsam hat, müßte er seiner selbst gewiß sein. Der Vergleich setzt voraus, daß das, was verglichen wird, bestimmbar ist. Diese Voraussetzung stellt K. für sich selbst in Frage. Auch dieser Text arbeitet mit dem Verfahren der semantischen Verschiebung: der Begriff der Gemeinsamkeit wird durch den Hinweis auf die mit ihm gegebenen Voraussetzungen problematisiert. So wird der Grund erkennbar, warum die Ausgangsfrage nicht beantwortet werden kann: »Ich habe kaum etwas mit mir gemeinsam«. Wie das Adverb »fast« im vorletzten Text, so sorgt das »kaum« in diesem dafür, daß die Aussage nicht jenen Grad der Bestimmtheit erreicht, der noch die Nicht-Übereinstimmung mit sich selbst zu etwas Festem machen würde.

In dem Maße, wie das Ich auch im Augenblick sich nicht als ein mit sich identisches erlebt, verschwimmen ihm die eigenen Erfahrungen. Benjamin hat auf eine Notiz Kafkas hingewiesen, die das festhält: »Ich habe Erfahrung, und es ist nicht scherzend gemeint, wenn ich sage, daß es eine Seekrankheit auf festem Lande ist« (*GS* II/2, 428). Ein Ich, dem derart die Beziehungen zur Mitwelt und die Bestimmung des eigenen Selbst entgleiten, steht vor der Aufgabe, sich selbst zu konstituieren. K. tut dies, indem er sich als Literatur (nicht als Autor) definiert. »Da ich nichts anderes bin als Literatur und nichts anderes sein kann und will, so kann mich mein Posten niemals zu sich reißen, wohl aber kann er mich gänzlich zerrütten«, heißt es im Entwurf eines Briefs an den Vater (*T*, 233). Die ungewöhnliche Formulierung (»da ich nichts anderes

bin als Literatur«) dürfte genau das treffen, was Kafka sagen will. Erst als Literatur, d. h. in der Niederschrift, gewinnt das Selbst für ihn feste Konturen; denn auch die Darstellung einer entgleitenden Identität hat ja als Darstellung etwas Festes.
Freilich bleibt die so erreichte Identität prekär; denn die literarische Darstellung ist abhängig von der Sprache. Über die aber verfügt Kafka nicht wie über ein selbstverständliches Medium der Mitteilung.

> Die Sprache kann für alles außerhalb der sinnlichen Welt nur andeutungsweise, aber niemals auch nur annähernd vergleichsweise gebraucht werden, da sie, entsprechend der sinnlichen Welt, nur von Besitz und seinen Beziehungen handelt (*H*, 68).

Der Vergleich setzt voraus, daß die beiden Glieder fest umrissen sind, damit Gemeinsamkeiten und Unterschiede ausgemacht werden können. Das trifft aber für die mitzuteilenden Erfahrungen nicht zu. Diese sind konturlos; erst durch die Niederschrift erhalten sie Bestimmtheit. Aber nicht nur die Sache entzieht sich der Festlegung, auch das Instrument des Vergleichs ist gleichsam zerbrochen. »Zwischen tatsächliches Gefühl und vergleichende Beschreibung ist wie ein Brett eine zusammenhanglose Voraussetzung eingelegt«, heißt es in einer andern Eintragung (*T*, 159). Während die traditionelle Theorie des literarischen Bildes auf das *tertium comparationis* abhebt, das Gemeinsame, das die Glieder des Vergleichs miteinander verknüpft, verweist Kafka auf das sie Trennende. Er erlebt die Beziehung zwischen Auszudrückendem und sprachlicher Form als eine aporetische. Wenn die Erfahrung selbst gleichsam zerläuft, bedarf es der sprachlichen Fixierung, um ihr Bestimmtheit zu geben. Aber diese Bestimmtheit ist immer auch eine Verfälschung der Erfahrung. Daher rührt »dieses Gefühl des Falschen, das ich beim Schreiben habe« (*T*, 158).[36] Schreiben ist für Kafka nichts anderes als der immer von neuem gemachte

36 Vgl. dazu Kafkas Charakteristik der Situation der deutschsprachigen jüdischen Schriftsteller in Österreich-Ungarn: »Sie lebten zwischen drei Unmöglichkeiten [...]: der Unmöglichkeit, nicht zu schreiben, der Unmöglichkeit, deutsch zu schreiben, der Unmöglichkeit, anders zu schreiben, fast könnte man eine vierte Unmöglichkeit hinzufügen, die Unmöglichkeit zu schreiben« (Brief an Max Brod, Juni 1921; in:

Versuch, diese Aporie zu umgehen. Die Verfahren der Bedeutungsverschiebung, der semantischen Entleerung und der Umdeutung, die er entwickelt, gelten diesem Ziel.
Daß das Schreiben für ihn aber auch ein Akt der Selbstbefreiung ist, Hinausgehen über all jene Unzulänglichkeiten, Zwänge und Schuldgefühle, an denen er im Alltag leidet, läßt eine späte Tagebucheintragung erkennen:

Merkwürdiger, geheimnisvoller, vielleicht gefährlicher, vielleicht erlösender Trost des Schreibens: das Hinausspringen aus der Totschlägerreihe, Tat-Beobachtung. Tatbeobachtung, indem eine höhere Art der Beobachtung geschaffen wird, eine höhere, keine schärfere, und je höher sie ist, je unerreichbarer von der »Reihe« aus, desto unabhängiger wird sie, desto mehr eigenen Gesetzen der Bewegung folgend, desto unberechenbarer, freudiger, steigender ihr Weg (*T*, 413).

In dieser Notiz ist zweierlei zusammengedacht, was in weniger komplexen Literaturprogrammatiken auseinanderfällt: die Distanz des Autors gegenüber den Kämpfen innerhalb der Gesellschaft (»Hinausspringen aus der Totschlägerreihe«) und der Realitätsbezug der Literatur (»Tatbeobachtung«). Freilich verrät der Text nicht, *wie* denn jene höhere Art der Beobachtung geschaffen wird, die eigenen Bewegungsgesetzen folgt. Unsere Analysen haben darauf eine Antwort gegeben: durch das Verfahren. Kafka vertraut weder einem vorgängigen Wissen, das es mitzuteilen gilt, noch einer Erfahrung, die auf ein festes Ich verweist, noch der Sprache als Kommunikationsmedium; er vertraut allein dem Verfahren. Dieses ist zugleich Ausdruck des ungesicherten Realitätsbezugs aller nicht auf sinnlich Konkretes gerichteten sprachlichen Aussagen *und* Instrument der Schaffung einer imaginären Freiheit. Kafka denkt das Verhängnis und die Rettung nach dem gleichen Modell.
Daß für Kafka, den in der Tschechoslowakei lebenden deutschsprachigen Juden, die Ambivalenz zur Grunderfahrung wurde, ist verständlich. Kann er sich doch weder als Tscheche, noch als Deutscher, noch als Jude definieren, sondern nur durch die Nega-

F. Kafka, *Briefe 1902-1924*, hg. v. M. Brod. Frankfurt: Fischer Taschenbuch Verlag 1975, 337f.). Dazu: G. Deleuze/F. Guattari, *Kafka. Pour une littérature mineure*. Paris: Editions de Minuit 1975, 29ff.

tion dieser Bestimmungen hindurch.[37] Aber wie konnte eine Literatur, die sich offenbar einer ganz besonderen Erfahrungslage verdankt, universale Geltung erlangen? Ohne damit eine psychoanalytische Deutung geben zu wollen, mag es doch sinnvoll sein, sich daran zu erinnern, daß Freud den ödipalen Konflikt als einen Ambivalenzkonflikt verstanden hat. In ihm stünden eine »gut begründete Liebe und [ein] nicht minder berechtigter Haß, beide auf dieselbe Person gerichtet«, einander gegenüber.[38] Gefühlsambivalenz wäre mithin eine Erfahrungsschicht, die (wie immer auch überlagert) jedes in der modernen Kleinfamilie sozialisierte Individuum in sich vorfindet.

Hinzu kommt etwas anderes: Manches spricht dafür, daß ambivalente Einstellungen immer mehr die Erfahrungsverarbeitung des Großstädters im 20. Jahrhundert prägen. Max Webers Theorem von der Entzauberung der modernen Welt zufolge erscheint diese dem Menschen als berechenbar und beherrschbar; zugleich erlebt er aber in fast jeder Generation Katastrophen, die sein Vertrauen in die Beherrschbarkeit der Welt nachhaltig erschüttern. Diese Katastrophen sind nicht mehr natürliche, sondern ergeben sich aus menschlichen Handlungen. Es brauchen nicht notwendig die eigenen zu sein (wie in dem von Sartre rekonstruierten historischen Fall der Generation von 1848); meist ist der einzelne betroffen von Geschehnissen, die jenseits seiner Entscheidungsmöglichkeiten liegen. Das Alltagsbewußtsein wird so gezwungen, von einander widerstreitenden Annahmen auszugehen. Es weiß die Welt zugleich als berechenbar und bedrohlich, als rational gestaltbar und chaotisch. Die Technik ist für das Alltagsbewußtsein in vergleichbarer Weise ambivalent. Einerseits eröffnet sie dem einzelnen Handlungsmöglichkeiten, andererseits macht sie ihn abhängig und gefährdet ihn. Die Entzauberung der Welt wäre, so gesehen, nur eine Seite eines Lebensgefühls, dessen Kehrseite das Bewußtsein einer unbestimmten Bedrohung wäre.

37 Vgl. dazu Chr. Stölzl, *Kafkas böses Böhmen. Zur Sozialgeschichte eines Prager Juden*. München: Edition Text + Kritik 1975.

38 S. Freud, *Hemmung, Symptom und Angst*, in: ders., *Studienausgabe*, hg. v. A. Mitscherlich u.a. Bd. VI. Frankfurt: Fischer 1971, 247.

3. Alltagswelt und innerer Monolog bei Joyce

Zur Vorgeschichte des Verfahrens

Ein Blick auf die Vorgeschichte des inneren Monologs gibt Anlaß, unseren Begriff von historischer Entwicklung zu überdenken, nicht um ihn zu verabschieden, sondern um ihn auf eine doppelte Zeitebene zu beziehen. Wie Innerlichkeit immer schon eine Erlebnisdimension des bürgerlichen Subjekts ist und doch in der Epoche des Ästhetizismus als historisch neue in Erscheinung tritt, so liegt die Möglichkeit des inneren Monologs seit der Romantik bereit, wird jedoch erst an der Nahtstelle von Naturalismus und Ästhetizismus bewußt als Form ergriffen. Manches spricht dafür, daß das, was der einsträngigen Geschichtskonstruktion als ein historisch Neues gilt, nur die freilich geschichtlich bedingte Aktualisierung einer Möglichkeit ist, die in der Gesamtepoche seit langem angelegt ist.

1843 veröffentlicht Bettina von Arnim ihr Königsbuch, das mit »der Erinnerung abgelauschten Gesprächen und Erzählungen von 1807« einsetzt. Zwar haben wir es hier noch mit einer Ich-Erzählung zu tun (die junge Bettina sitzt auf ihrem Schemel und hört der endlosen Rede der Frau Rat Goethe zu); aber diese Rede berichtet nicht ein festumrissenes Geschehen, sondern nähert sich der freien Assoziation an. Die Frau Rat bereitet sich vor, mit einer Freundin ins Kirschenwäldchen zu fahren:

– Jetzt ohne weiter Federlesen die Spitzehaub eweil auf der grünen Bouteille aufgepflanzt, dann die Filethandschuh ohne Daumen, daß ich sie nicht brauch auszuziehen beim Kirschenessen, das Körbchen nehm ich mit, daß ich kann Kirschen mitbringen – die kleine schwarze Salopp und den Sonneparaplü, denn um die jetzig Sommerzeit kommt häufig so ein klein erquicklich Regenschauerchen mitten durch den Sonnenschein. Da lacht's und flennt's zu gleicher Zeit am Himmel. – Nun ist alles in Ordnung – so wird der Tisch gedeckt und aufgetragen – denn zwölf Uhr ist schon vorbei – was gibt's heut? – »Brühsupp.« Fort mit, ich mag keine. –»Aber Frau Rat, Ihne Ihr Magen!« – aber ich will keine Supp, sag ich; komm Sie mir nicht an so einem schöne Sommertag mit ihren Magensorgen an, was gibt's noch? [...] – Nun war das Essen noch nicht all, es kam noch eine gebratne Taub. – Ich hatte Appetit, fliegt mir grad eine lebendige Taub vors Fenster und rucksert mir lauter Vorwürf ins Herz. Ich fahr ins Kirschenwäldchen, und das arme Tier mit verschränkte Flügel, mit denen es sich hätt können in alle Weltfreude schwingen, liegt in der Bratpfann. Der Christ jagt die halb Natur durch den Schlund, damit er auf der Erd kann bleibe, um sein Seelenheil zu befördern, und dann macht er's grad verkehrt. – Nun kurz, der Vorwurf von der Taub am Fenster lastet mir auf dem Herzen, ich kann keinen Bissen essen. – Die Taub wird unberührt wieder in die Speisekammer gestellt, ich zieh mich derweil an, um der Ungeduld etwas weiszumachen, die Spitzhaub wird von der Bouteille heruntergenommen, aufgesetzt, und die Nachtmütz wird draufgestülpt, damit ich sie heut abend, wenn ich nach Haus komm, gleich auswechsle kann, noch eh Licht kommt; das ist so meine alte Gewohnheit.[39]

Sprunghaftigkeit der Darstellung, Verzicht auf jegliche Hierarchisierung der behandelten Gegenstände (belanglose Äußerlichkeiten stehen unverbunden neben allgemeinen Reflexionen), unzensierte Wiedergabe von Bewußtseinsinhalten, Eindruck der Spontaneität – das alles ist hier bereits voll entwickelt, allerdings noch im Rahmen einer Ich-Erzählung. Wenn Bettina von Arnim dennoch weder als Vorläuferin noch gar als Entdeckerin des inneren Monologs gilt, so mag das zum einen an der »Formlosigkeit« ihrer Bücher liegen, die deren Rezeption zweifellos erschwert hat, zum andern daran, daß das Königsbuch in eine Zeit fällt, in der die Subjektivität sich noch vornehmlich gesellschaftsbezogen ausagiert und daher das neue Verfahren, soviel ich sehe, nicht von andern aufgegriffen und weiterentwickelt wird.
Die 80er Jahre des 19. Jahrhunderts dagegen, in denen Edouard Dujardin mit *Les Lauriers sont coupés* die erste ganz im inneren Monolog verfaßte Erzählung schreibt, stehen zumindest in Frankreich im Zeichen einer (partiellen) Abkehr von der naturalistischen Schreibweise und einer Hinwendung zum Subjekt. 1884 veröffentlicht Huysmans, der damals noch zur Gruppe der naturalistischen Schriftsteller um Zola gehört, *A Rebours*, die traditionelle Roman-Fabel durch die Beschreibung der artifiziellen Lebenswelt eines dekadenten Adligen ersetzend, und wenig später erscheint Maurice Barrès' Trilogie *Le Culte du moi*, deren Titel bereits die neue Orientierung anzeigt. Bei Barrès ist dies besonders deutlich,

39 Bettina von Arnim, *Dies Buch gehört dem König*, in: dies., *Werke und Briefe*, hg. v. G. Konrad. Bd. III, Frechen/Köln: Bartmann-Verlag 1963, 14f.

begreift er doch Wirklichkeit als abhängig von den Wahrnehmungs- und Denkgewohnheiten des einzelnen: »Voici une courte monographie réaliste. La réalité varie avec chacun de nous puisqu'elle est l'ensemble de nos habitudes de voir, de sentir et de raisonner«.[40] Trotz dieses subjektivistisch gewendeten Realitätsbegriffs bleibt Barrès insofern im Banne einer naturalistischen Ästhetik, als er die Bewußtseinsrealität als etwas ansieht, das sich »kopieren« läßt: »Je me suis surtout appliqué à copier exactement les tableaux de l'univers que je retrouvais superposés dans une conscience«.[41] Die Erlebniswelt erscheint hier als gegebener Inhalt; über ein Verfahren, um diesen wiederzugeben, verfügt Barrès aber nicht. Es ist wenige Jahre zuvor von Dujardin entwickelt, jedoch nicht auf die Darstellung einer komplexen Subjektivität, sondern auf eine Art Nullperson angewendet worden. Während Barrès die subjektive Erlebniswirklichkeit bloß als einen neuen Inhalt auffaßt, ohne dessen Darstellbarkeit zu problematisieren, scheint sich Dujardin ganz auf das neue Verfahren zu konzentrieren, ohne diesem seinen Inhalt zu geben.

In der Nachfolge Flauberts hat Dujardin einen durchschnittlichen jungen Mann zum Protagonisten seiner Erzählung *Les Lauriers sont coupés* gemacht, der ebenso erfolglos um die Gunst einer Kokotte wirbt wie Frédéric Moreau um Madame Arnoux. Aber weder treibt er wie später Schnitzler im *Leutnant Gustl* die Distanz des Lesers gegenüber der Figur bis zu deren Typisierung voran[42], noch individualisiert er wie Flaubert seinen durchschnittlichen Helden. Als fürchte er um die Verständlichkeit seiner Erzählung, verzichtet Dujardin fast ganz darauf, seinem Protagonisten durch Erinnerungen Profil zu geben. Dabei wird man durchaus dem Autor die Intention unterstellen dürfen, die Poesie des Alltäglichen zu erfassen.

40 M. Barrès, *Le Culte du moi* (Livre de Poche, 1964). Paris 1966, 17.

41 Ebd.

42 Keineswegs zwingt der innere Monolog den Leser zur Identifikation mit dem monologisierenden Ich; vielmehr können inhaltliche Motive die gleiche Funktion erfüllen wie der formal Distanz setzende Erzähler. So erzeugt Schnitzler dadurch Distanz zur Figur seines Leutnants, daß dessen kulturelles Wissen und gesellschaftliches Verhalten nicht mit dem übereinstimmen, was der Autor bei seinen Lesern voraussetzen kann.

La rue, noire, et la double ligne montante, décroissante, du gaz; la rue sans passants; le pavé sonore, blanc sous la blancheur du ciel clair et de la lune; au fond, la lune dans le ciel; le quartier allongé de la lune blanche, blanc; et de chaque côté, les éternelles maisons; muettes, grandes, en hautes fenêtres noircies, en portes fermées de fer, les maisons; dans ces maisons, des gens? non, le silence; je vais seul, le long des maisons, silencieusement; je marche; je vais; à gauche, la rue de Naples; des murs de jardin; le sombre des feuilles sur le gris des murs; là-bas, tout au là-bas, une plus grande clarté, le boulevard Malesherbes, des feux rouges et jaunes, des voitures, des voitures et de fiers chevaux.[43]

Daß der Protagonist Dujardins bei seinem abendlichen Gang durch die Straßen von Paris fast nur Abstrakta wahrnimmt und nichts Konkretes in seiner zufälligen Besonderheit, kann man als Anzeichen der seelischen Leere der Figur deuten, aber auch als noch unzureichende Bewältigung des neuen Verfahrens durch den Autor interpretieren. Die Technik der kunstvollen Wiederaufnahme einzelner Wörter und die kurzen Kola treten in dem zitierten Text zu einem Stilisierungsmuster zusammen, das sich über die Wahrnehmung legt. Offenbar sucht der dem Mallarmé-Kreis nahestehende Autor den Roman zu poetisieren. Man kann sich indes fragen, ob er nicht gerade dadurch die Poesie des Alltäglichen verfehlt, die Mallarmé in den von Zola festgehaltenen Sprachformen der Unterschicht entdeckt hatte.

Läßt sich Alltag erzählen?

Es gibt keine wahre Erzählung, so ließe sich eine Reflexion aus Sartres *La Nausée* zusammenfassen. Eine Erzählung vermag das Erleben niemals wiederzugeben, weil beide verschiedenen Logiken folgen. Während das Erleben offen ist gegenüber der Zukunft und einzelne Erlebnisse sich aneinanderreihen, ohne durch einen Zusammenhang verbunden zu sein, verhält es sich bei der Erzählung anders. Sie ist abgeschlossen, und jedes einzelne Erzählsegment wird vom Schluß her mit Sinn besetzt. Die Erzählung schafft so einen Sinnzusammenhang, den es im Erleben nicht gibt und der dieses daher stets verfälscht.

43 E. Dujardin, *Les Lauriers sont coupés* (Bibl. 10/18, 368). Paris 1968, 83.

Längst vor Sartres *Nausée* hat Proust in der *Recherche* eine Antwort gegeben auf die Frage nach der wahren Erzählung. Nicht weil sie das Erleben wiedergibt, ist eine Erzählung wahr, sondern weil sie ihre eigene Wahrheit produziert. Sie tut dies, indem sie zwei auseinanderliegende Wirklichkeiten so aufeinander bezieht, daß ein drittes entsteht, eine Konstellation, die sich auf keine der Ausgangsrealitäten mehr zurückführen läßt. Diese Gleichsetzung des Ungleichen in der Metapher, die die Bindung ans Gegebene lockert, wo nicht gar löst, ist die Wahrheit, die die Erzählung hervorbringt.

Ist eine andere Lösung des Problems denkbar, die den Bruch mit der Wirklichkeit vermeidet? Läßt sich Erleben so berichten, daß der einzelne Gegenstand, auf den der Erlebende stößt, nicht vom Schluß der Erzählung her gesteuert ist? Anders formuliert: Läßt sich die Offenheit des Erlebens gegenüber der Zukunft in der Erzählung wiedergeben? Wenn die Metapher das Prinzip der Proustschen Transposition ist, so liegt der Gedanke nahe, daß die Metonymie eben jener andern Lösung zugrundeliegen könnte, das bloße Nacheinander von Bewußtseinsinhalten, das der innere Monolog zur Darstellung bringt.

Einer weit verbreiteten Annahme zufolge ist der *Ulysses* von James Joyce ein durchgehend im inneren Monolog verfaßter Roman. Wie sich leicht nachprüfen läßt, trifft das nicht zu. Außer dem Schlußmonolog der Molly Bloom gibt es in dem Buch kein Kapitel, das ganz im inneren Monolog geschrieben wäre. Auf den ersten Blick scheint der Anfang des Romans, was die Erzählweise angeht, durchaus traditionell. Im Wechsel von Erzähl-Bericht und direkter Rede erfahren wir, daß der junge Dichter Stephen Dedalus mit seinem Freund Buck Mulligan, einem Medizinstudenten, in einem alten Wehrturm bei Dublin wohnt, unweit des Meeres. Ein dritter junger Mann, ein Engländer, hat ebenfalls im Turm übernachtet. Wir nehmen an der Morgentoilette Mulligans sowie an dem Frühstück und dem Spaziergang der drei jungen Leute am Strand teil. Aber schon auf der ersten Seite stößt der Leser auf eine Irritation. Nach der Erwähnung der Goldplomben in Mulligans Mund folgt ohne jegliche Erläuterung das Wort »Chrisostomos«.[44] Es ist der Name eines Kirchenlehrers, der wörtlich über-

44 Vgl. dazu die ausführliche Analyse des ersten Kapitels des Romans bei

setzt soviel wie Goldmund bedeutet, eine ironische Anspielung also auf das rhetorische Talent des Medizinstudenten. Für einen Augenblick sind wir aus dem Erzähl-Bericht unmittelbar in Stephens Bewußtsein hinübergeglitten. Das Phänomen wiederholt sich wenig später bei dem Bericht von Stephens nächtlichem Traum, in dem die tote Mutter ihm erscheint. Seine Assoziationen gehen hin und her zwischen dem Grün des Meeres, das er vor sich sieht, und der Galle, die die sterbende Mutter erbrochen hat. Erst als ihm der mit dem Rasierspiegel hantierende Freund den Spiegel vorhält, ist dann ein Ich da: »As he and others see me. Who chose this face for me?«.[45] Wer das Kapitel als Exposition liest, als bloße Vorbereitung auf das Kommende, verfehlt den Text. Die Verweise auf eine künftige Handlung sind eher spärlich. Ein Konflikt zwischen Stephen und seinem Freund deutet sich an, und Stephen beschließt am Ende des Kapitels, die nächste Nacht nicht im Turm zu verbringen. Wichtiger ist etwas anderes, das bündiger Bestimmung sich entzieht: der Eindruck von Lebensdichte, den das Kapitel beim Leser hinterläßt. Joyce erzeugt ihn zunächst einmal dadurch, daß er eine hypernaturalistische Genauigkeit der Darstellung mit einem Verzicht auf die Vorrechte des allwissenden Erzählers verknüpft, Örtlichkeiten zu beschreiben und Figuren kommentierend und erläuternd einzuführen. Alles, was wir von der Vergangenheit Stephens erfahren, wird von den Figuren selbst in die Gegenwart hineingebracht, sei es im Gespräch oder in der Erinnerung. Auch das berühmte Eingangsbild des Romans – Mulligan am oberen Ende der Wendeltreppe mit dem Rasierbecken in der Hand und mit vom Wind gebauschtem Morgenrock hinter sich, die Umgebung segnend – gibt bereits Stephens Sicht wieder, der, an der Treppe stehend, den Freund beobachtet und wenig später vom Erzähler auch als *watcher* angesprochen wird. Nicht um ein Gespräch zu situieren oder ein Milieu zu schildern, werden die Bewegungen Mulligans beim Rasieren genau notiert, sondern als ein Stück Realität in ihrem Sosein, das gleichrangig neben den Realitäten der Gespräche und der Erinnerungen steht.

Therese Fischer-Seidel, »Charakter als Mimesis und Rhetorik. Bewußtseinsdarstellung in Joyces *Ulysses*«, in: dies. (Hg.), *James Joyces »Ulysses« [...]* (ed. suhrkamp, 826). Frankfurt 1977, 318ff.

45 J. Joyce, *Ulysses* (Penguin Modern Classics). Harmondsworth 1984, 12; im folgenden abgekürzt: *U*.

Es geht um dieses Tun und jenes Denken in seiner Besonderheit. Da ist zunächst das Geschehen im Turm und am Strand (Gesten, Scherze, aber auch kleine Alltagssorgen). In dieses Geschehen hinein ragt das Todesmotiv (Stephens Weigerung, am Sterbebett seiner Mutter niederzuknien und zu beten, das Erscheinen der Toten in seinem Traum, der Zynismus des Medizinstudenten, der den Tod aus der Pathologie kennt, schließlich zu Beginn Stephens eigene Todesangst und am Schluß die Begegnung mit den Leuten, die nach der Leiche eines Ertrunkenen suchen). Aber das Todesmotiv wird seinerseits wiederum überlagert von Buck Mulligans Heiterkeit, seiner Lust an Blasphemien und Stephens Fähigkeit, Wahrnehmungen poetisch zu transponieren, das Meer als Harfe zu vernehmen: »Wavewhite wedded words shimmering on the dim tide« (*U*, 15). – Joyce hält sich streng an die raum-zeitliche Gegenwart der dargestellten Alltagssituation, zieht aber die entferntesten Dinge in diese Situation hinein (*Hamlet* ebenso wie die Kirchengeschichte) und erreicht so jene Intensität, die beim Leser den Eindruck der Lebensdichte hervorruft.

In erster Annäherung kann man das Schreibprojekt von Joyce als den Versuch charakterisieren, die Genauigkeit der Realitätsdarstellung des naturalistischen Romans zu überbieten. Welch große Mühe er auf die genaue Wiedergabe von Wirklichkeitsdetails verwendet, hat die positivistisch orientierte Forschung nachgewiesen.[46] Auf das naturalistische Verfahren par excellence, die ausführliche Beschreibung, hat er jedoch verzichtet.[47] Die Äußerung

46 Vgl. C. Hart/L. Knuth, *A Topographical Guide to James Joyce's Ulysses.* 2 Bde., Colchester 1975.

47 »Joyce vermeidet alle typisierenden Benennungen sowie alle für den realistischen Roman so kennzeichnenden und unentbehrlichen Deskriptionen von Räumen, Häusern, Straßen. Statt dessen bietet er konkrete, faktisch nachprüfbare, nach Maßstäben einer alltäglichen Wirklichkeitserfahrung in sich stimmige Daten«, so faßt E. Lobsien die Ergebnisse der einschlägigen Arbeiten zusammen (*Der Alltag des Ulysses. Die Vermittlung von ästhetischer und lebensweltlicher Erfahrung* [Stud. z. Allg. u. Vergl. Litwiss., 15]. Stuttgart: Metzler 1978, 8). Auf den informativen und kritischen Forschungsbericht von Lobsien sei hier ausdrücklich verwiesen; die Perspektive des Verfassers ist die der Rezeptionsästhetik (ebd., 1-45).

Huysmans', Zola sei allenfalls ein »beau décorateur de théâtre«[48], dürfte Joyce gekannt und seinerseits in den ausführlichen Beschreibungen Bravourstücke gesehen haben, die die Realitätsillusion eher zerstören. Gerade die Konsequenz, mit der er das Projekt genauer Realitätswiedergabe verfolgt, macht ihn schließlich zum formalen Neuerer. Nicht nur wegen der Beschreibungen verfehlt der Naturalist die Wirklichkeit, sondern vor allem, weil er dem Roman eine biographische Handlungskonstruktion zugrundelegt. Am Ende heiratet das kleine Ladenmädchen den Besitzer des Großkaufhauses (*Au Bonheur des Dames*), oder die einst gefeierte Kokotte stirbt elend (*Nana*). Den Naturalismus an Wirklichkeitstreue überbieten, bedeutet daher letztlich, einen andern Wirklichkeitsbegriff entwickeln, nicht die Linearität eines Lebensschicksals zum Konstruktionsprinzip des Romans machen, sondern die Überschneidungen von Wirklichkeitswahrnehmungen, Gefühlsreaktionen und Handlungsentwürfen in einer gegebenen Situation. Diese Wirklichkeit alltäglichen Erlebens aber ist nur auffindbar in einem Bewußtsein. Die Hinwendung zum inneren Monolog war folgerichtig.[49] Freilich entsteht aus der durchgehenden Anwendung des inneren Monologs das erzähltechnische Problem, wie die Situation, in der die Figur sich befindet, glaubwürdig eingeführt werden kann; denn die für das erlebende Ich selbstverständlichen Rahmenbedingungen werden von dessen Bewußtsein normalerweise gerade nicht verzeichnet. Dem inneren Monolog, der doch möglichst nahe an reale Bewußtseinsabläufe herankommen möchte, droht von dieser Seite die Gefahr der

48 J.-K. Huysmans, *Préface [1903]* zu *A Rebours*. Paris: Fasquelle 1965, 10.

49 Ausgehend von der gut belegten Feststellung, daß Bloom in seinen Monologen oft auf Klischees zurückgreift, kommt A. Topia zu dem unserer Analyse entgegengesetzten Ergebnis, daß eine realistische Lektüre des *Ulysses* unmöglich sei. »The text never builds a simulacrum of the real but sets out ›en creux‹ a deeper process, that of writing itself« (»The Matrix and the Echo. Intertextuality in ›Ulysses‹«, in: *Post-structuralist Joyce [...]*, hg. v. D. Attridge/D. Ferrer. Cambridge: Cambridge Univ. Press 1984, 103-125; hier: 111). Zwischen der treffenden Beobachtung der Klischeeverwendung in den Monologen einer Figur und der weiterreichenden These bleibt freilich eine Kluft, die einzig die (poststrukturalistische) Voreinstellung des Verfassers überbrückt.

Künstlichkeit. Dujardin, dem Joyce eigenem Eingeständnis zufolge die Technik verdankt, hat sich daran nicht gestört, sondern die Künstlichkeit bewußt mit dem Ziel der Poetisierung des Alltags aufgenommen. Joyce dagegen entwickelt früh ein feines Gespür für die Glaubwürdigkeit von dargestellten Handlungen und Bewußtseinsabläufen.[50] Wenn er auf den Erzähl-Bericht nicht verzichtet, so wohl vor allem deshalb, weil sich auf diese Weise die Künstlichkeit vermeiden ließ, die eine durchgängige Anwendung des inneren Monologs mit sich bringen kann.
Der Annoncenverkäufer Bloom macht seinen morgendlichen Einkauf:

He crossed to the bright side, avoiding the loose cellarflap of number seventyfive. The sun was nearing the steeple of black George's church. Be a warm day I fancy. Specially in these black clothes feel it more. Black conducts, reflects (refracts is it?), the heat. But I couldn't go in that light suit. Make a picnic of it (*U*, 59).

Die Stelle läßt die Sorgfalt erkennen, die Joyce auf die Herstellung der Glaubwürdigkeit des Bewußtseinsstroms verwendet. Die Beerdigung, zu der er zu gehen hat, ist Bloom derart gegenwärtig, daß er sie gerade nicht anspricht. Um der Glaubwürdigkeit willen enthält Joyce seinem Leser eine Information vor, deren dieser zum vollen Verständnis der Stelle bedarf. Erst später finden sich dann direkte Hinweise auf die Beerdigung. Joyce sucht offenbar den Leser in die Lage dessen zu versetzen, der sich im Alltag zu orientieren sucht. Hier findet er auch keinen Erzähler vor, der ihm den Zusammenhang einzelner Wahrnehmungen und Gesprächsfetzen erläutert; er muß diesen vielmehr selbst herausfinden. Der *Ulysses* thematisiert nicht nur Alltäglichkeit; er nähert auch die Lektüre dem Prozeß alltäglicher Erfahrungsgewinnung an.[51] Der Leser muß lernen, das Geschehen nicht als Zeichen zu lesen, das auf

50 H. Kenner hat darauf aufmerksam gemacht, daß bereits der junge Joyce außerordentlich empfindlich auf unglaubwürdige Handlungen von Romanfiguren reagiert. So kritisiert er in einem Brief an seinen Bruder George Moore, weil dieser eine Figur, die seit drei Jahren an der Eisenbahnlinie zwischen Bray und Dublin wohnt, auf den Fahrplan blicken läßt, um die Abfahrt des Zuges festzustellen: »this after three years. Isn't it rather stupid of Moore« (zit. nach H. Kenner, *Ulysses*. London: George Allen & Unwin 1980, 31).

51 Es ist das Verdienst der Arbeit von E. Lobsien, die Organisation von

etwas anderes verweist, sondern es in seinem bloßen Dasein aufzunehmen. Nicht aufgrund seiner Funktion im Handlungsablauf kommt dem Berichteten Bedeutung zu, sondern um seiner selbst willen.

Verglichen mit Dujardin schöpft erst Joyce die Möglichkeiten des Verfahrens voll aus, indem er figurenspezifische Monologe entwickelt. Deren Aufgabe ist es weniger, die Figuren zu charakterisieren (was sie auch tun), als vielmehr den Blick auf Erlebnismöglichkeiten zu lenken, und d.h. Welt zu erschließen. Bei den Monologen Blooms bleibt die konkrete Wahrnehmung, die den Gefühls- und Gedankenstrom auslöst, auch dann gegenwärtig, wenn Erinnerungen und Zukunftsausblicke sich mit der Gegenwart verschränken. Seine Assoziationen sind meist leicht nachzuvollziehen, zumal sie sich nur wenig vom Hier und Jetzt entfernen. Bloom ordnet die Welt im Hinblick auf seine Neigungen (für tierische Innereien und Frauen) sowie auf seine geschäftlichen Beziehungen. An der Bar von Larry O'Rourke vorbeikommend, schätzt er kurz dessen Lage ab, beurteilt die Geschäftstüchtigkeit O'Rourkes; da er sie hoch einschätzt, braucht er nicht zu versuchen, ihm eine Anzeige zu verkaufen (*U*, 60). Auch bei der Beerdigung bleiben Blooms Gedanken eng am Wahrnehmungserleben. Er sieht sich die Pferde an, die den Leichenwagen ziehen, überschlägt die Zahl der Beerdigungen, zu denen sie eingesetzt werden; die Sterblichkeit kommt ihm als quantitatives Problem in den Sinn: »Funerals all over the world everywhere every minute. Shovelling them under by the cartload doublequick. Thousands every hour. Too many in the world« (*U*, 103).

Im Gegensatz dazu entfernen sich Stephens Monologe nicht selten von der Gegenwart, reihen Erinnerungsfetzen aneinander oder transponieren das Wahrgenommene wie am Anfang des Proteus-Kapitels:

Alltagserfahrung im *Ulysses* umfassend erörtert zu haben. Als erhellend erweist sich dabei der Ausgang von der neueren Soziologie des Alltagslebens, obwohl der Verfasser nicht ganz der Versuchung zu widerstehen vermag, deren Ergebnisse im *Ulysses* wiederfinden zu wollen.

Ineluctable modality of the visible: at least that if no more, thought through my eyes. Signatures of all things I am here to read, seaspawn and seawrack, the nearing tide, that rusty boot. Snotgreen, bluesilver, rust: coloured signs. Limits of the diaphane. But he adds: in bodies. Then he was aware of them bodies before of them coloured. How? By knocking his sconce against them, sure. Go easy. Bald he was and a millionaire, *maestro di color che sanno* (*U*, 42).

Seelaich, Seetang, ein rostfarbener Schuh werden für ihn zum philosophischen Problem. Abstrakt bezeichnet er sie als »Modalitäten des Sichtbaren«. Während Bloom die wahrgenommene Wirklichkeit auf praktische Alltagsfragen und die Möglichkeit ihrer Bewältigung bezieht, transformiert Stephen sie, zerlegt sie in Zeichen und Körper. Philosophische Terminologie legt sich als Raster über die Wirklichkeit. Der Philosoph trennt einzelne Wahrnehmungsbereiche voneinander: das Sichtbare und das Hörbare, und sucht ihre Seinsweise zu erfassen. Man könnte nun in Stephens Reflexionen den Begriff für jenes Alltagserleben vermuten, das der Roman darstellt. Das trifft jedoch nicht zu. Die philosophische Reduktion der Wirklichkeit ist nur eine mögliche Weise des Umgangs mit dem Gegebenen. Auch sie hat ihren Ort in der Erzählung – als stoffliches Element, nicht als Fokus, von dem aus Licht fällt auf das Erzählte als ganzes.

Wieder eine andere Dimension des Alltags enthüllt der Monolog Molly Blooms im Schlußkapitel des Romans. Neben dem erschöpften, schlafenden Bloom liegend, ist die Wirklichkeit, die in ihrem Bewußtsein sich spiegelt, vor allem die der sexuellen Beziehung von Mann und Frau. Das Fehlen jeglicher Satzzeichen zieht den Monolog zum nichtendenden Bewußtseinsstrom zusammen. Wirklichkeit, die Bloom als praktisch geordnete und zu ordnende ansieht, die im Bewußtseins Stephens sich aus Erinnerungsfragmenten, Zukunftsprojekten und philosophischen Transformationen zusammensetzt, erscheint im Bewußtsein Mollys wenn auch nicht auf einen einzigen Bereich eingeschränkt, so doch um diesen zentriert. Weniger der Modus der Wahrnehmung und Verwandlung des Gegebenen macht die Besonderheit dieser Erfahrung aus als ihre Gegenständlichkeit.

Sartres Gegenüberstellung von Leben und Erzählen, von der wir ausgegangen sind, läßt sich in zweifacher Weise lesen: zum einen als Offenlegung der Sinnlosigkeit des Daseins, das sich als bloßes

Neben- und Nacheinander in Raum und Zeit erweist; zum andern als Infragestellung traditionellen Erzählens, dem seine (vom Standpunkt des Lebens) verkehrte Logik vorgehalten wird. Die erste Lesart ist die des Sartreschen Protagonisten: »Quand on vit, il n'arrive rien. Les décors changent, les gens entrent et sortent, voilà tout. Il n'y a jamais de commencements. Les jours s'ajoutent aux jours sans rime ni raison, c'est une addition interminable et monotone«.[52] Wenn Roquentin sein Dasein als Aneinanderreihung sinnloser Augenblicke erlebt, so deshalb, weil es für ihn Sinn nur im Nachhinein gibt. Man muß, so argumentiert er, aus der Perspektive des Lebens heraustreten, um das Erlebte als Sinnzusammenhang zu erfahren. Die zweite Lesart haben wir unserer Analyse vorangestellt, um erkennbar zu machen, inwiefern der innere Monolog sich von jenem Erzählen unterscheidet, von dem Sartre spricht. Die Unwahrheit traditionellen Erzählens bestünde darin, daß es stets vom Ende her konzipiert ist, so daß jedes Detail zum Zeichen eines künftigen Geschehens wird. Nicht in einer kontingenten Welt lebt der Held der traditionellen Erzählung, sondern in einer Welt der Zeichen, die er im Fortgang der Handlung allmählich zu entziffern lernt. Die wirkliche Welt aber ist kontingent.

Nun muß man sich darüber im klaren sein, daß diese Infragestellung traditionellen Erzählens einem Abbildmodell verpflichtet ist. Nur wenn die Erzählung die Aufgabe hat, etwas Vorgängiges (das Erleben) wiederzugeben, greift die Sartresche Kritik. Proust konnte daher das Dilemma, sich zwischen Leben und Erzählen entscheiden zu müssen, vermeiden, indem er das Abbildmodell durch ein Produktionsmodell ersetzte. Wenn die Erzählung gar nicht ein vorgängiges Erleben wiedergibt, sondern ihre eigene Wahrheit hervorbringt, dann gibt es eine wahre Erzählung, nicht jedoch ein sinnvolles Leben, da erst das Kunstwerk den Sinn produziert.

Joyce schlägt den entgegengesetzten Weg ein. Er behält das Abbildmodell bei, verändert aber die Auffassung vom Erzählen. Es muß, so lautet seine Annahme, eine Weise des Erzählens geben, die der Logik des Erlebens folgt, d.h. den Ablauf des Geschehens nicht durch das Wissen um den Ausgang steuert. Anders formu-

52 J.-P. Sartre, *La Nausée [1938]*. Paris: Gallimard 1964, 57.

liert: Es muß möglich sein, die Kontingenz alltäglichen Daseins zu erzählen.
Wenn Alltagserleben das wäre, als was es Roquentin erscheint, eine unendliche monotone Abfolge, dann ließe es sich nicht erzählen. Um einen neuen Begriff des Erzählens zu entwickeln, mußte Joyce der Sinnstruktur des Alltagserlebens nachgehen. Träger dieser Struktur ist nicht ein totalisierender Geschehniszusammenhang, der die dargestellte Welt (Individuen, Handlungen, Gegenstände) zur Einheit verbindet, sondern das Bewußtsein des einzelnen, das Wahrnehmungen, Gefühle und Reflexionen zu einer stets partiellen Deutung seiner Lebenswelt zusammenfügt, indem es Vergangenes erinnert und die eigene Zukunft entwirft. Joyce demonstriert, daß es einen Alltagssinn gibt, den das Subjekt im Augenblick produziert, indem es seine momentanen Möglichkeiten im Hinblick auf einen wie immer auch beschränkten Zukunftsentwurf auslegt. Der innere Monolog aber ist das Verfahren nicht nur der Darstellung, sondern auch der Erforschung dieser Struktur. Er ermöglicht, den Fokus der Sinnkonstitution in das Geschehen selbst zu verlegen.
Die Kontingenz des Alltags setzt sich aus einer Vielzahl von Bewußtseinswelten zusammen, die einander begegnen und kreuzen, ohne doch zu einem Ganzen zusammenzuschießen. Wohl aber leistet das einzelne Bewußtsein Akte der Totalisierung, indem es Bezüge herstellt zur Welt außer sich. Wie Friedrich Schlegel das Fragment als ›in sich vollendet‹ denkt, insofern es Projekt ist, so läßt sich auch der innere Monolog wegen der von ihm geleisteten partiellen, zukunftsbezogenen Totalisierung als Fragment begreifen, Darstellung eines vollendeten Augenblicks, so banal er auch sein mag. Dahinter verbirgt sich eine Wette: Der Verzicht auf den Kohärenz garantierenden Sinn der traditionellen Erzählung soll den an den Augenblick gebundenen Erlebnissinn freisetzen. Dieser greift zwar als Erinnerung und Zukunftsentwurf über das Hier und Jetzt hinaus, an das er jedoch zugleich gebunden bleibt. Dieser Erlebnissinn aber – und darin besteht die Zumutung der Form – soll trotz seiner absoluten Partikularität sich auch dem Leser mitteilen, und zwar in seinem Sosein, nicht bloß als Zeichen, durch das die Figur sich selbst charakterisiert.
Die Kluft zwischen der Faktizität des Bewußtseinsakts und dem

Sinnanspruch an den Leser überbrückt die Theorie der Epiphanie, die Joyce in seinen Frühwerken entwickelt hat. Ihr zufolge kann in seltenen Augenblicken einer intensiv wahrgenommenen Belanglosigkeit eine Ausstrahlung zukommen, die über ihre bloße Tatsächlichkeit hinausweist.[53] Nun ist die Epiphanie-Theorie bei Joyce eindeutig produktionsästhetisch gefaßt; er stützt sich auf sie, um belanglose Wahrnehmungen als qualitativ herausragende privilegieren und sie dann zum Kristallisationspunkt literarischer Arbeit machen zu können. Es ist nicht unproblematisch, diese Theorie für die Interpretation des *Ulysses* in Anspruch zu nehmen und mit ihrer Hilfe den Alltag des Annoncenverkäufers Bloom in eine Abfolge von Epiphanien zu verwandeln[54]; besteht doch die Leistung von Joyce gerade darin, die Aufmerksamkeit des Lesers durch die Dichte der Assoziationen an eine Bewußtseinswelt zu binden, die gerade nicht über sich hinausweist.

Jede bedeutende Entdeckung hat ihren Preis. Das gilt auch für den inneren Monolog als Instrument der Erforschung der Sinnstruktur der Alltäglichkeit. Anders als Proust hält Joyce am Abbild-Modell fest. Zwar hat er den Wissenschaftsanspruch des Naturalismus aufgegeben, nicht aber den der Realitätsillusion. Vermittlungslose Darstellung des Wirklichen, so ließe sich sein Projekt umreißen – ein paradoxes Vorhaben angesichts einer Welt, in der es nichts gibt, das unvermittelt wäre. Der vom inneren Monolog geforderte Schein der Unmittelbarkeit kann

53 Die Bestimmungen, die Joyce in *Stephen Hero* von der Epiphanie gibt, decken sich nicht ganz. Während die erste die Epiphanie faßt als »a sudden spiritual manifestation, whether in the vulgarity of speech or of gesture or in a memorable phase of the mind itself«, betont die zweite, im Anschluß an Thomas von Aquin gefundene Definition das Sosein des wahrgenommenen Gegenstandes: »we recognize that it is *that* thing which it is. Its soul, its whatness, leaps to us from the vestment of its appearance« (*Stephen Hero*, hg. v. Th. Spencer. New York: New Directions Publishing Corporation 1963, 211, 213). Man wird wohl beide Momente als Einheit zu denken haben.

54 So deutet z.B. W. Höllerer in seinem immer noch lesenswerten Aufsatz »Die Epiphanie als Held des Romans« (in: *Akzente* 8 [1961], 125-136 und 275-285; hier: 136) Blooms Begegnung mit der Katze und seine Reflexionen anläßlich des klirrenden Bettgestells (*U*, 57 und 58) als Epiphanien.

nicht mehr als Schein erkennbar gemacht werden. Wenn das Verfahren eine immanente Grenze hat, so ist es der Zwang zum Illusionismus, der die Selbstreflexion der Form blockiert.

4. Becketts Komik

Mit der Verwendung faktisch überprüfbarer Realitätselemente überbietet Joyce den Naturalismus, mit dem inneren Monolog greift er ein Erzählverfahren auf, das noch radikaler als das perspektivische Erzählen Flauberts auf die Vermittlung des Berichteten durch ein Erzählerbewußtsein verzichtet. Das naturalistische Projekt möglichst genauer Darstellung der Wirklichkeit und das gesteigerte Interesse für Probleme der Form liegen nicht so weit auseinander, wie dies auf den ersten Blick scheinen könnte. Der Naturalismus kann in Formalismus umschlagen; das läßt sich bereits am Ende des 19. Jahrhunderts bei Arno Holz beobachten. In dem Maße, wie das Interesse des Autors sich vornehmlich auf die Wiedergabe selbst und nicht auf den betreffenden Realitätsausschnitt richtet, kommt es notwendig zur Dominanz des Formproblems.[55] Joyce ist diesen Weg nicht gegangen; zumindest bis zum *Ulysses* bleibt der Realitätsbezug eine entscheidende Grundlage seines Schreibens. Mag sich die Wirklichkeit auf je andere Weise im Bewußtsein der verschiedenen Figuren spiegeln, weder ihre Existenz noch ihre Darstellbarkeit stehen in Zweifel. Auch sein Interesse für die Wörter – der *Ulysses* ist bekanntlich eine Enzyklopädie des englischen Wortschatzes – ist trotz des entwickelten Sinns für deren sinnlich-lautliche Qualitäten kein ästhetizistisches. Die Sachen, auf die die Wörter verweisen, sind ebenso mitgemeint wie ihre Ausdrucksqualitäten. Referenz-, Ausdrucks- und Appell-Funktion der Sprache sind als gegebene Grundlage der Arbeit des Schriftstellers vorausgesetzt.

Das gilt auch für Becketts ersten, 1938 veröffentlichten Roman *Murphy*. In einer Szene jedoch wird der Sprung zwischen Wort und Bedeutung thematisch. Celia versucht, ihren Freund Murphy dazu zu bewegen, sich Arbeit zu suchen. Zunächst sieht es so aus, als gehe er auf ihren Vorschlag ein; dann jedoch lehnt er ab und nimmt damit die Möglichkeit einer Trennung von ihr in Kauf.

55 Vgl. O. Frels, »Zum Verhältnis von Wirklichkeit und künstlerischer Form bei Arno Holz«, in: Ch. Bürger u. a. (Hg.), *Naturalismus/Ästhetizismus* (Hefte für krit. Litwiss., 1; ed. suhrkamp, 992). Frankfurt 1979, 103-138; hier: 112ff.

She felt, as she felt so often with Murphy, spattered with words that went dead as soon as they sounded; each word obliterated, before it had time to make sense, by the word that came next; so that in the end she did not know what had been said. It was like difficult music heard for the first time.[56]

Celia vermag nicht auszumachen, was Murphy wirklich meint. Dessen einzelne Aussagen stehen für sie beziehungslos nebeneinander. So zerfällt die Rede in Wörter, die verlöschen, ehe sie ihnen eine Bedeutung beizulegen vermag. Referentielle und expressive Funktion der Sprache sind momentan außer Kraft gesetzt.
Die Störung der Sprachfunktionen, die in *Murphy* auf eine einzelne Kommunikationssituation beschränkt bleibt, macht in Becketts zweitem Roman *Watt* die sprachliche Erfassung der Wirklichkeit problematisch. Watt, der Protagonist des Romans, ist Diener im Hause eines Herrn Knott. Da so gut wie niemand in dem Hause ein- und ausgeht, wird die Tatsache, daß eines Tages ein blinder Klavierstimmer mit seinem Sohn kommt, um das Klavier zu stimmen, zu einem herausragenden Ereignis für Watt. Die Szene weist einige Seltsamkeiten auf, deren auffälligste der Hinweis des Sohnes ist, die Mäuse hätten die Filze der Anschlaghämmer und Dämpfer gefressen. Doch nicht die Eigentümlichkeiten der Szene beunruhigen Watt, sondern daß es ihm nicht gelingt, sich der Tatsächlichkeit der Ereignisse und ihres Nacheinanders zu vergewissern.[57]
Celia geht es darum zu wissen, was Murphy meint. Der Bedeutungs*inhalt* ist ihr wichtig, und weil sie ihn nicht erfaßt, konstatiert sie einen Bruch zwischen dem Lautkörper der Wörter und deren Bedeutung. Watt ist der Inhalt der Szene, die er beobachtet, völlig gleichgültig. Ihn beunruhigt, daß er den beobachteten Erscheinungen nicht mit Sicherheit dauerhaft eine Bedeutung zuzuschreiben vermag. Die Bedeutung löst sich vom Beobachteten gleichsam ab, ohne daß eine andere an ihre Stelle tritt. Dadurch wird aber schließlich auch das Faktum, daß etwas geschehen ist, unsicher. Am Ende seines Aufenthalts im Hause des Herrn Knott neigt Watt der Auffassung zu, daß sich in Wahrheit nichts ereignet

56 S. Beckett, *Murphy [1938]*. London: Picador [5]1983, 27.
57 S. Beckett, *Watt [1953]*. London: Calder 1976, 67ff.; diese Ausgabe wird im folgenden abgekürzt zitiert: *W*.

hat, bzw. »ein Nichts« (a nothing), wie es mehrdeutig heißt (W, 77).

Die Lockerung der Verknüpfung von Wort und Bedeutung, die Celia im Gespräch mit Murphy erfährt, erlebt Watt in anderer Weise. Es gelingt ihm nicht mehr, die Dinge mit Wörtern zu fassen. Zwischen dem konkreten Gegenstand und dem Wort entdeckt er eine ihn beunruhigende Nichtübereinstimmung. So vermag er z.B. nicht mehr die Töpfe im Hause von Herrn Knott als Töpfe zu bezeichnen.

For it was not a pot, the more he looked, the more he reflected, the more he felt sure of that, that it was not a pot at all. It resembled a pot, it was almost a pot, but it was not a pot of which one could say, Pot, pot, and be comforted. It was in vain that it answered, with unexceptionable adequacy, all the purposes, and performed all the offices, of a pot, it was not a pot. And it was just this hairbreadth departure from the nature of a true pot that so excruciated Watt. For if the approximation had been less close, then Watt would have been less anguished (*W*, 78).

Watt sucht im konkreten Gegenstand die Vergegenständlichung des Allgemeinbegriffs. Da der konkrete Gegenstand jedoch seine nur ihm eignende Besonderheit hat, kann er mit dem Allgemeinbegriff nicht zur Deckung kommen. Es geht Watt nicht um das Besondere, das Adorno als das Nicht-Identische gegen den zurichtenden Begriff zu retten sucht; das einzelne Ereignis, das konkrete Ding ist ihm ganz gleichgültig. Sein Problem ist ein anderes: der Zerfall der Ordnung konventionalisierter Bedeutungen. Die konkreten Dinge wehren sich gegen die Subsumption unter den Begriff; dadurch stellen sie die begriffliche Ordnung der Welt in Frage.

Die verunsichernden Erfahrungen mit der Sprache, die Celia und Watt machen, kehren in *Molloy*, dem ersten auf Französisch geschriebenen Roman Becketts, wieder, allerdings mit entscheidenden Veränderungen.

Oui, les mots que j'entendais, et je les entendais très bien, ayant l'oreille assez fine, je les entendais la première fois, et même encore la seconde, et souvent jusqu'à la troisième, comme des sons purs, libres de toute signification, et c'est probablement une des raisons pour lesquelles la conversation m'était indiciblement pénible. Et les mots que je prononçais moi-même et qui devaient presque toujours se rattacher à un effort de l'intelligence, souvent ils me faisaient l'effet d'un bourdonnement d'insecte. Et cela explique pourquoi j'étais peu causeur, ce mal que j'avais à comprendre non seulement ce que les autres me disaient, mais aussi ce que moi je leur disais à eux.[58]

Der Sachverhalt ist derselbe wie in *Murphy*. Die Worte werden von der Figur als bloße Klanggebilde wahrgenommen, mit denen sich nur unter großer Anstrengung Bedeutung verknüpfen läßt. *Signifiant* und *signifié*, die beiden Seiten des sprachlichen Zeichens, von denen Saussure sagt, daß sie sich wie die beiden Seiten einer Münze zueinander verhalten, haben sich voneinander gelöst. Damit wird es so gut wie unmöglich, Realität mit Hilfe sprachlicher Zeichen zu ordnen und sich über diese Ordnung zu verständigen. Auch Watts Unfähigkeit, Dinge mit Wörtern zu bezeichnen, hat bei Molloy eine Entsprechung. »Oui, même à cette époque, où tout s'estompait déjà, ondes et particules, la condition de l'objet était d'être sans nom, et inversement« (*M*, 40).

Was nun Molloy von Celia und Watt unterscheidet, ist die Tatsache, daß ihn die Lockerung der Beziehung zwischen *signifiant* und *signifié* keineswegs beunruhigt. Während Watt auf die Erfahrung, daß die konkreten Dinge seinem sprachlichen Zugriff entgleiten, mit Angst reagiert, nimmt Molloy seine Unfähigkeit, Klangkörper und Bedeutung der Wörter miteinander zu verknüpfen, als Faktum hin, das er ohne jede innere Beteiligung konstatiert. Selbst daß seine eigene Rede für ihn unverständlich wird, stört ihn nicht. Wie sein Körper, so ist ihm auch seine Rede ganz äußerlich. Diese Gleichgültigkeit Molloys verhindert nicht nur die emotionale Teilnahme des Lesers mit dem Protagonisten, er macht auch die komische Distanz zu diesem möglich.

Noch wesentlicher ist ein anderer Unterschied zwischen *Molloy* und den beiden englisch verfaßten Romanen. Beckett macht hier die Figur, deren Verhältnis zu den Wörtern als Bedeutungsträgern gestört ist, zum Erzähler.[59] Damit durchbricht er die jeder Kommunikation zugrundeliegende Erwartung der Zurechnungsfähig-

58 S. Beckett, *Molloy [1951]* (Bibl. 10/18, 81/82). Paris: Union Générale d'Editions 1963, 65; im folgenden abgekürzt zitiert: *M*.

59 Einen Übergang hierzu stellen die laut einer »note de l'éditeur« 1945 geschriebenen *Nouvelles* dar, die bereits den physisch und geistig reduzierten Ich-Erzähler einführen, dessen Verhältnis zu den Wörtern jedoch nicht gestört ist.

keit des Partners.[60] Diese Erwartung gilt auch für fiktive Erzählerfiguren, deren Verhalten deutlich abweichende Züge trägt. Auch Roquentin, der Protagonist und Ich-Erzähler von Sartres *La Nausée*, macht die Erfahrung, daß die konkreten Dinge sich nicht mehr mit Wörtern bezeichnen lassen. »Je murmure: c'est une banquette, un peu comme un excorcisme. Mais le mot reste sur mes lèvres: il refuse d'aller se poser sur la chose«.[61] Die Störung des Bezugs von Wort und Sache hat jedoch keine Konsequenzen für seine Rede. Diese bleibt von bewundernswerter Klarheit und innerer Kohärenz, als schilderte der Erzähler das Erlebnis eines andern. Sartre hält sich an die Unterstellung der Zurechnungsfähigkeit des Erzählersubjekts auch dort, wo er eine Erfahrung schildert, die diese untergräbt.

Beckett verfährt anders, er läßt seinen Protagonisten aus der Störung des semantischen Bezugs der Wörter die Konsequenzen ziehen, daß sich über die Realität schlechterdings nichts aussagen läßt. Im Anfang von *Molloy* berichtet die Titelfigur über ein banales Ereignis:

Il passe des gens aussi, dont il n'est pas facile de se distinguer avec netteté. Voilà qui est décourageant. C'est ainsi que je vis A et B aller lentement l'un vers l'autre, sans se rendre compte de ce qu'ils faisaient. C'était sur une route d'une nudité frappante, je veux dire sans haies ni murs ni bordures d'aucune sorte, à la campagne, car dans d'immenses champs des vaches mâchaient, couchées et debout, dans le silence du soir. J'invente peut-être un peu, j'embellis peut-être, mais dans l'ensemble c'était ainsi. Elles mâchent, puis avalent, puis après une courte pause appellent sans effort la prochaine bouchée. Un tendon du cou remue et les mâchoires recommencent à broyer. Mais c'est peut-être là des souvenirs. La route, dure et blanche, balafrait les tendres pâturages, montait et descendait au gré des vallonnements. La ville n'était pas loin. C'étaient deux hommes, impossible de s'y tromper, un petit et un grand. Ils étaient sortis de la ville, d'abord l'un, puis l'autre, et le premier, las ou se rappelant une obligation, était revenu sur ses pas. L'air était frais, car ils avaient leur manteau. Ils se ressemblaient, mais pas plus que les autres (*M*, 9f.).

60 Vgl. J. Habermas, »Vorbereitende Bemerkungen zu einer Theorie der kommunikativen Kompetenz«, in: J. Habermas/N. Luhmann, *Theorie der Gesellschaft oder Sozialtechnologie [...]*. Frankfurt: Suhrkamp 1971, 118.

61 J.-P. Sartre, *La Nausée [1938]*. Paris: Gallimard 1964, 159. Vgl. »For to explain had always been to exorcize, for Watt« (*W*, 74f.).

Das Bemühen des Erzählers um die Wirklichkeitsadäquanz seines Berichts ist deutlich markiert, sei es durch erklärende Zusätze (je veux dire), sei es durch Kommentare, die den Realitätsgehalt der Aussage zurechtrücken (J'invente peut-être un peu). Die Pseudoexaktheit, mit der das Wiederkäuen der Kühe beschrieben wird, gehört ebenso dazu, wie die zweimalige Verwendung der Konjunktion *car*. Bei näherer Betrachtung jedoch erkennt man die Inkohärenz des Textes. Nicht nur verwendet der Erzähler verschiedene Stilregister: lyrische Klischees (le silence du soir, les tendres pâturages) stehen neben pseudowissenschaftlich genauen Beschreibungen (un tendon du cou remue). Auch einzelne Äußerungen passen nicht zueinander: »Mais c'est peut-être là des souvenirs« fügt sich als Kommentar schlecht zu der vorausgegangenen Beschreibung der wiederkäuenden Kühe. Die Beschreibung selbst ist offenbar für die Begegnung von A und B ganz überflüssig. Mit ihrer Hilfe versichert sich der Erzähler, daß es wirklich »auf dem Lande« war, wo die Begegnung stattfand, bzw. daß er das Wort *campagne* richtig verwendet. Was den letzten Satz des Zitats angeht, so hebt er die in der ersten Satzhälfte gemachte Aussage in der zweiten wieder auf. Der erste Satz schließlich stellt den Bericht als ganzen in Frage, denn der Erzähler hat offenbar Schwierigkeiten, seine Person von andern Personen abzugrenzen. So endet denn der mühsame Versuch, ein Ereignis so genau wie möglich wiederzugeben, mit dem Eingeständnis des Erzählers, daß er möglicherweise verschiedene Fakten miteinander vermengt. »Et je confonds peut-être plusieurs occasions différentes« (*M*, 17).
Auf den ersten Blick könnte man meinen, daß es Beckett darum geht, alle erzählende Literatur als fiktional zu entlarven, indem er seinen Erzähler die Fiktionalität dessen, was er berichtet, eingestehen läßt.[62] Damit wäre jedoch wenig erreicht; denn auch Autor

62 Vgl. W. Iser: »Becketts Romane sind daher fiktionale Texte, die nicht von Fiktionen handeln, sondern diese ständig aufzuheben trachten«. Doch Iser gibt sich mit dieser Aussage nicht zufrieden, sondern gewinnt Beckett eine allgemeine Lehre von der Nichterkennbarkeit der Welt ab: »Die von Beckett ständig hinterfragte Fiktion zeigt, daß wir eigentlich davon leben, daß wir nichts Endgültiges ausmachen können. Dieses Nichts bleibt der nicht aufzuhaltende Antrieb unseres Tätigwerdens« (»Ist das Ende hintergehbar? Fiktion bei Beckett«, in: ders., *Der implizite Leser [...]* [UTB, 163]. München: Fink 1972, 407). Zur

und Leser realistischer Literatur sind sich über deren fiktionalen Charakter im klaren. Zur Debatte steht nicht die Fiktionalität erzählender Literatur, sondern deren Sinnhaftigkeit. Unter Sinn einer Erzählung wollen wir die Tatsache verstehen, daß diese eine oder mehrere Funktionen der Sprache aktualisiert, daß sie referentiell, expressiv oder appellativ ausgelegt werden kann. Jede Erzählung, sei sie fiktiv oder nicht, ordnet Figuren und Gegenstände in einem raum-zeitlichen Koordinatensystem an. Dadurch entsteht eine Struktur, die auf einen Wirklichkeitsausschnitt (referentiell) und/oder auf den Sprecher (expressiv) und/oder auf den Hörer (appellativ) bezogen werden kann. Mindestens eine dieser Sinndimensionen wird in jeder Erzählung verwirklicht. Es ist gar nicht einfach, eine Erzählung zu schreiben, in der keine der genannten Sprachfunktionen wirksam ist. Noch die unwahrscheinlichste Abfolge von Ereignissen läßt sich als Ausdruck des sprechenden Subjekts verstehen. Und selbst eindeutige Inkohärenzen der Figuren schließen die Möglichkeit einer referentiellen Deutung nicht aus. Wenn Kafkas Gregor Samsa eines Morgens als Käfer erwacht, dann ist die Kohärenz der Figur als einer menschlichen offensichtlich verletzt; trotzdem vermag der Leser die Erzählung – sei es als allegorische Darstellung einer entfremdeten Lebenssituation, sei es als Ausdruck einer existentiellen Angst – zu deuten. Die beschädigte Zurechnungsfähigkeit des Ich-Erzählers stellt auch die drei Grundfunktionen der Sprache in Frage. Indem die innerfiktionale Realität des Berichteten unsicher bleibt, ohne daß dieses deshalb durchgängig als bloßes Gerede gekennzeichnet wäre, erweist sich der Text als Spiel mit dem Sinnverlangen des Lesers. Dieser will zunächst die Abläufe innerhalb der Fiktion klären, um diese dann ihrerseits – sei es auf die Wirklichkeit, sei es auf den Autor – beziehen zu können. Indem Beckett dem Text die Kohärenz vorenthält, die nicht nur realistische, sondern auch phantastische Literatur selbstverständlich voraussetzt, blockiert er dessen Deutung. Das gilt nicht nur für die Referenz-, sondern auch für die Ausdrucksbeziehung. Die Äußerungen eines Erzählers wie Molloy, der sich fortwährend selbst widerspricht, lassen sich auch nicht mehr als Ausdruck eines Subjekts interpretieren.

Kritik an Iser vgl. Waltraud Gölter, *Entfremdung als Konstituens bürgerlicher Literatur, dargestellt am Beispiel Samuel Becketts [...]* (Studia Romanica, 27). Heidelberg: Winter 1976, 187ff.

Es sieht so aus, als müßten wir uns der Auffassung derjenigen Bekkett-Interpreten anschließen, die die These vertreten, es gebe bei Beckett nichts zu interpretieren.[63] Zur Stützung dieser Auffassung hat man auf einen Satz aus dem Anfang von *Malone meurt* verwiesen: »Cette fois je sais où je vais [...]. C'est un jeu maintenant, je vais jouer«.[64] Man könnte auch aus *Molloy* zitieren: »meublons, meublons, jusqu'au plein noir« (*M*, 17). Doch läuft der Interpret damit nicht seinerseits in die von Beckett aufgestellte Interpretationsfalle? Wenn unsere Ausführungen über *Molloy* auch für *Malone meurt* gelten – und dafür sprechen die strukturellen Gemeinsamkeiten der drei Romane der Trilogie –, dann lassen sich nicht einzelne Sätze des Ich-Erzählers als innerfiktional »richtige« Aussage deuten. Warum sollten wir gerade diesen Wörtern trauen, wenn wir annehmen müssen, daß für den Erzähler die Einheit von Klangkörper und Wortbedeutung gelockert, wenn nicht gar zerstört ist?

Darauf ließe sich erwidern, daß die Erzähler-Figuren der Trilogie tatsächlich mit der Sprache spielen: Wiederaufnahme eines Wortes mit veränderter Bedeutung (»Le soleil se levait à peine, avec peine«), Wörtlichnehmen eines figürlichen Ausdrucks (»Je n'étais pas dans mon assiette. Elle est profonde, mon assiette, une assiette à soupe, et il est rare que je n'y sois pas«), durch Präfix veränderte Wiederaufnahme eines Wortes (»il ne faut pas supposer que j'optais pour le moindre mal, et l'adoptais«) sind einige Beispiele dafür.[65]

Halten wir zunächst fest, daß sich die Wortspiele bei Beckett durchaus im Rahmen dessen bewegen, was die Rhetorik seit lan-

63 »Si l'œuvre de Beckett ›défie toute tentative d'interprétation‹ [Esslin], c'est précisément parce qu'il n'y a rien à interpréter«, schreibt B. T. Fitch, *Dimensions, structures et textualité dans la trilogie romanesque de Beckett* (»Situation«, 37). Paris: Lettres Modernes/Minard 1977, 125. In dieser textnahen anregenden Arbeit ist die Sekundärliteratur zur Trilogie (*Molloy*, *Malone meurt*, *L'Innommable*) ausführlich zitiert.

64 S. Beckett, *Malone meurt*. Paris: Editions de Minuit 1984, 9. Fitch kommentiert: »Et cette dernière phrase indique le statut de la Trilogie tout entière: ce texte est un jeu. En effet, le ›je‹ va jouer« (*Dimensions*, 129).

65 Vgl. Fitch, *Dimensions*, 131ff.; dort auch Quellenangabe der Zitate.

gem klassifiziert hat.[66] Doch das sagt noch nichts darüber aus, ob die Romane Becketts interpretierbar sind oder nicht. Aus dem Vorhandensein von Wortspielen läßt sich nicht schließen, daß das Ganze nur ein Spiel sei; dagegen spricht bereits, daß die Rhetorik sie klassifiziert hat.

Noch ein anderer Grund ist gegen das Interpretationsverbot anzuführen. Nicht Molloy ist der Verfasser des gleichnamigen Romans, auch nicht Malone, der sich in *Malone meurt* als Verfasser von *Molloy* enthüllt, auch nicht der Erzähler von *L'Innommable*, der seinerseits als Autor von *Malone meurt* auftritt, sondern Beckett. Hinter der Trilogie steht ein zurechnungsfähiger Autor, der dieses Universum organisiert hat. Das gibt dem Leser die Möglichkeit, die Zerrüttung der Sprache und des Universums selbst wiederum referentiell als Aussage über den Weltzustand oder expressiv als Aussage über die Befindlichkeit des Individuums in dieser Welt zu interpretieren. Adorno hat die erste dieser Möglichkeiten genutzt und in seinem Essay über das *Endspiel* die Zerstörung der Form bis ins sprachliche Gefüge hinein aus einem Weltzustand zu begreifen versucht, in dem kein metaphysischer Sinn mehr positiv gesetzt werden kann.[67] Auf der Legitimität eines solchen Ansatzes ist zu bestehen gegen die Fiktion eines sich selbst erzeugenden Textes.

Freilich hat Beckett selbst in seinen Gesprächen mit Georges Duthuit an der Malerei von Bram van Velde eine Theorie der ausdruckslosen Kunst entwickelt, die durchaus auf sein eigenes Werk übertragbar ist.

66 Die ersten beiden Beispiele lassen sich der *distinctio* zuordnen, das dritte ist eine Paronomasie. (Vgl. H. Lausberg, *Elemente der literarischen Rhetorik [...]*. München: Hueber ^{6}1979, 93 und 90).

67 Th. W. Adorno, »Versuch, das Endspiel zu verstehen«, in: ders., *Noten zur Literatur II* (Bibl. Suhrkamp, 71). Frankfurt 1963, 188-236; hier: 189. – Wenn W. M. Lüdke eine These der *Dialektik der Aufklärung* (in seiner Formulierung: »die notwendige Restriktion der Erfahrung um der Selbsterhaltung willen«) in Isers Beckett-Interpretation wiederzufinden meint, so dürfte er weder Horkheimer und Adorno noch Iser gerecht werden (*Anmerkungen zu einer »Logik des Zerfalls«: Adorno – Beckett* [ed. suhrkamp, 926]. Frankfurt 1981, 110f.). Während Adorno die Wahrheit der Epoche in Becketts Texten zu entziffern sucht, schreibt Iser: »Die Wahrheit des Schreibens besteht in der Entdeckung ihres fiktionalen Charakters« (*Der implizite Leser*, 404).

D – One moment. Are you suggesting that the painting of van Velde is inexpressive?
B – (A fortnight later) Yes.[68]

Beckett leugnet hier das Fehlen einer Beziehung zwischen dem Künstler und seinem Anlaß und sieht in van Velde den ersten, »der sich ganz dem unbezwingbaren Fehlen von Bedeutung unterwarf, wegen des Fehlens von Bezugspunkten« (the first to submit wholly to the incoercible absence of relation, in the absence of terms).[69] Die Berufung auf die Kunsttheorie des Autors hat jedoch eine Reihe von Schwächen.[70] Bekanntlich vermag ein Autor, nachdem er einen Text verfaßt hat, dessen Bedeutung – und das Leugnen von Bedeutung ist nur ein besonderer Fall von Bedeutungszuweisung – nicht festzulegen. Gelänge ihm dies, so wäre es einer späteren Epoche unmöglich, den Text für sich zu erschließen. Die Berufung auf die Selbstdeutung des Autors als letzter Erklärungsebene ist daher unzulässig. Ob Texte als Ausdrucksphänomene gedeutet werden, hängt letztlich auch gar nicht vom Autor, sondern vom institutionalisierten Umgang mit Texten ab.

Indem Beckett die Zurechnungsfähigkeit des Ich-Erzählers und die innerfiktionale Realität in Frage stellt, zerstört er die Bedingungen literarischer Kommunikation. Aber gerade dieser Akt der Negation teilt etwas mit. Er praktiziert den Sinn-Entzug.[71] Adorno hat ihn tragisch gedeutet, heute tritt ein anderes Moment daran in den Vordergrund, das Komische.

68 S. Beckett/G. Duthuit, *Three Dialogues*, abgedruckt in: H. Engelhardt/D. Mettler (Hg.), *Materialien zu Samuel Becketts Romanen [...]* (suhrkamp taschenbuch, 315). Frankfurt 1976, 10-27; hier: 20.

69 Ebd., 24.

70 Auch H.-J. Schulz warnt davor, die kunsttheoretische Stellungnahme Becketts in den *Three Dialogues* mit dem Werk einfach gleichzusetzen (*This Hell of Stories. A Hegelian Approach to the Novels of Samuel Beckett*. The Hague/Paris: Mouton 1973, 78). Und er macht darauf aufmerksam, daß »the idea of an artist who strives for an art of nothing« einen allzu einfachen Schlüssel für die Texte Becketts liefert, die deren Besonderheit auf die Wiederholung schwächlicher Spiele reduzieren würde (ebd., 80). Er insistiert dagegen auf der Kraft der Negation bei Beckett, die auch Begriffe wie Absurdität, Parodie und Anti-Roman erfasse (ebd., 92) und durch die Infragestellung der kreativen Freiheit des Schriftstellers die Kunst wieder an den Rand des Lebens zurückstoße (»an art pushed back to the brink of life«; ebd., 85).

Einer der ersten Texte, die Beckett 1945 direkt in französischer Sprache schreibt, ist die Novelle *L'Expulsé*. Sie berichtet, wie der Ich-Erzähler aus dem Hause, in dem er bisher gewohnt hat, hinausgeworfen wird und einen Tag lang in der ihm kaum bekannten Stadt herumirrt. Einen Teil des Tages verbringt er in einem Fiaker, dessen Kutscher ihm bei der Suche eines möblierten Zimmers hilft und ihn schließlich in seinem Stall übernachten läßt. Wesentliche Elemente der späteren Erzählungen Becketts sind hier bereits angelegt: der Protagonist ist gehbehindert; er hat keinerlei dauerhafte soziale Beziehungen; Gegenstand des Berichts ist sein zielloses Herumirren in der Stadt (nicht er, sondern der Kutscher kommt auf den Gedanken, daß er ein Zimmer suche); der Freundlichkeit des Kutschers entzieht er sich, indem er im Morgengrauen den Stall verläßt. Ich zitiere den Anfang der Novelle.

Le perron n'était pas haut. J'en avais compté les marches mille fois, aussi bien en montant qu'en descendant, mais le chiffre ne m'est plus présent, à la mémoire. Je n'ai jamais su s'il fallait dire un le pied sur le trottoir, deux le pied suivant sur la première marche, et ainsi de suite, ou si le trottoir ne devait pas compter. Arrivé en haut des marches je butais sur le même dilemme. Dans l'autre sens, je veux dire de haut en bas, c'était pareil, le mot n'est pas trop fort. Je ne savais par où commencer ni par où finir, disons les choses comme elles sont. J'arrivais donc à trois chiffres totalement différents, sans jamais savoir lequel était le bon. Et quand je dis que le chiffre ne m'est plus présent, à la mémoire, je veux dire qu'aucun des trois chiffres ne m'est plus présent, à la mémoire. Il est vrai qu'en retrouvant, dans la mémoire, où il se trouve certainement, un seul de ces chiffres, je ne retrouverais que lui, sans pouvoir en déduire les deux autres. Et même si j'en récupérais deux, je ne saurais pas le troisième. Non, il faudrait les retrouver tous les trois, dans la mémoire, pour pouvoir les connaître, tous les trois. C'est tuant, les souvenirs. Alors il ne faut pas penser à certaines choses, à celles qui vous tiennent à cœur, ou plutôt il faut y penser, car à ne pas y penser on risque de les retrouver, dans la mémoire, petit à petit.

71 Ulrich Meier deutet diesen als post-avantgardistische Verweigerung des moralischen Programms, auf das die Kunst in der bürgerlichen Gesellschaft seit der Aufklärung verpflichtet gewesen sei (*Becketts Endspiel Avantgarde*. Basel/Frankfurt: Stroemfeld/Roter Stern 1983, 67f.). Interessanter als der naheliegende Einwand, daß Moral-Verweigerung bereits vom Ästhetizismus propagiert wurde, ist die dialektische Frage, ob durch die Perpetuierung des Sinn-Entzugs »nicht doch wieder eine Moral entsteht und kommuniziert wird« (ebd., 75).

C'est-à-dire qu'il faut y penser pendant un moment, un bon moment, tous les jours et plusieurs fois par jour, jusqu'à ce que la boue les recouvre, d'une couche infranchissable. C'est un ordre. Après tout le nombre des marches ne fait rien à l'affaire.[72]

Der Text kann als eine in die Form der Erzählung übersetzte Clownszene verstanden werden.[73] Der Ungeschicklichkeit des Clowns entspricht hier die Unfähigkeit, die Stufen der Treppe zu zählen. Zwar kann das Ich zählen; aber es vermag diese Fähigkeit nicht praktisch anzuwenden; die Ergebnisse, die es herausbekommt, widersprechen einander. Komplizierter wird die Sache, wo es darum geht, die drei voneinander abweichenden Zahlen zu erinnern. Der Ich-Erzähler scheitert bei dem Versuch einer genauen Wiedergabe eines Stücks Wirklichkeit. Der Ernst, mit dem der Sachverhalt berichtet wird (disons les choses comme elles sont), ist der Ernst des Clowns, der mit dem Ausdruck angespannter Aufmerksamkeit ein Ei balanciert und es schließlich fallen läßt. Er kontrastiert mit der Belanglosigkeit des Inhalts, die am Schluß auch unumwunden eingestanden wird. Wie Gestik und Mimik des Clowns sich vollständig gegenüber dem Geschehen verselbständigen und zu diesem in Gegensatz treten können, so steht hier der Selbstkommentar des Ich-Erzählers in keinerlei nachvollziehbarem Bezug zum Berichteten. »Dans l'autre sens, je veux dire de haut en bas, c'était pareil, *le mot n'est pas trop fort*« (Herv. von mir). Auch der Kommentar über Erinnerungen fügt sich nicht zum Erzählablauf. Das Problem, von dem der Ich-Erzähler ausgeht, betrifft die Schwierigkeit, sich der Zahl der Stufen des Perrons zu erinnern, von dem er heruntergestoßen worden ist. Der Kommentar aber thematisiert das Gegenteil, die Schwierigkeit zu vergessen, und nennt verschiedene Wege zur Lösung dieser Schwierigkeit.

72 S. Beckett, *Nouvelles et textes pour rien*. Paris: Minuit 1969, 11 f.

73 Die Nähe der Beckettschen Figuren zum Clown ist früh beobachtet worden. Vgl. z.B. K. A. Horst, »Molloy oder die Psychologie des Clowns [1954]«, in: H. Engelhardt/D. Mettler (Hg.), *Materialien zu Samuel Becketts Romanen*, 78-84. Der Verfasser reduziert jedoch die Gestalt des Clowns auf die Ausdruckslosigkeit eines Werks des L'Art pour l'art. »Aber es gibt in der Tat Gesten, die um ihrer selbst willen da sind, die weder Ursache noch Endzweck haben, die nichts ausdrücken und nichts bedeuten. Es sind die Gesten des Clowns« (ebd., 80).

Auch die Fortsetzung des Berichts liest sich wie eine erzählte Clownszene. Während jeder Erwachsene nach einem Fall in die Gosse so schnell wie möglich aufstehen würde, verhält sich der Protagonist Becketts anders. Nachdem das Zuschlagen der Tür ihn davon überzeugt hat, daß keine unmittelbare Gefahr droht, richtet er sich in der Gosse ein und beginnt zu träumen. Ein Geräusch stört ihn auf. Man wirft ihm einen Gegenstand zu, seinen Hut. Der Ungeschickte zeigt überraschend Geschicklichkeit, fängt den Hut und setzt ihn auf.

Nun bleibt der Bericht von einer Clownszene notwendig hinter dieser zurück; ihm geht ab, was die Szene gerade ausmacht, das Mimische und das Gestische. Beckett schafft dafür Äquivalente, zum einen, indem er den Selbstkommentar als von der Handlung abgelöste Gestik verwendet; zum andern, indem er ein Sprachregister wählt, dessen gepflegte Präzision mit der Erzählerfigur, der der Text zugeschrieben ist, in eigentümlichem Kontrast steht. Was in der Aufführung der Szene als schneller Wechsel mimisch-gestischer Einstellungen zur Anschauung kommen würde, läßt sich im Medium der Sprache direkt nicht wiedergeben. Indem Beckett jedoch seinen Protagonisten die Clownszene im Stil eines Descartes berichten läßt, wird die Clownerie zu einer quasi-philosophischen Bedeutung erhoben, zugleich aber auch der lebensgeschichtlich fundierte Diskurs des Philosophen zur beliebigen Abfolge von Gesten herabgesetzt.[74]

Beide Momente, die wir als Äquivalente der vom Geschehen abgelösten Mimik und Gestik des Clowns gedeutet haben, kehren in *Molloy* in radikalisierter Form wieder. Der Dissoziation von Berichtetem und Selbstkommentar entspricht in *Molloy* die Zerstörung der Konsistenz des Erzählgeschehens, dem eigentümlichen

74 »Beckett scheint der erste gewesen zu sein, der den *Discours de la méthode* als das las, was er ist: eine Erfindung, eine Dichtung« (H. Kenner, »Der Bereich des Rationalen«, in: H. Engelhardt/D. Mettler [Hg.], *Materialien zu Samuel Becketts Romanen*, 260). Im Gegensatz zu Kenner spricht G. Durozoi in seiner nützlichen Einführung in Becketts Werk vom Anti-Cartesianismus des Autors (*Beckett*. Paris/Montréal: Bordas 1972, 184f.). Vermutlich ist die Frage nach dem Cartesianismus oder Anti-Cartesianismus Becketts falsch gestellt; der Autor erfaßt die komische Seite des philosophischen Diskurses.

Kontrast von Sprachregister und Erzählerfigur die Auflösung jeglicher Einheit des Stils.[75]

Faßt man den Clown als eine Figur auf, die durch Nichtangepaßtheit an die Anforderungen der Welt und fehlende Koordination der einzelnen Tätigkeitsabläufe charakterisiert ist, dann lassen sich die behandelten Texte Becketts als Literarisierung des Clowns deuten. Damit soll keine Aussage über die Genesis der Beckettschen Protagonisten gemacht, sondern eine strukturelle Gemeinsamkeit bezeichnet werden. Auch Becketts Figuren sind nichtangepaßt, und die Dissoziation der Tätigkeiten reicht bei Molloy bis zum Zerfall der Wortzeichen. Die Radikalisierung der clownesken Dissoziation führt dazu, daß die Komik jeden Augenblick in Entsetzen umschlagen, aber auch umgekehrt das Grauen sich im Lachen befreien kann.

In der klassischen Theorie des Komischen, wie Hegel sie in seiner *Ästhetik* formuliert, wird zwischen dem Lächerlichen und dem Komischen unterschieden. Während das Lächerliche nicht mehr verlangt als einen »Widerspruch, durch den sich die Erscheinung in sich selber aufhebt und der Zweck in seiner Realisation sich selbst um sein Ziel bringt«, gehört zum Komischen »die Seligkeit und Wohligkeit der Subjektivität, die, ihrer selbst gewiß, die Auflösung ihrer Zwecke und Realisationen ertragen kann« (*Ä* II, 552f.). Hegel insistiert darauf, daß »weder das Substantielle noch die Subjektivität als solche« in der komischen Lösung zerstört

75 Poetische Klischees wie »une route d'une nudité frappante« (*M*, 9), »les pâles ombres des jours de pluie« (*M*, 38) stehen neben Elementen einer pseudowissenschaftlichen Sprache (vgl. die Wiederholung von Partikeln wie *car* und *à cause de* [*M*, 9f.], aber auch das präzise Fachvokabular: »il s'agissait à vrai dire moins de blessures que de contusions« [*M*, 59]). Die Anlehnung an die gesprochene Sprache (»c'est un drôle de type, celui qui vient me voir« [*M*, 8]) unter Einbeziehung von Vulgarismen (»J'avais commencé au commencement, figurez-vous, comme un vieux con« [ebd.]) wechselt ab mit gewählten Formulierungen (»quand je suis acculé à la confabulation«; »je ne rétablirai pas cette conversation dans tous ses méandres« [*M*, 25]; vgl. auch das literarische *passé simple* der 1. Person Plural: »Ainsi nous franchîmes cette passe difficile, ma bicyclette et moi, en même temps« [ebd.]). Gelegentlich kommt es auch zur direkten Verknüpfung von Vulgarismus und hohem Stil: »si je devais dresser le palmarès des choses qui ne m'ont pas trop fait chier« (*M*, 19).

werden (ebd., 554). Er geht davon aus, daß die Gebilde des (objektiven wie des absoluten) Geistes, Staat, Philosophie und Religion, ebenso substantiell sind wie das Subjekt, insofern es sich nicht in seiner Besonderheit verhärtet, sondern das Allgemeine anerkennt.
Auf diesem Hintergrund wird die epochale Andersartigkeit der Komik Becketts faßbar. Molloy wird von einem Polizisten angehalten:

Je finis par comprendre que ma façon de me reposer, mon attitude pendant le repos, à califourchon sur ma bicyclette, les bras sur le guidon, la tête sur les bras, attentait à je ne sais plus quoi, à l'ordre, à la pudeur. J'indiquai modestement mes béquilles et hasardai quelques bruits sur mon infirmité, qui m'obligeait à me reposer comme je le pouvais, plutôt que comme je le devais (*M*, 25).

Durch eine beliebige Bemerkung reizt er den Polizisten, der ihn, als er keine Papiere vorweisen kann, auf die Wache bringt. Molloy erweist sich in dieser Szene keineswegs als aufsässig, und auch als Erzähler stellt er die Ordnung, gegen die er verstößt, keineswegs in Frage, wenngleich er sie auch nicht recht zu begreifen vermag. Durch die Entgegensetzung von »mich ausruhen wie ich konnte« und »wie ich sollte« findet eine winzige Verschiebung statt, die die komische Entwertung in Gang setzt. Indem der Ich-Erzähler annimmt, es gäbe eine »richtige« Art, sich auszuruhen, unterstellt er eine totale Reglementierung aller Lebensvollzüge, womit er die Idee der Regel ad absurdum führt.
Die Verhörszene auf dem Polizeirevier setzt die Destruktion staatlicher Ordnung fort. Molloy vermag sich weder seines Namens zu erinnern, noch die Adresse seiner Mutter anzugeben, bei der er gelegentlich wohnt.

Et tout d'un coup je me rappelai mon nom, Molloy. Je m'appelle Molloy, m'écriai-je, tout à trac, Molloy, ça me revient à l'instant. Rien ne m'obligeait à fournir ce renseignement, mais je le fournis, espérant sans doute faire plaisir. On me laissait garder mon chapeau, je me demande pourquoi. C'est le nom de votre maman, dit le commissaire, ça devait être un commissaire. Molloy, dis-je, je m'appelle Molloy. Est-ce là le nom de votre maman? dit le commissaire. Comment? dis-je. Vous vous appelez Molloy, dit le commissaire. Oui, dis-je, ça me revient à l'instant. Et votre maman? dit le commissaire. Je ne saisissais pas. S'appelle-t-elle Molloy aussi? dit le commissaire. S'appelle-t-elle Molloy? dis-je. Oui, dit le commissaire. Je réfléchis. Vous vous appelez Molloy, dit le commissaire. Oui, dis-je. Et votre maman, dit le commissaire, s'appelle-t-elle Molloy aussi? Je réfléchis. Votre maman, dit le commissaire, s'appelle –. Laissez-moi réfléchir! m'écriai-je. Enfin je m'imagine que cela devait se passer ainsi. Réfléchissez, dit le commissaire. Maman s'appelait-elle Molloy? Sans doute. Elle doit s'appeler Molloy aussi, dis-je (*M*, 28 f.).

Molloy versteht die Frage des Polizisten nicht. Er macht Gesten der Unterwerfung, nimmt die Frage auf, um sie zu begreifen. Doch es gelingt ihm auch deshalb nicht, weil der Polizist seine Frage unablässig wiederholt. Was die Komik dieses *dialogue de sourds* unwiderstehlich macht, ist die Tatsache, daß keineswegs nur Molloy, sondern beide Dialogpartner gleichermaßen in die Situation eines totalen wechselseitigen Nichtverstehens hineingezogen werden. Wie das Lallen des Kindes die Eltern dazu veranlaßt, Baby-Sprache zu sprechen, so wird der Polizist durch Molloy infantilisiert: er redet von Molloys »maman«. Da er aber zugleich die Distanz des polizeilichen Verhörs wahren will, produziert er eine hybride Form »votre maman«. Indem der Polizist versucht, sich auf die Ebene des begriffsstutzigen Clochard einzulassen und zugleich die Sachlichkeit eines Verhörs aufrechtzuerhalten, bringt er einen Widerspruch hervor, in dem die Ordnung sich selbst zerstört. Das Resultat der Befragung bleibt fraglich: »sans doute«. Die Destruktion der Ordnung wird noch dadurch potenziert, daß Molloy, nicht der Polizist, die Szene berichtet. Ihm kommt damit das Vorrecht der Reflexion zu. Um so mehr erscheint der Polizist als Automat, der eine sinnlose Frage wiederholt.
Nicht nur die staatliche Ordnung stellt die Komik Becketts in Frage, sondern auch die Begrifflichkeit der Philosophie. Irgendwie ist das Wort *principe* in Molloys Text geraten, und er versucht nun, sich darüber Rechenschaft abzulegen, daß er, auch wenn er mehr oder weniger dasselbe sagt, keinen Prinzipien folgt. »Et si je parle de principes, alors qu'il n'y en a pas, je n'y peux rien. Il doit y en avoir quelque part« (*M*, 59). Indem Molloy die Prinzipien an einem nicht näher bestimmten Ort lokalisiert, macht er sie gleichsam zu Gegenständen. Dadurch wird aber der Begriff von seinem Bedeutungsgehalt entleert. Die unsinnige Rede des Ich-Erzählers hat auf vertrackte Weise recht: »D'ailleurs comment savoir si on s'y conforme ou non [sc. aux principes]?« (ebd.) Einem als Gegen-

stand gefaßten Prinzip kann man in der Tat sich nicht unterwerfen. Wie oben der Begriff der staatlichen Ordnung ad absurdum geführt wurde, so hier der philosophische des Prinzips. Die Beckettsche Komik zerstört gerade das, was Hegel von der komischen Destruktion ausgenommen wissen wollte, die Substantialität staatlicher Ordnung und philosophischer Wahrheit. Es verhält sich jedoch keineswegs so, daß das Subjekt aus diesem Untergang des Substantiellen Gewinn schlüge. Das Gegenteil ist der Fall; es erweist sich als in jeder Hinsicht brüchig und inkonsistent. Zwar läßt sich sagen, daß der Ich-Erzähler Becketts »durchaus erhaben über seinen eigenen Widerspruch« sei, wie Hegel es für das Komische fordert, aber es handelt sich dabei nicht um die »freie Heiterkeit« eines seiner selbst mächtigen Subjekts, sondern um eine Gelassenheit, die sich aus totaler Ohnmacht ergibt.

5. Perspektivisches Erzählen und mythischer Effekt in Faulkners »Absalom, Absalom!«

Mit dem Verschwinden des kollektiven Erfahrungsgrunds traditionaler Gesellschaften entzieht sich dem Erzähler nicht nur die epische Selbstverständlichkeit des Gegenständlichen, sondern auch das geschichtsmächtige Handlungssubjekt. Wo die wirklichen Individuen zur privaten Existenz verurteilt sind, bleibt die Geschichte ein ihnen fremdes Geschehen, dem sie zwar unterworfen sind, das sie aber nicht bestimmen können. Wenn in der *Education sentimentale* die Revolution von 1848 als Abfolge von chaotischen Szenen und nicht als Resultat des Handelns historischer Subjekte erscheint und in der *Recherche* die Dreyfus-Affaire nur als Gegenstand von Salon-Gesprächen in den Blick rückt, dann haben Flaubert und Proust das zum Ausdruck gebracht, was man den Verlust der Geschichtsmächtigkeit des Subjekts nennen kann. Indes haben nicht alle modernen Autoren sich damit abgefunden; Namen wie Faulkner, Johnson und Peter Weiss stehen für den Versuch, einen kollektiven Erfahrungsgrund und ein (sei es auch nur in seinem Scheitern) geschichtsmächtiges Subjekt noch für die Moderne erkennbar zu machen. So läßt sich ein Traditionsstrang des modernen Romans aus dem Widerspruch begreifen zwischen dem Verlust des kollektiven Erfahrungsgrunds und dem Willen, ihn gegen die geschichtliche Tendenz gleichsam aus dem Erzählen heraus neu zu schaffen. Das Risiko, das diese Autoren eingehen, ist dabei jeweils ein anderes: die Mythisierung der Figuren bei Faulkner, der Schein des Rückfalls in die Selbstverständlichkeit eines vormodernen Erzählgestus bei Johnson und das Erzwingen eines kollektiven Wir bei Weiss.
In *Absalom, Absalom!*[76], einem Roman, der Aufstieg und Nieder-

76 Eine allerdings keineswegs vollständige Bibliographie der kaum mehr übersehbaren Zahl von Arbeiten zu *Absalom, Absalom!* findet sich in der Studie von Cathy Waegner, *Recollection and Discovery. The Rhetoric of Character in William Faulkner's Novels* (European Univ. Studies, Series XIV, 120). Frankfurt/Bern/New York: Lang 1983, 209-213.

gang des Siedlers Thomas Sutpen und seiner Familie in den Südstaaten der USA erzählt, verzichtet Faulkner nicht nur auf eine chronologisch geordnete Darstellung, indem er diese einer Mehrzahl von Erzählern überträgt, die aus unterschiedlicher Nähe zum Geschehen und von verschiedenen Globaldeutungen aus berichten; er geht über die damit gegebene Aufsplitterung noch hinaus, indem er im letzten Teil des Buches zwei Studenten, von denen nur der eine, Quentin, mit Angehörigen der Familie Sutpens direkt in Verbindung getreten ist (er hat das Ende der Familie miterlebt), einzelne Szenen der Familiengeschichte imaginieren läßt. Dadurch wird das Berichtete in doppelter Weise kompliziert. Nicht nur muß der Leser stets die Situation, in der die beiden Erzähler sich befinden, von der Situation, in der die Personen sind, unterscheiden; er wird darüber hinaus vom Autor gezwungen, verschiedene mögliche Geschehnisabfolgen bzw. -deutungen miteinander zu vergleichen. Einerseits suchen die beiden Erzähler zu erfassen, warum Charles Bon, Sutpens Sohn aus erster Ehe, eine Heirat mit seiner Halbschwester Judith erstrebt und schließlich von seinem Halbbruder Henry Sutpen erschossen wird; andererseits führt die Suche nach einer verständlichen Erklärung für das Handeln der Figuren sie immer weiter in die Erdichtung von Situationen und Charakteren, von denen sie keinerlei dokumentarische Spuren besitzen. Es wäre allerdings ein Irrtum anzunehmen, durch dieses erzähltechnische Verfahren würde das Geschehen dem Leser als ein fiktives vorgeführt. Das Gegenteil ist der Fall. Indem die Erzähler immer wieder die Lückenhaftigkeit ihres Wissens herausstellen und ihre Vermutungen und Deutungsannahmen deutlich als solche zu erkennen geben, erhält das Geschehen, auf das sich diese Versuche des Verstehenwollens richten, den Charakter eines Unbezweifelbaren. Anders formuliert: Gerade indem Faulkner innerhalb seines Textes die Unterscheidung einführt zwischen Handlungen, über die Gewißheit besteht, und solchen, die man nur erschließen kann, wird nicht etwa das Geschehen als fiktiv enthüllt, sondern die realistische Illusion gesteigert. Der Leser kann den Figuren gegenüber die Haltung einnehmen (und diese Haltung wird ihm vom Autor nahegelegt), die er im Leben anderen Menschen gegenüber einnimmt, von denen er einiges weiß, sehr vieles je-

doch nicht und daher dieses Nichtwissen durch deutendes Verstehen ergänzen muß.[77]
Der Effekt, den Faulkner aus der Einführung der Unterscheidung von Wissen und Nichtwissen in den Text der Erzählung zieht, geht jedoch über eine Verstärkung der realistischen Illusion weit hinaus. Das wird vor allem an der Figur Sutpens deutlich. Er erscheint in den Erzählungen der alten Rosa Coldfield, Sutpens Schwägerin, und Quentins Vater, der selbst sein Wissen aus Berichten seines Vaters, eines Freundes von Sutpen, bezieht, nur als der rätselhafte Reiter, der eines Tages im Jahre 1833 in dem kleinen Städtchen Jefferson im Staat Mississippi auftaucht.

He wasn't a gentleman. He wasn't even a gentleman. He came here with a horse and two pistols and a name which nobody ever heard before, knew for certain was his own any more than the horse was his own or even the pistols, seeking some place to hide himself, and Yoknapatawpha County supplied him with it (11).[78]
He was already halfway across the Square when they saw him, on a big hardridden roan horse, man and beast looking as though they had been created out of thin air and set down in the bright summer sabbath sunshine in the middle of a tired foxtrot – face and horse that none of them had ever seen before, name that none of them had ever heard, and origin and purpose which some of them were never to learn (25 f.).

Die erste Darstellung stammt von Rosa Coldfield, der unglückli-

77 Wenn Michaela Ulrich in ihrer eingängigen und präzisen Analyse von *Perspektive und Erzählstruktur in William Faulkners Romanen* (Beihefte zum Jahrbuch für Amerikastudien, 34; Heidelberg: Winter 1972) zu dem Ergebnis kommt, »*Absalom* zeigt also, wie mit jedem Versuch der Wahrheitsfindung eine eigengesetzliche imaginäre Welt geschaffen wird. [...] Der stets gegenwärtige illusionäre Charakter des Erzählten weist den Leser ja darauf hin, daß diese Vergangenheit gar nicht begriffen werden kann« (ebd., 75/76), dann verschließt sie sich der Einsicht, daß bei Faulkner die Fiktion gerade als Medium des Verstehens fungiert. Das ist in der älteren Arbeit von M. Christadler gesehen, wenn dieser schreibt: »Verstehen und Sinn ergeben sich also nicht aus lückenloser Kenntnis aller Fakten, sondern aus Konstruktion und Deutung« (*Natur und Geschichte im Werk von William Faulkner* [Beihefte zum Jahrbuch für Amerikastudien, 8]. Heidelberg: Winter 1962, 188).
78 W. Faulkner, *Absalom, Absalom! [1936]* (Penguin Modern Classics). Harmondsworth 1984. Die Seitenangaben im Text beziehen sich auf diese Ausgabe.

chen Schwägerin Sutpens; sie ist stark wertend. Für sie ist Sutpen ein Verbrecher, der etwas zu verbergen hat, ein dämonischer Mensch, der den eigenen Untergang und den seiner Familie als eine Art ungeheures Zerstörungsprojekt mit zähem Willen verfolgt. Die zweite stammt von Quentins Vater und drückt das grenzenlose Erstaunen der Bewohner von Jefferson über die Ankunft des Fremden aus. Aus beiden aber hebt sich die Gestalt Sutpens als eine quasi-mythische Figur ab. Gerade weil über seine Herkunft und Vergangenheit sich nichts ausmachen läßt, gewinnt die Gestalt eine mythische Dimension.

Hier erschließt sich uns der Zusammenhang zwischen moderner Erzähltechnik und mythischem Gehalt. Sie stehen nicht etwa quer zueinander, wie wir zuerst vermutet haben, sondern sie bedingen einander. Die moderne Erzähltechnik erweist sich als ein wesentlicher Faktor zur Erzeugung dessen, was man als den mythischen Effekt der Erzählung bezeichnen kann. Durch eine lückenlose Enthüllung der Vorgeschichte Sutpens würde dieser zerstört. Um das zu vermeiden, wird der Autor nur wenige ausgewählte Ereignisse aus Sutpens Vorleben berichten, so daß der Gestalt die Qualität des Unerklärlichen erhalten bleibt. Von einer einzigen Ausnahme, einem Gespräch mit dem Großvater Quentins, abgesehen, verrät Sutpen nichts von seiner Vorgeschichte; diese ist ihm, soweit sie seine Kindheit betrifft, sogar selbst dunkel. Er weiß nur, daß er in den Bergen aufgewachsen ist in einer eigentumslosen Gesellschaft von Jägern, und daß sein Vater eines Tages den (unerklärlichen) Entschluß gefaßt hat, in die Ebene zu ziehen, wo der junge Sutpen zum ersten Mal den Unterschied zwischen Armen und Reichen, Beherrschten und Herren kennenlernt. Dieser Bericht vom Exodus aus den Bergen, wo ursprüngliche Gleichheit zwischen den Menschen herrscht, verstärkt die mythische Qualität der Figur, weil er deren Herkunft ins Dunkel einer Vorzeit hüllt, wie nahe diese der Gegenwart auch sein mag.

He didn't know why they moved, or didn't remember the reason if he ever knew it – whether it was optimism, hope in his father's breast or nostalgia, since he didn't know just where his father had come from, whether from the country to which they returned or not, or even if his father knew, remembered, wanted to remember and find it again (183).

Das Nichtwissen, das als Nichtwissen angesprochen wird – »He

didn't remember if it was weeks or months or a year they travelled« (184) –, macht deutlich, daß Faulkner nicht einfach eine mythische Ursprungserzählung nachahmt, sondern daß er die neuzeitlichen Genauigkeitsforderungen an ein Geschehen heranträgt, das diese nicht kennt. Ein motivationsloses Handeln von unbestimmter Dauer wird mit den modernen Kategorien subjektiver Handlungsmotivation und exakter zeitlicher Begrenzung konfrontiert und damit als ein anderes, sich eben diesen Kategorien entziehendes erkennbar gemacht. Nicht um mythisches Geschehen im ursprünglichen Sinne handelt es sich, sondern um einen Quasi-Mythos, der sich allererst aus der modernen Einstellung der Berechenbarkeit und Beherrschbarkeit der Welt ergibt.
Faulkner konnte Sutpen nicht als mythische Gestalt im strengen Wortsinn konzipieren, ohne seine eigene Zeit zu verfehlen. Er mußte den mythischen Effekt brechen durch Einführung von Elementen moderner Subjektivität in die Gestalt. Das geschieht in dem zweiten fragmentarischen Bericht Sutpens, in dem dieser seinen Lebensentwurf aus einer Art von moralischem Cogito ableitet. Von seinem Vater zu einem reichen Plantagenbesitzer geschickt mit dem Auftrag, eine Nachricht zu überbringen, wird der junge Sutpen von einem Schwarzen an den Hintereingang verwiesen. Das scheinbar belanglose Ereignis löst bei dem Jungen das Gefühl einer so tiefen Verletzung aus, daß er sogar erwägt, den Plantagenbesitzer niederzuschießen. Schließlich erkennt er, daß er selbst Reichtum und Macht erwerben muß, um gegen die Reichen und Mächtigen antreten zu können (»So to combat them you have got to have what they have that made them do what the man did. You got to have land and niggers and a fine house to combat them with«; 196). Der Junge, der von der naiven Annahme ausgegangen war, daß ein Mann dem andern gleich ist, und der bereits hat lernen müssen, daß Schwarze keine Menschen wie die andern sind, erfährt nun, daß Anerkennung von Reichtum und Macht abhängt, und er beschließt, diese zu erwerben. Sutpen wird nicht in moderne gesellschaftliche Verhältnisse hineingeboren, so daß sie ihm als Natur erscheinen könnten; er muß sich deren Prinzipien erst in einem mühsamen Erfahrungs- und Denkprozeß aneignen. Diese Stellung zwischen Vorwelt und Moderne wird in dem dritten Fragment aus Sutpens Leben bestätigt, das davon erzählt, wie er allein den Aufstand der Negersklaven auf einer westindischen

Plantage niederwirft. Hatte die zweite Erzählung Sutpen als einen gezeigt, der in sich selbst die moderne Subjektivität als den Willen zur Beherrschung der Welt und der andern herausbildet, so taucht er in der dritten in den Mythos zurück. Wie er die Schwarzen unterwirft, bleibt ungesagt. Faulkner imaginiert hier eine Art dunkler Urgeschichte der Überlegenheit des Weißen gegenüber den Farbigen.

Es kann kein Zweifel daran bestehen, daß Faulkner mit dem Roman ein ideologisches Projekt verfolgt. Die Schlußsätze, die Quentins Studienfreund spricht, formulieren es unumwunden: »I think that in time the Jim Bonds are going to conquer the Western hemisphere« (311); was soviel heißt wie, die Mischlinge werden die westliche Welt erobern. Auf den ersten Blick wirkt der Satz einigermaßen befremdend; denn der aus verschiedenen Mischehen hervorgegangene Urenkel Sutpens spielt in dem Roman eigentlich nur im Augenblick des endgültigen Untergangs der Familie eine Rolle. Während die übriggebliebenen Mitglieder der Familie in dem von ihnen in Brand gesteckten Haus schweigend umkommen, schreit Jim Bond. Auch sonst gibt es in dem Roman nur wenige Anzeichen für den Sieg der Mischlinge. Was Faulkner offensichtlich umtreibt, ist der Gedanke, daß der heroische Typus des weißen Siedlers ausstirbt, daß das Ende von dessen Herrschaft seit dem Ausgang des Bürgerkriegs absehbar ist und damit zugleich das Ende einer Herrschaft, die auf der »natürlichen« Ungleichheit von weißer und schwarzer Rasse gegründet ist. Als Exponent der siegreichen Kultur der Nordstaaten erscheint trotz seines Engagements auf seiten der Südstaatler im Bürgerkrieg Charles Bon, der überfeinerte, willenlose Sohn Sutpens aus einer ersten nichtreinrassigen Ehe.

Dem Roman liegt also ein Menschenbild zugrunde, das eine ideologiekritische Analyse zu Recht kritisieren wird. Aber wenn sie es damit bewenden läßt, droht sie den Roman zu verfehlen. Denn dieser setzt nicht einfach das ideologische Projekt des Autors in eine epische Handlung um, sondern zugleich eine Energie frei, die das ideologische Projekt von innen her zerstört.[79] Faulkner wählt

79 Wir folgen hier einem Analyseverfahren, das Pierre Macherey in seiner Interpretation von Balzacs *Les Paysans* angewendet hat, wo er nach der literarischen Funktion der Ideologie Balzacs fragt (*Pour une Théorie de la production littéraire*. Paris: Maspéro 1971, 287-327).

die mythisierende Darstellungsweise, weil er damit den Untergang der Sklavenhaltergesellschaft des amerikanischen Südens überhöhen und ihm die Dimension eines Verhängnisses geben kann. Aber die mythische Darstellungsweise entfaltet innerhalb der modernen Erzählung eine eigenartige Dynamik, die sich gegen das Projekt des Autors kehrt.

Das wohl auffälligste mythische Element des Romans haben wir bisher vernachlässigt: das Inzestmotiv. Charles Bon lernt im College Sutpens Sohn Henry kennen und wird von diesem in Sutpens Haus eingeführt, wo er Henrys Schwester Judith begegnet und sich mit ihr verlobt. Da Sutpen weiß, daß Charles sein Sohn ist und er es auch Henry sagt, scheint das Inzestmotiv jegliche Schicksalsgewalt zu verlieren; zumal die Erzähler keinerlei Anhaltspunkte dafür haben, daß zwischen Charles und Judith eine leidenschaftliche Liebesbeziehung besteht. Indem Faulkner konsequent darauf verzichtet, den Inzest im Sinne eines über die Familie von außen hereinbrechenden Schicksals zu fassen, stellt er sich selbst die beinahe unlösbare Aufgabe, ihn psychologisch zu motivieren. Unlösbar erscheint diese Aufgabe deshalb, weil er die beiden Hauptgestalten des Romans, Sutpen und Charles Bon, nicht als Charaktere angelegt hat, denen ihr eigenes Innenleben transparent ist, sondern als Figuren, die sich um einen Hohlraum herum bilden. Dieser Hohlraum ist ihr Ich. Diese Anlage der Hauptfiguren, die durch den Verzicht des Autors auf das Darstellungsmittel der Introspektion ermöglicht wird, schließt eine psychologische Motivation des Inzestmotivs gerade aus. Auf der andern Seite steht und fällt die Schicksalhaftigkeit des Untergangs der Familie Sutpen mit der Glaubwürdigkeit des Inzests; denn andernfalls wäre die Familie eben doch nur an den Folgen des Bürgerkriegs zugrunde gegangen, eine Deutung, die der Roman zwar nicht zurückweist, aber durch die Mythisierung gerade überbieten will.

Wie wichtig der Autor selbst das von ihm geschaffene Dilemma nimmt, erhellt daraus, daß er Quentin und seinen Freund sich intensiv gerade mit dieser Frage beschäftigen läßt. Wir wollen hier nicht die verschiedenen Erklärungsversuche der beiden Erzähler nachvollziehen, sondern uns auf den beschränken, der das Dilemma löst. Verdeutlichen wir uns noch einmal, wie wenig der Inzest notwendig ist. Es genügte, daß Sutpen seinen Sohn Charles Bon anerkennt, damit dieser auf Judith verzichtet. Aber gerade das kann Sutpen nicht, weil Charles nicht reinrassig ist. Die Anerkennung eines Farbigen widerspräche seinem Lebensplan, der die Ungleichheit der Rassen zur Voraussetzung hat. Charles seinerseits erwartet von Sutpen nichts als ein Zeichen der Anerkennung; da Sutpen ihm dieses verweigert, muß er es sich holen, indem er an seinem Heiratsvorhaben festhält und dadurch Henry zwingt, ihn zu töten. Das Geschehen ist kein mythisches, es wird nicht von einem unbegreiflichen Schicksal verhängt, es nimmt nur deshalb die Erscheinungsform mythischer Schicksalhaftigkeit an, weil die Subjekte aus ihrer (leeren) Ich-Form nicht herauszutreten vermögen. Weil Sutpen seinen Sohn Charles nicht anerkennen kann, treibt er diesen zu einer absurden Verzweiflungstat und Henry zum Mord an seinem Freund und Halbbruder. Einerseits handelt Sutpen als modernes Subjekt, er verwirklicht seinen Lebensplan; andererseits bindet er sich an eine untergehende Lebensform, die mit dem Überlegenheitsbewußtsein der Weißen steht und fällt. Die (moderne) Freiheit dessen, der seinen Entscheidungen gemäß handelt, erweist sich als Unfreiheit. Insofern fungiert hier der Quasi-Mythos als Ideologiekritik.

Nun wollen wir nicht verhehlen, daß wir den Roman Faulkners gegen die im Text manifeste Autorintention gelesen haben, die für die mythische Familientragödie eine einfache Erklärung gibt. Die Heirat einer nichtreinrassigen Frau ist Sutpens ›Schuld‹. Diese ›Schuld‹, die er ohne sein Wissen auf sich lädt, setzt die ganze Unheilskette in Gang, die schließlich mit der Ermordung von Charles durch Henry und dessen Flucht aus dem Land endet. Diese Deutung ist konsistent; aber nachvollziehbar ist sie nur unter der Bedingung, daß der Interpret das Weltbild des Autors teilt, das auch den normativen Hintergund für Sutpens Unfähigkeit abgibt, auf die historische Katastrophe des Bürgerkriegs angemessen zu reagieren. Ein bedeutendes literarisches Werk scheint uns der Roman deshalb zu sein, weil er nicht auf die Autorintention festgelegt ist, sondern eine andere Lektüre zuläßt, wenn der Leser sich von den weltanschaulichen Prämissen des Autors freimacht.

Gegen unseren Versuch der Rettung des Romans, indem wir diesen auf dem Hintergrund anderer normativer Prämissen gelesen haben, als der Autor sie dem Leser nahelegt, mag man einwenden, daß auch so die Einführung des Mythos hybride bleibe. Nicht an einer ohne Wissen begangenen ›Schuld‹ Sutpens gehe seine Familie zugrunde, sondern an seinem Starrsinn. Die mythische Verkettung des Unheils ergebe sich letztlich nur aus einer Eigenschaft der Hauptgestalt, die dadurch in unangemessener Weise dramatisiert werde. Auf eine solche Argumentation, die auf eine ästhetische Verurteilung des Romans hinausliefe, ist zu erwidern, daß Faulkner gerade kein psychologisches *sujet* gestaltet, sondern den Untergang einer historischen Lebensform, wie sie sich in der Sklavenhaltergesellschaft der amerikanischen Südstaaten herausgebildet hat. Die mit dem Ausgang des Bürgerkriegs eingetretene Katastrophe überfordert die Anpassungsfähigkeit der Menschen, die selbst um den Preis des Untergangs an ihren Normen und ihrer Lebensform festhalten. Das Thema der Ungleichzeitigkeit, das Cervantes im *Don Quixote* ironisch gestaltet hat, wendet Faulkner tragisch.

6. Uwe Johnson: der Erzähler
(Christa Bürger)

Mit staunenswerter Selbstverständlichkeit hat Uwe Johnson stets sich der Tradition des Realismus zugeordnet, wohl kaum in Unkenntnis der Tatsache, daß dies, zumindest für einen nicht unbeträchtlichen Teil der literarischen Öffentlichkeit gleichbedeutend sein würde mit seinem Ausschluß aus dem Kanon der ästhetischen Moderne. Denn wer seine ästhetische Sozialisation in den 50er und 60er Jahren erhalten hat, wer also groß geworden ist mit den normativ ausgelegten Prinzipien des modernen Romans, wie sie niedergelegt sind in den Programmatiken des Nouveau Roman, der wird mit dem Werk Uwe Johnsons Schwierigkeiten haben. Er wird sich fragen, ob dieses überhaupt einen Rangplatz verdient neben Proust, Joyce, Kafka, Beckett, ob das Festhalten am Realismus ihn nicht von vornherein dem Verdacht der Trivialität aussetzt. Mit andern Worten: Das Werk Johnsons zwingt uns dazu, die Frage nach dem ästhetischen Wert in ungleich schärferer Weise zu stellen, als dies bei Texten der Fall sein würde, die sich der avanciertesten Verfahren bedienen. Ist Johnson gemeint mit dem »Gemeinplatz« über den zeitgenössischen Roman, den Enzensberger bündig formuliert: »Die Realität [...] ist nicht ›realistisch‹ [...] und ein Schriftsteller, der nicht auf den avanciertesten Möglichkeiten der Literatur besteht, ist kein Chronist, sondern ein Anachronismus: ein ästhetischer Konterrevolutionär«.[80] Nachdenken über Uwe Johnson bedeutet daher, die eigenen ästhetischen Vorurteile mit zum Gegenstand der Untersuchung machen.

80 H. M. Enzensberger, *Leningrader Gemeinplätze*, in: *dokumente* 1 (Leningrader Schriftsteller-Colloquium »Der zeitgenössische Roman«). Beilage zu *alternative* 38/39 (Okt. 1964), 26.

Daß die Realität nicht realistisch ist, hat selbstverständlich auch Uwe Johnson gewußt, in dessen Berliner Wohnung ein Foto von Brecht hing.[81] In dem viel zitierten, von ihm selbst später als »veraltet« gekennzeichneten Text *Berliner Sachen* (1961) berichtet er über seine Schwierigkeiten beim realistischen Schreiben und äußert Mißtrauen gegenüber einer impressionistischen Beschreibung[82], die nur die geglätteten Oberflächen der Dinge erfaßt: »Unablässig ist er [sc. der Schriftsteller] in Gefahr, daß er versucht, etwas wirklich zu machen, das nur tatsächlich ist«.[83] Hinter dieser Formulierung erkennt man die Realismusvorstellung des Lehrers Brecht, derzufolge die »eigentliche Realität in die Funktionale gerutscht« ist: »Die Lage wird dadurch so kompliziert, daß weniger denn je eine einfache ›Wiedergabe der Realität‹ etwas über die Realität aussagt«.[84] Weder die fotografische Wiedergabe noch das subjektive »Erlebnis« werden der Komplexität der gesellschaftlichen Verhältnisse gerecht. Das Tatsächliche gibt die Wirklichkeit der menschlichen Beziehungen nicht heraus. Für Kunstwerke reklamiert Brecht aber »das Recht, intelligenter zu sein als die wissenschaftliche Psychologie ihrer Zeit«[85], und daher ist ein Leitmotiv seiner Realismustheorie die Anpassung der künstlerischen Verfahrensweisen an die gesellschaftlichen Veränderungen. Wer das Tatsächliche wirklich machen will, der muß »gesellschaftliche Modelle«[86] herstel-

81 Vgl. dazu H. Bienek, *Werkstattgespräche mit Schriftstellern*. München: Hanser ³1976, 102-119; hier: 103.

82 Die geradezu manische Akribie, mit der Johnson sich für seine Beschreibungen dokumentiert, arbeitet u.a. E. Fahlke am Beispiel der *Mutmaßungen über Jakob* heraus (*Die ›Wirklichkeit‹ der Mutmaßungen [...]*. Frankfurt/Bern: Lang 1982, 173ff.

83 U. Johnson, *Berliner Sachen. Aufsätze* (suhrkamp taschenbuch, 249). Frankfurt 1975, 14; im folgenden abgekürzt: *BS*.

84 B. Brecht, *Der Dreigroschenprozeß [1931]*, in: ders., *Schriften zur Literatur und Kunst*, 2 Bde., Berlin/Weimar: Aufbau-Verlag 1966, I, 185.

85 B. Brecht, *Notizen zur Arbeit*, in: ders., *Schriften zur Literatur und Kunst*, Bd. II, 182.

86 B. Brecht, *Über den formalistischen Charakter der Realismustheorie*, in: ders., *Schriften zur Literatur und Kunst*, Bd. II, 25.

len. Wo Brecht die Notwendigkeit der Konstruktion von Modellen motiviert mit der Verdinglichung der menschlichen Beziehungen[87], sieht Johnson der Gefahr der Verwechslung von wirklich und tatsächlich sich ausgesetzt als einer, der heimatlos geworden ist und der daher über kein zuverlässiges Interpretationsinstrumentarium mehr verfügt. Der Heimatlose hat es schwer, der Wirklichkeit, die ihn umgibt, »gerecht« zu werden, wobei der Begriff mehr meint als bloß »Entsprechung«. Für den Erzähler Johnson ist die deutsche Grenze nicht nur das historische Ereignis, das seine eigene Lebensgeschichte in buchstäblichem Sinne durchschneidet, sondern sie bestimmt auch seine literarische Entwicklung, indem sie ihn zwingt, neue realistische Verfahrensweisen zu erarbeiten. »Eine Grenze an dieser Stelle wirkt wie eine literarische Kategorie. Sie verlangt die epische Technik und die Sprache zu verändern, bis sie der unerhörten Situation gerecht werden« (*BS*, 10). Diese historisch reflektierte Realismusvorstellung hat Johnson den von ihm stets mit einer gewissen Heftigkeit zurückgewiesenen Titel eines »Dichters der beiden Deutschland« oder »des geteilten Deutschland« eingetragen, sowie seiner Schreibweise den der »Mutmaßungsprosa« – womit das Besondere des Johnsonschen Realismus auf das Stoffliche reduziert ist.[88]

Schon früh zeigt sich in der Kritik eine gewisse Ratlosigkeit hinsichtlich der Bewertung des Johnsonschen Realismus, die bei Reinhard Baumgart auf eine brauchbare Formel gebracht ist: »Einmal werden da die erzählerischen Informationen freigesetzt als erfundene, die sich nur noch nach den Intentionen der Geschichte richten könnten, andererseits aber wieder skrupulös abhängig gemacht von einer erkennbaren [...] Faktizität vor und jenseits dieser Geschichte«.[89] Es mindert nicht den Rang des Er-

87 B. Brecht, *Der Dreigroschenprozeß [1931]*, 185; vgl. das bei E. Fahlke zitierte Interview mit Johnson (*Die ›Wirklichkeit‹ der Mutmaßungen*, 47).

88 Vgl. dazu H. Bienek, *Werkstattgespräche mit Schriftstellern*, 106, und das Gespräch mit R. Baumgart, in: *Selbstanzeige. Schriftsteller im Gespräch*, hg. v. W. Koch. Frankfurt: Fischer 1971, 47-56; hier: 50f.

89 R. Baumgart, *Statt eines Nachworts [...]*, in: *Über Uwe Johnson*, hg. v. R. Baumgart (ed. suhrkamp, 405). Frankfurt 1970, 170.

zählers Johnson, wenn man zugesteht, daß diese Ratlosigkeit der Kritiker ihre Entsprechung hat in seiner eigenen. Denn trotz der modernen Fassung, die der Realismusbegriff in manchen der theoretischen Äußerungen Johnsons, vor allem soweit diese sich der Auseinandersetzung mit Brecht verdanken, erhält, eignet diesem doch zugleich etwas seltsam Ungleichzeitiges. In der »Ära des Mißtrauens« (Sarraute) gegenüber der Aura des Erzählens mußte in der Tat die »satte Fülle von Tradition, die Johnson auffängt«[90], nahezu skandalös wirken. Aber auch heute noch, wo das Realismus-Tabu seine unumschränkte Geltung verloren zu haben scheint[91], behält, was Johnson über seine Schreibarbeit und über sein Verhältnis zu den Protagonisten seiner Romane mitgeteilt hat, seine volle Rätselhaftigkeit.

Johnson hat mehrfach und in ähnlich lautenden Formulierungen (in den Interviews mit Bienek und Durzak und in den *Begleitumständen*) den Prozeß der Niederschrift seiner Bücher beschrieben. Er hat so geduldig wie starrsinnig darauf bestanden, nicht von Figuren, sondern von Personen sprechen zu dürfen. »Sobald er auf Papier mit seinen Leuten zu verhandeln begann«, fühlt er sich an ihren »Auftrag«, an einen »Vertrag« mit ihnen gebunden, er braucht das »Einverständnis, das die Erzählung eingerichtet hatte mit ihren Personen«.[92] »Sie waren lebendig für ihn, er arbeitete Hand in Hand mit ihnen an einem Plan und seiner Ausführung [...] ihm wurde deutlich vorgesprochen, und gehorsam schrieb er nach« (*BU*, 129 und 133). Konsequent weist er auch jeden Versuch zurück, den Erzähler der *Jahrestage* als Teil einer erzählerischen Fiktion zu bestimmen: Er selbst, der wirkliche Schriftsteller, ver-

90 R. Baumgart, *Literatur für Zeitgenossen. Essays* (ed. suhrkamp, 186). Frankfurt 1966, 50.

91 Es ist am bündigsten von Adorno formuliert worden: »Kunst vollstreckt den Untergang der Konkretion, den die Realität nicht Wort haben will, in der das Konkrete nur noch Maske des Abstrakten ist, das bestimmte Einzelne lediglich das die Allgemeinheit repräsentierende und über sie täuschende tragende Exemplar, identisch mit der Ubiquität des Monopols« (*ÄT*, 54).

92 U. Johnson, *Begleitumstände. Frankfurter Vorlesungen* (ed. suhrkamp, 1019). Frankfurt 1980, 129, 144; im folgenden abgekürzt: *BU*; vgl. dazu M. Durzak, *Gespräche über den Roman*. Frankfurt 1976, 437 und 441.

sorgt die Person, mit der er zusammenarbeitet, mit den Informationen, die sie für ihre Lebensgeschichte braucht, die sie aber selber sich nicht beschaffen kann. An dieser Stelle gerät das Gespräch zwischen Johnson und Durzak ins Stocken – die Partner argumentieren innerhalb entgegengesetzter Literaturvorstellungen. Es geht um die *Jahrestage*, wo der Schriftsteller Uwe Johnson über seine Rede vor dem Jewish American Congress mit »dieser Mrs. Cresspahl« in einen Meinungsstreit gerät. Durzak hatte nach der Rolle des Erzählers gefragt.

J.: Ich bin gar keine Fiktion.
D.: Ja, in gewisser Weise, erzählstrukturell, doch.
J.: Entschuldigung, mein Auftritt vor dem Jewish American Congress hat ja stattgefunden.
D.: Ja, aber Sie werden sozusagen momentan zumindest Teil einer erzählerischen Fiktion, indem Sie selbst erzählt werden.
J.: Ich gehe rein.[93]

Auf die Beharrlichkeit, mit der Johnson seine Abhängigkeit von den einmal erfundenen, dann aber als real behandelten Personen[94] betont, antwortet Durzak mit der Irritation des über die Entwicklung des modernen Romans aufgeklärten Literaturwissenschaftlers, der »eine Mythisierung eines literarischen Sachverhalts« dort im Spiel sieht[95], wo ein Autor eben diese Entwicklung nicht nachvollziehen zu wollen sich bekennt. Die Irritation des Literaturwissenschaftlers freilich versteht man schon, hatte doch bereits Valéry gegen die realistische Einstellung, an der Johnson festhält, polemisiert in einer Weise, nach der die Sache endgültig hätte erledigt sein müssen. Denn Valéry argumentiert nicht so sehr gegen den Realismus als gegen die Illusion der realistischen Einstellung.

93 M. Durzak, *Gespräche über den Roman*, 440.
94 Vgl. ebd., 430; vgl. auch das Portrait Gesines in *BU*, 299ff.
95 M. Durzak, *Gespräche über den Roman*, 441. In der Tat legen bestimmte Äußerungen Johnsons einen solchen Vorwurf nahe. So treibt er die Ich-Idiosynkrasie so weit, daß er in einem für die New York Times verfaßten Nachruf zu Lebzeiten »enthüllt«, er sei gar nicht der Verfasser der ihm zugeschriebenen Romane, sondern habe nur auf der Grundlage eines Vertrages mit dem Suhrkamp Verlag die Rolle des Autors übernommen (*Dead Author's Identity in Doubt*, zit. nach E. Fahlke, *Die ›Wirklichkeit‹ der Mutmaßungen*, 75ff.).

Il faut, pour faire un roman, être assez bête afin de confondre les ombres simplifiées (qui seules se peuvent décrire et mouvoir) avec les vrais personnages humains – qui sont toujours insusceptibles d'un point de vue unique et uniforme. C'est en quoi la poésie pure est supérieure à la prétention du romancier moderne: elle comporte moins d'illusions (*C* II, 1158; vgl. auch *OE* I, 1791).

Der Topos der Romanillusion (sei es als Identifikation des Romanciers mit seinen Figuren[96], sei es als Verwechslung von Romangestalten mit wirklichen Menschen) läßt sich zurückverfolgen bis zu Balzac, von dem kolportiert wird, er habe Horace Bianchon, die Gestalt des großen Arztes in der *Comédie humaine*, an sein Sterbebett rufen lassen wollen. Und so ist es wirklich irritierend, ihn bei Johnson zu finden, der doch – allerdings in dem »veralteten« Text *Berliner Sachen* – von den »verdächtigen« Balzacschen »Manieren der Allwissenheit« Abschied genommen und die Fiktionalität des Erzählten eingestanden hatte (*BS*, 20).
Der Befund wird noch verwirrender, wenn man sich Johnsons Antworten auf die Frage nach dem Status der Realitätsfragmente in den *Jahrestagen* ansieht. Kategorisch weist er den Begriff der Montage zurück[97], jedoch mit zwei schwer zu vereinbarenden Argumenten: Die Nachrichten aus der New York Times, die den Gegenwartshorizont der *Jahrestage* in der chronologischen Abfolge eines ganzen Jahres bestimmen, vermittelt über die Ich-Erzählerin Gesine, will Johnson nicht als »künstlerisches Mittel« aufgefaßt haben, sondern als »Sachverhalt dieser Person«, »genauso real wie der Toast, den sie sich am Morgen leistet«.[98] Auch hier haben wir die eigenartige Gleichsetzung von Wirklichkeit und Wirklichkeit der Figuren. Andererseits begegnet Johnson dem Vorwurf der historischen Überholtheit einzelner zeitgeschichtlicher Ereignisse, die in den *Jahrestagen* berichtet und besprochen werden, mit dem Hinweis, diese seien Teil einer Erzählung: »dort taucht amerikanische Zeitgeschichte als ein Faktor in einem Kampf zwischen Mutter und Kind [sc. um Wertvorstellungen] auf, womit, glaube ich, die Sache genügend an den Personen und

96 Für Zola ist die Fähigkeit der Identifikation Qualitätskriterium; vgl. E. Zola, *Le Roman expérimental*, hg. v. A. Guedj (Garnier Flammarion, 248). Paris 1971, 220.
97 M. Durzak, *Gespräche über den Roman*, 447f.
98 Ebd., 446.

an der Erzählung befestigt ist«.[99] Offenbar geht es Johnson darum, sich von der dokumentarischen Literatur abzugrenzen, und er tut dies, indem er die Wirklichkeit selbst nur als Erfahrungsmaterial seiner, d.h. aber: erfundener Personen aufgefaßt sehen will, während er zugleich zu diesen Personen wie zu realen sich verhält. Die Widersprüche, die in dieser Fassung des Realismus so überdeutlich zutage treten, sind nun allerdings solche der Sache selbst, kaum Mangel an theoretischer Einsicht. Gegenüber der dokumentarischen Literatur beharrt Johnson auf der Freiheit des Geschichtenerzählens, gegenüber dem zeitgenössischen Realismusverbot beharrt er auf der »epischen Naivität« des Geschichtenerzählers, der sich nur an ein einziges uraltes Gesetz gebunden fühlt: zu erzählen, was einmal war.

Es kann daher nicht verwundern, wenn gerade der Erzähler Johnson die Literaturkritik zu unterschiedlichen Werturteilen provoziert, steht dabei doch zugleich die Frage nach der Legitimität des Realismus zur Verhandlung. In einer frühen Abrechnung mit Johnson nach Erscheinen der ersten Bände der *Jahrestage* wird diesem vorgehalten, daß er sich im »Widerspruch zwischen der zeitkritischen Intention des realistischen und der traditionskritischen Intention des modernen Romans« verfange. Das Argument hat das Dogma von der Unvereinbarkeit von Moderne und Realismus zur expliziten Voraussetzung. Der Realismus (Intention: Zeitkritik) wird ins 19. Jahrhundert verwiesen, der moderne Roman festgelegt auf die Intention der Traditionskritik, d.h. die Auflösung der traditionellen Romanform. Das Verdikt gegen Johnson lautet demnach: »Unentschiedenheit zwischen Moderne und Realismus«.[100] Johnson sei durchaus bewußt, daß seit dem »Zerfall des mythischen Analogons« (Lugowski) das Erzählen zunehmend zum Problem geworden sei, aber er motiviere »das Mißlingen einer solchen traditionellen Geschichte« nicht aus der Logik des Entwicklungsprozesses, sondern konkret, aus einer besonderen historischen Situation: »durch Verständigungsschwierigkeiten, die sich aus der Teilung Deutschlands ergeben. [...]

99 Ebd., 453.

100 G. Ter-Nedden, »Allegorie und Geschichte. Zeit- und Sozialkritik als Formproblem des deutschen Romans der Gegenwart«, in: W. Kuttenkeuler (Hg.), *Poesie und Politik [...]*. Stuttgart: Kohlhammer 1973, 155-183; hier: 156f.

Daher liegt den Romanen Johnsons eine übertrieben unproblematische Welt privater, vorgesellschaftlicher Sozialbeziehungen [...] zugrunde, in die das Trennende von außen in Gestalt der öffentlichen Welt zerstörend einbricht. Die Standards der traditionellen Romanpsychologie werden hier gerade deshalb noch einmal restauriert, weil alles Problematische den Konstellationen der Zeitgeschichte zugeschrieben wird.«[101] In der Tat ist es auffällig, daß Johnsons Romane mit Zustimmung gerade auch von konservativen Kritikern (wie z.B. Günter Blöcker) aufgenommen worden sind, die sich von jener »alten gediegenen Mentalität und Moral«, der Nähe familiärer und nachbarschaftlicher Beziehungen, wie sie in der DDR als Reaktion auf den staatlichen Druck konserviert oder restauriert worden sind, »anheimeln« ließen[102], von denselben (traditionalen) Momenten mithin, die den Vertretern der ästhetischen Moderne als Kennzeichen der Trivialität gelten.

Dem von seiten der Modernisten erhobenen Traditionalismus- bzw. Trivialitätsvorwurf[103] begegnet vor allem Norbert Mecklenburg mit dem Versuch, den engen Kanon der Moderne, aus dem der Realismus ausgegrenzt ist, zu erweitern, um der Pluralität unterschiedlicher Prosaformen gerecht zu werden. Er ordnet Johnsons *Jahrestage* in die Tradition des Regionalismus ein und gewinnt aus der Analyse des Romans die Kriterien der Bewertung; explizit zur Normativität sich bekennend, zeigt er am Beispiel Johnsons die Vereinbarkeit von Regionalismus (als einer Sonderform des Realismus) und Moderne: »Der regionale Roman be-

101 Ebd., 156.

102 Der Vorwurf, Johnson sei nach dem in den *Mutmaßungen* geleisteten Versuch einer Erneuerung der realistischen Schreibweise in einen vormodernen Realismus zurückgefallen, wird u.a. von B. Neumann erhoben (*Utopie und Mimesis. Zum Verhältnis von Ästhetik, Gesellschaftsphilosophie und Politik in den Romanen Uwe Johnsons*. Kronberg: Athenäum 1978); vgl. auch R. Baumgart, *Literatur für Zeitgenossen*, 49f.

103 Vgl. z.B. H. G. Helms: »Schon das ›über‹ in beiden Titeln deutet auf einen außersprachlichen Gegenstand hin [...]. So bleibt als Resultat die rechtschaffene Darstellung – aber eben nur die Darstellung – des Gegenstandes, des für uns befremdlichen Daseins in der östlichen Hälfte Deutschlands« (»Zur Phänomenologie gegenwärtiger Prosa [...]«, in: *alternative* 38/39 [Oktober 1964], 107-112; hier: 111).

fände sich danach, wenn er auf Geschlossenheit zielt, ob als ›Idyllisierung‹, ›Dramatisierung‹, ›Episierung‹ oder anders, in Widerspruch, wenn dagegen auf Offenheit, in Übereinstimmung mit der Grundrichtung der Gattung Roman.«[104] Der moderne Realist Johnson erfüllt dieses Kriterium, indem er die Spannung von Regionalismus und Modernität aufhebt in der »modernen ›Montage‹ aus Provinz und Großstadtroman«, »in der den ganzen Roman durchziehenden Frage nach einer Welt, die es verdiente, Heimat genannt zu werden«.[105]

Ich bin nicht sicher, ob der Nachweis moderner Verfahrensweisen das Problem, vor das die Romane von Johnson uns stellen, zu lösen imstande ist.[106] Denn das Verhältnis von Realismus und Moderne ist ja in der ästhetischen Theorie als ein grundsätzlich unvereinbares gefaßt. Das wird in den Arbeiten Adornos, die das Denken über Ästhetik seit den 50er Jahren entscheidend geprägt haben, deutlich.

In seinem Essay über den *Standort des Erzählers im zeitgenössischen Roman* legt Adorno den modernen Schriftsteller auf die Paradoxie fest, es lasse sich nicht mehr erzählen, während die Form des Romans die Erzählung verlange.[107] Das über den Roman verhängte Realismusverbot ist die Konsequenz aus der Enteignung der Erzählung durch Reportage und Kulturindustrie, die den Erzähler dazu zwingt, sich auf das zu »konzentrieren, was nicht durch den Bericht abzugelten ist«.[108] Aber nun wird er entdecken, daß er gar nichts Besonderes zu erzählen hat, weil in »der verwalteten Welt«, »das in sich kontinuierliche und artikulierte Leben, das die Haltung des Erzählers einzig gestattet«, mit der Identität

104 N. Mecklenburg, *Erzählte Provinz. Regionalismus und Moderne im Roman*, Königstein i. Ts.: Athenäum 1982, 47.

105 Ebd., 224.

106 Dies geschieht u.a. auch in der gründlichen Studie von I. Riedel (*Wahrheitsfindung als epische Technik [...]*. Dissertation Erlangen Nürnberg 1970), die »die Darstellungsmittel in *Mutmaßungen über Jakob* als Transformation kubistischer Kompositionsmittel ins epische Medium« begreift (ebd., 52ff., 183).

107 Th. W. Adorno, »Standort des Erzählers im zeitgenössischen Roman«, in: ders., *Noten zur Literatur I* (Bibl. Suhrkamp, 47). Frankfurt 1958, 61-72; hier: 61.

108 Ebd., 62.

der Erfahrung zerfallen ist.[109] Aus der paradoxen Situation des modernen Romans läßt Adorno zwei Lösungswege erkennen: den Prousts, den Weg der Erinnerung, wo alles in »ein Stück Innen, ein Moment des Bewußtseinsstroms« verwandelt wird, »behütet von der Widerlegung durch die objektive raumzeitliche Ordnung, zu deren Suspension das Proustsche Werk aufgeboten ist«[110], und den Weg Kafkas, die »negative Epopöe«, wo das ästhetische Subjekt seine eigene Ohnmacht einbekennt in eins mit der Übermacht der Dingwelt. Adorno nennt auch den Preis für die Modernität des Romans: »Mit aller gegenwärtigen Kunst teilen diese Epopöen die Zweideutigkeit, daß es nicht bei ihnen steht, etwas darüber auszumachen, ob die geschichtliche Tendenz, die sie registrieren [sc. die Selbstliquidierung des Individuums], Rückfall in die Barbarei ist oder doch auf die Verwirklichung der Menschheit abzielt«.[111] Damit ist der äußerste Gegenpol markiert, der zu Brechts Realismuskonzeption sich denken läßt. Ihm galt »die Möglichkeit der Lösung aller gesellschaftlichen Probleme (einer Beherrschung der Wirklichkeit)« als die Voraussetzung eines »echten Realismus«.[112] Doch ist die Problematik des Romans älteren Ursprungs. Adorno verfolgt sie zurück bis zum homerischen Epos. Das Epos »will berichten von etwas Berichtenswertem, von einem, das nicht allen andern gleicht, nicht vertauschbar ist und um seines Namens willen verdient, überliefert zu werden«.[113] Insofern aber der Mythos sein Stoff ist, hat es zugleich teil an der Welt des Immergleichen. »Denn Mythologie hatte in ihren Gestalten die Essenz des Bestehenden: Kreislauf, Schicksal, Herrschaft der Welt als die Wahrheit zurückgespiegelt und der Hoffnung entsagt«. Am Mythos vom Raub der Persephone sucht Adorno zu zeigen, wie in der bannenden Kraft des mythischen Bildes »die Ewigkeit des Tatsächlichen bestätigt« wird.[114] »Ursprünglich war der Raub der Göttin unmit-

109 Ebd., 63.
110 Ebd., 66f.
111 Ebd., 71.
112 B. Brecht, *Notizen über realistische Schreibweise*, in: ders., *Schriften zur Literatur und Kunst*, Bd. II, 121.
113 Th. W. Adorno, »Über epische Naivetät«, in: ders., *Noten zur Literatur I* (Bibl. Suhrkamp, 47). Frankfurt 1958, 50-60; hier: 51.
114 Im Unterschied zu der oben erörterten Begriffsverwendung bei Johnson meint das Tatsächliche bei Adorno das, was der Fall ist.

telbar eins mit dem Sterben der Natur. Er wiederholte sich mit jedem Herbst [...]. Mit der Verhärtung des Zeitbewußtseins wurde der Vorgang als einmaliger in der Vergangenheit fixiert und der Schauder vor dem Tod in jedem neuen Zyklus der Jahreszeiten durch Rekurs aufs längst Gewesene ritual zu beschwichtigen getrachtet«.[115] Erzählen ist Adorno zufolge daher wesentlich anachronistisch, und seine Widersprüchlichkeit zeigt sich ihm in der Gegenständlichkeit der epischen Welt, der beharrlichen Anschauung des Besonderen. »Gegenüber dem aufgeklärten Bewußtseinsstand, dem die erzählende Rede angehört, dem allgemeinbegrifflichen Wesen, erscheint dies gegenständliche Element stets als eines von Dummheit, ein Nichtverstehen, Nichtbescheidwissen, verstockt ans Besondere dort sich Halten, wo es zugleich schon als vom Allgemeinen Aufgelöstes bestimmt ist«.[116] Epische Naivität ist aber in der ästhetischen Theorie Adornos ein dialektischer Begriff. So vermag er in der epischen Beschränkung aufs Einmalige etwas zu erkennen, das die Beschränkung aufbricht. Indem episches Erzählen festhält, wie es gewesen ist, vermag es zugleich den »Zauber, den das Gewesene ausübt«, den Bann der Vergangenheit, zu sprengen.[117] Das Archaische, das im Verlauf des Geschichtsprozesses in den immer künstlicheren Formen epischen Erzählens sich ausprägt, ist daher nicht eindeutig regressiv, sondern es lebt in ihm auch die Sehnsucht nach einer Wirklichkeit, die frei wäre von Herrschaft, die Erinnerung an Erfahrungen, die von der instrumentellen Vernunft zerstört werden. »In der epischen Naivität lebt die Kritik der bürgerlichen Vernunft«[118], lautet eine These Adornos, der freilich, in einem Nebensatz versteckt, auch die Unmöglichkeit von Erzählen heute behauptet.[119]

115 M. Horkheimer/Th. W. Adorno, *Dialektik der Aufklärung*. Amsterdam: Querido 1955, 40.
116 Th. W. Adorno, »Über epische Naivetät«, in: ders., *Noten zur Literatur I*, 52.
117 Ebd., 53.
118 Ebd.
119 Ebd., 51.

Es ist einfach eine Geschichte, die geschehen ist.[120]

Gegen diese Unmöglichkeit wehrt Johnson sich, und es ist zu fragen, ob es ihm gelingt, die Kunst des Erzählens zu erneuern. In dem langen Dialog zwischen Gesine und ihrem Kind Marie, dessen spannungsreiche Bewegung den Rhythmus der *Jahrestage* bestimmt, geht es immer wieder um die Authentizität des Erzählens. Marie will wissen, wie es war, sie will der Erzählerin glauben, aber diese spürt einen Widerstand: »Ich hätte eine geheime Bewandtnis beim Erzählen, du aber willst mir nicht mißtrauen. Was soll daraus werden!«[121] Wenn Norbert Mecklenburg Johnson mit dem Erfolgsautor Gustav Frenssen aus dem Anfang des Jahrhunderts konfrontiert[122], so ist dies eine durchaus erhellende Traditionskonstruktion, wie immer man Frenssens Regionalismus beurteilen mag. In dessen wirkungsvollstem Buch, dem *Jörn Uhl*, gibt es eine kleine Szene, die auf die oben zitierte Dialogpassage ein eigentümliches Licht zu werfen vermag. Die alte Großmagd Wieten Penn (sie hat wie die Personen Johnsons ihren besonderen Namen), die Erzählerin im Roman, die noch verfügt über den ganzen Vorrat regionaler Geschichten, Märchen und Sagen, knüpft dort an eine ihrer Erzählungen eine kleine Betrachtung an, die auf eine pointierte Kritik des Erzählers Theodor Storm hinausläuft: Storm, der alles habe besser wissen wollen als sie, hätte ihre Geschichte erklären wollen, und das sei eine Einstellung, die zu der des Geschichtenerzählers im Widerspruch stehe:

120 G. Frenssen, *Jörn Uhl.* Berlin: Grotesche Verlagsbuchhandlung 1902, 8.

121 U. Johnson, *Jahrestage. Aus dem Leben von Gesine Cresspahl.* 4 Bde., Frankfurt: Suhrkamp 1970-1983, Bd. III, 1341; im folgenden abgekürzt: *JT*.

122 Weniger verständlich scheint es mir, daß Mecklenburg den späten Roman *Otto Babendiek* zur Grundlage seiner Konfrontation macht und nicht den ungleich gelungeneren (und erfolgreicheren) *Jörn Uhl*.

Diese Erzählung wolle sagen, daß einer in die Fremde und in die Sorgen und in das Gelderwerben hineingegangen und erst wieder zur Ruhe und zur Besinnung gekommen wäre, als das Leben dahin war. Aber das glaube ich nicht. Es ist einfach eine Geschichte, die geschehen ist.[123]

Walter Benjamin hat das nicht anders gesehen: »Es ist nämlich schon die halbe Kunst des Erzählens, eine Geschichte, indem man sie wiedergibt, von Erklärungen freizuhalten«.[124]
Der Verzicht auf Erklärungen prägt Johnsons Erzählerstil bis hinein in die Syntax. In einer gründlichen Stilstudie führt Herbert Kolb vor, wie Johnsons Satzkonstruktionen häufig aus der Hypotaxe zurücklenken in die Parataxe, wobei solche Brüche oder Übergänge begünstigt werden durch die Struktur der deutschen Sprache.[125] Die Identität von Relativ- und Demonstrativpronomen etwa erlaubt es dem Schreibenden, die syntaktische Bestimmung zeitweilig in der Schwebe zu halten. (Beispiel: »Ich sehe aus wie eine, *die wartet auf den Bus*«. Solche Satzformen finden sich mit großer Häufigkeit in der Lutherbibel und in den Märcheneingängen der Brüder Grimm.[126]) »Ein derartiger Satzstil hat seine eigentliche Heimat in der gesprochenen Sprache, in den Mundarten ebenso wie in der Umgangssprache; hier hat die untergliedernde Syntax von jeher immer nur sehr begrenzt Fuß fassen können«.[127] Auch das Anakoluth spielt in der Prosa Johnsons eine wichtige Rolle, wenn von mehreren Nebensätzen, die eingeleitet werden durch eine gemeinsame Konjunktion, einer ausschert und formal (durch die Wortstellung) in den Rang eines Hauptsatzes eintritt. (Beispiel: »Sie hatte doch nur noch Jakob, deine Mutter glaubt nie daß du vielleicht erwachsen bist und *kannst allein für dich aufkommen*«.[128]) Kolb interpretiert die von ihm analysierten Passagen als Stilmuster moderner Literatur unter dem Stichwort

123 G. Frenssen, *Jörn Uhl*, 8.
124 W. Benjamin, *Der Erzähler. Betrachtungen zum Werk Nikolai Leskows* (*GS* II/2, 445).
125 H. Kolb zeigt einleuchtend an Beispielen, daß die französische Übersetzung solche Fügungen nicht nachbilden kann (»Rückfall in die Parataxe [...]«, in: *Über Uwe Johnson*, 74-94; passim).
126 Ebd., 82f.
127 Ebd., 81.
128 Ebd., 85f.

stream of consciousness.[129] Damit ist aber das Problem, das die Johnsonsche Parataxe bietet und das mit der Formel »Rückfall in die Parataxe« angedeutet zu sein schien, nicht zur Sprache gebracht. Dies geschieht bei Mecklenburg, der, wie um möglicher Kritik zu begegnen, nachzuweisen sich bemüht, daß die stilisierte, an das Mündliche angelehnte Sprache Johnsons ein Mehr an Formung bedeutet, das sich in der Spannung von Unmittelbarkeit und Artifizialität erfüllt[130], und er sucht ihn in der avantgardistischen Tradition der 20er und 30er Jahre, konkret, in der Tradition Brechts zu verorten, wenn er sein Formprinzip als »wechselseitige Verfremdung von gesprochener und Kunstsprache«[131] charakterisiert.

Während die Johnson gegenüber positiv eingestellte Kritik sich bemüht, ihn als modernen Autor darzustellen, wäre zu fragen, ob damit dessen Intentionen überhaupt getroffen werden. In Abweichung von Brecht jedenfalls hat er mehrfach Vorbehalte geäußert gegenüber dem Begriff der Konstruktion.[132] Der Lehrer, dessen Thesen über die Technik des Schriftstellers er schreibend erprobt, ist Walter Benjamin.[133] Der letzten der dreizehn Thesen: »Das Werk ist die Totenmaske der Konzeption«, legt er sich auf, »täglich zu widersprechen« (*BU*, 74). In dem Kontext, in dem Johnson diese These aufnimmt, kann man sie geradezu als gegen den Konstruktionszwang der ästhetischen Moderne rebellierende verstehen; dazu paßt dann auch das Stimmungshafte der ersten These, die dem Schreibenden empfiehlt, »sich's wohl sein zu lassen« (*BU*, 140). Das Muster (nicht Modell), auf das sich Johnson im Zusammenhang mit diesen Thesen beruft, ist die Bibel, die archaischen Chroniken des Alten Testaments, und »die Lehre«, die er aus solcher Lektüre zieht, lautet: »Die Geschichte sucht, sie macht sich

129 Ebd., 89 und 93.

130 N. Mecklenburg, *Erzählte Provinz*, 192ff.

131 Ebd., 192.

132 Vgl. z.B. M. Durzak, *Gespräche über den Roman*, 440f. In den *Begleitumständen* gesteht Johnson, daß ihm beim Wiederlesen seines frühen Romans *Ingrid Babendererde* Peter Suhrkamps Entscheidung, ihn nicht zu drucken, richtig schien, weil »die Geschichte funktionier[t]«, aber das Konstruktionsprinzip erkennen läßt, »die ablösbare, die selbständig gewordene Form« (*BU*, 88).

133 W. Benjamin, *Einbahnstraße*, in: *GS* IV/1, 106f.

ihre Form selber« (ebd.). Was Johnson als seine eigene Möglichkeit entwickelt, ist der Primat der Geschichte (die er von der Fabel des Romans absetzt[134]), d. h. aber, er will nicht konstruieren, sondern erzählen. Dabei befindet er sich sicherlich nicht in Unkenntnis der Schwierigkeiten, die einem solchen Schreibprojekt Widerstand bieten.

Wenn man versucht, sich dieses Schreibprojekt, das erst in den *Jahrestagen* seinen vollen Umriß erkennen läßt, zu verdeutlichen, so darf man von Johnsons intensiver Benjaminkenntnis ausgehen.[135] Es geht mir im folgenden nicht um eine Rekonstruktion von Benjamins Aufsatz *Der Erzähler*; aus ihm lassen sich aber einige Kategorien gewinnen, um das Erzählkonzept Johnsons zu beschreiben. Zugleich fällt von Benjamins Aufsatz her Licht auf die Schwierigkeiten, auf die der Erzähler der Gegenwart sich einzustellen hat, denn er tut etwas gegen die Zeit. Er muß den Erfahrungsschwund der modernen Gesellschaft, mit dem Benjamin das Absterben der Kunst des Erzählens begründet, sozusagen überspringen, und er hat zu rechnen mit Rezipienten, die ihm seine Kunst nicht mehr glauben wollen.

Der Erzähler versteht sich selbst als ein Handwerker. Das »Gewerbe« des Schriftstellers, wie auch Johnson es ausübt, befriedigt ein bestimmtes Bedürfnis, das vielleicht nicht so elementar ist wie Essen und Trinken, aber doch real: »das Bedürfnis, von den Menschen etwas zu erfahren [...]. Insofern ist das Erzählen auch eine Vermittlung von Beziehungen«.[136] »[Man kann sich fragen], ob die Beziehung, die der Erzähler zu seinem Stoff hat, dem Menschenleben, nicht selbst eine handwerkliche Beziehung ist? Ob seine Aufgabe nicht eben darin besteht, den Rohstoff der Erfahrungen – fremder und eigener – auf eine solide, nützliche und einmalige Art zu bearbeiten?« (*GS* II/2, 464). So will Johnson nichts anderes als Geschichten erzählen »wegen der in ihnen enthaltenen Erfahrungen und Kenntnisse« und »weil das unterhaltsam genug

134 Vgl. das Interview in: E. Fahlke, *Die ›Wirklichkeit‹ der Mutmaßungen*, 47.

135 Er hält für mitteilenswert, daß er sich bei Erscheinen die *Schriften* Benjamins gekauft hat, einschließlich der für ihn hohen Kaufsumme: »für schmerzlich ersparte 250 Mark Ost gleich 45 Mark West« (*BU*, 140).

136 Interview mit Johnson, in: *Literarische Werkstatt*, 67.

ist«.[137] Der Begriff der Unterhaltung führt bei Johnson Bedeutungen mit sich, wie sie auch in dem von ihm entgegen den ästhetischen Konventionen seiner Gegenwart oft gebrauchten Begriff des Nutzens anwesend sind. »Unterhaltsam in allen Bedeutungen des Wortes: Wie man unterhalten werden kann durch ein Schauspiel, durch eine Musik, durch ein spielendes Kind; wie eine Brücke, ein Verkehr, ein Haushalt unterhalten wird«.[138] So stellt sich her, was Johnson ein »benutzbares Verständnisverhalten« nennt.[139]

»Der Erzähler ist ein Mann, der dem Hörer Rat weiß« (*GS* II/2, 442). In dem berühmten Satz Benjamins ist eine Weise des Aufnehmens von Geschichten vorausgesetzt, die sich von der Einsamkeit des Romanlesers unterscheidet: »Wer einer Geschichte zuhört, der ist in der Gesellschaft des Erzählers« (*GS* II/2, 456). Das Verständnisverhalten, das Hörer und Erzähler, erzählend, hörend, kommentierend und prüfend herstellen, bildet das epische Grundmuster der *Jahrestage*. Die Geschichten, welche Gesine dem Kind Marie erzählt, sind Teil ihres Lebens geworden, aus dem sie sie nun wieder hervorholen kann. Benjamin vergleicht die vollkommene Erzählung mit handwerklichen Arbeiten in Lack oder Malereien, »in denen eine Reihe dünner, transparenter Schichten sich übereinanderlegen«. »Aus der Schichtung vielfacher Nacherzählungen« entsteht die Geschichte (*GS* II/2, 448). Johnson freilich verdeckt den Arbeitsprozeß nicht, sondern zeigt die Bruchstellen, wo die Überlagerung der Schichten erkennbar wird. Die Erzählungen ihres jüdischen Tschechischlehrers über Deportation und Sterben seiner Familie kann Gesine nicht unmittelbar in ihr eigenes Leben versenken, dem jenes gleichzeitige Schicksal fremd geblieben war, aber sie kann wiedererzählend der Gleichzeitigkeit und Verknüpftheit der Geschichten sich vergewissern, »bis allmählich unsere Lebensläufe in Teilen sich verschränkten« (*JT*, 926). So ist der Akt des Erzählens zugleich eine moralische Handlung, die in der Gegenwart wirken will. Was war, wird nicht nur erinnernd vergegenwärtigt, sondern als von

137 H. Bienek, *Werkstattgespräche*, 112.

138 U. Johnson, »Vorschläge zur Prüfung eines Romans«, in: E. Lämmert u. a. (Hg.), *Romantheorie. Dokumentation ihrer Geschichte in Deutschland seit 1880*. Köln: Kiepenheuer & Witsch 1975, 398-403; hier: 403.

139 M. Durzak, *Gespräche über den Roman*, 435.

der Gegenwart abzugeltende Schuld bewahrt; diese geheime Verbindung von Moral und Geschichtenerzählen klingt an in dem Reflexionsgespräch, das auf die Erzählungen folgt:

ES ist vergangen, Mrs. Cresspahl.
Nein.
Sie hören, wie ich es erzähle. Als etwas, was war.
Ja, etwas das war.
Lassen Sie mich von etwas anderem anfangen, Kind (*JT*, 926f.).

Der alte tschechische Jude kann die Vergangenheit erzählen, weil sie vergangen ist – kommt sie zu nahe, muß er ihr ausweichen. Für Gesine besteht die Bedeutung des Erzählens darin, das Vergangene in der Gegenwart anwesend zu halten, als etwas, das war und das wirkt.

Erinnerung

Der Zusammenhang von Erinnern und Erzählen wird in den Dialogpartien der *Jahrestage*, in denen das Kind immer wieder die Geltung des von der Mutter Erzählten in Frage stellt, reflektiert. Marie genügt nicht die Autorität, die nach Benjamin (*GS* II/2, 450) der Tod dem Erzähler leiht (die Menschen, von denen Gesine erzählt, sind ja tot). Marie mißtraut der Suggestion der Erinnerung und schützt sich vor ihr durch Gesten der Distanz: »es wäre mir lieber, du erzähltest davon, als sei es dir erzählt worden«, sagt sie der Mutter (*JT*, 203), während sich doch dem wahren Erzähler alles, auch das, »was er vom Hörensagen vernommen hat«, in eigenes verwandelt (*GS* II/2, 464).
Dieses Mißtrauen gegenüber der Erinnerung berührt den innersten Kern des Erzählers Johnson.[140] Es unterscheidet ihn von dem

140 Es ist zugleich das Eingeständnis, daß die »künstliche Wiederherstellung des ursprünglichen Wesens« der Erzählung unmöglich ist. Sie hat Georg Lukács an den Novellen Storms beschrieben; zu ihr gehört zum einen der mündliche Vortrag, dann aber eine besondere Weise des Erinnerns: »Die Erinnerung – denn dies ist die typische Form der Rahmenerzählung – zergliedert die Dinge nicht, kennt selten ihre wirklichen Motive und keinesfalls drückt sie das Ereignis in dem Nacheinander leiser, kaum merkbar sich wandelnder, seelischer Vi-

Metaphysiker der Erinnerung, mit dem die ästhetische Theorie den Roman der Moderne beginnen läßt, Proust. Benjamin hat von der rauschhaften, nichtutopischen Ewigkeit gesprochen, die Prousts *Recherche* beschwört. Es sei die *mémoire involontaire*, jene verjüngende Kraft, die dem Altern gewachsen sei. »Wo das Gewesene in taufrischem ›Nu‹ sich spiegelt, rafft ein schmerzlicher Chock der Verjüngung es noch einmal so unaufhaltsam zusammen, wie die Richtung von Guermantes mit der Richtung von Swann für Proust sich verschränkte, da er (im dreizehnten Bande) ein letztes Mal die Gegend von Combray durchstreift und die Verschlingung der Wege entdeckt« (*GS* II/1, 320). Prousts Erinnern gilt einer »Welt im Stand der Ähnlichkeit und in ihr herrschen die ›Korrespondenzen‹« (ebd.). Die Verschränkung von Vergangenheit und Gegenwart, von Jerichow und New York, ist wohl das Thema der *Jahrestage*, aber es geht darin nicht um das Glück des Entdeckens von Ähnlichkeiten, das nach Bildern jagt, in denen alles sich in alles verwandeln kann. Vielmehr wünscht sich Gesine, sie wäre Cresspahl, ihr Vater: »Und Cresspahl brauchte keine Bilder für seine Erinnerung. Er war sicher in seinem Gedächtnis. Das Fotografieren fing erst mit mir an; ich war die erste von uns, die das Vergessen fürchtete« (*JT*, 937). Die Bilder sind hier, im Zeitalter der technischen Reproduzierbarkeit, diejenigen der Fotografie, nicht die der Ähnlichkeit, welche die *mémoire involontaire* zu produzieren imstande ist. Wichtiger ist die unterschiedliche Richtung der Erinnerung, diejenige Prousts ist von der Sehnsucht beherrscht, das »Dasein in einen Bannwald der Erinnerung« zu verwandeln, so daß zu Recht Benjamin bemerkt, die *mémoire involontaire* stehe dem Vergessen näher als dem, was gemeinhin Erinnerung genannt wird (GS II/1, 313 und 311). Die Erinnerungsarbeit Gesines ist ganz der Gegenwart zugewendet, sie will ihr Gedächtnis »erziehen« (*JT*, 1828), damit es Trennschärfe gewinnt und in jedem Augenblick »genau« ist (*JT*, 1862), d. h. den Blick freigibt auf eine gelebte und begriffene Vergangenheit, damit die Person verfügen kann über alle ihre Teile (*BS*, 63).

brationen aus. Daraus folgt, daß die Ereignisse in der Form von sinnlich scharf geschauten Bildern oder Dialogfragmenten, die doch alles enthalten, erzählt werden« (*Bürgerlichkeit und l'art pour l'art: Theodor Storm*, in: ders., *Die Seele und die Formen* [Sammlung Luchterhand, 21]. Neuwied/Berlin 1971, 111f.).

Die zweite Falle, die daher Johnson zu umgehen sucht (neben der Gefahr der Verwechslung von wirklich und tatsächlich), sind »die Tricks der Erinnerung« (*JT*, 125; *BS*, 63). Das Gedächtnis ist nicht angelegt auf Reproduktion; die Bilder, die es speichert, geben, selbst wenn man sie hervorlockt durch einen Geruch, eine Farbe, eine sinnliche Wahrnehmung, die mit einer Szene der Vergangenheit verbunden sind, die Wirklichkeit nicht zurück.[141] Die Erinnerungsarbeit der *Jahrestage* ist ein Kampf gegen die Verführung der *mémoire involontaire*, gegen die Lockung der »Katze Erinnerung« und die trügerischen Bilder, die sie verheißt. Manche Passagen der *Jahrestage* lesen sich wie eine heimliche Auseinandersetzung mit Proust, dem Vorgänger bei der »Suche nach der verlorenen Zeit«. Johnson sucht nicht den Schimmer der Kindheit, der aus der Vergangenheitstiefe das gelebte Leben überstrahlt, er sucht die unverstellte Alltagswirklichkeit in jedem ihrer unscheinbaren Augenblicke ab nach dem »Wünschenswert«, »mit der zähen Zielstrebigkeit, die man aufbringt in Träumen vom Wünschbaren«[142], das in den *Jahrestagen* »den Arbeitstitel Sozialismus« trägt (*JT*, 1445).[143]

Der Erinnerung sich nicht zu überlassen, ihrer Kraft der Verwandlung nicht nachzugeben, darin besteht geradezu die morali-

141 Vgl. dazu *JT*, 63 f.: »halte ihm hin einen teerigen, fauligen, dennoch windfrischen Geruch [...] und bitte um Inhalt für die Leere, die einmal Wirklichkeit, Lebensgefühl, Handlung war; es wird die Ausfüllung verweigern. Die Blockade läßt Fetzen, Splitter, Scherben, Späne durchsickern, damit sie das ausgeraubte und raumlose Bild sinnlos überstreuen, die Spur der gesuchten Szene zertreten, so daß wir blind sind mit offenen Augen. Das Stück Vergangenheit, Eigentum durch Anwesenheit, bleibt versteckt in einem Geheimnis, verschlossen gegen Ali Babas Parole, abweisend, unnahbar, stumm und verlockend wie eine mächtige graue Katze hinter Fensterscheiben, sehr tief von unten gesehen wie mit Kinderaugen.«

142 U. Johnson, *Mutmaßungen über Jakob*. Frankfurt: Suhrkamp 1959, 131; im folgenden abgekürzt: *MüJ*.

143 Im Sinne einer politischen (sozialistischen) Utopie lesen nicht wenige Kritiker das Werk von Johnson (vgl. z.B. die Arbeiten von B. Neumann, zuletzt »Die Suche nach dem wahren Jakob [...]«, in: *Uwe Johnson* (*Text + Kritik* 65/66) München 1980, 112-119, sowie W. Schmitz, »Grenzreisen. Der hermeneutische Realismus Uwe Johnsons«, in: ebd., 29-47, und N. Mecklenburg, *Erzählte Provinz*, 215).

sche Leistung des asketischen Realisten Johnson. Die Anstrengung, die dies kostet, verrät sich am deutlichsten an Stellen, wo die Erzählperspektive unscharf wird, wo hinter der Ich-Erzählerin Gesine der Umriß eines anderen erkennbar wird, in dessen Bewußtsein sie umgeht (vgl. dazu *BU*, 299):

28. September, 1967 Donnerstag
Morgens, in der ersten schattigen Front der fünf gläsernen Türen, sehe ich die weißlichtige Gegenseite der Straße gespiegelt, und ihr Ausschnitt mit Ladenschildern, Schaufenstern, Passanten tut verletzt wie etwas Friedliches, wenn ich ein Fünftel von ihm in der aufgezogenen Tür wegkippen lasse. In der zweiten Klapptürfront des Windfangs stellt sich der Spiegel verwischter her, zerbricht fast gänzlich in gleichgroße Teile der neben mir schwenkenden Türen, kommt zurückgeschwungen im Widerschein der hellen Marmorflächen im Foyer und ist nun ein Bild aus Schatten, stillen und losen, oben von einhängendem Dunkel eingefaßt wie von Baumkronen, und zwischen den gleitenden Abbildern von Schattenmenschen ist der Hintergrund tief geworden, weißliches Seelicht gesehen unter Laubgrün, Boote auf dem Wasser, vor mir unverlierbar gewußte Umrisse, Namen voll Zeit, und erst wenn ich das Bild an der von Neon beleuchteten Ecke des Fahrstuhlschachtes verliere, versieht mein Gedächtnis den freundlichen Anblick und Augenblick und Moment mit einem scharfen Rand von Gefahr und Unglück.
So der dick bedeckte Tag aus Dunst über dem jenseitigen Flußufer, über den austrocknenden Laubfarben vor dem verwischten Wasser, verspricht einen Morgen in Wendisch Burg, das Segelwetter zum Morgen vor vierzehn Jahren, erzeugt Verlangen nach einem Tag, der so nicht war, fertigt mir eine Vergangenheit, die ich nicht gelebt habe, macht mich zu einem falschen Menschen, der von sich getrennt ist durch die Tricks der Erinnerung.
Gespräch im Fahrstuhl: Die und die hat geheiratet, und am nächsten Tag mußte er doch einrücken.
Da bin ich überfragt.
Viet Nam wahrscheinlich.
(Elf Zuhörer.)
Regenschauer am Abend (*JT*, 124f.).

Der kurze Text füllt einen ganzen Jahrestag aus. Gesine, die wie an jedem Werktagsmorgen die Eingangshalle ihrer Bank betritt, sieht von Tür zu Tür die Spiegelung der Straße draußen schwächer werden, bis sie sich im Marmorfußboden der Lobby verliert, und während ihr Blick verfolgt, wie die gespiegelten Wirklichkeitsreste mit den abstrakten Mustern des Marmorfußbodens ineinanderfließen, entwirklicht, produziert ihr Bewußtsein ein Bild. Den Übergang von der Beobachtung zur Vorstellung bildet der Vergleich mit den Baumkronen. Die Erinnerung verwandelt das Gesehene in das Wunschbild einer mecklenburgischen Kindheit mit Himmel und See, das sich erst auflöst, als das Gedächtnis die Erinnerung zurechtweist und das Bild ergänzt durch das, was es weiß: über dem Sommerglück dieser Kindheit hingen die Bilder von Hitler und Stalin (vgl. dazu *BU*, 25ff.). Dann hat die Reflexion sich des Verfahrens der Erinnerung bemächtigt und wiederholt den Vorgang: eine gewisse Herbstfärbung der Ufer des Hudson River, auf den Gesines New Yorker Wohnung blickt, »erzeugt Verlangen« nach Augenblicken der Erinnerung, deren Abfolge keine wirklich gelebte Biographie ergibt. – Die Beschreibung des Ineinandergleitens von Bildern in der zitierten Stelle erinnert an die Technik des Films[144], aber es handelt sich wohl nicht nur um ein künstlerisches Verfahren, sondern es kommt darin jene Einstellung zur Erinnerung zum Ausdruck, die ich asketisch genannt habe.

Gesine geht es um die *Gerechtigkeit* der Erinnerung, darum, daß nichts verschwiegen wird; denn im Unterschied zur gelebten Vergangenheit braucht die erzählte die Lüge nicht (»lat man, Gesine. Dat Loegn is nu vöebi. Brauchst nicht mehr lügen, Gesine.« *JT*, 1651). Den Erinnerungspuritanismus der Mutter sucht immer wieder das Kind aufzubrechen: Marie legt der Mutter nahe, etwas anders zu erzählen, als es war, wenn sie es so besser ertragen kann (Cresspahls Entscheidung zur Rückkehr in das Deutschland der Nazis, *JT*, 297ff.), sie besteht nicht auf Geschichten, die schwer zu erzählen sind (*JT*, 616ff.).[145] Und immer verlangt sie nach Geschichten um der Geschichten willen, nicht weil sie Wahrheit will: »Vertell. Du lüchst so schön!« (*JT*, 1651).

144 Vgl. dazu N. Mecklenburg, der ebenfalls das hier analysierte Kapitel heraushebt (»Leseerfahrungen mit ›Jahrestage‹«, in: *Uwe Johnson*, 52f.).

145 An anderen Stellen allerdings besteht auch Marie auf Genauigkeit und will die Erzählerin prüfen (»Das hat jetzt ein Ende mit dem Anlügen«; *JT*, 454), oder sie verlangt konkrete Einzelheiten in Fällen, wo sie der Tendenz der Darstellung mißtraut (z.B. bei der Geschichte von Cresspahls Widerstandstätigkeit, *JT*, 810ff.).

Diese Freiheit des Kindes im Umgang mit der Vergangenheit bildet den hellen Grundton zu der Geschichte, aus der die Mutter nicht heraus kann, die Hoffnung, von der auch die *Ästhetik des Widerstands* nur im Konjunktiv spricht. Das Geständnis, das Peter Weiss in einem späten Interview macht, könnte auch von Johnson kommen: »Dieses Kind bekam fast den symbolischen Wert eines neuen Lebens, das entsteht und von sich aus heranwächst, während man selber sich mit den schauerlichen Dingen der Vergangenheit auseinandersetzt«.[146] Eben dies aber, daß man »von sich aus heranwächst«, geht der Generation der Eltern ab. Gesine/Johnson und Peter Weiss/Roman-Ich der *Ästhetik des Widerstands* müssen schreibend erst sich eine Biographie schaffen, weil das, was sie gelebt haben, für sie keine Kontinuität ergibt. Aus den *Begleitumständen* ist zu erfahren, was der Schüler Johnson gelernt hat, erst unter dem Bild Hitlers, dann Stalins: »Die Kinder sind, fürs erste, befreit von Adolf Hitler. Anders die Erwachsenen, für die ist nur etwas zusammengebrochen. So nennen sie es Zusammenbruch, wohingegen Kinder schon beim Indianer- wie beim Geländespiel gelernt haben, daß es verloren heißt, und verloren bleibt« (*BU*, 30). Die Grunderfahrung der Generation, die das Ende des Nationalsozialismus als Kinder erlebt haben, ist der Verlust, auch wenn die Bilder ausgetauscht worden sind und »die alte Ordnung von neuem eingerichtet« ist (*BU*, 32). Über die individuelle Biographie hinaus prägt diese Erfahrung das Geschichtsbewußtsein der Betroffenen. Die Namen von Hitler und Stalin bezeugen die Geschichtsmächtigkeit der Lügen, deren Ergebnis die Biographie- und Vergangenheitslosigkeit der Zeitgenossen ist. Johnsons erste Reaktion auf diese Erfahrung ist die Flucht in die Bücher. Die Faszination, die diese auf ihn ausüben, beruht gerade auf der Unwahrscheinlichkeit der Handlungen, die er durchschaut; was er sucht, ist die Einsicht, »daß es also Menschen gab, die sich die Welt selber machen können« (*BU*, 34). Erzählend hat Johnson derart im ersten, *Zwei Bilder* überschriebenen Teil seiner Frankfurter Poetik-Vorlesungen dargestellt, wie er ans Erzählen gekommen ist:

146 »Peter Weiss im Gespräch mit Burkhardt Lindner [...]«, in: *Die »Ästhetik des Widerstands« lesen [...]*, hg. v. K.-H. Götze/ K. R. Scherpe (Literatur im hist. Prozeß, N. F. 1; Argument Sonderband, 75). Berlin 1981, 170.

Wenn die Zuhörer dieser ersten Vorlesung es versuchen möchten mit der Schlußfolgerung, hier sei jemand im psychologischen Sinne fixiert auf zwei Personen der Zeitgeschichte, so stellt er das anheim.
Allerdings meint er, vornehmlich sie hätten ihm vorgeführt, wie man Sprache falsch benutzen kann, sogar mit dem Vorsatz zu betrügen.
Wenn das ein Verein war, wollte er da austreten (*BU*, 54).

Die »Rückgabe einer Staatsangehörigkeit an die DDR nach nur zehnjähriger Benutzung und [der] Umzug nach Westberlin mit Genehmigung eines dortigen Bezirksamtes«[147] ist daher gleichbedeutend mit dem Versuch, die eigene Geschichte sich anzueignen.

Biographie

In den *Jahrestagen* selbst werden beide Möglichkeiten vorgeführt: Verlust und Besitz von Biographie. Der Naturwissenschaftler D. E.[148], den es wie Gesine aus Mecklenburg nach New York verschlagen hat, wo er in einem Forschungsprojekt der US-Luftwaffe arbeitet, hat im Unterschied zu Gesine auch ein technisches Verhältnis zur Vergangenheit:

Seine Vergangenheit, die Leute und das Land, Schusting Brand und Wendisch Burg, achtet er gar nicht für Wirklichkeit. Er hat seine Erinnerung umgesetzt in Wissen. Sein Leben mit anderen in Mecklenburg vor doch nur vierzehn Jahren, es ist weggeräumt wie in ein Archiv, in dem er die Biographien von Personen wie Städten fortführt auf den neuesten Stand oder nach Todesfällen versiegelt. Gewiß, es ist alles noch vorhanden, beliebig abrufbar, nur nicht lebendig. Damit lebt er nicht mehr (*JT*, 339).

Dagegen steht Gesine/Johnsons »Vorliebe für das Konkrete«, ihre »geradezu parteiische Aufmerksamkeit für das, was man vorzeigen, nachweisen, erzählen kann« (*BU*, 23). – Nur wovon man erzählen kann, darüber verfügt man, nur das ist wirklich, »die Leute und das Land«. D. E. ist seines Mangels sich wohl bewußt. »Das Fehlen biographischer Anstöße« bedingt eine politische

147 U. Johnson, *Vita*, in: *Über Uwe Johnson*, 175.
148 Dietrich Erichson, zu seiner Vita vgl. Rolf Michaelis (Hg.), *Kleines Adreßbuch für Jerichow und New York [...]*, Frankfurt: Suhrkamp 1983, 98 ff.

Apathie, die für die Moralistin Gesine etwas Skandalöses hat (*JT*, 816). Daß auch er mit diesem Mangel nicht leben kann, beweist sein »Vorschlag«, Gesine und ihr Kind mögen mit ihm leben. Das Wort *Liebe* ist in dem Brief, den er Gesine schreibt, ausgespart, weil es zu einer Sphäre gehört, die ihm verschlossen ist. »Ertragen kann ich es, wenn es Vergangenheit sichert« (*JT*, 815). D. E. aber ist seiner eigenen Geschichte entfremdet:

Ich verfüge über keine Biographie, es sei denn eine tabellarische [...]. Du lebst so nicht; für dich gibt es immer noch wirkliche Sachen: den Tod, den Regen, die See. In der Erinnerung weiß ich es, ich komme dahin nicht zurück. Was mir wirklich vorkommt, bist du.
Wo ich eine alte Frau mit Eigenheiten habe, weil sie noch lebt, hast du eine rundum belebte Vergangenheit, Gegenwart mit Toten und noch deine Marie weiß genauer wer sie ist, weil ihre Herkunft ihr bekannt gemacht wird (*JT*, 816f.).

Das Problem, das in Gesines Fähigkeit, dem Kind und sich ihre Herkunft bekanntzumachen, verborgen liegt, kommt in dem schönen Liebesbrief von D. E. freilich auch zur Sprache:

Nie werde ich von meiner eigenen Mutter so bestimmt sagen können, sie sei mehr gewesen als ich von ihr gesehen, gehört, angehört habe; du gehst hin und sagst: Meinem Vater ging es nicht um eine Rache, an den Nazis machte er sich nicht die Hände schmutzig; was doch eine unbegreifliche Feststellung ist, weil nicht beweisbar. Und ich glaube es dir aufs Wort, als eine Wahrheit, mit der du dich durchs Leben bringst; oft als Wahrheit (*JT*, 817).

Die Vergangenheit, die Gesine erzählend sich gibt, hat Wahrheit nur, weil *sie* sie erzählt, oder weil sie sie *erzählen* kann und weil ihre Hörer, das Kind Marie und der Freund D. E., ihr glauben. Die »Katze Erinnerung« ist »unabhängig, unbestechlich, ungehorsam« (*JT*, 670); wir vergessen, was uns am Leben hält und behalten, was wir nicht brauchen. Die zusammenhanglosen Bilder und die Vergangenheitsreste, die wir erinnern, ergeben keine Geschichte, die mitgeteilt werden und für Wirklichkeit genommen werden kann. So rechtfertigt das Kind Marie das Verfahren der erzählenden Mutter, die ihr nicht »die Wahrheit«, sondern nur »ihre Wahrheit« versprochen hat.

– Was dir fehlt beim Erzählen, füllst du auf mit anderem, und ich glaube es doch: sagt sie [...].
– Mich stört es nicht, daß du nur sicher bist, wie Friedrich Jansen [sc. der NS-Ortsgruppenleiter und Bürgermeister von Jerichow] im gneezer Stadtwald stand, und daß der Rest der Geschichte später anwuchs. Ich möchte nur wissen, wie du es anstellst.
– Obwohl Jansens Geschichte nur möglich ist?
– Es ist die Möglichkeit, auf die niemand kommen kann als du. Was du dir denkst an deiner Vergangenheit, wirklich ist es doch auch.
– Du bist der Auftraggeber, Marie (*JT*, 670f.).

Die Rekonstruktion des Fehlenden ist hier noch vergleichsweise einfach, weil sie der politischen Motivation der Erzählerin entgegenkommt, auch weil in der lokalen Tageszeitung und in den Akten der Bürgermeisterei das Wirken des Bürgermeisters festgehalten ist. Schwieriger wird das Auffüllen der Erinnerungsfragmente dort, wo die subjektive Erfahrung sich gegen die Wahrheit sperrt. Die Bilder ändern sich nicht, wenn man aus späterer Einsicht, abstrakt, sie ergänzt. Die glückhaften Sommerferien bei den Verwandten an der Ostsee lassen das Wissen nicht ein, daß es in unmittelbarer Nähe Konzentrationslager gegeben hat:

In Althagen gab es ein Spiel, da setzte sich Alexandra Paepcke auf die eine Seite des Drehkreuzes im Grenzzaun, Gesine auf die andere, beide drehten sich und sangen: Jetzt bin ich in Pommern! Jetzt bin ich in Mecklenburg!
Das Drehkreuz, die Ferien weiß die Erinnerung von diesem Sommer. Er war nicht so (*JT*, 956).

Hier wird man fragen, warum, wenn es ihm doch geht um die (subjektive) Wahrheit der Erzählenden (nicht um »objektive« Geschichtsdarstellung), um die Möglichkeit, eine Geschichte zu erzählen, auf die kein anderer kommen kann, warum er dann statt der Autobiographie die – wie immer weiterentwickelte – Form des Zeitgeschichtsromans, dem sich nach 1933 mit Vorliebe die deutschen Exilautoren zugewandt hatten[149], gewählt hat, eine Materialentscheidung, die ihn von vornherein zum bevorzugten Ob-

149 Vgl. dazu R. Werner, »Der Zeitgeschichtsroman der Weimarer Republik in romantheoretischer Perspektive«, in: *Heinrich Mann-Jahrbuch* 1 (1983), 121-144; hier: 127f.; vgl. auch dies., »Transparente Kommentare. Überlegungen zu historischen Romanen deutscher Exilautoren«, in: *Poetica* 9 (1977), 324-351.

jekt einer am Paradigma des nach-realistischen Romans ausgerichteten Kritik machen mußte.

Ist es ein Zufall, daß die Autoren der beiden großen epischen Versuche unserer Zeit, Peter Weiss und Uwe Johnson, sich in je besonderer Weise als Exilierte aufgefaßt haben? Die Korrespondenz jedenfalls, in der beider Werke zueinander stehen, reicht bis in ihr persönliches Schicksal: Beide sind kurz nach Abschluß ihres monumentalen Hauptwerkes, an dem sie zehn Jahre gearbeitet haben, gestorben. Beider Werk steht in einer eigenartigen Querstellung zur Tradition des modernen Romans. Peter Weiss hat gezweifelt, ob die deutsche Vergangenheit überhaupt darstellbar ist: »Kann man diese Zeit schildern? Nein – vielleicht in einem ungeheuer monströsen Buch«.[150] Er glaubt zunächst, daß er sich selbst heraushalten kann: »Zuerst meinte ich, ich müßte dies alles objektivieren, eine Figur zum Träger der eigenen Erlebnisse formen, aber das geht nicht, das geht garnicht mehr. Ich muß doch selbst für alles einstehn – es bleibt dir als Schreiber nichts andres übrig, als dein eigenes Leben unter Beweis zu stellen«.[151] Gleichwohl besteht er darauf, daß die *Ästhetik des Widerstands* ein Roman ist. So sind die historischen Figuren (z. B. Brecht) zugleich real und fiktiv, der Ich-Erzähler zugleich bestimmte Person mit einer bestimmten Entwicklung und »Ich-Figur«, die »eine ganze Zeit zur Sprache bringt«[152]: »beschrieben wird, was das Ich des Buchs über diese Gestalten denkt [...] sie werden gesehn von einer anonymen Figur – gehn also ein in eine Anonymität«.[153] Wenn demnach Peter Weiss eine erfundene Figur Ich nennnt, so kehrt diese am Schluß des Buches zu ihrem »ursprünglichen Begriff« zurück[154], Perspektiventräger eines Zeitgeschichtsromans zu sein. Die Arbeitsberichte, die Peter Weiss in seinen *Notizbüchern* festgehalten hat, verraten dieselbe Ambivalenz wie Uwe Johnsons Selbstdarstellungen. Er kann das erfundene Roman-Ich ebensowenig von seinem eigenen trennen wie Johnson die Biographie Gesines von seiner. Wenn aber Peter Weiss seinen halluzinatorischen Realismus, seine

150 P. Weiss, *Notizbücher 1971-1980* (ed. suhrkamp, 1067). Frankfurt 1981, 227.
151 Ebd., 40.
152 »Peter Weiss im Gespräch«, 154.
153 P. Weiss, *Notizbücher*, 927.
154 »Peter Weiss im Gespräch«, 154.

mimetische Fähigkeit als wahnhaften Zustand analysiert, so verzichtet Johnson auf diesen Rest von Distanz, gleichzeitig jedoch mit Gesine eine erfundene Figur als wirkliche Person behandelnd. Tatsächlich könnte die folgende Notiz von Peter Weiss ebenso auf Johnsons Arbeit an den *Jahrestagen* sich beziehen:

> Ich bin ein Schizophrener, halte mich seit mehr als 8 Jahren aufrecht mit diesem Roman-Leben. Es ist als sei das künstlich Erzeugte zu meinem einzigen Leben geworden, alles was hier vorkommt, ist wahr für mich. Tatsächlich besitzt dies alles die gleiche Wahrheit wie die Erlebnisse der sogenannten Wirklichkeit. – Und was besteht denn für ein Unterschied, im Rückblick, zwischen dem Erdachten und dem direkt Erfahrenen – in beiden Fällen ist es nicht mehr greifbar, läßt sich nicht mehr kontrollieren – Reales u Erdichtetes ist, als Vergangenes, von gleicher Qualität –
> Ich bin überall dort gewesen, wo ich mein Ich, im Buch, hinstelle, habe mit allen, die ich nenne, gesprochen, kenne alle Straßen u Räumlichkeiten – ich schildre mein eignes Leben, ich kann nicht mehr trennen zw. Erfundenem u Authentischem – es ist alles authentisch (wie im Traum alles authentisch ist) –.[155]

Diese fehlende Trennschärfe zwischen Realität und Erdachtem ist für die Prosa von Peter Weiss insgesamt charakteristisch, deren Authentizität ist stets die des Traums. Bereits in den autobiographischen Texten der frühen 60er Jahre, deren Spuren in der *Ästhetik des Widerstands* sich finden, sind die Übergänge fließend. Die »Bilderwelt meiner Mythologie«, in welche der Heranwachsende aus der Feindseligkeit des Elternhauses sich zurückzieht, ist zugleich eine Suche nach der eigenen Vergangenheit, nach der Herkunft der Eltern, und sie enthält alle Elemente, die im späteren Werk die Traumvisionen der Mutter beherrschen: die mimetische Einstellung gegenüber dem Leiden der Opfer von Gewalt, die in Sinneswahrnehmungen übersetzte Angst vor dem faschistischen Terror.[156]

155 P. Weiss, *Notizbücher*, 872f.

156 Vgl. z.B. *Abschied von den Eltern* (ed. suhrkamp, 85). Frankfurt [2]1964, 41: »Dieses Lauschen, dieses Tasten und Suchen, dieses Verborgensein oben auf dem dumpfen Dachboden. Das Schlachtfeld. Die Schüsse des Maschinengewehrs. Mein Vater in einem Erdloch. Mein Vater mit blutendem Leib, jammernd zwischen andern Verwundeten im Lazarett. Und dann die Erscheinung meiner Mutter. Sie findet ihn in diesem Lazarett, in diesem überfüllten, stinkenden Saal, in dem er

Bei Johnson hingegen scheint die autobiographische Idiosynkrasie so stark, daß er ausführlich sich bei den Hörern seiner Poetikvorlesung dafür entschuldigt, »gelegentlich das Wort ›ich‹ mit seinen Abwandlungen« gebrauchen zu müssen, und sie auffordert, das Subjekt, »das heute nachmittag auf dem Flughafen Rhein/Main kontrolliert wurde auf seine Identität mit einem Reisepaß«, nicht zu verwechseln mit dem Subjekt, das in den *Begleitumständen* »lediglich vorkomm[t] als das Medium der Arbeit, als das Mittel einer Produktion« (*BU*, 24).[157] Nahezu obsessionell verfolgt ihn der Gedanke, es könnte die Jerichow-Chronik aufgefaßt werden als des Autors Suche nach einer verlorenen Heimat. »Zu vermeiden der Eindruck, hier wolle jemand lediglich in seine Kindheit zurück«, lautet eine Tagebuchnotiz von 1967 (*BU*, 406). Und wenn er in den *Begleitumständen* den Entstehungsprozeß der *Jahrestage* schildert, so konzentriert sich sein Bericht auf die Bemühung, »dem Vorwurf des Autobiographischen« zu begegnen. Mit pedantischer Genauigkeit vergleicht er Punkt für Punkt die Vita Gesines mit seiner eigenen und behauptet deren Unabhängigkeit gegenüber dem Verfasser der *Jahrestage*, obwohl die *facts*, die er auflistet, allenfalls geringfügig voneinander abweichen. Er gesteht in diesem Vergleich der Lebensläufe, daß er sich an eine Art selbstauferlegter Abstinenzregel gebunden fühlt, an die »Auflage« nämlich, »jederlei eigene (›private‹) Erfahrung seinen Personen zuzuwenden« (*BU*, 442), eine Regel, die man als eine objektivierte mimetische Haltung verstehen kann. Die Einfühlungsfähigkeit des Schreibenden wird dabei abgetreten an die Figur, der er die Rekonstruktion der Vergangenheit überträgt. Dabei wird diese ausgestattet mit einer Konsequenz bei »moralischen Entscheidungen, für die dem Verfasser die Gelegenheit oder die Beherztheit

verblutend liegt. Sie trägt ihn fort, um ihn selbst zu pflegen. Sie hält ihn in ihren Armen, in der Bilderwelt meiner Mythologie, sie trägt ihn einen aufgeweichten, zerfahrenen Feldweg entlang, über ihr niedrig flatternde, zerrissene Wolken. Kolonnen von Soldaten, Kanonen kommen ihr entgegen, durch die Zweige der Weidenbäume saust der Wind.«

157 Diese Idiosynkrasie verbindet Johnson mit Benjamin, der in der *Berliner Chronik* sich rühmt, das Wort *ich* nie zu gebrauchen (vgl. den Hinweis bei B. Witte, *Walter Benjamin* [rowohlts monographien, 341]. Reinbek bei Hamburg 1985, 12f.).

abgehen« (*BU*, 443) – ein Übertragungsverfahren, das an Peter Weiss' Begriff der Wunschautobiographie erinnert. Nur an einer einzigen Stelle durchbricht Johnson die selbstauferlegte Objektivierungsregel, wenn er selber mitten in der Darstellung seiner Dokumentationsarbeit für die *Jahrestage* die Personalpronomina verwechselt. »Wenn er eine Fremdsprachenkorrespondentin ist mit einem Kind [...]« (*BU*, 418).
Unter der Regel, welche die mimetische Askese ihm auferlegt, wird das eigene Leben zu einer Masse von Erfahrungen, die der experimentierende Autor den Konstruktionsprinzipien seines Werks unterwirft: »wie verhext verwandelte sich das bisher ›privat‹ verbrachte Jahr [sc. in New York] in eine Zeit des vorbereitenden Trainings« (*BU*, 411). Nachdem das Konstruktionsprinzip der *Jahrestage* festgelegt ist, beginnend mit dem 20. August 1967, dem Tag, an dem der Autor »Mrs. Cresspahl auf der Südseite der 42. Straße« begegnet sein will (*BU*, 406), und endend mit dem 20. August 1968, dem »Einmarsch sowjetischer Truppen in die Sozialistische Tschechoslowakei«, »für jedes der vorgegebenen 365 oder 366 Kapitel einen eigenen Ansatz, eine eigene Struktur herzustellen, die jeweils zu entwickeln waren aus dem Zustand des erzählenden Subjekts« (*BU*, 426), tritt dieser das eigene Ich ab an die Figur. An ihr vor allem probiert er aus, was er festhalten kann als seine politische Identität. Mit ihr diskutiert er, ob für die *Jahrestage* ein Ende denkbar ist, »das der Reputation des realen Sozialismus weniger Abbruch täte« als die Zerschlagung des Prager Frühlings, und er fügt sich Gesines Entscheidung, für die das tschechoslowakische Experiment der »letzte Versuch mit einer Reparatur am Sozialismus« ist (*BU*, 450).
Daß der autobiographische Verzicht oder die objektivierte mimetische Haltung nicht unproblematisch ist, ist einem so bewußten Autor wie Johnson nicht entgangen. Der bereits zitierte resignative Brief von D. E. aus den *Jahrestagen* entfaltet einen Gegensatz, der die Spannung Autor – Figur oder konkret: Johnson – Gesine in elegischer Form reflektiert. D. E. bekennt, daß er in seiner Arbeit abwesend ist, »nur noch Fähigkeit, nicht Person«, daß er keine Biographie hat, keine Sprache, keine Erinnerung und daher auch im Grunde keine Wirklichkeit. Gesine verfügt über all dieses. Sie erweist sich als immun gegenüber der Negativität, von der die moderne Subjektivität geprägt ist. Ihre Sicherheit aber ruht in einer

Fähigkeit, die D. E. bei sich selbst »unglaublich fände« (*JT*, 818), weil er sie nicht als Naivität abtun kann, sondern als Hoffnung ernstnehmen muß: »Immer noch nicht hast du es satt, die Versprechungen des Sozialismus beim Wort zu nehmen« (ebd.).
Aus dieser Hoffnung legitimiert sich Gesines Geschichtenerzählen. Wenn Benjamin den Erzähler definiert als »die Gestalt, in welcher der Gerechte sich selbst begegnet« (*GS* II/2, 465), so ist etwas von der Stimmung solchen Erzählens in den *Jahrestagen* beschworen; Gesines könnte das rebellische Dogma sein, das *alle* Seelen ins Paradies eingehen läßt (*GS* II/2, 458). D. E. bringt die Skepsis des modernen Schriftstellers Johnson zum Ausdruck, der – dem Bilderverbot der Moderne zum Trotz – noch einmal erzählen will und die Sprache dazu von weither aus der Vergangenheit holt, so daß der Schock dieses Erzählens zeitgenössische Leser ungemildert trifft:

Du kannst sprechen; ich kann es nicht. Du sagst von deiner Amanda Williams: Sie liegt am Boden mit ihrer Seele. In anderer Gesellschaft wüßte ich, daß soeben ein unschickliches Wort gefallen ist [...]. Was immer ich sage, und wäre etwas Neues neu bezeichnet, es ist schon im Aussprechen Zitat. Ein ganz tatsächlicher Vorfall vor nicht vielen Jahren in Wendisch Burg, bei mir wird er trocken, mag sein witzig, aber Anekdote. Du erzählst Marie von einem, der hieß Schietmul, ›und der andere hieß Peter‹, und sie sieht da eine Katze und noch eine Katze, weil sie bei dir im Leben geblieben sind, und bei mir Worte geworden. All dies sind Sachen, die kann ich nicht erklären. Sie sind von der Art, daß ich sie gar nicht auseinandernehmen möchte; könnte ich nur in der Nähe davon sein (*JT*, 817f.).

7. Zwischenbetrachtung: Erzählen in der Moderne

»Es läßt sich nicht mehr erzählen, während die Form des Romans Erzählung verlangt«, mit dieser Paradoxie charakterisiert Adorno den Standort des modernen Erzählers.[158] Der Realismus setze die Einheit der Erfahrung voraus, die im identischen Ich gründe; dieses aber sei zerfallen. Die Standardisierung, Signatur der verwalteten Welt, verhindere, daß der einzelne noch etwas Besonderes zu erzählen habe. Während »die allverbreitete biographische Schundliteratur« den ideologischen Anspruch des Erzählers aufrechterhalte, das Individuum als ein identisches vermöchte etwas über den Weltlauf auszumachen[159], habe die ernste sich davon ebenso abgekehrt wie von der Illusion des Realen, die allenfalls die Fassade der Gesellschaft reproduziere, deren Wesen aber gerade verfehle.

Adorno verknüpft hier zwei unterschiedliche Theoriestücke zu einer geistesgeschichtlichen Deutung der Techniken des modernen Romans. Zum einen greift er auf Benjamins Theorie des Erfahrungsschwunds zurück, die dieser freilich anders perspektiviert hatte. Während Benjamin den modernen Roman als Dokument der Erfahrungsarmut eher kritisch in den Blick nimmt[160], sieht Adorno in ihm den Zerfall der Einheit der Erfahrung thematisiert

158 Th. W. Adorno, »Standort des Erzählers im zeitgenössischen Roman«, in: ders., *Noten zur Literatur I* (Bibl. Suhrkamp, 47). Frankfurt 1958, 61-72; hier: 61; im folgenden zitiert: *NL* I.

159 Diese Kehrseite des modernen Erzählens ist im Umkreis der Frankfurter Schule früh durch wichtige ideologiekritische Studien erhellt worden. Vgl. S. Kracauer, »Über Erfolgsbücher und ihr Publikum [1931]« und »Die Biographie als neubürgerliche Kunstform [1930]«, in: ders., *Das Ornament der Masse*. Frankfurt: Suhrkamp 1963, 64-80, sowie L. Löwenthal, »Die biographische Mode« und »Der Triumph der Massenidole [1944]«, in: ders., *Literatur und Massenkultur* (Schriften, 1). Frankfurt: Suhrkamp 1980, 231-300.

160 »Zweifellos besteht eine Wechselwirkung zwischen dem Verfall des Erzählens und der neuen Schreibweise in Romanen, die auf epischem Gebiet ein Gegenstück zu dem darstellt, was die Photomontage auf graphischem ist. Die Hauptsache ist, daß zunächst einmal dem überkommenen ›Aufbau‹ das Rückgrat gebrochen wird«, lautet eine nach-

(was nicht dasselbe ist). Zum andern macht er sich Brechts im *Dreigroschenprozeß* formulierten Gedanken zunutze, die Struktur der kapitalistischen Gesellschaft sei derart komplex, daß sie durch ein äußeres Abbild nicht mehr erfaßt werden könne. Beiden Theoriestücken wird man Plausibilität nicht absprechen, sie jedoch einschränken müssen. Was die Theorie des Erfahrungsschwunds angeht, auf die wir in den Analysen gleichfalls zurückgegriffen haben, so ist es allerdings wichtig, nicht den Eindruck entstehen zu lassen, es habe vor der Moderne so etwas wie Erfahrungsfülle gegeben. Vielmehr ist davon auszugehen, daß mit dem Begriff des Erfahrungsverlusts ein Mangel bezeichnet wird, den überhaupt erst das moderne Subjekt als Mangel erlebt. Brechts Bemerkung – »Eine Photographie der Kruppwerke oder der AEG ergibt beinahe nichts über diese Institute. Die eigentliche Realität ist in die Funktionale gerutscht«[161] – hat als produktionsästhetische Überlegung ihre Berechtigung, läßt sich aber nicht zur Grundlage einer Theorie der ästhetischen Moderne machen, weil sie die entgegengesetzte Auffassung ausschließt, die von den Surrealisten, Benjamin und Kracauer vertreten wird. Ihnen zufolge vermag gerade die Analyse von Oberflächenphänomenen der Gesellschaft Wesentliches an dieser erkennbar zu machen.[162] Offenbar bekommt man die ästhetische Moderne als ganze nur dann in den Blick, wenn man sie nicht mit einem ihrer einander widerstreitenden Impulse identifiziert, sondern sie als Prozeß des Auseinandertretens in Extreme begreift. Der Gedanke ist uns aus der Erörterung von Hegels Ausführungen über das Ende der romantischen Kunst vertraut. Die Identität der Moderne wäre dann einzig durch die Nichtidentität ihrer Impulse hindurch faßbar.

Will man modernes Erzählen auf den Begriff bringen, so wird man sich nicht darauf beschränken dürfen, dieses vom realistischen Ro-

gelassene Notiz Benjamins zu dem Aufsatz *Der Erzähler* (*GS* II/3, 1226).

161 B. Brecht, *Der Dreigroschenprozeß [1931]*, in: ders., *Schriften zur Literatur und Kunst*, Bd. I, Berlin/Weimar: Aufbau-Verlag 1966, 185.

162 »Der Ort, den eine Epoche im Geschichtsprozeß einnimmt, ist aus der Analyse ihrer unscheinbaren Oberflächenäußerungen schlagender zu bestimmen als aus den Urteilen der Epoche über sich selbst«, heißt es programmatisch in S. Kracauers »Das Ornament der Masse [1927]«, in: ders., *Das Ornament der Masse*, 50.

man abzusetzen (damit würde wiederum nur einer der Impulse der Moderne erfaßt); vielmehr wird man das realistische Projekt selber in seiner Modernität begreifen und darüber hinaus das Moment der Gemeinsamkeit erkennen müssen, das dieses mit dem modernen Roman verbindet. Für beide Schritte finden sich in Adornos Essay Ansatzpunkte.

Wenn Adorno die Anfänge des Romans (er denkt an den *Don Quijote*) mit der »Erfahrung von der entzauberten Welt« in Zusammenhang bringt, dann deutet er die »spezifische literarische Form des bürgerlichen Zeitalters« im Kontext des Weberschen Rationalisierungsbegriffs (*NL* I, 61). Das hat für den realistischen Roman, wie er sich im 18. Jahrhundert herausbildet und im 19. seinen Höhepunkt erreicht, guten Sinn. Denn die Beglaubigung des Erzählten durch eine Realitätsillusion setzt voraus, daß das Erzählte einer solchen Beglaubigung bedarf. Das naive Vertrauen in das Erzählte, das die Märchenerzähler mit ihren Zuhörern verbindet, muß bereits in Frage gestellt sein im Namen eines Wahrheitsbegriffs, der Wahrheit mit Faktizität gleichsetzt. Ein solcher Wahrheitsbegriff ist aber dem Gehalt eines Märchens ganz unangemessen. Legt man ihn an, so bleibt vom Märchen nicht mehr übrig als eine unglaubwürdige Fiktion. Daß etwas Erdichtetes Wahrheit beansprucht, wird in dem Maße als Skandalon empfunden, wie zweckrationale Handlungsmuster alle gesellschaftlichen Bereiche durchdringen und der Wahrheitsbegriff an dem der Faktizität sich ausrichtet. Um überhaupt erzählen zu können, muß der Erzähler seine Fiktion entweder als Wiedergabe eines wirklichen Geschehens ausgeben oder zumindest die Illusion eines wirklichen Geschehens erzeugen. Die illusionserzeugenden Techniken, die man mit dem Begriff des Realismus zusammenfaßt, sind also bereits eine Reaktionsbildung auf einen ersten Schub der gesellschaftlichen Modernisierung.[163] Wenn im 19. Jahrhundert

163 Von einer andern Seite her analysiert Hans Sanders die Vorgeschichte modernen Erzählens, die er bis ins 17. Jahrhundert zurückverfolgt, wenn er sie als Eindringen normativ nicht vorgeprägter Erfahrungen in die erzählenden Genera beschreibt. Während die Wirklichkeitskonstruktion der französischen Klassik den literarisch darstellbaren Erlebnisraum der Subjekte durch moralische Normen eingrenzt und die Subjekte selbst den Institutionen Staat und Kirche unterwirft, erlaubt der Wirklichkeitsbegriff der Aufklärung, zunehmend das Sub-

dann Autoren wie Balzac, Flaubert und Zola sich auf die zeitgenössische Wissenschaft berufen, so ist das ein Anzeichen dafür, daß der Roman, anders als die Poesie, unter den Druck der Institution Wissenschaft gerät und diesem nur durch Anpassung glaubt begegnen zu können. Die Problematik der Gattung, wie sie sich dem Blick der Rationalisten darstellt, wird dadurch allerdings nicht behoben. Auch die ausgedehntesten Milieustudien ändern nichts an der Zumutung, daß eine erdichtete Handlung die Wahrheit über die Gesellschaft ausdrücken soll.

Unsere Überlegungen wollen nur erkennbar machen, daß auch der Realismus bereits eine erste Antwort auf die gesellschaftliche Modernisierung ist. Er ist keine Form unproblematischen Erzählens, von dem der moderne Roman als problematische Form sich abheben ließe, sondern er hat selbst bereits den Verlust des Vertrauens in die epische Naivität zur Voraussetzung. Freilich ist diese Argumentationsfigur selbst dem Denkmuster verpflichtet, das oben kritisiert wurde. Nicht die Realität eines »vollen Erzählens« meint die Rede von epischer Naivität, sondern ein Konstrukt, dessen wir bedürfen, um begreiflich zu machen, was erzählen heißt in einer Epoche, die zunehmend unter den Primat zweckrationalen Handelns gerät.

Nicht nur sind bereits die Verfahren des realistischen Romans eine Reaktion auf die zunehmende Rationalisierung in allen Bereichen des gesellschaftlichen Lebens, darüber hinaus läßt sich zwischen realistischem und modernem Roman zumindest ein Moment der Kontinuität ausmachen. »Will der Roman seinem realistischen Erbe treu bleiben und sagen, wie es wirklich ist, so muß er auf einen Realismus verzichten, der, indem er die Fassade reproduziert, nur dieser bei ihrem Täuschungsgeschäfte hilft« (*NL* I, 64). Auch der nach-realistische moderne Roman will Adorno zufolge »sagen, wie es wirklich ist«[164], d. h. aber, er behält ein entscheiden-

jekt selbst zur Grundlage des Dargestellten zu machen (*Das Subjekt der Moderne. Mentalitätswandel und literarische Evolution zwischen Klassik und Aufklärung* (Mimesis. Untersuchungen zu den romanischen Literaturen der Neuzeit, 2). Tübingen: Niemeyer 1987.

164 In der *Ästhetischen Theorie* beruft sich Adorno in diesem Zusammenhang auf Becketts *Comment c'est*: »Die Kunstwerke sagen, was mehr ist als das Seiende, einzig, indem sie zur Konstellation bringen, wie es ist, ›Comment c'est‹« (*ÄT*, 200f.).

des Moment der realistischen Einstellung bei, die Annahme nämlich, daß eine fiktive Erzählung die Wahrheit über die Wirklichkeit sagen kann. Er verzichtet aber auf das zweite Moment der realistischen Einstellung, eine literarische Technik, die die Realitätsillusion zum Mittel der Beglaubigung des Dargestellten macht. Diese Unterscheidung ist freilich unscharf; denn die modernen Techniken des personalen Erzählens und des inneren Monologs lassen sich durchaus im Sinne einer Verstärkung der Realitätsillusion begreifen. Der Gegenstand allerdings, an dem sich das Verfahren ausbildet, ist jeweils ein anderer: einmal die Totalität der Gesellschaft, zum anderen die Unmittelbarkeit subjektiven Erlebens.

Eine allein an der Erzähltechnik ausgerichtete Unterscheidung von realistischem und modernem Roman vermag also die allgemein geteilte Intuition, daß die Unterscheidung guten Grund hat, nicht zu erhärten.[165] Ich möchte daher zwei weitere Differenzierungsebenen zur Diskussion stellen: die Einstellung des Autors zu seinem Werk (handwerklicher vs. emphatischer Werkbegriff) und die Frage, *wo* die Wahrheit verortet wird, von der der Text spricht (in der Realität oder im Text).

Die kontrovers diskutierte Frage, ob die Revolution von 1848 den Beginn der literarischen Moderne markiere, suggeriert die Möglichkeit einer bündigen Antwort. Diese wäre aber gerade das Falsche, weil sie die Ungleichzeitigkeit historischer Entwicklungsprozesse verfehlte. Sowohl die Institutionalisierung der Kunst als

165 Daß der (realistische) Roman die moderne Form par excellence sei, weil er »die hartnäckige Substanzialität allgemein gesellschaftlicher Mächte erkennt und die Prosa ihrer bereits vollzogenen Ordnung als seine Schriftvorlage anerkennt«, dies ist die These von Wolfram Malte Fues in seiner Baseler Habilitationsschrift *Von der Poesie der Prosa zur Prosa als Poesie. [...]* (Typoskript, 205). Streng durchgeführt, hat sie zur Folge, daß das, was wir uns gewöhnt haben, als modernen Roman zu bezeichnen, als postmoderner erscheint. Dessen Aufgabe sieht Fues darin, die Unmöglichkeit des Erzählens zu erzählen. Er ist, wie Fues anläßlich von Musils Text *Triëdere* notiert, der »aufmerksame Beobachter seines Totseins« (ebd., 347). Aber Musil schrieb nicht nur *Triëdere*, sondern auch den *Mann ohne Eigenschaften*. Wo die systematische Konstruktion die Aporie scharfsichtig erkennt, findet der Erzähler die Lücke, durch die er wieder Welt hineinholen kann in den Text.

autonome Sphäre als auch die romantische Subjektivität sind entscheidende Voraussetzungen der ästhetischen Moderne. Trotzdem bleibt die Revolution von 1848 ein entscheidender Einschnitt.[166] Manches spricht dafür, daß sie die Geburtsstunde des für die Moderne charakteristischen Werkbegriffs ist. Nicht nur Baudelaire erlebt die Juni-Massaker als Trauma; die bürgerliche Gesellschaft, die die Februar-Revolution als eine der Brüderlichkeit geträumt hatte, enthüllt sich als Hölle. Wo das schlechte Bestehende als unveränderbar erlebt wird, da mag für den Autor der Ausweg naheliegen, das Werk zur Instanz individuellen Heils zu machen. Die Hypostasierung des Kunstwerks ist zwar bereits in der idealistischen Ästhetik angelegt (Schelling zufolge gibt es »nur ein absolutes Kunstwerk«); aber erst die Erfahrung fehlender geschichtlicher Handlungsperspektiven, die sich für die Generation des Vormärz noch zu eröffnen schienen, läßt die intellektuellen Energien sich in einer bisher unvorstellbaren Weise auf das Werk konzentrieren. Zeichen dieser emphatischen Werkauffassung ist die historisch neue Gestalt des Autors, der sich zum Märtyrer seines Schreibprojekts macht. Von einigen Reisen abgesehen, geht Flauberts Leben in seiner Arbeit auf; immer wieder berichten seine Briefe über die Qual des Produzierens: »Comme il y a longtemps que je trime dans cette galère de l'art«, schreibt er während der Arbeit an *Salammbô* (*Corr.*, 192). Mallarmés Klagen über seine Sterilität sind nur zu begreifen von dem außerordentlich hoch gespannten Anspruch her, den er an das zu schaffende Werk stellt. Der historische Prozeß läßt eine Konstellation von Werk

166 Während wir die Epoche der ästhetischen Moderne als eine begreifen, in der relevante geschichtliche Veränderungen nachweisbar sind, hat Henry Sussman in seinem in den Vereinigten Staaten viel diskutierten Buch *The Hegelian Aftermath* (Baltimore/London: Johns Hopkins Press 1982) die entgegengesetzte These vertreten. In Hegels *Phänomenologie des Geistes* macht er eine Reihe von »discoursive tropes« aus (wie *bifurcation*, *inversion*, *reciprocity* und *circularity*), die er dann bei so unterschiedlichen Autoren wie Kierkegaard, Freud, Proust und James wiederfindet. Hier erzeugt wohl vor allem die Abstraktheit der gewählten Kategorien den Schein, es mit der gleichen Sache zu tun zu haben. Als *superimposition* z.B. gilt Sussman sowohl Hegels Verfahren, zwischen individuellen und kollektiven Denkprozessen nicht zu unterscheiden, als auch Prousts Darstellung der metaphorischen Malweise Elstirs (ebd., 7f.).

und Autor entstehen, die nun als erfahrungsprägendes Erlebnismuster bereitliegt. Proust und Joyce haben es jeder auf eine andere Weise aufgenommen. Auch Musil arbeitet fast ein Leben lang am *Mann ohne Eigenschaften* und hinterläßt ihn bei seinem Tode – als Fragment. Ganz wörtlich tötet das Werk hier den Autor. Peter Weiss stirbt kurze Zeit nach dem Abschluß der *Ästhetik des Widerstands*, Uwe Johnson nach Vollendung der *Jahrestage*; beide haben ein Jahrzehnt an ihrem Hauptwerk geschrieben.

Das Auseinandertreten eines Prinzips in seine Extreme haben wir wiederholt als charakteristisches Merkmal der Moderne beobachtet. So verwundert es nicht, daß dem emphatischen Werkbegriff der Autoren der Moderne die Negation des Werks durch die Avantgardisten antwortet. Nicht nur im dadaistischen Happening, auch in der *écriture automatique* ist jeglicher Werkanspruch eingezogen zugunsten der Unmittelbarkeit, sei es des Schockeffekts oder des Selbstausdrucks. Valéry, der drei Jahre lang an einem einzigen großen Gedicht arbeitet, hat in seiner Theorie den emphatischen Werkbegriff mit dessen Negation zusammenzudenken versucht. Indem er die Emphase nicht auf das Produkt als ein vollendetes bzw. zu vollendendes legt, sondern auf den Schreibprozeß, vermeidet er die Hypostasierung des Werks, ohne deshalb das Pathos künstlerischer Arbeit preisgeben zu müssen. Diese theoretisch elegante Lösung verdeckt jedoch nur die innere Widersprüchlichkeit des emphatischen Werkbegriffs, ohne sie auflösen zu können. Denn in ihm sind zwei letztlich wohl unvereinbare Konzepte zusammengezwungen: der sich gegen das Rationalitätsparadigma sperrende Formbegriff, der dem vom einzelnen Subjekt Gesetzten zugleich Allgemeinheit abverlangt, und der Begriff der Arbeit.

Die zweite Differenzierungsebene betrifft den Ort der Wahrheit. Im Roman balzacschen Typs läßt sich dieser unschwer ausmachen. Das Werk hat den Charakter eines Zeichens, das auf die gesellschaftliche Realität verweist, die es deutet. Mit andern Worten: Die Wahrheit liegt dem Werk voraus in der Wirklichkeit, sie wird mit Hilfe des Werks aufgefunden. Diesem Modell folgt noch der Roman Flauberts, der jedoch zugleich durch den emphatischen Werkbegriff geprägt ist. Anders verhält es sich in Prousts *Recherche*, wo die Wahrheit nicht in einer zu deutenden gesellschaftlichen Realität, auch nicht in einer vorgängig erfahrenen inneren Erlebniswelt lokalisiert ist, sondern im Text. Nicht mehr als etwas Aufzufindendes wird sie begriffen, sondern als etwas Hervorzubringendes. Die damit vollzogene Abkehr vom Wahrheitsbegriff des Realismus ist für den modernen nach-proustschen Roman kaum zu überschätzen, zumal sie paradoxerweise sogar erlaubt, auf die Techniken der Realitätsillusion zurückzugreifen, wie sich an Johnsons *Jahrestagen* erweist.[167]

*

> Vertell. Du lüchst so schön!
> (Uwe Johnson)

Erzählen in der Moderne ist Erzählen unter erschwerten Bedingungen. Der dominierende Wahrheitsbegriff, der Wahrheit mit Faktizität gleichsetzt, macht die Fiktion verdächtig. Sie wird bereits im Realismus dazu gedrängt, sich als etwas auszugeben, was sie nicht ist, Resultat einer wissenschaftlichen Einstellung. Die gesellschaftlichen Verhältnisse, auf deren Erkenntnis der Roman abzielt, werden zunehmend komplexer, so daß der Autor den totalisierenden Blick auf das Ganze der gesellschaftlichen Zusammenhänge preiszugeben gezwungen ist. Aber auch die eigene Erfahrung ist ihm nicht einfach als Stoff verfügbar. Einerseits ist sie überlagert von den das gesellschaftliche Verhalten der Individuen prägenden Stereotypen, andererseits haftet sie an Äußerlichkeiten und erscheint in dieser Hinsicht als das schlechthin Beliebige. So wird es zur Aufgabe des Erzählers, Erfahrung allererst zu rekonstituieren. Das dürfte der Grund sein für die autobiographische Ausrichtung des modernen Romans. Von der *Education sentimentale* bis zur *Ästhetik des Widerstands* gibt es kaum einen modernen Roman, der nicht autobiographische Züge trüge; aber keiner geht in der Autobiographie auf. Der Autor muß das Erlebnismaterial bearbeiten und transformieren, weil erst das Ergebnis dieses Arbeitsprozesses den Anspruch erheben kann, Erfahrung

167 Wenn hier von Realismus gesprochen wird, ist an den französischen Realismus der ersten Hälfte des 19. Jahrhunderts gedacht, nicht an den programmatischen Realismus in Deutschland, der sich an dem Widerspruch der einander ausschließenden Forderungen nach Realitätsnähe und Idealisierung abarbeitet. Vgl. dazu U. Eisele, *Realismus und Ideologie [...]*. Stuttgart: Metzler 1976, 58 ff.

wiederzugeben. Das läßt sich auch anders formulieren: Der moderne Autor muß sich die Möglichkeit des Erzählens immer erst schaffen. Er muß sich einlassen auf das Beliebige, das Kontingente, in der durch nichts abzusichernden Hoffnung, daß an ihm etwas aufscheinen möge, was als authentische Erfahrung Anerkennung finden kann. Aber gerade hier liegt eine kaum zu bewältigende Schwierigkeit: Kontingenz entzieht sich dem erzählerischen Zugriff. Der moderne Autor antwortet darauf mit der Entwicklung literarischer Techniken und der Veränderung seiner Einstellung gegenüber dem Erzählten.

Von Flauberts *Education sentimentale* bis zu Virginia Woolfs *To the Lighthouse* und Sartres *La Nausée* thematisiert der moderne Roman die Kontingenz. Kontingenz aber läßt sich, streng genommen, nicht erzählen. Sartre hat das in *La Nausée* notiert, nicht als Kritik am traditionellen Erzählen, sondern als Nachweis der Unerträglichkeit des Daseins. Die Erzählung, so läßt er seinen Protagonisten ausführen, hat einen Anfang und ein Ende. Alle, auch die belanglosesten Dinge, sind Zeichen eines später für den Leser sich erschließenden Sinns. Denn die Geschichte wird von ihrem Schluß her erzählt, der in jedem Handlungselement vorausgesetzt ist. Anders das Leben; ihm fehlt der ordnende Blick vom Ende her. Die einzelnen Dinge und Ereignisse liegen unverbunden und sinnentleert nebeneinander, eine endlose Reihung. Roquentins Wunsch ist es, nach der Logik der Erzählung zu leben; die Moderne will nach der Logik des Lebens erzählen. Sie will sagen, wie es wirklich ist, behält also die realistische Zielvorstellung bei, muß sich aber der Verfahren des Realismus in dem Maße entledigen, wie sie sich bewußt wird, daß es eine wahre Erzählung nicht gibt.

Die Tagebuchform von *La Nausée* läßt sich als Antwort lesen auf die implizite Kritik traditionellen Erzählens, die das Buch enthält. Das Tagebuch erlaubt, ja verlangt geradezu eine Darstellungsweise, die nicht vom Ende her die einzelnen Ereignisse mit Sinn besetzt, sondern sich deren ziellosem Nacheinander überläßt. Was dem Ich zustößt, wird in seiner Beliebigkeit festgehalten. Kurz, das Tagebuch ist eine Form, die offen ist gegenüber der Kontingenz. Das gilt allerdings nur mit einer Einschränkung: Die Wahrnehmungsfähigkeit des aufzeichnenden Ich bildet gleichsam einen Filter, der sich vor die Realität schiebt. Was festgehalten wird, ist allemal durch die Verhaltensdispositionen des Schreibenden geprägt. So hat auch das Tagebuch ein Einheit stiftendes Prinzip. Sartre übrigens schränkt die Offenheit gegenüber der Kontingenz noch zusätzlich dadurch ein, daß er dem von Roquentin Berichteten ein eher traditionelles Entwicklungsschema unterlegt.

Die Erwähnung im ersten surrealistischen Manifest hat Valérys Polemik gegen den Roman zum literaturgeschichtlichen Topos gemacht: »La Marquise sortit à cinq heures«. Jeder Romananfang ist beliebig, und diese Beliebigkeit diskreditiert das fiktionale Erzählen in den Augen Valérys. Obwohl seine Kritik durchaus auch den modernen Roman treffen will[168], läßt sie vorzüglich die erschwerten Bedingungen erkennen, gegen die der moderne Autor sein Schreibprojekt verwirklichen muß. Auf den ersten Blick hat es den Anschein, als werfe Valéry dem Roman das Gegenteil dessen vor, was Sartre daran zugleich fasziniert und irritiert. Wo dieser eine Sinnbestimmung jeden Details durch den Schluß erkennt, sieht jener nur Beliebigkeit: »Romans. L'Arbitraire«, lautet eine Notiz Valérys (*C* II, 1162). Doch auch er weiß, daß die Kunst des Romanautors darin liegt, den in der Tat zunächst beliebig erscheinenden Beginn durch den Fortgang der Handlung zu motivieren. Der Leser wird erfahren, warum der Autor ihm mitgeteilt hat, daß die Marquise um fünf Uhr das Haus verließ. Valéry bringt das auf die Formel: eine Summe beliebiger Worte erzeugen einen nichtbeliebigen Effekt (»Une somme de propos arbitraires = un effet non arbitraire«; *C* II, 1190). Aber gerade dieser Mechanismus der Sinnerzeugung ist ihm verdächtig. Er nimmt die Position des Rationalisten ein, für den Fiktion und Wahrheit ein für allemal einander ausschließende Begriffe sind. Autor und Leser unterliegen ihm zufolge gleichermaßen der Leichtgläubigkeit (*crédulité*), wenn sie das von den Worten Bezeichnete für Realität nehmen, während doch die Wörter und die Formen die einzige Realität des Diskurses sind.

Valérys Kritik am Roman läßt sich als Kritik am mythischen Rest jeder Erzählung begreifen. Auch wo diese nicht mit dem Anspruch autoritativer Weltdeutung auftritt wie der Mythos, setzt sie doch auf die Gläubigkeit des Lesers, seine Bereitschaft, sich täuschen zu lassen. Das aber verträgt sich nicht mit dem dominie-

168 »J'ai le sentiment invincible que ce serait perdre mon temps que de retrouver le temps perdu« (P. Valéry, *Lettres à quelques-uns*. Paris: Gallimard 1952, 224).

renden Handlungsparadigma der Moderne, der Rationalität. In dem Maße, wie diese alle menschlichen Lebensbereiche durchdringt, wird die erzählerische Fiktion als Medium der Wahrheitserfassung fragwürdig. Man sollte diese Kritik nicht mit dem Hinweis abtun, in der Kunst herrschten andere Prinzipien als das der Rationalität. Die Autoren der Moderne haben das auch nicht getan, sondern Einstellungen und Verfahren entwickelt, die sich dem zunehmenden Rationalitätsdruck stellen. Systematisch haben sie das Spektrum möglicher Antworten auf den Geltungsverlust welt-deutenden Erzählens abgeschritten.[169] Auf den Legitimationsverlust des Erzählers, der als auktorialer souverän über das Erzählgeschehen verfügte, es historisch, psychologisch und mora-

169 Wenn wir bei unserer Rekonstruktion des Geltungsverlusts welt-deutenden Erzählens das Rationalitätsparadigma in den Vordergrund gerückt haben, so ist damit selbstverständlich nur eine Dimension möglicher Erklärung angesprochen. Eine literarhistorische Darstellung hätte darüber hinaus andere zu berücksichtigen:
– Handlungsstrategien zur Erlangung kultureller Macht, wie sie die Bourdieu-Schule untersucht hat (dazu: R. Ponton, »Naissance du roman psychologique [...]«, in: *Actes de recherche en sciences sociales* 4 [1975], 66-81);
– Veränderungen des normativen Rahmens der Kunstproduktion im Zusammenhang mit der Erweiterung des literarischen Markts (dazu mein Beitrag in: Ch. Bürger u.a. [Hg.], *Zur Dichotomisierung von hoher und niederer Literatur* [ed. suhrkamp, 1089]. Frankfurt 1982, 241-265);
– Interdependenzen von sozialgeschichtlicher Modernisierung und Moderne, von denen Renate Werner treffend bemerkt, daß es sie nur im Sinne von ›challenge und response‹, nicht im Sinne inhaltlicher Entsprechungen gebe (»Das Wilhelminische Zeitalter als literarhistorische Epoche. Ein Forschungsbericht«, in: *Wege der Literaturwissenschaft*, hg. v. J. Kolkenbrock-Netz/G. Plumpe/H. J. Schrimpf. Bonn: Bouvier 1985, 211-231; hier: 225);
– Zusammenhänge von gesellschaftlichen und literarischen Krisenerscheinungen, wie R. Berman sie untersucht, indem er die moderne deutsche Literatur nach dem ersten Weltkrieg mit dem Begriff des Charismas faßt, mit dessen Hilfe Max Weber das Dilemma von verfestigter bürokratischer Herrschaft und nostalgischer Sehnsucht nach traditionalen Gesellschaften zu überwinden hoffte (*The Rise of the Modern German Novel. Crisis and Charisma*. Cambridge/Mass.: Harvard Univ. Press 1986).

lisch ordnend (man denke etwa an die typisierenden Figurencharakterisierungen bei Balzac), antworten die Verfahren des perspektivischen Erzählens und des inneren Monologs. Der Autor, dem der naive Gestus des allwissenden Erzählers verdächtig geworden ist, kann diesen sich gleichsam aus der Erzählung herausschleichen und Auswahl und Sicht des Berichteten an die Figuren abgeben lassen. Das geschieht zwar bereits in der Ich-Erzählung, wird aber im inneren Monolog dadurch radikalisiert, daß die für die Ich-Erzählung charakteristische Distanz zwischen erlebendem und erzählendem Ich getilgt ist zugunsten einer vermittlungslosen Teilhabe des Lesers am Bewußtseinsprozeß der Figur. Das Verfahren bricht jedoch nicht mit der Realitätsillusion, sondern es sucht diese unter erschwerten Bedingungen einzulösen, indem es die Erzählperspektive direkt ins Geschehen verlegt. Der so erzeugte Eindruck der Unmittelbarkeit ist freilich ein inszenierter. Der Erzähler verschwindet hinter dem scheinbar frei sich entfaltenden Wahrnehmungs-, Gefühls- und Gedankenstrom der Figur, der gleichwohl Ergebnis der Arbeit des Autors bleibt.

Die Form des inneren Monologs entsteht nicht zufällig an der Nahtstelle zwischen Naturalismus und Ästhetizismus; sie verknüpft den Objektivismus der ersten mit dem Subjektivismus der zweiten Bewegung. Sie ist zugleich die Fortsetzung des Naturalismus mit andern Mitteln wie der Bruch mit diesem. Nicht die Realitätsillusion wird mit dem inneren Monolog preisgegeben, wohl aber die für traditionelles Erzählen charakteristische Motivation des einzelnen Erzählsegments durch das Ganze der Erzählung. Insofern ermöglicht diese Form die Erforschung des Alltagsbewußtseins, das gleichfalls nicht durch ein abschließendes Wissen konstituiert ist, sondern durch die Abfolge partieller Akte der Totalisierung. In der damit gegebenen Verlagerung des Sinnzentrums in das kontingente Geschehen liegt die Leistung des Verfahrens. Doch hinter der Freiheit, mit der die Figur sich ihren Wahrnehmungen und Einfällen überläßt, steht eine dem Blick des Lesers entrückte Erzähler-Instanz. Der Versuch, die Kontingenz des Alltäglichen in seiner Struktur zu erfassen (und nicht nur als Erzähl-Element aufzunehmen), führt paradoxerweise zu einer Perfektionierung der Illusion. Denn durch das weitgehende Verschwinden des Erzählers aus dem Text, das der Geltungsverlust traditionellen Erzählens unter zunehmendem Rationalitätsdruck erzwungen hatte, wird dem Leser eher ein Mehr an Illusionsbereitschaft abverlangt als in einer auktorialen Erzählung, muß er sich doch auf den Schein der Unmittelbarkeit einlassen. Der Preis für die gelingende Annäherung an das Alltagsbewußtsein ist eine hochartifizielle Form, die ihren eigenen Formcharakter nicht mehr zu reflektieren vermag.

Dieser Mangel führt zu dem Versuch, das Problem der strukturellen Unwahrheit traditionellen Erzählens auf einem andern Wege als dem des inneren Monologs zu lösen. Statt die Realitätsillusion des Erzählten dadurch zu verstärken, daß der Erzähler im Erlebenden verschwindet, kann der Autor auch die Fiktion als Fiktion erkennbar machen. Indem er den Zweifel des Lesers an der Realität des Berichteten selbst anspricht, macht er deutlich, daß die Wahrheit des Textes von der Realität des Berichteten unabhängig ist. Die ironische Relativierung der Allmacht des auktorialen Erzählers über das Erzählgeschehen hat in der Geschichte des Romans eine lange Tradition und reicht bis zu Sternes *Tristram Shandy* und Diderots *Jacques le fataliste* zurück. Sie stellt eines der wirksamsten Verfahren dar, um den Wahrheitsanspruch des Romans zumindest ex negativo zu behaupten, nämlich durch die Trennung zwischen der Wahrheit der Erzählung und der Realität des Dargestellten, die im realistischen Paradigma in eins gesetzt sind. Anders formuliert: Die Fiktionsironie kann zwar sagen, worin die Wahrheit der Erzählung nicht liegt; aber sie vermag nicht zu sagen, worin sie liegt.[170]

Die Bedeutung Prousts für die Geschichte des modernen Romans sehe ich darin, daß er eine stichhaltige Antwort auf diese Frage gegeben hat. Was seinen Wahrheitsbegriff von dem des realistischen Romans trennt, ist die Einsicht, daß ästhetische Wahrheit nicht vorgefunden und abgebildet werden kann, sondern produziert werden muß. Nicht daß Proust an die Stelle der äußeren Rea-

170 Daß die ironische Darstellungsweise, auch wenn sie sich auf den Erzähler richtet, keineswegs immer die Realitätsillusion aufhebt, läßt sich an Thomas Manns *Doktor Faustus* studieren. Die ironische Distanz, die der Autor gegenüber der Erzähler-Figur erkennen läßt, berührt die Realitätsillusion nicht. Die Ironie schafft nur eine Ebene des Einverständnisses zwischen Autor und Leser. Vgl. dazu Ch. Bürger, »Realismus und ästhetische Moderne. Zu Thomas Manns *Doktor Faustus*«, in: *Heinrich Mann-Jahrbuch* 4 (1986), 56-68.

lität, die der Naturalismus abbilden will, die innere Erfahrung setzt, ist das Entscheidende, sondern daß er das schreibende Subjekt zum Produzenten der Wahrheit gemacht hat. Als authentische Erfahrung gilt ihm nicht das reale Erlebnis, sondern erst dessen literarische Transposition, ohne die das Erlebnis unvollkommen bliebe. Indem der Autor das schwangere Küchenmädchen mit Figuren Giottos vergleicht, so eine Konfiguration schaffend, in der Realität und Kunstwerk wechselseitig aufeinander verweisen, bringt er eine ästhetische Wahrheit hervor, die in der Wirklichkeit keine Entsprechung hat.

Sofern Proust die ästhetische Wahrheit als eine vom Autor herzustellende begreift, löst er sich von der Vorstellung, der Roman habe eine vorhandene bzw. erlebte Wirklichkeit wiederzugeben.[171] Damit verläßt er zugleich den Bannkreis der Realitätsillusion, innerhalb dessen der innere Monolog verbleibt. Zwei Annahmen des Realismusparadigmas gibt Proust also auf: die Ineinssetzung von Wahrheit und Wirklichkeit und die Illusion als Mittel der Beglaubigung des Erzählten. Emphatisch hält er jedoch an der dritten Annahme fest, der Roman sei Medium der Erfassung von Wahrheit. Die Radikalität, mit der Proust die Grundlagen des Erzählens verändert, macht verständlich, warum sein Augenmerk sich nicht in erster Linie auf eine Erneuerung der Erzähltechniken richtete, er sich vielmehr damit begnügt hat, die Möglichkeiten der Ich-Erzählung voll auszuschöpfen (vor allem die Distanz zwischen erzählendem und erlebendem Ich und die damit gegebene mehrschichtige Zeitperspektive). Zwar läßt sich auch die von Proust praktizierte metaphorische Transposition als literarische Technik beschreiben, und das gleiche gilt von dem Verfahren, Zusammenhänge nicht durch chronologische Abfolge der Ereignisse, sondern durch Assoziationen herzustellen, die sich an eine bestimmte Örtlichkeit heften. Aber diese Techniken sind nur eine Folge der Neubestimmung der Aufgabe des Erzählers als eines Produzenten von Wahrheit. Auch die Reflexion auf die eigene formale Arbeit, die der den inneren Monolog verwendende

171 Daß bei Proust sich durchaus auch die Auffassung findet, die Wahrheit, um die es geht, sei die des ursprünglichen Eindrucks, haben wir gesehen. Die Ambiguität seiner Äußerungen hängt letztlich mit dem metaphorischen Status seines Diskurses zusammen, von dem auch die theoretischen Aussagen nicht ausgenommen sind.

Autor sich innerhalb seines Textes versagen mußte, fällt Proust gleichsam zu; unschwer kann er im Schlußband der *Recherche* eine ganze Polemik gegen den realistischen Roman vortragen, ohne daß deshalb sein eigenes Werk brüchig würde. Denn dieses gründet nicht in der Illusion, Wirkliches wiederzugeben, sondern in der Präsenz eines sich und seine Erfahrungen reflektierenden Ich. Das ließe sich exemplarisch an dem zu Recht berühmten Anfang der *Recherche* studieren. Mit dem tonlos alltäglichen Satz »Longtemps, je me suis couché de bonne heure« gleitet der Erzähler in die Erzählung hinein, so die Klippe des beliebigen Anfangs umgehend, um verschiedene Vergangenheiten in die Gegenwart der Erzählerreflexion hineinzuziehen.

Wenn es einen modernen Autor gibt, der eine mit der Prousts vergleichbare Bedeutung für die Entwicklung des modernen Romans hat, so ist es Kafka. Auch er faßt ästhetische Wahrheit als Produkt einer Tätigkeit; allerdings nicht des Autors, sondern des Lesers. Seine rätselhaften Erzählungen verweisen auf eine Wahrheit, die dem Leser aufgegeben ist. Kafka entwickelt einen eigenartigen Umgang mit der Allegorie. Indem er Inscriptio und Subscriptio fortläßt, verwandelt er die Allegorie zum Rätselbild, das verschiedene, voneinander abweichende Deutungen zuläßt: eine individualpsychologische ebenso wie eine religionsphilosophische oder eine historisch-gesellschaftliche. Die Verzweiflung des Interpreten, der einerseits zur Deutung herausgefordert ist, andererseits im Text keine Anhaltspunkte dafür findet, um einer Deutungsperspektive den Vorrang zu geben, ist den Texten eingeschrieben. Diese verlangen aufgrund ihrer Rätselhaftigkeit nach Deutung und lassen doch jeden einzelnen Deutungsversuch als Willkürakt des Interpreten erscheinen. Dadurch, daß das Hervorbringen der Wahrheit dem Leser zugewiesen wird, scheint dieser in eine überlegene Position einzurücken. Aber das scheint nur so; denn die Wahrheit, die er so hervorbringt, ist immer nur seine Wahrheit. Der Text entzieht sich der eindeutigen Interpretation, ohne deshalb undeutbar zu werden.[172]

Die Lösungen, die Proust und Kafka dem Fiktionalitätsproblem geben, sind von großer Stringenz. Auf den Vorwurf, jede Erzäh-

172 Vgl. dazu Th. W. Adorno, »Aufzeichnungen zu Kafka«, in: ders., *Prismen [...]* (dtv, 159). München 1955, 248 ff.

lung sei deshalb unwahr, weil sie an die Stelle der offenen Zukunft des Alltagslebens die Perspektive eines im voraus bekannten Endes setze, das jedes Detail mit Sinn belegt, antworten sie, indem sie Wahrheit und Wirklichkeit voneinander trennen und die Erzeugung der Wahrheit dem Autor bzw. dem Leser zur Aufgabe machen. Freilich läßt sich nicht übersehen, daß beide Antworten eigentümlich aporetisch sind. Die Kafkaschen Allegorien sind so gebaut, daß sie dem Interpreten das Vertrauen in die eigene Deutung nehmen, so daß er, der wähnte, Produzent der ästhetischen Wahrheit zu sein, sich fragen muß, ob er nicht vielmehr bloß etwas Beliebiges an dem Text ausgemacht hat. Proust legt die Entdekkung, daß der Autor die Wahrheit produzieren muß, im Rahmen der Ästhetik des Ästhetizismus aus; die suggestive Metapher gilt ihm als Wahrheit des Textes. Dahinter steht die Idee einer Erlösung durch das Werk, die noch Sartre fasziniert hat.
Weder Kafkas Topographie der Hölle noch Prousts Kunstreligion konnten von einer Generation angenommen werden, deren entscheidende Erfahrung der Zusammenbruch der Zivilisation im Ersten Weltkrieg war. Angesichts der Brutalität des Krieges mußte der Gedanke, der Künstler sei Produzent der ästhetischen Wahrheit, wie Hohn klingen. Die ästhetizistische Auslegung, die Proust seiner Entdeckung gegeben hatte, dürfte diese für die meisten Zeitgenossen unkenntlich gemacht haben. Das macht verständlich, warum die Surrealisten den Proustschen Ansatz nicht aufgreifen konnten, sondern eine ganz andere Lösung für das Fiktionalitätsproblem suchen mußten. Auf die Hypostasierung des Kunstwerks antworten sie mit dem Angriff auf die Institution Kunst, auf Valérys Kritik an der Beliebigkeit traditionellen Erzählens mit der programmatischen Absage an den Roman, an dessen Stelle sie den autobiographischen Erfahrungsbericht setzen.
Diese Lösung ist einerseits radikaler als diejenige Prousts, weil die Avantgardisten damit aus dem abgegrenzten Raum der Kunst heraustreten. Nicht um die Wahrheit des Werks geht es ihnen, sondern um das richtige Leben. Betrachtet man jedoch einen surrealistischen Erfahrungsbericht wie *Nadja* unter dem Blickwinkel der Entwicklung modernen Erzählens (einem Blickwinkel, von dem eingestanden werden muß, daß er quersteht zu den Intentionen des Autors), so kann man nicht umhin festzustellen, daß er hinter den von Proust erreichten Stand zurückfällt. Denn erneut scheint

die Wahrheit des Textes als etwas, was diesem vorausliegt. Fragt man, was die surrealistischen Texte von der Autobiographie unterscheidet, so lassen sich zwar eine ganze Reihe durchaus belangvoller Unterschiede aufführen, in einer Beziehung aber stehen sie ganz in der autobiographischen Tradition: im Anspruch auf Authentizität des Berichteten. Wie einst bei Rousseau hat dieser Anspruch auch bei Breton eine moralische Aufladung des Textes zur Folge. Da die Wahrheit des Berichteten dem Bericht vorausliegt, kann nur der Autor als moralische Person sie verbürgen. Damit ist aber der Leser erneut auf die Rolle dessen verwiesen, der glauben muß; es sei denn, er vermag gegen Bretons Auffassung dem Text einen Begriff von Authentizität zu unterlegen, der diese nicht am vorgängigen Erleben festmacht, sondern am Produktions- und Rezeptionsprozeß des Textes. Die Antwort auf das *Qui suis-je*, mit dem *Nadja* anhebt, kann dann nicht in der Realität gefunden werden, sondern nur im Text. Dieser wird für Autor und Leser gleichermaßen zum Instrument der Selbsterfahrung.

Eine solche Sicht vollzieht an den Texten der Avantgarde das, was man ihre institutionelle Eingemeindung nennen könnte. Diese ist freilich längst vollzogen. An einem Text wie *Nadja* schlägt sich das Scheitern des avantgardistischen Versuchs, aus der Institution Kunst auszubrechen, als dessen Kanonisierung nieder. Dagegen gibt es keine Instanz des Einspruchs. Und doch leben gerade auch die bedeutendsten Werke der literarischen Moderne von einem Pathos des Authentischen, das sie freilich nicht im unmittelbaren Zugriff zu realisieren suchen wie der surrealistische Erfahrungsbericht, sondern vermittelt über die Form. Von Proust und Kafka über Musil, Céline und Sartre bis hin zu Peter Weiss und Uwe Johnson ist der moderne Roman nicht abtrennbar von autobiographischer Erfahrung[173], mit der er doch wiederum nicht zusammenfällt. Wir haben gesehen, welche zentrale Stelle dem Werk Prousts innerhalb der Entwicklung modernen Erzählens zukommt, aber auch, daß die ästhetizistische Auslegung seines Wahrheitsbegriffs es an die Schranken seiner Epoche fesselt. Aus dieser Konstellation ergibt sich die Frage, ob der Roman sich zum

173 »L'écrivain, en toute honnêteté, parle de soi«, sagt Nathalie Sarraute vom Gegenwartsschriftsteller (*L'Ere du soupçon* [Coll. Idées, 42]. Paris: Gallimard 1964, 86) – ein Satz, der freilich die Probleme des Unterfangens eher verdeckt als ausspricht.

Medium der Produktion einer Wahrheit machen läßt, die nicht die des Ästhetizismus ist. – Célines frühe autobiographisch fundierte Romane, Sartres *La Nausée* und Peter Weiss' *Ästhetik des Widerstands* sind hier zu nennen, vor allem aber Musils *Mann ohne Eigenschaften*.

Musil hat sich selbst als Antimodernisten bezeichnet, und es läßt sich behaupten, der *Mann ohne Eigenschaften* sei ein auktorialer Roman. Freilich wird das Vertrauen in die Realität des Dargestellten gleich zu Beginn zerstört. Die Ironie, mit der Musil den Romananfang als Romananfang markiert, macht die Fiktion als Fiktion erkennbar. Das Nichtreale wird aber darüber hinaus in einem bisher undenkbaren Maße zum thematischen Zentrum des Romans, nicht etwa im Sinne der fantastischen Literatur, die den Einbruch des Unwirklichen in die Realität darstellt, sondern eher im Sinne einer Fiktionalisierung und Virtualisierung des Wirklichen. Der Roman erzählt von den Vorbereitungen eines Ereignisses (der Parallelaktion), von dem der Leser weiß, daß es nicht eintreffen wird. Dadurch entsteht eine gleichsam materiale Ironie, die alle Anstrengungen und Bemühungen der Figuren mit Unwirklichkeit schlägt. Anders als in der traditionellen Erzählung, wo das Ende den einzelnen Stationen des Erzählten den Sinn verleiht, den der Leser bei seiner Lektüre fortschreitend zu entziffern hat, gibt es bei Musil einen solchen Handlungssinn nicht; dadurch wird aber die Aufmerksamkeit freigemacht, sich dem Augenblickssinn zuzuwenden, der in den Gedanken und Reden der Figuren aufscheint. Die Entwirklichung der Handlungen der Figuren transformiert den Roman zu einem Instrument der Erkenntnis der gesellschaftlichen Moderne. Freilich wird auch dieses Erkenntnisziel noch einmal ironisch gebrochen durch die Nähe, in die Musil sein eigenes Projekt zu der Suche der Repräsentanten der Parallelaktion nach einer einheitsstiftenden Idee rückt.

Indem Musil den Blickpunkt des Erzählers oft ununterscheidbar nahe an den des Protagonisten heranrückt, der die Welt stets unter dem Gesichtspunkt betrachtet, daß sie auch anders aussehen könnte, erscheinen ›Realität‹ und ›Nicht-Realität‹ als tendenziell gleichwertig. Durch die damit vollzogene Virtualisierung des Wirklichen wird die Fiktionalitätsproblematik für den Roman so gut wie bedeutungslos. Es ist für den Gehalt des Erzählten gleichgültig, ob Ulrich es ›tatsächlich‹ erlebt oder nur als möglich denkt.

Gerade weil das so ist, kann Musil Elemente traditionellen Erzählens unproblematisch übernehmen. – Das Problem des modernen Romans, der mit Hilfe der Darstellung einer fiktiven Welt Wahrheit über die Gesellschaft sagen will, löst Musil, indem er das Fiktionalitätsproblem dadurch unterläuft, daß er das Wirkliche als eine zufällig realisierte Spielart des Möglichen auffaßt.
Während sich Musils Schreibprojekt als eine materiale Einlösung dessen auffassen läßt, was der Proustsche Wahrheitsbegriff versprach, aber nur ästhetizistisch auszufüllen vermochte, knüpft Beckett an die allegorische Form Kafkas an, die zugleich Deutung verlangt und sich gegen jede einzelne Deutung eigentümlich resistent erweist. Dabei verbindet Beckett die leere (und eben deshalb Deutung heischende) Allegorie mit einer radikalisierten Fiktionsironie. Indem er den Erzähler mit einer so schwachen Identität ausstattet, daß dessen Rede streckenweise jeglicher Kohärenz entbehrt, zerstört er die innerfiktionale Realitätsebene, die von Proust und Kafka ebenso respektiert wird wie von Joyce und Musil. Während die Rede des Erzählers sich dauernd selbst aufhebt, vermag der Leser nicht davon zu abstrahieren, daß hinter der sinnleeren Rede der Autor steht. Adorno hat daraus die Berechtigung abgeleitet, sie als Allegorie eines sinnentleerten Daseins zu lesen. Diese Deutung ist möglich; aber es ist – wie wir gesehen haben – nicht die einzig mögliche. Keiner der Sätze der Beckettschen Figuren ist wahr, keiner hat eine ausmachbare Referenz, und dennoch läßt sich der Erzählung ein emphatischer Wahrheitsanspruch unterstellen. Gerade durch die konsequent zu Ende geführte Fiktionsironie, die noch die innerfiktionale Realitätsebene zerstört, kommt Wahrheit zu Wort.
Beckett scheint tatsächlich die Quadratur des Kreises im Bereich fiktionalen Erzählens gefunden zu haben. Freilich hat diese ihren Preis. Die Wahrheit, die der Text sagt, fällt nicht in diesen, sondern in die Rede des Kritikers. Das mag man hinnehmen angesichts der Tatsache, daß die Wahrheit einer Aussage stets erst in der Anerkennung durch den andern zu sich kommt. Gravierender ist etwas anderes: Die Wahrheit der Texte Becketts, so wie sie uns die Deutung Adornos erschließt, bleibt abstrakt. Um konkret zu werden, müßte der Autor sich darauf einlassen, daß die einzelnen Sätze seines Textes, und nicht nur dieser als ganzer, etwas Bestimmtes sagen. Damit würde er aber zurückkehren in den Bann-

kreis eines fiktiven Erzählens, das doch zugleich Wahrheit beansprucht für das, wovon es redet. Mit andern Worten, Beckett müßte das zurücknehmen, worin seine künstlerische Leistung besteht.

Es hat den Anschein, als verfolge modernes Erzählen ein Ziel, das sich ihm auf vertrackte Weise immer wieder entzieht. Es will sich einer Welt stellen, in der die Zweckrationalität zum dominierenden Handlungsparadigma geworden ist. Damit läßt es sich auf Bedingungen ein, die ihm ungünstig sind. Während im realistischen Projekt noch ein Rest des mythischen Vertrauens in die welterschließende Kraft von Erzählungen lebt, hat Proust sich davon freigemacht. Er weiß, daß er es ist, der die Wahrheit der Erzählung produzieren muß, und daß kein noch so intensives Erlebnis ihm diese Arbeit abnehmen kann. Aber insofern er die Wahrheit in der metaphorischen Transposition des Erlebten ausmacht, ersetzt er das realistische Projekt durch eine Metaphysik der Kunst. Der Gefahr, den Autor zum Mythologen zu stilisieren, entgeht Kafka nur, indem er die mythische Aktivität der Herstellung von Sinn dem Leser überläßt. Angesichts dieser Aporien scheint die surrealistische Verabschiedung des Romans konsequent. Doch der Erfahrungsbericht, den die Surrealisten an die Stelle des Romans setzen, verstrickt sich in die Widersprüche eines literarisch uneinlösbaren Authentizitätsanspruchs. Jeder der drei großen Lösungsversuche des Fiktionalitätsproblems im Zeitalter der Rationalität produziert seine eigene Aporie. Gelingendes Erzählen, das sich den Bedingungen der Moderne stellt, muß fortan der eigenen Unmöglichkeit abgerungen werden. Unmöglich ist es deshalb, weil es quersteht zum Paradigma der Rationalität.

v. Ethik und Form

1. Moralpostulat und Immoralismus

Daß Kunst und Moral zwei Sphären menschlicher Aktivität sind, die man auseinander zu halten hat, das gehört einer gängigen Lesart zufolge zu jenen Einsichten Kants, die durch das, was die Philosophiegeschichte den Zusammenbruch des Hegelschen Systems nennt, beinahe den Charakter einer unumstößlichen Wahrheit gewonnen haben. Bei Kant sieht die Sache komplizierter aus. Seine vielzitierten Definitionen – »interesseloses Wohlgefallen«, »Zweckmäßigkeit ohne Zweck« – wollen nicht einen Bereich von Gegenständen gegen andere abgrenzen, sondern einen Modus des Urteilens. Sie enthalten zunächst keine Wesensbestimmung von Kunst, sondern isolieren eine Weise des Umgangs mit Gegenständen, die auch anders betrachtet werden können.[1] Was die Trennung der Kunst vom Moralischen angeht, ist die *Kritik der Urteilskraft* weit weniger eindeutig, als eine vereinfachende Kant-Lektüre es unterstellt. Man braucht gar nicht auf die Formel, das Schöne sei ›Symbol des Sittlichguten‹, zu verweisen, um das zu erkennen.[2] Es genügt, sich daran zu erinnern, daß für Kant das gelungene Kunstwerk abhängig ist von einer »ästhetischen Idee«, einer »Vorstellung der Einbildungskraft, die viel zu denken veranlaßt, ohne daß ihr doch irgend ein bestimmter Gedanke, d. i. Begriff adäquat sein kann, die folglich keine Sprache völlig erreicht und verständlich machen kann«.[3] Wenn Kant nun »ästhetische Ideen« als versinnlichte Vernunftideen bestimmt, dann macht er die für das ästhetische Urteil vorgenommene Trennung des Ästhetischen vom Moralisch-Praktischen für das Kunstwerk wieder rückgängig. Anders formuliert: Einerseits trennt Kant das ästhetische Urteil vom wissenschaftlichen und moralischen, andererseits verlangt er vom substantiellen Kunstwerk einen Bezug aufs Moralische. Einerseits bestimmt er das reine Kunstwerk als Ornament, andererseits läßt er erkennen, daß er das unreine, dessen Zentrum eine Idee ist, für substantieller hält.

1 Vgl. dazu J. Kulenkampff, *Kants Logik des ästhetischen Urteils*. Frankfurt: Klostermann 1978.

2 I. Kant, *Kritik der Urteilskraft*, in: ders., *Werke*, hg. v. W. Weischedel. 10 Bde., Darmstadt: Wiss. Buchgesellschaft [3]1968, 461 (§ 59).

3 Ebd., 413f. (§ 49).

Man kann versuchen, den Widerspruch in der Kantischen Ästhetik aufzulösen, indem man etwa das ästhetische Urteil oder Geschmacksurteil als eines auffaßt, das keineswegs das Kunstwerk als Ganzes betrifft, sondern nur eine Seite an ihm: nämlich das durch das Werk hervorgerufene lustvolle Zusammenspiel der Gemütskräfte des Aufnehmenden. Daneben behielte dann ein moralisches Urteil seine Berechtigung. Es ist einsichtig, daß damit das Problem, das in dem Widerspruch steckt, nur verschoben wird. Denn alsbald erhebt sich die Frage, wie denn die beiden Urteilstypen zueinander stehen, welchem der Vorrang gebührt usw. Tatsächlich läßt sich in der Geschichte der literarischen Kritik ein solches Nebeneinander beobachten. August Wilhelm Schlegel z. B. adoptiert als einer der ersten Kritiker das Prinzip ästhetischer Autonomie, was ihn aber nicht daran hindert, sein negatives Urteil über die Werke Kotzebues moralisch zu begründen. Das ist kein Einzelfall. In den Populärästhetiken des 19. Jahrhunderts trifft man immer wieder auf das Nebeneinander von Kunstautonomie und handfester Unterwerfung der Werke unter Kriterien der Moral, ohne daß den Autoren der Widerspruch bewußt würde.
Angesichts dieser normativen Rahmenbedingungen blieb den produzierenden Künstlern, die das Unbehagen an der bürgerlichen Gesellschaft zur Übernahme der Künstlerrolle gedrängt hatte, kaum etwas anderes übrig, als das Autonomieprinzip zu radikalisieren. Das konnte auf verschiedene Weise geschehen. An die Stelle der von der herrschenden Ästhetik geforderten Idealisierung der Gestalten bzw. des direkten moralischen Kommentars der Handlungen konnte die Erörterung moralischer Probleme treten. Dies ist, grob gesprochen, die Lösung der französischen Realisten der ersten Jahrhunderthälfte. Sie verzichten auf die Setzung eines allgemeinverbindlichen Kanons moralischer Vorschriften zugunsten moralischer Reflexion.[4] Flaubert geht darüber hinaus, indem er auf eine moralische Kommentierung und Perspektivierung des Geschehens verzichtet und sich gerade dadurch von der Massenliteratur absetzt, die an diesen Verfahren festhält. Bedenkt man, daß

4 Vgl. dazu M. Naumann, *Prosa in Frankreich [. . .]*. Berlin: Akademie-Verlag 1978, bes. das Kapitel über Stendhal, sowie H. Sanders, »Gattungsnormen und literarische Praxis: Balzac/Sue«, in: *Zum Funktionswandel der Literatur*, hg. v. P. Bürger (Hefte f. krit. Litwiss., 4; ed. suhrkamp, 1157). Frankfurt 1983, 147-162.

die Académie française 1859 Jules Sandeau als ersten Romanschriftsteller nur deshalb in ihre Reihen aufnimmt, weil sie die moralerzieherische Absicht seiner Werke anerkennt[5], dann wird die Provokation erkennbar, die in dem Flaubertschen Verzicht liegt. Die beiden großen Romane Flauberts sind nicht die Verwirklichung jenes »livre sur rien«, von dem der Autor in einem Brief spricht; sie behandeln vielmehr lebensweltliche Probleme und Fragen normativer Orientierung. Der Verzicht auf die Perspektivierung des Geschehens im Rahmen konventioneller Moralvorstellungen macht die Darstellung zur Provokation, und zwar zugleich zur moralischen und ästhetischen. Man kann diesen Verzicht sowohl als künstlerisches Verfahren mit moralischer Wirkung wie als moralische Haltung mit ästhetischem Effekt auffassen. Beide Seiten des Phänomens gehören zusammen.

Nach dem Verzicht auf moralische Perspektivierung ist der Angriff auf die bürgerliche Moral die geradezu entwicklungslogisch nächste Stufe. Sie wird bei Baudelaire und im Ästhetizismus erreicht. In den *Petits Poèmes en prose* findet sich ein Text mit dem provokatorischen Titel *Assommons les pauvres!* Als Baudelaire den Text verfaßt, liegen die Juni-Massaker an den Pariser Arbeitern schon fast zwanzig Jahre zurück; die wütenden Reaktionen von Bürgern Rouens auf die Darstellung der Revolution durch Flaubert lassen jedoch ahnen, daß die Ereignisse von 1848 keineswegs vergessen waren, an die Baudelaires Titel unliebsam erinnert. In dem kurzen Text läßt Baudelaire einen Ich-Erzähler berichten, wie er einem Bettler, der ihn demütig um ein Almosen bittet, sein Selbstwertgefühl dadurch wiedergibt, daß er ihn so gründlich zusammenschlägt, daß dieser ihm schließlich die Prügel doppelt heimzahlt. Man hat aus dem Text Baudelaires Sympathien mit der Revolution herauslesen wollen, wogegen nicht nur die wohl ironisch zu verstehende, im Manuskript überlieferte Schlußzeile spricht (»Qu'en dis-tu, citoyen Proudhon?«), sondern vor allem die Präsentation des Erzählten, die eine eindeutige Interpretation unmöglich macht. Baudelaire leitet nämlich den Text mit einer Rahmenerzählung ein, in der er das Ich der Binnenerzählung und dessen Handeln entwertet. Unter dem Einfluß der Lektüre revo-

5 Vgl. W. Grauert, »Ästhetische Erkenntnis gegen bürgerliche Moral. Zur Funktionswandel des Romans im Second Empire«, in: *Zum Funktionswandel der Literatur*, 172ff.

lutionärer Gesellschaftstheoretiker, so führt er aus, befand sich der Ich-Erzähler, als er das Experiment durchführte, in einem Zustand verminderter Zurechnungsfähigkeit (»dans un état d'esprit avoisinant le vertige ou la stupidité«; *OC*, 357). Nimmt man den Rahmen wörtlich und verbindet man ihn mit der Apostrophe an Proudhon, dann wäre der Text auch als eine dezentrierte Verspottung revolutionärer Hoffnungen zu lesen. Aber auch diese Deutung ist nicht sicher, weil die Apostrophe in der Druckvorlage fehlt und der Erzähler also am Schluß nicht zum Rahmen zurückkehrt. Je nachdem, ob man den Text vom Rahmen oder von der Binnenerzählung her deutet, kommt man zu anderen Ergebnissen. Was bleibt, ist das Aussprechen des Aggressionswunsches, den die säkularisierte christliche Moral verschweigt, und der Affront gegen die Moral des Mitleids mit den Armen. Der Schock, den der Text dem Leser erteilt, ist von der moralischen Provokation nicht abtrennbar. Deutlicher noch als bei Flaubert ist sie zugleich ästhetischer Effekt.

Der Affront gegen die herrschende Moral kann jedoch nur so lange als ästhetischer Effekt eingesetzt werden, wie die Adressaten des Affronts sich auch getroffen fühlen. In dem Augenblick, wo der Amoralismus allgemein wird, verliert er seine Aggressivität. Nun ist es immer schwierig, wenn nicht gar unmöglich, Veränderungen dieser Art einigermaßen genau historisch zu verorten. Immerhin gibt es Anzeichen dafür, daß das durchschnittliche moralische Bewußtsein des Bürgertums sich bereits im Second Empire zu verändern beginnt. Die Offenbachsche Operette, das Erfolgsgenus der Epoche, setzt sich mit großer Selbstverständlichkeit über moralische Konventionen hinweg.[6] Ende der 60er Jahre veröffentlicht der angesehene und vielgelesene Schriftsteller Octave Feuillet seinen Roman *Monsieur de Camors*, in dem ein zynischer Dandy zwar noch moralisch verurteilt, zugleich aber zum Gegenstand einer kaum verhohlenen Bewunderung wird. Camors läßt einen Lumpensammler einen absichtlich fallengelassenen Louisdor mit

6 Siegfried Kracauer hat die Operette Offenbachs als Darstellung einer Gesellschaft gesehen, die von dem einzigen Wunsch nach Amusement ergriffen ist. Er zitiert einen deutschen Reisenden, den der Anblick des Cancan ehrlich entrüstet. (»Jacques Offenbach und das Paris seiner Zeit«, in: ders., *Schriften*, hg. v. K. Witte. Bd. VIII, Frankfurt: Suhrkamp 1976, 178f. und 39f.).

den Zähnen aus dem Dreck aufsammeln und fordert ihn danach auf, ihm, Camors, eine Ohrfeige zu geben (»Donne-moi un soufflet; ça te fera plaisir, et à moi aussi!«). Der *chiffonnier* schlägt hart zu, worauf Camors ihm hundert Franken anbietet, die dieser jedoch zurückweist (»Garde-les, dit l'autre; je suis payé!«[7]). Auch hier das Eingeständnis lustvoller Aggressivität, auch hier die Faszination für die Mischung aus moralischer Provokation und pseudo-aristokratischem Ehrbegriff, die den Dandy charakterisiert. Daß ein Autor wie Feuillet, dessen Konformismus außer Zweifel steht, eine Figur wie Camors zum Protagonisten eines Romans macht, läßt erkennen, daß die herrschende Moral selbst in den bürgerlichen Schichten, die das Regime Napoleons III. akzeptiert hatten, als verlogen empfunden wurde.
Amoralismus – und das ist das Entscheidende – ist hier nicht mit niedrigem Verhalten gleichgesetzt, im Gegenteil, er erscheint mit einer Ehrauffassung verbunden, die dem Gedemütigten die Chance gibt, sich zu rächen. Zwischen Camors und dem *chiffonnier* findet ein Prestigekampf statt, aus dem keiner als Besiegter hervorgeht; vielmehr erweisen sich beide als starke Individuen. Das Kriterium der Wertung ist nicht mehr die Konformität mit den Normen christlicher Nächstenliebe, sondern die Stärke. Diese erweist sich einmal in dem Mut, bis an die äußerste Grenze zu gehen, zum andern aber in der Fähigkeit, die eigene Überlegenheit nicht auszunutzen. Nietzsche wird später diesen durch ein aristokratisches Selbstwertgefühl ausbalancierten Amoralismus weiter entwickeln und verbreiten. Bildet er erst einmal die Grundlage bürgerlichen Selbstverständnisses, dann verliert der Amoralismus seine Kraft der Provokation. Gerade diejenigen Autoren, die sich selbst als Radikale verstehen, müssen eine neue Grundlage ihres antibürgerlichen Affekts suchen. Es ist nur folgerichtig, wenn sie – so paradox dies klingen mag – ihr Schreiben moralisch legitimieren. So unterschiedliche Autoren wie Stefan George, Karl Kraus und der junge Georg Lukács stimmen darin überein, daß sie ihre künstlerischen Äußerungen in einer bis dahin kaum vorstellbaren Weise ethisch aufladen.[8] Jeder von ihnen schafft sich eine Attitüde, in der er sein Sprechen fundiert: George die des Dichter-

7 O. Feuillet, *Monsieur de Camors*. Paris: Calmann Lévy 1884, 34.
8 Daß George mit dem *Algabal* z. B. auch am ästhetischen Amoralismus teilhat, ist damit nicht geleugnet.

Propheten, Kraus die des unerbittlichen Verfolgers jeglicher Phrasenhaftigkeit und Lukács die des radikalen Denkers. Jeder von ihnen nimmt eine unanfechtbare ethische Autorität für sich in Anspruch, die auf nichts anderes gegründet ist als auf eben diesen Anspruch. Eine Beglaubigung vermag dieser Anspruch allenfalls post festum zu erlangen: durch das Werk und den Kreis bei George, durch den über dreißig Jahre lang durchgehaltenen Kampf gegen öffentliche Korruption und den Konformismus der Presse in Kraus' *Fackel* und durch den Übertritt zum politischen Handeln bei Lukács, dessen Essayismus bereits von der Gewißheit lebt, im »großen, erlösenden System« seine Erfüllung zu finden.[9] Selbstverständlich kann man die Bodenlosigkeit einer nur auf die Hypostasierung des eigenen Ich gegründeten Ethik kritisieren; aber man wird ihr einen epochalen Charakter nicht absprechen können. Denn die Hypostasierung des Ich ist zunächst ein Akt reiner Verzweiflung. Sie antwortet auf die – selbstverständlich auch wiederum subjektive – Erfahrung, daß die Institutionen menschlichen Zusammenlebens keinen substantiellen Gehalt mehr haben, daß der Denkende mithin in ihnen nichts Geistverwandtes mehr zu entdecken vermag und daher zur Einsamkeit verdammt ist. Aus dieser Einsamkeit jedoch, in die es sich hineingezwungen sieht, macht das Subjekt eine Position der Stärke. Sie ist die uneinnehmbare Festung, in der es seine Kräfte sammelt, um der Welt entgegenzutreten. Fundierung des Ästhetischen auf Ethik: das bedeutet hier zunächst einmal die Setzung des eigenen Ich als richtende Instanz. Karl Kraus gibt der *Fackel* das Leitwort »Was wir umbringen«, und Lukács schreibt im Einleitungsessay von *Die Seele und die Formen*: »der Essay ist ein Gericht« (*SuF*, 31).

Nun wäre jedoch *Die Fackel* ebenso wie die Essayistik des frühen Lukács mißverstanden, wenn man sie als in ihrer Intention moralisch-praktische Unternehmen außerhalb des Bereichs künstlerischer Produktion verorten würde. Beide haben einen außerordentlich hochgespannten ästhetischen Anspruch. Karl Kraus' Satz, daß die Hefte der *Fackel* »in einer Zeile mehr Literatur enthalten als die Schaufenster sämtlicher Buchhandlungen der Inne-

9 G. Lukács, *Die Seele und die Formen [1911]*. (Sammlung Luchterhand, 21). Neuwied/Berlin 1971, 29; im folgenden abgekürzt: *SuF*.

ren Stadt« ist keineswegs ironisch gemeint (Nr. 329/330 [1911], 5), und Lukács spricht zumindest indirekt die Hoffnung aus, die Form des Essays möchte jene Selbständigkeit erreichen, die der Dichtung längst zuerkannt wird (*SuF*, 24). In beiden Fällen geht es also tatsächlich um eine Vereinigung von Ethik und Ästhetik, die aber alles andere sein will als die trübe Vermischung von Bereichen, die die geschichtliche Entwicklung voneinander getrennt hat. Da Lukács derjenige gewesen ist, der das Problem einer ethischen Fundierung der Form am konsequentesten durchdacht hat, wollen wir die Untersuchung im folgenden zunächst auf ihn beschränken.[10]

10 Hartmut Scheible rekonstruiert das essayistische Frühwerk von Lukács auf dem Hintergrund von Georg Simmels Gedanken einer »Tragödie der Kultur«, demzufolge die notwendige Verselbständigung und Verfestigung der Formen die kulturellen Gebilde den Subjekten entfremdet (*Wahrheit und Subjekt. Ästhetik im bürgerlichen Zeitalter*. Bern/München: Francke 1984, 397ff.). Die ethische Bedeutung der Form-Kategorie in *Die Seele und die Formen* wird von Alberto Asor Rosa herausgearbeitet (»Der junge Lukács – Theoretiker der bürgerlichen Kunst«, in: Jutta Matzner [Hg.], *Lehrstück Lukács* [ed. suhrkamp, 554]. Frankfurt 1974, 65-111; bes. 80f. und 90ff.).

2. Essayismus und Ironie beim frühen Lukács

Die Gültigkeit und die Kraft der Ethik ist unabhängig von ihrem Befolgtsein. Darum kann nur die bis ins Ethische reingewordene Form – ohne deshalb blind und arm zu werden – das Dasein alles Problematischen vergessen und es für immer aus seinem Reiche verbannen (*SuF*, 250).

Nicht nur vor dem Hintergrund der Kantischen Trennung des Ästhetischen vom Ethischen ist dieser Satz, den Lukács an den Schluß seiner Essaysammlung *Die Seele und die Formen* stellt, eine Provokation. Daß ein Autor einen Zusammenhang zwischen Ethik und Form herzustellen sich bemüht, das läßt sich noch im Rahmen der idealistischen Ästhetik erörtern, spricht doch auch Kant von der »Schönheit als Symbol der Sittlichkeit«; aber die Formulierung »die bis ins Ethische reingewordene Form« weist auf einen damit nicht mehr zu vereinbarenden Gedanken, nämlich den, daß gerade die reine Form ethischen Wesens, ja daß Form und Ethik letztlich identisch seien. Und der so bestimmten Form wird darüber hinaus eine bedeutsame praktische Wirkung zugesprochen, nämlich das Dasein alles Problematischen vergessen zu machen.
Um den eigentümlichen Formbegriff des jungen Lukács zu verstehen, muß man zunächst den Begriff des Lebens umreißen, dem er als positives Gegenbild eingeschrieben ist.

Das Leben ist eine Anarchie des Helldunkels: nichts erfüllt sich je in ihm ganz und nie kommt etwas zum Ende; immer mischen sich neue Stimmen, verwirrende, in den Chor jener, die schon früher klangen. Alles fließt und fließt ineinander, hemmungslos, in unreiner Mischung; alles wird zerstört und alles zerschlagen, nie blüht etwas bis zum wirklichen Leben (*SuF*, 219).

Das Leben, so wie Lukács es hier charakterisiert, ist vor allem dadurch bestimmt, daß ihm Form abgeht. Es ist das unscharf Verschwimmende, das nie zur Eindeutigkeit gelangt, letztlich ein Chaos. Ihm stellt er »das wahre Leben« gegenüber: »Etwas leuchtet empor, zuckt blitzend auf über ihren banalen Pfaden [sc. der Empirie des Lebens]; etwas Störendes und Reizvolles, Gefährliches und Überraschendes, der Zufall, der große Augenblick, das Wunder« (ebd.). Dem Helldunkel des Lebens steht das Aufleuchten des wahren Lebens gegenüber, dem gleichförmigen Dahinfließen der große Augenblick. Was da gefährlich und überraschend hereinbricht, ist »das Bestimmende und das Bestimmte« (*SuF*, 220), die Erscheinung der Form im Leben.

Denn Form ist für Lukács kein auf das Ästhetische eingegrenzter Begriff, sondern ein existentiell aufgeladener. Als lebensphilosophische Kategorie bezeichnet Form gegenüber dem Fließen des Lebens einen Einschnitt, daher die Bindung an den Augenblick: Erreichen der Eindeutigkeit im Gegensatz zur Unbestimmtheit und Vieldeutigkeit des Lebens. Daß es so etwas wie Form im Leben geben kann, und zwar nicht nur als Sehnsucht nach dem wahren Leben, dem großen Augenblick, sondern als Resultat einer Tathandlung des Ich, das thematisiert der Kierkegaard-Essay als Geste. »Die Geste ist nur jene Bewegung, die das Eindeutige klar ausdrückt, die Form der einzige Weg des Absoluten im Leben; die Geste ist das einzige, was in sich selbst vollendet ist, ein Wirkliches und mehr als bloße Möglichkeit« (*SuF*, 44). Indem Kierkegaard die Verlobung mit der von ihm geliebten Regine Olsen auflöst, vollzieht er eine Geste im Sinne von Lukács. Er trifft eine eindeutige Entscheidung, die seinem ganzen späteren Leben eine Form gibt, die des Sonderlings. Es mag Gründe für diese Entscheidung geben (die Schwermut, die Kierkegaard einer Frau nicht meinte zumuten zu können, die Präferenz des Werks gegenüber dem Leben); aber das alles ist Lukács zufolge nicht das Entscheidende. Die Geste ist eine Tat, die Monumentalität und Eindeutigkeit verbindet, hinter ihr verschwinden die Motive, die noch ganz dem Unbestimmten und Zerfließenden angehören, dem die Geste gerade Einhalt gebietet.

Wir beginnen zu begreifen, inwiefern für Lukács die Form auf Ethik gegründet sein kann. Wenn die ethische Handlung nicht die Befolgung allgemein verpflichtender Normen meint, sondern die Ordnung schaffende und Verpflichtung setzende Tat des einzelnen, und wenn weiterhin die so entstandene Ordnung zugleich der vollkommenste Ausdruck des Individuums ist (man denke an die Geste Kierkegaards), dann ist die Handlung zugleich ästhetische Form und ethischer Akt. Anders formuliert: die Form ist ethischen Wesens.

Die Form ist die höchste Richterin des Lebens. Eine richtende Kraft, ein Ethisches ist das Gestaltenkönnen und ein Werturteil ist in jedem Gestaltetsein enthalten (*SuF*, 248).

Die Form, deren Begriff die Essays entfalten, ist zugleich das Ziel, das der Essayist selbst im Blick hat: »weil der Weg jedes problematischen Menschen zu der Form führt« (*SuF*, 37). Der Essayist (Lukács bezeichnet ihn auch als Kritiker oder Platoniker) ist der problematische Mensch, der an der allgemeinen geistigen Orientierungslosigkeit der Zeit leidet und entschlossen ist, sie bis zur äußersten Grenze zu durchleben; wobei ihn die Hoffnung erfüllt, die Unerbittlichkeit seiner Haltung möchte das herbeizwingen, was Lukács »Rettung« nennt, aber auch »Erfüllung im großen, erlösenden System« (*SuF*, 28 und 29). Zugleich aber ist der Essayist der, »der das Schicksalhafte in den Formen erblickt [...]. Die Form ist sein großes Erlebnis, sie ist als unmittelbare Wirklichkeit das Bildhafte, das wirklich Lebendige in seinen Schriften« (*SuF*, 16). Der Bogen, der Ethik und Ästhetik verbindet, ist hier bis zum Zerreißen gespannt. Denn die Form, das Ordnung Schaffende, Verpflichtung Setzende, ist ja das, was der Essayist im Leben seiner Zeit gerade vermißt. Er kann also das eigene Schreiben nur auf die Intensität der Erfahrung eines Abwesenden gründen, d.h. auf die Sehnsucht nach einer kommenden Ordnung. So gleicht der Essayist dem Täufer, der im Namen eines spricht, der da kommen soll. Der Gedanke erscheint weniger theologisch belastet, wenn man sich klarmacht, daß Lukács von nichts anderm redet als vom Vorgriff auf ein System, das er noch nicht formulieren kann. Vom Standpunkt des Systematikers aus gesehen, sind die Werturteile, die der Essayist ausspricht, bodenlos. Aber gerade diese Bodenlosigkeit findet ihre genaue Entsprechung in der Form des Essays: dem Unabgeschlossenen, Fragmentarischen, dem bewußten Verzicht auf eine feste Begrifflichkeit (vgl. den durchaus schillernden Gebrauch von ›Leben‹, ›lebendig‹). Das Ergebnis ist eine Art schwebender Dezisionismus, der die Schärfe des Urteils verknüpft mit sprachlichen Unbestimmtheiten, die dessen Fragwürdigkeit zumindest andeuten. Lukács' Essays ziehen eine eigentümliche Kraft daraus, daß sie ihre eigene Überwindung antizipieren. Nicht nur sind sie Momente einer zugleich persönlichen und geistesge-

schichtlichen Krise; sie wissen sich als solche. Das gibt ihnen die Strenge eines historischen Profils.[11]
Nicht nur wegen seiner ethischen Fundierung ist der Formbegriff des jungen Lukács von jenem idealistischen weit entfernt, der auf die Einheit von Form und Inhalt abzielt und dessen Fluchtpunkt Versöhnung heißt. Er ist es auch deshalb, weil er, orientiert an der Vorstellung des tragischen Konflikts, die Möglichkeit von Versöhnung gerade ausschließt. An Salomo Friedländer schreibt Lukács im Juli 1911:

Das Wesen der Form lag für mich immer in dem Formwerden (nicht Aufheben!) zweier einander absolut ausschließender Prinzipien; Form ist nach meiner Auffassung die leibgewordene Paradoxie, die Erlebniswirklichkeit, das lebendige Leben des Unmöglichen (unmöglich in dem Sinn, daß die Komponenten einander absolut und ewig widerstreiten und eine Versöhnung unmöglich ist). Form ist aber keine Versöhnung, sondern der zur Ewigkeit erlöste Krieg der streitenden Prinzipien. Im gewöhnlichen Leben gibt es keine Form, weil die Streitenden nicht *homogen* sind [...]. Es kommt mir darauf an, das widermenschliche der reinen Form, ihren schroffen und absoluten Gegensatz zum gewöhnlichen Leben so streng wie möglich hervorzutun.[12]

Der Brief zeigt, daß Lukács sich bereits auf dem Wege zu seinen Heidelberger Ästhetik-Entwürfen befindet, in denen es um den Versuch geht, die Autonomie des Ästhetischen noch schärfer her-

11 Die Faszination der frühen Essays von Georg Lukács verdankt sich dem Umstand, daß er den ethischen Formbegriff nicht nur theoretisch entwickelt, sondern auch praktiziert. Während der Autor von Literatur zu sprechen scheint und tatsächlich von ihr spricht, handelt er zugleich vom Leben, und zwar sowohl von seinem eigenen wie vom Leben allgemein. Die Essays sind zugleich Literaturkritik, versteckte Autobiographie und protoexistentialistische Philosophie in einem. Die den Essays aus *Die Seele und die Formen* zugrundeliegenden autobiographischen Erfahrungen hat Agnes Heller rekonstruiert: »Das Zerschellen des Lebens an der Form: György Lukács und Irma Seidler«, in: dies. u. a. (Hg.), *Die Seele und das Leben. Studien zum frühen Lukács* (suhrkamp taschenbuch wiss., 80). Frankfurt 1977, 54-98. Auf die Ansätze zu einer existentialistischen Philosophie in *Die Seele und die Formen* hat L. Goldmann aufmerksam gemacht (»Georg Lukács. Der Essayist«, in: J. Matzner [Hg.], *Lehrstück Lukács*, 44ff.).

12 G. Lukács, *Briefwechsel 1902-1917*, hg. v. Eva Karádi/Eva Fekete. Stuttgart: Metzler 1982, 230.

auszuarbeiten, als dies bei Kant geschehen ist. Wichtig in unserm Zusammenhang ist die Tatsache, daß Lukács insofern an die Position der Essaysammlung anknüpft, als er die Kategorie der Versöhnung verwirft. Versöhnung ist für sein auf Eindeutigkeit und Entscheidung ausgehendes Denken eine Vorstellung, die in Gefahr ist, die »trübe Verworrenheit des Lebens« zum Ideal zu erheben.
Nicht weniger bedeutsam ist eine zweite Konsequenz des Lukácsschen Formbegriffs. Aus dessen ethischer Fundierung folgt eine ästhetische Vorliebe für klassisch-strenge Gattungen (besonders Tragödie und Novelle) und eine kritische Distanz gegenüber dem Roman, der die Fülle des gelebten Lebens in sich aufzunehmen sucht. Bezeichnenderweise heißt es vom Roman im Beer-Hofmann-Aufsatz: »Und der ist in diesem Sinne keine strenge Form« (*SuF*, 169). Was Lukács an der Tragödie und an der Novelle schätzt, ist gerade die Tatsache, daß sie die handelnden Menschen in »abstrakte Schemata einfügen« (*SuF*, 168). Dementsprechend kritisiert er an dem Fin de siècle-Autor Beer-Hofmann, daß er seine Novellenschemata den Wirkungen des Romans annähere und dadurch die »Kräfte der Geschlossenheit« verliere (*SuF*, 170). Im Storm-Essay ist die Kritik an der modernen psychologisierenden Novelle radikalisiert. Indem die Autoren das Lebensgefühl moderner Menschen wiederzugeben suchen, nähern sie die Novelle dem Leben an und verfehlen eben dadurch die künstlerische Form. Die Kunst psychologischer Verfeinerung ist Lukács deshalb verdächtig, weil sie in Unschärfe und Mehrdeutigkeit verharrt und damit gerade jene Entschiedenheit und Eindeutigkeit vermissen läßt, die für seinen Formbegriff konstitutiv ist. »So entsteht eine neue Kunstgattung, eine – wie jede durch die moderne Entwicklung geschaffene – widersinnige Gattung, eine solche, deren Form die Formlosigkeit ist« (*SuF*, 108). Lukács erkennt in der Auflösung gegebener Formen ein Grundprinzip der ästhetischen Moderne; aber er vermag in dem Resultat nur Formlosigkeit zu sehen, nicht eine neue Form.
Lukács' Vorgehen läßt sich nicht mit dem Hinweis abtun, er setze einen klassischen Novellenbegriff als Maßstab, an dem er dann die Novellen des Fin de siècle messe. Die Beobachtung trifft zwar zu; aber sie verfehlt das Entscheidende an seinem Argument. Nicht der Klassizismus ist an seinem Formbegriff das Interessante, son-

dern dessen Herleitung aus einem durchaus modernen Problembewußtsein. Hier spricht nicht ein Konservativer, der den Wert alter Formen preist, sondern ein radikaler Denker, der einen ethisch fundierten Formbegriff dezisionistisch der chaotischen Vielgestaltigkeit des modernen Lebens entgegensetzt. Mit andern Worten: die Kritik an den modernen künstlerischen Formen erfolgt von einem Standpunkt aus, den Lukács selbst als den des problematischen Menschen bezeichnet. Wie bei Valéry ist auch beim frühen Lukács der Klassizismus nicht ein borniertes Festhalten am vorgeblich Bewährten, sondern Resultat einer Denkanstrengung, die sich der Problematik der Moderne stellt.

Eine Kritik dieses Standpunkts darf sich also nicht am Klassizismus festmachen, sondern muß zu den grundlegenden Kategorien dieses Denkens vorstoßen. Dabei macht man allerdings eine eigenartige Entdeckung. Ich meine die durchaus nicht oberflächlichen Gemeinsamkeiten zwischen dem Denken des frühen Lukács und dem des konservativen Staatstheoretikers Carl Schmitt.[13] Wie Lukács die Welt als Chaos faßt, als »Anarchie des Helldunkels«, so Schmitt im Anschluß an Hobbes als Kampf aller gegen alle. Und wie Lukács das wahre Leben im großen Augenblick sieht, der dem endlosen Dahinfließen des Lebens Einhalt gebietet, so hebt Schmitt die politische Bedeutung des Ausnahmezustands hervor, in dem sich entscheidet, wer souverän ist.[14] Form (Rechtsform) schließlich wird auch bei Schmitt zurückgeführt auf die rechtsetzende Tathandlung. Die Stärke dieses Denkens ist die Konsequenz, mit der der Gedanke zu Ende gedacht wird; und eben das macht bis heute seine Faszination aus. Das berechtigte Mißtrauen gegen die Behauptung, die Wahrheit liege immer in der Mitte zwischen Extremen, macht deren Gegenteil aber noch nicht wahr. Die These, das Leben sei Chaos, ist zunächst nichts weiter als eine grandiose Vereinfachung, und die Hypostasierung des großen

13 Das habe ich in dem Beitrag »Carl Schmitt oder die Fundierung der Politik auf Ästhetik« noch anders gesehen, wo ich den Formbegriff von Lukács gerade gegen den von Schmitt abhebe (in: *»Zerstörung, Rettung des Mythos durch Licht«*, hg. v. Ch. Bürger [Hefte f. krit. Litwiss., 5; ed. suhrkamp 1329], Frankfurt 1986, 170ff.).

14 Vgl. den Eingangssatz von Carl Schmitts *Politischer Theologie* (Berlin: Duncker & Humblot [3]1979, 11): »Souverän ist, wer über den Ausnahmezustand entscheidet«.

formsetzenden Augenblicks ist nichts anderes. Modern ist das Denken von Lukács und Schmitt, wie das von Valéry, insofern es die Möglichkeiten der Wirklichkeitsgestaltung maßlos überschätzt. Diese Überschätzung der Eingriffsmöglichkeiten des Menschen geht einher mit einer Unterschätzung der Formen, die im Leben immer schon verwirklicht sind.

*

Zwar gelingt es Lukács, einen außerhalb der Tradition der idealistischen Ästhetik stehenden, ethisch fundierten Formbegriff zu entwickeln; aber dieser weist mindestens zwei ernstzunehmende Probleme auf: Ausgehend von einer Situation, in der sich, Lukács' eigenen Worten zufolge, »keine Spur einer einheitlichen Orientiertheit aufweisen [läßt]«[15], dramatisiert er die auch von andern Intellektuellen als ähnlich aussichtslos wahrgenommene Lage dadurch, daß er sie in extrem auf einen Gegensatz hin pointierten Begriffen denkt (Leben vs. Form), um dann die Lösung der Aporie einem Ich anzuvertrauen, das er zum unhintergehbaren Ursprung jeglicher Wertung macht. Sowohl die abstrakte Entgegensetzung von chaotischem Leben und aus dem Augenblick geborener Form, als auch die Hypostasierung des Subjekts zur Quelle dezisionistischer Wertsetzung lassen sich mit Gründen angreifen; zumindest rufen sie die Frage hervor, ob denn die Verbindung von Ethik und Form, um die es Lukács geht, nur unter diesen Bedingungen zu verwirklichen ist. Lukács selbst gibt in seiner *Theorie des Romans* darauf eine Antwort. Hatte er in *Die Seele und die Formen* vom Roman noch gesagt, er sei im Gegensatz zur Tragödie und zur Novelle keine strenge Form, so macht er es sich in der *Theorie des Romans* zur Aufgabe, den Roman als *die* literarische Form der Moderne zu erweisen. Hier soll nicht erneut die bestechende Architektur der Lukácsschen Romantheorie rekonstruiert werden[16]; uns interessiert ausschließlich, inwiefern es Lukács gelingt, das Verhältnis von Ethik und Form neu zu fassen.

15 G. Lukács, *Briefwechsel*, 315.

16 Vgl. die umfassende Arbeit von J. M. Bernstein (*The Philosophy of the Novel. Lukács, Marxism and the Dialectics of Form*. Minneapolis: Univ. of Minnesota Press 1984), der die *Theorie des Romans* auf dem Hintergrund von *Geschichte und Klassenbewußtsein* liest und deren Kantische Fundamente erkennbar macht.

In *Die Seele und die Formen* hatte Lukács einen ethisch fundierten Formbegriff der chaotischen Vielgestaltigkeit des Lebens entgegengesetzt, in der *Theorie des Romans* sucht er die formkonstitutive Kraft der Ethik gattungsspezifisch aufzuweisen. Ist für das (vormoderne) Epos die Ethik ein »bloß formales Apriori«, hat sie im Roman inhaltlich »den Aufbau [der] Form zu tragen«.[17] Insofern das Epos der Lukácsschen Konstruktion zufolge eine Welt eingelebter Sitte zur Voraussetzung hat, wo das Individuum sich in den gesellschaftlichen Institutionen erkennt, die sich ihm gegenüber noch nicht zur zweiten Natur verselbständigt haben wie in der Moderne, kann man sagen, daß die Ethik, die hier noch mit gelebter Sittlichkeit zusammenfällt, ein »bloß formales Apriori« der Gattung sei; denn sie bestimmt nicht den inhaltlichen Bau des einzelnen Werks. Für den Roman dagegen, der auf dem Bruch zwischen dem Individuum und den Institutionen der Gesellschaft beruht, »ist die Ethik, die Gesinnung im Gestalten jeder Einzelheit sichtbar« (*ThdR*, 70f.). Ethik meint hier freilich nicht mehr die gelebte Sittlichkeit traditionaler Gesellschaften, sondern die des Autors, der über den Bruch reflektiert, durch den die Ideen des Individuums zu Idealen, die auf den Lauf der Welt keinen Einfluß mehr haben, entwirklicht wurden.

Wiederholt bezeichnet Lukács den Roman als »die Form der gereiften Männlichkeit« (*ThdR*, 84), d.h., er stellt eine Beziehung her zwischen der Lebenserfahrung des Autors und der Form des Romans. Jener hat die Hoffnung des Jünglings, die Welt ließe sich nach den eigenen Idealen gestalten, als Illusion erkannt, ohne deshalb den Wert der Ideale preisgegeben zu haben. Aus dieser Position heraus wird ihm der Roman zum Prozeß der Auseinandersetzung des Helden mit der Welt, der überspannten Innerlichkeit mit der Konventionalität der Gesellschaft. Zwei Gefahren sieht Lukács mit dieser Konstellation gegeben: daß entweder die erstarrte Welt gesellschaftlicher Gebilde quälend trostlos zutage tritt (wie im Naturalismus), oder daß die Sehnsucht des Helden die Dissonanzen der Wirklichkeit auflöst (wie im Ästhetizismus). In beiden Fällen wird der Roman als Form verfehlt. Um ihn weder nach der Seite des objektiv Gegebenen, noch des subjektiv Ersehnten vor-

17 G. Lukács, *Die Theorie des Romans [...]*. Neuwied/Berlin: Luchterhand ³1965, 72; im folgenden abgekürzt zitiert: *ThdR*.

schnell aufzulösen, bedarf es jener ethischen Haltung, die Lukács als gereifte Männlichkeit bezeichnet und die darin besteht, die Sinnverlassenheit der modernen Welt auszuhalten.

Wenn der Roman sowohl die Erstarrung der gesellschaftlichen Einrichtungen als auch die illusionäre Sehnsucht des Individuums nach einer Welt, die seiner Innerlichkeit angemessen wäre, zur Darstellung bringen soll, dann ist ein Medium erforderlich, das beide Sphären vermittelt. Lukács entdeckt es in der Reflexion des Autors, die zwischen den Idealen des Helden und der Welt der Tatsächlichkeit hin- und hergeht. Da aber die Reflexion des Autors sich kategorial nicht von den Idealen des Helden unterscheidet (beide befinden sich gegenüber der Welt in der gleichen Lage), läßt sich Objektivität im Roman nur erreichen, indem der reflektierende Autor nicht nur den Helden, sondern sich selbst in Frage stellt. Dies erreicht er durch Ironie, »die Selbsterkenntnis und damit Selbstaufhebung der Subjektivität« (*ThdR*, 73). Lukács geht davon aus, daß der Autor zugleich mit seinem Helden übereinstimmt und nicht übereinstimmt. Er spaltet sich in die »Subjektivität als Innerlichkeit« (den Helden) und »eine Subjektivität, die die Abstraktheit und mithin die Beschränktheit der einander fremden Subjekts- und Objektswelten durchschaut« (den Autor-Erzähler). Nur dem Anschein nach hat dieser eine überlegene Position, in Wahrheit ist er »geradeso ein empirisches, also weltbefangenes und in der Innerlichkeit beschränktes Subjekt« (ebd.). Indem er sich als solches weiß und darstellt, macht er sich selbst zum Objekt der Ironie.

Fassen wir zusammen. An der Verknüpfung von Ethik und Form, wie Lukács sie in *Die Seele und die Formen* entwickelt, hatten wir vor allem die abstrakte Entgegensetzung von Leben und Form sowie die Hypostasierung des Ich zum unhintergehbaren Ursprung dezisionistischer Wertsetzungen als fragwürdig empfunden. Keines dieser Probleme kehrt in der *Theorie des Romans* wieder. Nicht als Chaos ist hier das Leben bestimmt, sondern als durch den formenden Eingriff des Menschen bereits gestaltetes. An die Stelle des Gegensatzes von Leben und Form tritt jetzt der von starren gesellschaftlichen Gebilden und Subjektivität. Ihn gestaltet der moderne Romanautor. Dabei wird er notwendig auch zum Urheber von Werturteilen, die er aber nicht durch eine Überhöhung seines Ich unangreifbar zu machen sucht, sondern vielmehr ironisch relativiert. Wenn der Bruch zwischen Subjektivität und Welt sowie das Fehlen letzter Wertbezüge die Koordinaten moderner Erfahrung sind, dann bedarf das Subjekt, das sich des Urteils ebensowenig enthalten kann wie des Handelns, einer Selbstkorrektur. Es findet sich in der Ironie.[18]

18 Freilich schafft für Lukács die Ironie doch noch »eine einheitliche Welt«, insofern sie zeigt, daß Subjektivität als Innerlichkeit und fremde Machtkomplexe einander wechselseitig bedingen. Dieser heimliche Klassizismus, der auch in der Analyse der *Education sentimentale* durchschlägt, ist in der Lukács-Literatur des öfteren kritisiert worden. Vgl. R.-P. Janz, »Zur Historizität und Aktualität der *Theorie des Romans* von Georg Lukács«, in: *Jahrbuch der Deutschen Schillergesellschaft* 22 (1978), 674-699, bes. den Schluß des Aufsatzes sowie B. Schubert, »Der ›ästhetische Gottesbeweis‹. Der Roman als Offenbarungsorgan weltlichen Heilsgeschehens«, in: *Jahrbuch der Deutschen Schillergesellschaft* 27 (1983), 396-434; bes. 418.

3. Literarische Form als Denkform: Musils »Mann ohne Eigenschaften«[19]

»Ethik und Aesthetik sind Eins«
(Wittgenstein, *Tractatus*, 6.421)

Trotz der Bedeutung, die den Frühschriften von Lukács für die Ästhetik der Moderne unzweifelhaft zukommt, hat sein ethisch fundierter Formbegriff, soviel ich sehe, keine theoretische Nachfolge gefunden. Adorno, der in vielem an den jungen Lukács anknüpft, stellt dessen Ansätze erneut in den Kontext der idealistischen Ästhetik, zu deren zentralen Kategorien, Schein und Versöhnung zumindest, der Formbegriff der Essaysammlung quersteht. Musils Satz, er »habe von Jugend an das Ästhetische als Ethik betrachtet«[20], haftet daher noch heute etwas Unerlaubtes, ja Anrüchiges an. Man vermutet nicht zu Unrecht dahinter eine skeptische Haltung gegenüber jeder Theorie, die den Schein in den Mittelpunkt der Ästhetik rückt oder die Kunst vom Kunsterlebnis her konzipiert (vgl. *Tb* I, 941). Will man die Gleichung Ästhetik = Ethik in ihrer Bedeutung erfassen, so wird man gut daran tun, sich einzugestehen, wie fremd sie unserm Denken über Kunst ist. Denn trotz der Avantgardebewegungen, mit denen Musil zunächst nichts verbindet – bezeichnet er sich doch in einer Tagebuchnotiz sogar als »Nicht-Modernisten« (*Tb* II, 975, vgl. I, 493) –, besteht die Trennung des Ästhetischen vom Moralischen wie vom Theoretischen als beinahe selbstverständliche Denkvoraussetzung fort. Nun sind wir im Verlauf unserer Überlegungen wiederholt darauf gestoßen, wie wenig konsequent die Trennung oftmals gehandhabt worden ist; dennoch bleibt die einfache

19 Über die Musil-Forschung informiert der ausführliche Forschungsbericht von W. Freese, »Zur neueren Musil-Forschung. Ausgaben und Gesamtdarstellungen«, in: *Text + Kritik* Nr. 21/22, ³1983, 86-148. Einzeluntersuchungen zum *Mann ohne Eigenschaften* verzeichnet die Bibliographie von H. Arntzen, *Musil-Kommentar zu dem Roman »Der Mann ohne Eigenschaften«*. München: Winkler 1982, 450-481.

20 R. Musil, *Tagebücher*, hg. v. A. Frisé. 2 Bde., Reinbek bei Hamburg: Rowohlt ²1983, I, 777; im folgenden abgekürzt: *Tb* I und *Tb* II.

Gleichsetzung von Ethik und Ästhetik umwittert vom Odium eines Anschlags. Hier, so scheint es, soll der Kunst theoretisch der Garaus gemacht werden.
Nicht herkömmliche moralische Forderungen meint Musil mit Ethik, überhaupt nichts, was auf Verallgemeinerbarkeit zielt, sondern die Weise, wie das Individuum sich zur Welt verhält. Ethik wäre also zugleich an das Subjekt gebunden, das sich verhält, und an das Objekt, zu dem es sich verhält. Den durch diesen Bezug gestifteten Bereich bezeichnet Musil als den nicht-ratioïden. Er stellt ihm den ratioïden gegenüber, in dem die »Monotonie der Tatsachen«, die Gesetze und Regeln herrschen. Soweit nun das menschliche Verhalten durch die Psychologie (und wir können sinngemäß hinzufügen: die Soziologie) nicht auf Regeln oder zumindest auf Regelmäßigkeiten zurückzuführen ist, fällt es in das nicht-ratioïde Gebiet: »das Gebiet der Reaktivität des Individuums gegen die Welt und die andern Individuen [...], das Gebiet der Werte und Bewertungen, das der ethischen und ästhetischen Beziehungen«.[21] Dieses Gebiet nun ist Musil zufolge dadurch charakterisiert, daß in ihm nicht die ›Regel mit Ausnahmen‹ herrscht, sondern die »Ausnahmen über die Regel« (*GW* II, 1028), was nur heißen kann, daß die Regel eine äußerst prekäre Existenz hat, da sie stets von Ausnahmen gleichsam überwuchert wird.
Hatten wir zunächst geargwöhnt, Musil betreibe die Liquidierung des Ästhetischen, indem er es einfach der Ethik zuschlage, so hat es jetzt beinahe den Anschein, als treffe das Gegenteil zu, als werde das ethische Verhalten auf den Einzelfall reduziert. Nicht umsonst ist die Besonderheit eine zentrale Kategorie der Ästhetik. Aber auch dieser Eindruck täuscht; denn es geht nicht um Besonderheit als solche, sondern um Ausnahmen; und dieser Begriff macht nur Sinn, wo eine Regel noch im Blick ist.
Das alles mutet einigermaßen abstrakt an. Wollen wir das ästhetisch-ethische Gebiet genauer fassen, auf dem Musil seine eigene literarische Produktion verortet, so müssen wir die Einstellung skizzieren, die er der Wirklichkeit gegenüber einnimmt. Diese Einstellung ist eine des Erkennens; nur daß sich der Erkenntnis-

21 R. Musil, *Gesammelte Werke II: Prosa und Stücke, Kleine Prosa, Aphorismen, Autobiographisches, Essays und Reden, Kritik*, hg. v. A. Frisé. Reinbek bei Hamburg: Rowohlt 1978; im folgenden abgekürzt: *GW* II.

wille nicht auf die Konstruktion systematischer Zusammenhänge richtet, sondern auf Denkmöglichkeiten. »Seit ich zum Leben erwacht bin, [...] denke ich mir die Sache anders«, lautet eine Tagebuchnotiz (*Tb* I, 527). »Ich verzichte auf Systematik und genauen Beweis. Ich will nur sagen, was ich denke« (ebd.). Damit kommt eine dritte Dimension in das ethisch-ästhetische Vorhaben, die theoretische. Die Verwirrung der Sphären, deren reinliche Scheidung wir Kant verdanken, scheint total. Selbst wenn wir zugestehen, daß es ein großes Gebiet menschlichen Verhaltens gibt, das nicht durch Regeln bestimmt ist, und daß dieses Gebiet einen sinnvollen Erkenntnisgegenstand darstellt, fragt sich, was denn an einer solchen Erkenntnis ethisch und/oder ästhetisch genannt zu werden verdient.

Auf die erste Frage (was an der Erkenntnis der Ausnahmen ethisch sei) hat Musil eine präzise theoretische Antwort. Wenn man das beobachtbare Verhalten von Menschen betrachtet und sich nicht mit einer bloßen Beschreibung zufrieden geben will, dann braucht man eine Perspektive. Da diese in der Moderne nicht mehr aus überkommenen Moralvorstellungen abgeleitet werden kann, läßt sie sich nur aus dem Vorgriff auf ein richtiges Leben gewinnen. In den enigmatischen Formulierungen des *Tagebuchs* heißt das: »Rein ethisch wohl identisch mit: es gibt keinen letzten Wert« (*Tb* I, 652) und »Ethik als Spezialfall des ›anderen‹ Verhaltens« (*Tb* I, 660). Die zweite Frage (was denn an der Erkenntnis des individuellen Verhaltens zur Welt ästhetisch sei) hat Musil theoretisch nicht beantwortet. Ausführungen über Erzähltechnik, die sein rationaler Literaturbegriff ebenso erwarten läßt wie die Bemerkung: »so z.B. wurde in der Ästhetik bisher viel zu wenig die Technik berücksichtigt« (*Tb* I, 52), sind eher selten. Über Form findet sich in den *Tagebüchern* nur eine längere Eintragung, in der er das Moment des Ausschließens an der Form hervorhebt (*Tb* I, 974; übrigens sucht man das Stichwort Form zwischen Floh und Fortschritt im Register der *Tagebücher* vergebens). Wohl aber hat er die Antwort praktisch gegeben im *Mann ohne Eigenschaften*. Was leistet die Form in einem erzählerischen Werk, das »Beiträge zur geistigen Bewältigung der Welt geben« will und dessen Autor bekennt: »Stil ist für mich eine exakte Herausarbeitung eines Gedankens« (*GW* II, 942)? Wenn sich zeigen läßt, daß die künstlerische Form im *Mann ohne Eigenschaften* tatsächlich Mittel der Erkenntnis ist,

dann wäre zugleich ein Ansatz gefunden für einen nichtmetaphysischen Formbegriff.
Bevor wir uns der Analyse zuwenden, müssen wir deren Gegenstand umreißen. Wenn wir den Geschichtsbegriff Musils in dem Aufsatz »Das hilflose Europa oder Reise vom Hundertsten ins Tausendste« aus dem Jahre 1922 mit dem Geschichtsbild konfrontieren, das im *Mann ohne Eigenschaften* in dem Kapitel »Seinesgleichen geschieht« entworfen wird, dann vergleichen wir keineswegs eine Nicht-Form mit einer Form, sondern zwei Formen miteinander, nämlich eine essayistische mit einer erzählenden. Und daß beide gerade bei Musil nicht allzuweit voneinander entfernt sind, darauf gibt der ironische Titel des Essays bereits einen Hinweis. Auch wäre unser Vergleich in ein falsches Licht gerückt, wenn er als Versuch aufgefaßt würde zu zeigen, daß das Romankapitel gehaltvoller sei als der Essay. Es ließe sich in gewissem Sinne sogar das Gegenteil behaupten; denn der umfangreiche Essay thematisiert eine viel größere Masse von Problemen als das Romankapitel. Nicht darum geht es, den einen Text gegen den andern auszuspielen, sondern mit Hilfe des Vergleichs dem auf die Spur zu kommen, was die Ironie als künstlerische Form leistet.[22]
Im 14. Abschnitt des *Europa*-Aufsatzes gibt Musil eine äußerst gedrängte Antwort auf die Frage, warum die Geschichtswissenschaft die ihr in der Moderne zugemutete Aufgabe, Instanz der Sinngebung zu sein, nicht hat erfüllen können. Sie ist daran gescheitert, weil sie keine »rein historischen Kategorien« entwickelt hat, weil sie entweder nur mit Hilfe geschichtsphilosophischer Begriffe wie Vernunft, Fortschritt, Humanität einen »Ordnungsschein« über ein Chaos geworfen oder sich auf historische Immanenz zurückgezogen und damit die »Abschwächung des eigenen Wollens und Wesens durch Beflissenheit, sich fremder Art anzuschmiegen«, hingenommen hat (*GW* II, 1086f.). Der Abschnitt ist deutlich von Nietzsches Schrift *Vom Nutzen und Nachteil der Historie für das Leben* geprägt (obwohl Musil am Ende Eucken nennt, einen Philosophen, den er sonst nicht gerade schätzt), freilich ohne den irrationalen Lebensbegriff Nietzsches

22 Allgemein über das Verhältnis von Essay und Roman bei Musil handelt H. Böhme, *Anomie und Entfremdung. Literatursoziologische Untersuchungen zu den Essays Robert Musils und seinem Roman »Der Mann ohne Eigenschaften«*. Kronberg/Ts.: Scriptor 1974.

zu übernehmen. Das Problem der Sinngebung erscheint hier als eines der Auffindung von »Ordnungsbegriffen«, die Musils Vorstellung zufolge offenbar so angelegt sein müßten, daß sie die ›wirkliche‹ Bewegung der Geschichte wiederzugeben vermöchten, ohne diese – wie der Historismus es tut – von der Gegenwart und ihren Problemen abzukoppeln.
Das Kapitel »Seinesgleichen geschieht« im *Mann ohne Eigenschaften*, auf dessen zentrale Bedeutung Musil dadurch aufmerksam macht, daß er den Titel zugleich für den zweiten Teil des Romans verwendet, schildert Ulrich auf dem Heimweg von seiner Freundin Clarisse, die ihn wegen seiner Passivität angegriffen hat. Ulrich versucht, sich über sein Nichtstun Rechenschaft abzulegen, wobei seine Gedanken zwischen dem, was er auf der Heimfahrt wahrnimmt, und allgemeinen Überlegungen hin- und herschweifen. Da der Vorwurf der Passivität nur dann Sinn macht, wenn erwiesen ist, daß der einzelne durch sein Handeln die Welt verändern kann, stößt Ulrich auf die Frage, was Geschichte überhaupt sei.

War eigentlich Balkankrieg oder nicht? Irgendeine Intervention fand wohl statt; aber ob das Krieg war, er wußte es nicht genau. Es bewegten so viele Dinge die Menschheit. Der Höhenflugrekord war wieder gehoben worden; eine stolze Sache. Wenn er sich nicht irrte, stand er jetzt auf 3700 Meter, und der Mann hieß Jouhoux. Ein Negerboxer hatte den weißen Champion geschlagen und die Weltmeisterschaft erobert; Johnson hieß er. Der Präsident von Frankreich fuhr nach Rußland; man sprach von Gefährdung des Weltfriedens. [...] Mit einem Wort, es geschah viel, es war eine bewegte Zeit, die um Ende 1913 und Anfang 1914. Aber auch die Zeit zwei oder fünf Jahre vorher war eine bewegte Zeit gewesen, jeder Tag hatte seine Erregungen gehabt, und trotzdem ließ sich nur noch schwach oder gar nicht erinnern, was damals eigentlich losgewesen war. [...] Welche sonderbare Angelegenheit ist doch Geschichte! Es ließ sich mit Sicherheit von dem oder jenem Geschehnis behaupten, daß es seinen Platz in ihr inzwischen schon gefunden hatte oder bestimmt noch finden werde; aber ob dieses Geschehnis überhaupt stattgefunden hatte, das war nicht sicher. Denn zum Stattfinden gehört doch auch, daß etwas in einem bestimmten Jahr und nicht in einem anderen oder gar nicht stattfindet; und es gehört dazu, daß es selbst stattfindet und nicht am Ende bloß etwas Ähnliches oder seinesgleichen.[23]

23 R. Musil, *Der Mann ohne Eigenschaften*, hg. v. A. Frisé (Sonderaus-

Auch hier geht es um Geschichte als mögliche Instanz der Sinngebung, der Ordnung des Daseins. Aber anders als im *Europa*-Aufsatz unterscheidet Musil hier zwischen Geschichte, wie sie sich im Bewußtsein eines intelligenten Zeitgenossen als Zusammenhang oder besser: Nicht-Zusammenhang abbildet und jener übergreifenden, von der Geschichtswissenschaft (wenn auch nicht von ihr allein) produzierten Summe von Ordnungsvorstellungen (›Geschichte‹), in der jedes Geschehnis seinen Platz findet. Es gibt eine Ordnung; aber diese Ordnung hat mit dem, was für das Individuum als Geschehnis erfahrbar wird, nichts zu tun, so lautet Ulrichs Fazit. Das Bewußtsein des Zeitgenossen ist angefüllt mit einer Menge unverbundener Einzelfakten, die ihn in dem Augenblick, wo er sie aufnimmt, mehr oder weniger bewegen, die er aber unmöglich im Gedächtnis festhalten kann, es sei denn, sie überschneiden sich zufällig mit persönlichen Angelegenheiten, die für ihn von Wichtigkeit sind. So kommt Musil zu dem Ergebnis, daß für das Bewußtsein des Zeitgenossen Geschichte sich darauf reduziert, daß irgendetwas geschieht.

»Aber ob dieses Geschehnis überhaupt stattgefunden hatte, das war nicht sicher«. Der Satz ist bis zur Absurdität paradox; denn als Geschehnis kann man nur etwas bezeichnen, was auch stattfindet. Trotzdem ist er alles andere als unsinnig, stellt er doch nichts weiter dar als eine konsequente Verallgemeinerung des als Wiedergabe einer unmittelbaren Erfahrung durchaus sinnvollen Satzes »War eigentlich Balkankrieg oder nicht?«. Die Absurdität muß also in diesem Satz bereits enthalten sein. In der Tat verknoten sich in ihm auf eine schwer entwirrbare Weise die einzelnen Stränge des Problems Geschichte, um deren verwirrende Entwirrung es Musil geht. Der formale Kunstgriff, den Musil hier zur Anwendung bringt, ist unscheinbar, aber außerordentlich produktiv. Er besteht darin, eine Kategorie der ›Geschichte‹ (Balkankrieg) auf die unmittelbare Erfahrung von Geschichte anzuwenden. Dadurch wird die Kategorie ironisch in Frage gestellt. Es ist durchaus nicht ausgemacht, daß das, was die ›Geschichte‹ als historisches Ereignis bezeichnet, sich auch im Bewußtsein des Zeitgenossen ereignet. Die Produktivität der Form besteht also darin, daß eine begriffli-

gabe). Reinbek bei Hamburg: Rowohlt 1981, 359f.; im folgenden abgekürzt: *MoE*.

che Unterscheidung (hier die zwischen ›Geschichte‹ und erfahrener Geschichte) nicht als binäres Oppositionsschema eingeführt, sondern so zur Darstellung gebracht wird, daß die Begriffe zueinander in eine lebendige Beziehung treten. Das Ergebnis ist in diesem Falle zunächst einmal eine Problematisierung sowohl der Möglichkeit, Geschichte zu erfahren, als auch der Möglichkeit, sie mit Hilfe von Kategorien in einer rational nachvollziehbaren Weise zu ordnen.

Für letzteren Versuch steht im Gedankengang Ulrichs der nicht nur durch Anführungszeichen ironisch in Frage gestellte »›Weg der Geschichte‹, von dem niemand weiß, woher er gekommen ist« (*MoE*, 360). Indem Musil sie wörtlich nimmt (von jedem Feldweg läßt sich schließlich sagen, woher er kommt und wohin er führt), enthüllt er die Überschwenglichkeit der durchaus gebräuchlichen Metapher.[24] Daß diese ein Wissen vortäuscht, das wir nicht haben, wird dann in einer Reihe geistvoller Einfälle vorgeführt, in denen Musil übrigens direkt auf Formulierungen des *Europa*-Aufsatzes zurückgreift.[25] Schließlich nimmt er selbst das Bild vom »Weg der Geschichte« auf, um es ironisch zum Ausdrucksträger seines eigenen Zweifels an einer sinnvollen Ordnung menschlichen Handelns zu machen.

24 Hier ist der Ansatzpunkt für diejenige Musil-Forschung, die dessen Werk im Kontext der österreichischen sprachkritischen Tradition verortet. Vgl. besonders den oben genannten Musil-Kommentar von H. Arntzen.

25 Der Satz »Denn das menschliche Wesen ist ebenso leicht der Menschenfresserei fähig, wie der Kritik der reinen Vernunft« (*MoE*, 361) findet sich beinahe wörtlich bereits in dem Aufsatz und ebenso die These, daß das Treibende geschichtlicher Veränderungen an der Peripherie, und nicht in einem Zentrum zu suchen sei (*GW* II, 1081). Freilich stehen sie jeweils in einem ganz andern Zusammenhang. Geht es im *Europa*-Aufsatz unter anderm darum, die Wandlungsfähigkeit des europäischen Menschen seit 1914 zu erklären, sucht Ulrich sich dagegen darüber klar zu werden, warum ihm die Parallelaktion, d.h. der Versuch, Weltgeschichte zu machen, unsinnig erscheint. Erläutern die Sätze im *Europa*-Aufsatz eine Anthropologie, die Musil auf die Formel bringt, »große Amplitude der Äußerung, kleine im Innern« (ebd.), entdeckt Ulrich in ihnen Anhaltspunkte dafür, daß »der Weg der Geschichte« einem planend eingreifenden Handeln wenig zugänglich ist.

Der Weg der Geschichte ist also nicht der eines Billardballs, der, einmal abgestoßen, eine bestimmte Bahn durchläuft, sondern er ähnelt dem Weg der Wolken, ähnelt dem Weg eines durch die Gassen Streichenden, der hier von einem Schatten, dort von einer Menschengruppe oder einer seltsamen Verschneidung von Häuserfronten abgelenkt wird und schließlich an eine Stelle gerät, die er weder gekannt hat, noch erreichen wollte (*MoE*, 361).

Die Metapher, deren Überschwenglichkeit das Verfahren des Wörtlichnehmens aufgedeckt hat, enthält dennoch eine Wahrheit, die freilich nur einsichtig gemacht werden kann, indem das zu deutende Bild mit andern umstellt wird. Der Gedanke wird dann aus der Konstellation erkennbar, in die die Bilder zueinander treten. Das Verfahren läßt als Erprobung von Analogien sich beschreiben. Ihr Ziel ist das im Rahmen bildhaften Denkens erreichbare Maß an Genauigkeit.[26]
Wenn im Anschluß an diese Stelle Musil seinen Helden ›sich vergehen‹ läßt, so wird dadurch der über die Unmöglichkeit geschichtlicher Praxis reflektierende Ulrich mit der Alltagspraxis konfrontiert und damit auch die Reflexion selbst noch einmal ironisch gebrochen. Ulrich, der einen Augenblick lang unsicher ist, »wo er war«, hatte vorher gerade gefordert, jede neue Generation sollte statt zu fragen, »wer bin ich«, lieber fragen, »wo bin ich«.
Nicht eine Menschen und Dinge mit distanziert heiterem Unernst überziehende Darstellungsweise ist hier die Ironie, sondern ein konstitutives Formelement. Ulrich ist nicht mehr wie in Lukács' *Theorie des Romans* das Individuum, das als Innerlichkeit den vergeblichen Versuch macht, einer »fremden Welt die Inhalte [seiner] Sehnsucht aufzuprägen« (*ThdR*, 73), er erkennt bereits die Beschränktheit und Vergeblichkeit jeden solchen Versuchs. Und damit steht er gewissermaßen bereits auf dem Standpunkt, den in der Ironie-Theorie von Lukács der Autor einnimmt, der »die Abstraktheit und mithin Beschränktheit der einander fremden Subjekts- und Objektswelten durchschaut« (ebd.). Indem Musil nun diesen Standpunkt nochmals ironisiert, macht er, ohne das Medium der Reflexion zu verlassen, die Tatsächlichkeit des Gegebe-

26 Eine Rettung der Analogie ist das Ziel der Arbeit von D. Fuder, *Analogiedenken und anthropologische Differenz. Zur Form und Funktion der poetischen Logik in Robert Musils Roman »Der Mann ohne Eigenschaften«* (*Musil-Studien*, 10). München: Fink 1979.

nen stark. Realitätsdichte erreicht der Musilsche Roman nicht durch die Schilderung von Ereignissen, die der geschichtlichen Realität nachgebildet sind, sondern durch die Form. Hatte Lukács die Ironie als »Selbstaufhebung der Subjektivität« bestimmt (ebd.), so praktiziert Musil sie als Selbstaufhebung der Ironie. Es ist durchaus folgerichtig, daß Ulrich nach dieser Begegnung mit der Realität Leo Fischel einfällt, der Bankdirektor, der in der Wirklichkeit steht und weiß: »Man muß froh sein, wenn man sich in Lombarden und Effekten genügend auskennt und andere Leute nicht zuviel in Geschichte machen, weil sie sich in ihr auszukennen behaupten« (*MoE*, 362).

Doch nicht mit dieser ironischen Affirmation dessen, was der Fall ist, endet das Kapitel, sondern mit der hier durchaus überraschenden Einblendung eines utopischen Gegenentwurfs. »Und doch ist nun einmal auch das Gegengefühl vorhanden und wird immer lebendiger, daß sich die Zeit der heroisch-politischen Geschichte, die vom Zufall und seinen Rittern gemacht wird, zum Teil überlebt hat und durch eine planmäßige Lösung, an der alle beteiligt sind, die es angeht, ersetzt werden muß« (ebd.). Die utopische Perspektive einer Geschichte, die trotz allem machbar sein müßte, wird jedoch ihrerseits nochmals durch die Banalität des Alltags gebrochen, die der Reflexion Ulrichs ein jähes Ende bereitet. Er ist nämlich zu Hause angekommen. Nicht ein Verfahren der Entwertung des Gedankens ist hier die Ironie, wohl aber eines der Situierung. Indem Musil den Zufall die Überlegungen Ulrichs abbrechen läßt, weist er dem Denken einen Platz innerhalb des Alltagslebens zu. Dieser ist nicht besonders ehrenvoll, es ist der des Füllsels. Die ironische Situierung ist kein Argument, sie sagt über Geltungsansprüche nichts aus; aber sie bestimmt den Platz des Denkens in der Welt, eine Aufgabe, die die Philosophen oft vernachlässigen.

Wir haben beobachtet, daß Musil in »Seinesgleichen geschieht« eine Kategorie der ordnenden Geschichtswissenschaft auf ein Ereignis unmittelbarer Geschichtserfahrung anwendet und dadurch nicht allein einen komischen Effekt erzielt, sondern zugleich einen Reflexionsprozeß über das Verhältnis der beiden Gebiete in Gang setzt. Eines vergleichbaren Verfahrens bedient er sich in dem Kapitel über »die Utopie des exakten Lebens«; freilich mit dem Unterschied, daß er es hier geradezu systematisch verwendet. Die

Verknüpfung eines wissenschaftlichen Terminus (exakt) mit Begriffen aus dem Bereich der Moralphilosophie (Utopie, Leben) findet seine Entsprechung in einer Anzahl strukturell ähnlicher Zusammenstellungen:

Es würde ein nützlicher Versuch sein, wenn man den Verbrauch an Moral, der (welcher Art sie auch sei) alles Tun begleitet, einmal auf das äußerste einschränken und sich damit begnügen wollte, moralisch nur in den Ausnahmefällen zu sein, wo es dafür steht, aber in allen anderen über sein Tun nicht anders zu denken wie über die notwendige Normung von Bleistiften und Schrauben (*MoE*, 246).

Der despektierliche Ausdruck »Verbrauch an Moral« weist zurück auf einen im voraufgegangenen Satz durchgeführten Vergleich mit dem »Umsatz an Seife«. Musil vermischt mehrere Diskurse, die üblicherweise getrennt vorkommen: den moralischen Diskurs (es geht in dem Kapitel um eine der gesellschaftlichen Moderne angemessene Moral), den Alltagsdiskurs (Seife, Reinlichkeit) und den technischen (Normung von Bleistiften und Schrauben). Handelt es sich dabei um ein bloßes Spiel, ein fröhliches Durcheinanderwirbeln der Diskurse, das die Rede von der Sprachkrise ironisch aufnimmt? Man braucht das Moment ästhetischer Lust, das der Text beim Leser auslöst, nicht zu leugnen, um einzusehen, daß die Wirkung des formalen Verfahrens darin nicht aufgeht. Was Musil mit der Vermischung der Diskurse hier erreicht, ist zunächst einmal, daß er überhaupt die Möglichkeit schafft, wieder über Moral zu sprechen. Seit Heine und Baudelaire hat die literarische Moderne sich gegen die konventionelle Moral der bürgerlichen Gesellschaft gewendet, und auch Musil steht in dieser Tradition, wenn er vom »Verbrauch an Moral« redet. Aber mit der rein provokatorischen Einstellung zur herrschenden Moral war zugleich die Frage nach der richtigen Moral abgeschnitten. Musil spricht sie an, indem er eine pragmatische Verhaltensregelung (Normung) und eine ekstatische Moral des großen Augenblicks unterscheidet. Den Denkraum, der sich damit auftut, eröffnet einzig die Form, hier das Verfahren der Diskursmischung. Es kann als eine literarische Verwirklichung des Versuchsgedankens verstanden werden, den Musil »Utopie des exakten Lebens« nennt:

Utopie bedeutet das Experiment, worin die mögliche Veränderung eines Elements und die Wirkungen beobachtet werden, die sie in jener zusammengesetzten Erscheinung hervorrufen würden, die wir Leben nennen (*MoE*, 246).

Selbstverständlich handelt es sich hier um eine nur scheinbar exakte Definition; denn das Leben ist eben keine »Erscheinung«, in der sich Wirkungen einer Veränderung eines einzelnen Elements beobachten ließen. Trotzdem macht die Definition Sinn. Indem sie das Denken an die hochparadoxe Vorstellung eines »exakten Lebens« heranführt, zwingt sie es dazu, die geltende Sphärentrennung zwischen Wissenschaft und Lebenspraxis in Frage zu stellen. Nicht im Hervorbringen einer gedanklichen »Lösung« eines bestimmten wissenschaftlichen Problems besteht die Produktivität der Form, sondern im Eröffnen von Lösungsmöglichkeiten, die sich freilich bei näherem Hinsehen auch als Unmöglichkeiten erweisen können.

Daß das auf Denkmöglichkeiten ausgerichtete Denken Musils der literarischen Form bedarf, zeigt sich nirgends deutlicher als in den Kapitelentwürfen aus dem Nachlaß, in denen er sich von dieser Form entfernt zugunsten einer theoretischen Darstellungsweise. Die in die Erzählung der Beziehung zwischen Ulrich und seiner Schwester Agathe eingeschobenen Kapitel über Gefühlstheorie nähern sich weitgehend der Form einer wissenschaftlich argumentierenden Abhandlung an und sind nur locker mit dem Erzählkontext verbunden: Agathe findet die Aufzeichnungen in Ulrichs Papieren (*MoE*, 1138ff., 1156ff.); Ulrich entwirft die Fortsetzung seiner Abhandlung (*MoE*, 1189ff.). Verständlich wird dieses Vorgehen, wenn man sich verdeutlicht, daß Musil mit seinem Roman einen Erkenntnisanspruch verband, den er auch materialiter einlösen wollte.[27] Dennoch verfehlt die kaum verdeckte Form der Abhandlung gerade den Typus der Erkenntnis, um den es ihm geht. Musil hat das gespürt und die bereits in Druck gegebenen Kapitel nach Erhalt der Korrekturfahnen zurückgezogen.[28] In den später geschriebenen Kapitelentwürfen hat er sich um eine andere Dar-

27 Noch in den später geschriebenen Kapitelentwürfen läßt Musil mehrfach die Geschwister auf die Bedeutung der Aufzeichnungen Ulrichs hinweisen (*MoE*, 1274 und 1279).

28 Vgl. auch *Tb* II, 683, Anm. 39 und *Tb* I, 914.

stellungsweise bemüht und damit zugleich den Gehalt des Dargestellten verändert.
In den Theoriekapiteln sind der Denkende und die Situation, in der er sich befindet, weitgehend ausgeblendet. Auch wo Musil uns scheinbar am Prozeß der Erkenntnisfindung teilnehmen läßt, bleiben die Hinweise auf Ort und Umstände des Denkens dessen Resultaten äußerlich. Die Kapitel ließen sich unschwer in eine Abhandlung verwandeln. Formales Ziel dieses Denkens ist Genauigkeit: Begriffsunterscheidungen werden sauber durchgeführt, Zusammenhänge klar dargelegt. Inhaltlich geht es um den Nachweis, daß im Trieb zwei unterschiedliche Gefühlsdispositionen angelegt sind, die aktive, auf Handeln gerichtete, und die kontemplative, die zugleich die Grundlage einer ekstatischen Welterfahrung ist.
In den Entwürfen zum Kapitel »Atemzüge eines Sommertags«, die z. T. stark voneinander abweichen, ist an die Stelle der statischen Argumentation der Theoriekapitel ein Denken getreten, das zugleich bildlich und prozeßhaft ist. Nicht nur wird jetzt die Theorie der zwei Gefühlswelten im Gespräch zwischen Ulrich und Agathe entwickelt (das könnte noch eine bloß äußere Veränderung sein); durch die Bilder, mit deren Hilfe sich die Gesprächspartner verständigen, erhalten ihre Überlegungen eine subjektive Färbung. Das bedeutet aber, daß die wertneutrale Darstellungsweise der Theoriekapitel aufgegeben ist zugunsten einer andern, die auch Gedanken zum Gegenstand einer wertenden Einstellung macht.
Daß die andere Darstellungsform eine andere Denkform ist, läßt sich an den beiden letzten Fassungen des Sommertag-Kapitels ablesen. Ging es in den Theoriekapiteln um den Nachweis, daß die Ekstase eine eigenständige Erfahrungswirklichkeit konstituiert, so rückt nun die Beschreibung des Zustands »gesteigerter Sinnfülle«, die Ulrich im Anblick seiner Schwester erlebt, in den Mittelpunkt. An die Stelle einer theoretischen Erörterung ist die Wiedergabe einer Erfahrung getreten. Diese aber ist von der sie begleitenden Reflexion nicht abtrennbar. Zwar wird Ulrichs gesteigertes Erleben durch den Anblick der geliebten Schwester ausgelöst; aber es vergegenständlicht sich dann vor allem in einem Reflexionsstrom. Es handelt sich also weniger um den Gegensatz von abstrakter Begrifflichkeit der Theorie und unmittelbarer Anschaulichkeit des Erlebens, als vielmehr um zwei verschiedene

Denkformen, von denen die zweite (nennen wir sie die literarische) ihre eigene Produktivität hat. Da die Ekstase hier nicht wie in der wissenschaftlichen Erörterung als festgestelltes Objekt einer wertneutralen Beobachtung gegeben ist, sondern als lebendige Erfahrung eines Individuums, das sie zugleich zu erfassen sucht, wird sie auch nicht auf den Begriff gebracht, sondern eher mit Begriffen und Bildern umstellt. Nicht ein Objekt zu fixieren, ist deren Aufgabe, sondern die Veränderungen wiederzugeben, welche die Reflexion an der eigenen Erfahrung ausmacht. Zwei Zitate mögen die Spannweite dieser Erfahrung und damit zugleich die Leistung der Darstellungsform veranschaulichen:

[...] so schien hier eine vermehrte und gesteigerte Sinnfülle, eine hohe Überfülle, ja eine Bedrängnis zu walten, derart daß alles, was um Agathe war und geschah, einen mit sinnlichen Bezeichnungen nicht zu fassenden Abglanz auf sie fallen ließ und sie in ein Ansehen setzte, für das nicht nur kein Wort vorhanden war, sondern auch jeder andere Ausdruck und Ausweg fehlte. Jede Falte ihres Kleides war so mit Kräften, ja vielleicht wäre sogar zu sagen, mit Geltung geladen, daß sich kein größeres Glück, aber auch kein ungewisseres Abenteuer denken ließ, als diese Falte vorsichtig mit der Fingerspitze zu berühren! (*MoE*, 1310).
Allen diesen Erlebnissen war es gemeinsam, daß sie ein Gefühl von äußerster Stärke aus einer Unmöglichkeit, aus einem Versagen und Stillstand empfingen. Daß ihnen die zur Welt und von der Welt zurückführende Brücke des Handelns fehlte [...]. Unheilig betrachtet, erinnerten sie alle ein wenig an ein Porzellan-Stilleben, und an ein blindes Fenster, und an eine Sackgasse, und an das unendliche Lächeln von Wachspuppen unter Glas und Licht, die auf dem Weg zwischen Tod und Auferstehung steckengeblieben zu sein scheinen und weder einen Schritt vor noch zurück tun können (*MoE*, 1311).

Der erste Text sucht die auratische Erscheinung der Schwester, die zugleich greifbar nahe und unendlich fern ist, dadurch erfahrbar zu machen, daß er theoretische Begriffe wie Sinnfülle und Geltung mit Gegenständlichem oder Faktischem in eine spannungsreiche Beziehung bringt. Der zweite, der sich bereits auf der Ebene verallgemeinernder Reflexion bewegt, umreißt zunächst begrifflich die Kraft, die der mystischen Erfahrung gerade aus der Handlungshemmung zuwächst, um diese dann mit einer Reihe allegorischer Bilder zu entwerten. Die Wertung wird dabei nicht von außen an die Erfahrung herangetragen, sondern aus dieser selbst entwickelt. Es genügt, sich das Moment der Handlungshemmung daran zu verdeutlichen, damit aus dem Glücksgefühl eine »quälende Seligkeit« wird, die Ulrich sich nicht scheut, eine Kongestion zu nennen (*MoE*, 1311).

Vergleicht man die beiden Denkformen (die der Theoriekapitel und die des Sommertag-Kapitels) unter dem Gesichtspunkt der Genauigkeit miteinander, so wird man zunächst dazu neigen, die theoretische Darstellungsform als die genaue, die ästhetische dagegen als die ungenaue zu bezeichnen. Aber ein von Musil geschulter Blick wird sich damit nicht zufriedengeben. Analog zu der Unterscheidung zwischen aktivem und »passivem Passivismus« (*MoE*, 356), ließe sich die Genauigkeit der wissenschaftlichen Abhandlung eine ungenaue nennen, insofern sie auf der Ausgrenzung von Problemen beruht (z.B. des Wertungsproblems); umgekehrt die Ungenauigkeit der literarischen Darstellungsform eine genaue, insofern sie der Vielseitigkeit der Sache entspricht. Für Musil schließen Genauigkeit und Ungenauigkeit einander nicht aus, eher bezeichnen sie Markierungen, an denen das Denken sich orientiert. Läßt er doch Ulrich über das Krankheitsbild und den Heilungsplan, die ein Arzt sich macht, sagen: »Sie müssen die erfinderische Ungenauigkeit der Einbildung, immerhin aber auch die Genauigkeit der Ausführbarkeit haben« (*MoE*, 1345).

Die literarische Form fungiert bei Musil als Denkform. Sie ermöglicht eine Erkenntnis, die nicht festgestellte Objekte unter Ausblendung des erkennenden Subjekts zu beschreiben, sondern Veränderungen zu erfassen sucht, die das Verhältnis des erkennenden Subjekts zu seinem Gegenstand betreffen. Nur, was hat die Tatsache, daß Musil die literarische Form als Erkenntnisinstrument für einen bestimmten Wirklichkeitsbereich auffaßt, mit Ethik zu tun? Schließlich stand am Ausgang unserer Überlegungen die Frage nach dem Zusammenhang von Ethik und literarischer Form, nicht nach dem von Erkenntnis und Form.

Alle drei Bereiche, die in der neokantischen Philosophie seiner Zeit als voneinander getrennte Wertsphären betrachtet werden, rücken bei Musil aneinander. Nicht einmal die empirische Erkenntnis äußerer Wirklichkeit, noch weniger aber die Erkenntnis zwischenmenschlicher Beziehungen ist für ihn von moralischen Urteilen abtrennbar. Da der Erkennende hier immer auch Mitspieler innerhalb einer Kommunikationssituation ist, kann er

nicht umhin zu werten. Die Erkenntnis im nicht-ratioïden Bereich, deren Medium die literarischen Formen sind, ist an der ethischen Position des Erkennenden festgemacht.
Welches aber, so wird man weiter fragen, ist die Moral, an die Musil seine Erkenntnisanstrengung bindet? Zwar besteht in der Moderne »das Bedürfnis nach einem Archimedischen Punkt« im Bereich der Moral (*Tb* I, 644); aber ein solcher ist gerade nicht ausmachbar. Der Autor von *Die Seele und die Formen* hatte aus der Not der Orientierungslosigkeit die Unanfechtbarkeit einer Position zu gewinnen versucht und das Ich zum Ursprung jeder Wertentscheidung gemacht. Ansätze in dieser Richtung finden sich auch bei Musil; in einem »Studienblatt« zum *Mann ohne Eigenschaften* heißt es: »Reduktion der Moral auf die genialen Augenblicke« (*MoE*, 1882). Aber dieser Lösungsversuch, der auch im Kapitel »Das Ideal der drei Abhandlungen oder die Utopie des exakten Lebens« anklingt, ist Musils Bedenken gegen den Geniebegriff ausgesetzt (*Tb* I, 679). So wird die Moral, die ihm als Bedingung von Erkenntnis gilt, zugleich deren Gegenstand. Nicht eine gegebene feste Moral, sondern eine allererst zu findende bildet zugleich den Ausgangspunkt und das Ziel seines Erkenntnisprojekts. Daß ein Projekt, das das eigene Ziel zur Voraussetzung seiner Verwirklichung macht, sich diskursiver Darstellung entzieht, liegt auf der Hand; einzig eine literarische Form vermag dem Suchen selbst die wie immer auch fragmentarische Form des Werks zu geben. Das Unfertige des Gedankens, besser: das Unabschließbare des Denkprozesses, dem die philosophische Abhandlung sich sperrt, findet im Romanfragment seinen formgeforderten Ausdruck. Freilich nur in einem Roman, dessen Handlung mit der Suche nach dem abwesenden Einheitspunkt zusammenfällt. So besteht denn die produktive, man ist versucht zu sagen: geniale Formidee Musils darin, daß er das Dilemma der Moderne, daß sie sich selbst nicht mehr als Einheit zu fassen vermag, zum zentralen Erzählmotiv macht, als Suche nach einer leitenden Idee durch die Betreiber der Parallelaktion. Was der archimedische Punkt sein sollte, der alles Handeln legitimiert, wird selbst Subjekt des Handelns. Und dieses bringt das Gegenteil dessen hervor, was es hervorzubringen wünscht. Die Bemühung um das Einheit-Stiftende endet im Durcheinander der Meinungen, Vorschläge und Ideen, in das selbst der militärisch

geschulte Geist des Generals Stumm keine Ordnung zu bringen vermag (*MoE*, 370ff.).
Freilich ist die ironische Darstellung der Bemühung, das kulturelle Dilemma der Moderne gleichsam pragmatisch anzugehen (Parallelaktion), nur eine Seite des Musilschen Projekts, dessen andere in Ulrichs theoretisch und praktisch verfolgter Suche nach einer Moral besteht, die der Moderne angemessen wäre. Ulrich versteht sein Tun und Lassen als »Vorarbeiten für das rechte Leben«, wobei er sich eingesteht, nicht zu wissen, »wie es aussehen müßte, ja nicht einmal, ob es wirklich eines gebe« (*MoE*, 1413). Einerseits gilt Musil »der andere Zustand als Grundzustand der Ethik« (*Tb* I, 660), andererseits geht aus den Entwürfen und Studienblättern zum *Mann ohne Eigenschaften* hervor, daß der von Ulrich und Agathe unternommene Versuch scheitert, diesen nicht nur zu denken, sondern zu leben. Zwar läßt sich die Utopie des »andern Zustands« nicht »zum Träger des Gesellschaftslebens« machen, wohl aber fungiert sie als Fluchtpunkt von Sinnerfahrung und künstlerischer Produktion. Auf die Unsicherheit, die »verlorengegangene Festigkeit«, die auch Musils Analyse zufolge die geistige Situation der Moderne bestimmt (vgl. *MoE*, 1837), antwortet er nicht wie Georg Lukács oder Carl Schmitt mit dem Verlangen nach Entscheidung, sondern mit einer Wirklichkeitskonstruktion, die das Aushalten der Nichtentscheidbarkeit letzter Fragen zur Grundlage der Ethik macht. »Rein ethisch wohl identisch mit: es gibt keinen letzten Wert« (*Tb* I, 652). Moralisches Handeln und künstlerische Produktion konvergieren darin, daß sie etwas voraussetzen müssen, das weder die Unumstößlichkeit des tatsächlich Geltenden hat, noch die Wahrscheinlichkeit des Prognostizierbaren. Sie sind Vorgriff auf etwas, was sein müßte, Gerichtetheit auf einen Zustand, den es geben müßte, damit das Dasein sinnvoll wäre.

Rolf Iseli

Das Ausdruckslose ist jene kritische Gewalt, welche Schein vom Wahren in der Kunst zwar nicht zu scheiden vermag aber ihnen verwehrt sich zu mischen. Diese Gewalt aber hat es als moralisches Wort (Benjamin)

Schlußbetrachtung: Zum Begriff der ästhetischen Moderne

Die Moderne ist sich am wenigsten gleich geblieben.
(Benjamin, *GS* I/2, 593)

Wenn der Wahrheitsgehalt der Werke ein je besonderer ist – und von dieser Prämisse sind wir ausgegangen –, dann verbietet sich der Versuch, die Analysen zusammenzufassen. Wohl aber läßt sich nach der Einheit der Moderne fragen, die uns in so heterogener Vielfalt begegnet ist: rationale Konstruktion und mimetischer Impuls, orientiert am Leitbild des vollendeten Werks und dieses total negierend, der Reinheit des Ästhetischen verpflichtet und dieses vermischend mit dem Alltäglichen, die Trennung vom Trivialen scharf markierend und witzig überspielend. Nicht nur sind die als modern geltenden Werke von einer die theoretische Anstrengung entmutigenden Verschiedenheit, auch der Begriff, mit dessen Hilfe sie erfaßt werden sollen, ist weder durch klare Epochengrenzen, noch durch einen einigermaßen eindeutigen Komplex semantischer Merkmale charakterisiert. Die Heterogenität der Werke sowie die Unschärfe des Begriffs lassen die Bemühung um eine Theorie der ästhetischen Moderne fast aussichtslos erscheinen.

Die Verwendung des Modernebegriffs in der Literatur- und Kunstgeschichtsschreibung ist uneinheitlich. Weder über die Frage, wann die Moderne beginnt, noch darüber, wie sie zu charakterisieren ist, noch schließlich darüber, welche Autoren ihr zuzurechnen sind, herrscht Übereinstimmung. Wird in der Kunstgeschichte und in der englischen Literaturgeschichtsschreibung der Beginn der Moderne meist im ersten Jahrzehnt des 20. Jahrhunderts angesetzt[29], so gilt in der deutschen Theorietradition (so-

29 Für M. Pfister und B. Schulte-Middelich z. B. gehören Ästhetizismus und Symbolismus »zur unmittelbaren Vorgeschichte des Modernismus« – eine Auffassung, die sich auf Selbstdeutungen von Yeats, Eliot, Joyce und Pound berufen kann. Zugleich aber betonen die Verfasser, »wieviel die Moderne mit dem Ästhetizismus und Symbolismus des ausgehenden neunzehnten Jahrhunderts noch positiv verbindet«

wohl bei Benjamin und Adorno als auch bei Hugo Friedrich) 1848 als der entscheidende Einschnitt und Baudelaire als der erste herausragende Autor der literarischen Moderne.[30] Französische Theoretiker wie Sartre und Barthes betonen ebenfalls den Epocheneinschnitt von 1848, rücken aber Flaubert als ersten modernen Prosaschriftsteller neben Baudelaire.[31] Dagegen hat Hans Sedlmayr ihn noch früher, nämlich im Umkreis der Französischen Revolution angesetzt.[32] Dieser umfassende Modernebegriff ist bis heute keineswegs in Vergessenheit geraten; in seiner Konsequenz liegt es, nicht nur die Romantik, sondern auch den Realismus als moderne Bewegungen zu begreifen.[33]

Auch eine Gegenüberstellung der verschiedenen semantischen

(M. Pfister/B. Schulte-Middelich, »Die ›Nineties‹ in England als Zeit des Umbruchs [...]«, in: dies. (Hg.), *Die ›Nineties‹. Das englische Fin de siècle zwischen Dekadenz und Sozialkritik* [UTB, 1233]. München: Francke 1983, 17f.).

30 »Die *Fleurs du mal* sind das erste Buch, das Worte nicht allein prosaischer Provenienz, sondern städtischer in der Lyrik verwertet hat«, heißt es im Kapitel *Die Moderne* des Benjaminschen Baudelaire-Buchs (*GS* I/2, 603). »Die Dichtung Baudelaires hat als erste kodifiziert, daß Kunst inmitten der vollentwickelten Warengesellschaft ohnmächtig nur deren Tendenz ignorieren kann« (Adorno, *ÄT*, 39). Für Hugo Friedrich ist Baudelaire »der Dichter der Modernität« (*Die Struktur der modernen Lyrik [...]* [rororo, 25/26/26a]. Hamburg ²1968, 35).

31 »Mais après 1850 il n'y a plus moyen de dissimuler la contradiction profonde qui oppose l'idéologie bourgeoisie aux exigences de la littérature« (Sartre, *Qu'est-ce que la littérature?*, in: ders., *Situations II*. Paris: Gallimard 1948, 162). Roland Barthes hebt den Zusammenhang hervor zwischen dem auf der Schwerindustrie beruhenden Hochkapitalismus, der in den Junimassakern von 1848 offenbar werdenden Trennung von Bourgeoisie und Proletariat und der »multiplication des écritures« (*Le Degré zéro de l'écriture [1953]* [Bibl. Médiations, 40]. Paris: Gonthier 1965, 53 und 73).

32 Vgl. H. Sedlmayr, *Verlust der Mitte. Die bildende Kunst des 19. und 20. Jahrhunderts als Symptom und Symbol der Zeit* (Ullstein Bücher, 39). Frankfurt 1956, bes. 147.

33 So sucht z. B. Gert Mattenklott den Ursprung des modernen Romans in Friedrich Schlegels *Lucinde* auf (in: *Zur Modernität der Romantik*, hg. v. D. Bänsch [Literaturwiss. und Sozialwiss., 8]. Stuttgart: Metzler 1977, 143-166), und Wolfram Malte Fues begreift den Realismus als moderne Bewegung (*Von der Poesie der Prosa zur Prosa als Poesie*).

Füllungen, die der Begriff erfahren hat, ergibt ein verwirrendes Geflecht von Widersprüchen. Während Hugo Friedrich die literarische Moderne als antiromantische Bewegung bestimmt, gilt sie Karl Heinz Bohrer als romantisch.[34] Und während für Adorno die Absetzung von den Verfahren realistischer Darstellung das entscheidende Merkmal moderner Prosa ist[35], wird in letzter Zeit immer häufiger die Modernität des Realismus hervorgehoben.[36] Für

34 In dem Aufsatz »Zur Vorgeschichte des Plötzlichen« setzt Karl Heinz Bohrer noch den romantischen Augenblick vom modernen ab: »Hofmannsthals ›Augenblick‹ ist einer der ersten Belege für dieses negative, theoriefreie Ausgesetztsein des reflektierenden, aber von tradierten Sicherheiten abgesprengten modernen Künstlers« (in: ders., *Plötzlichkeit [...]* [ed. suhrkamp, 1058]. Frankfurt 1981, 63). Dieses »theoriefreie Ausgesetztsein« entdeckt er später in Friedrich Schlegels *Rede über die Mythologie* (in: ders. (Hg.), *Mythos und Moderne [...]* [ed. suhrkamp, 1144]. Frankfurt 1983, 52-82; hier: 55 ff.). Schon Sedlmayr hat – freilich mit entgegengesetzter Wertung – auf die Kontinuität von Romantik und Moderne verwiesen. »In den drei großen ›I‹: dem Interessanten, dem Ich, der Ironie sind wesentliche Faktoren der romantischen und modernen Anarchie enthalten«, heißt es in seinem Aufsatz »Ästhetischer Anarchismus in Romantik und Moderne« (in: *Scheidewege* 8 [1978], Heft 2, 174-196; hier: 194), mit dem der Autor seiner Verurteilung der Moderne eine an Hegels Romantik-Kritik angelehnte Begründung gibt.

35 »Will der Roman seinem realistischen Erbe treu bleiben und sagen, wie es wirklich ist, so muß er auf einen Realismus verzichten, der, indem er die Fassade reproduziert, nur dieser bei ihrem Täuschungsgeschäfte hilft« (Th. W. Adorno, »Standort des Erzählers im zeitgenössischen Roman«, in: ders., *Noten zur Literatur I* [Bibl. Suhrkamp, 47]. Frankfurt 1958, 64).

36 Gegen die abstrakte Entgegensetzung von *modernism* und *realism* hat Fredric Jameson sich mit dem Argument gewendet, Realismus werde dabei nicht als eine historisch entstandene Erzählform begriffen, sondern fungiere als »a mere marker or a ›before‹«. Er plädiert dafür, *realism* und *modernism* als spezifisch historische Ausdrucksformen zweier Entwicklungsstufen der kapitalistischen Gesellschaft zu verstehen, des Hoch- und des Konsumkapitalismus. »This is why our art, that of modernism, is not a new thing in itself, but rather something like a cancelled realism, a realism denied and negated and *aufgehoben* in genuinely Hegelian fashion« (»The Ideology of the Text«, in: *Salmagundi* Nr. 31/32 [1975/1976], 204-246; hier: 233 und 243). Ich bin

eine rationalistische Wissenschaftskritik ist damit das Urteil über die Moderne-Forschung gesprochen: Sie weiß nicht, wovon sie redet, vermag sie sich doch nicht einmal auf eine eindeutige Begriffsbestimmung festzulegen.[37]
Nun läßt sich der rationalistischen Begriffskritik mit Fug entgegenhalten, daß die Präzision, die sie einklagt, den Gegenständen unangemessen ist. Der Modernebegriff dient ja gar nicht als bloßer Klassifikationsbegriff zur Subsumtion von Werken, die sei es in einer bestimmten Epoche entstanden, sei es durch eine Reihe fester Merkmale charakterisiert sind; vielmehr ist er ein hermeneutischer Begriff, dessen Brauchbarkeit nicht von der Genauigkeit einer vorgängigen Definition abhängt, sondern von der Nähe zur jeweils in Rede stehenden Sache.[38] In der Tat ist der Modernebegriff ein vielschichtiges Konstrukt. Zwar ist er eindeutig auf eine Epoche bezogen (mit freilich sehr unterschiedlichen Grenzen), aber er meint keineswegs die Gesamtheit der in der Epoche produzierten literarisch anspruchsvollen Werke. Er ist also weder ein reiner Epochenbegriff noch ein rein normativer, sondern beides zugleich. Hinzu kommt, daß er offenbar nicht ablösbar ist vom Anspruch, das Gegenwärtige unter sich zu befassen, daß er also selbst der geschichtlichen Entwicklung unterliegt. Wenn heute immer häufiger Romantik und Realismus als moderne literarische Bewegungen angesprochen werden, so ist diese Veränderung der Konstruktion der Moderne Ausdruck einer veränderten ästhetischen Einstellung. Statt die Unschärfe des Modernebegriffs zu beklagen und eindeutige Definitionen zu fordern, gilt es, die Bewe-

nicht sicher, ob man Jamesons Intention, den Zusammenhang von *realism* und *modernism* zu denken, gerecht wird, wenn man ihm seine Nähe zu Lukács vorhält, wie Jochen Schulte-Sasse es tut (*Foreword*, in: P. Bürger, *Theory of the Avant-Garde*. Minneapolis: Univ. of Minnesota Press 1984, VI-LV; hier: XXXIIIf.).

37 Ich denke hier an den Typus rationalistischer Begriffskritik, wie sie vor allem in Holland praktiziert wird. Vgl. K. D. Beekman, »A Critical-Empirical Research on the Classification of Avant-Garde Literature«, in: *Poetics* 13 (1984), 535-548.

38 Zum Verhältnis von nomologischer und hermeneutischer Wissenschaftssprache vgl. J. Habermas, »Analytische Wissenschaftstheorie und Dialektik«, in: ders., *Zur Logik der Sozialwissenschaften. Materialien* (ed. suhrkamp, 481). Frankfurt 1970, 11ff.

gung des Begriffs als Moment eines historischen Wandlungsprozesses zu verstehen. Diese Bewegung des Begriffs, die zugleich eine der Sache ist, läßt sich freilich nicht erzählen, sondern allenfalls konstruieren als Entfaltung einer grundlegenden Aporie.
Wenn die ästhetische Reflexion immer wieder zu Hegels berühmtem Satz vom Ende der Kunst zurückkehrt, so läßt sich das kaum mit dem Bedeutungsgehalt erklären, den der Satz innerhalb des Hegelschen Systems hat. Denn die Überlegenheit des Begriffs gegenüber der Kunst, von der Hegel ausgeht, wird von einer der lebendigsten Traditionen des nachhegelschen Denkens in Frage gestellt, die trotz aller Gegensätzlichkeit Nietzsche, Heidegger und Adorno verbindet. Wenn trotzdem die auf die Kunst in der Moderne reflektierende Theorie immer wieder zu einer Erörterung des Hegelschen Satzes gedrängt wird, so kann man vermuten, daß er mehr an Erkenntnis enthält, als seine Lektüre innerhalb des Hegelschen Systems zu erfassen erlaubt. Geht man dieser Vermutung nach, so stößt man auf das eigentliche Skandalon der Hegelschen Ästhetik.
Die Hegelforschung hat zu Recht hervorgehoben, daß der Satz vom Ende der Kunst keineswegs meint, es gebe nach dem, was Hegel die Auflösung der romantischen Kunstform nennt, keine Kunst mehr, wohl aber, die Kunst sei nicht mehr notwendig auf Wahrheit bezogen. Nun macht aber der Bezug auf Wahrheit den Kern des Hegelschen Kunstbegriffs aus, und insofern ist die Lesart wieder im Recht, die behauptet, das Ende der Kunst sei tatsächlich ein Ende, nämlich der Kunst als einer auf Wahrheit bezogenen. Wenn vom »sinnlichen Scheinen der Idee« nur noch das sinnliche Scheinen übrigbleibt – und das beobachtet Hegel an der Genremalerei der Holländer (*Ä* I, 573) –, dann ist das nicht mehr Kunst in dem von Hegel definierten Sinn, auch wenn es immer noch als Kunst bezeichnet wird. Macht man sich darüber hinaus deutlich, daß der von Hegel entwickelte Kunstbegriff modernen Ursprungs ist (er hat die Entwicklung der idealistischen Ästhetik von Kant über Schiller zu Schelling zur Voraussetzung), dann wird das Aporetische seiner Konstruktion der Ästhetik faßbar. Der systematisch entfaltete Begriff der Kunst als doppelter Einheit von Sinnlichkeit und Geist (denn die Idee ist selbst wiederum als »Einheit des Begriffs und der Realität« bestimmt [*Ä*, I, 113]), der Sinn nur macht auf dem Hintergrund der modernen Erfahrung der Entfremdung,

wird zugleich als nicht erfüllbar aufgefaßt, weil in der Moderne auch die Kunst hineingerissen ist in den Prozeß der Entfremdung, der Subjekt und Objekt voneinander trennt.
Machen wir uns noch einmal deutlich, warum für Hegel seit seiner Jenaer Zeit »die Kunst nach der Seite ihrer höchsten Bestimmung« (d.h. als Medium, in dem sich die Weltanschauungsweise einer Zeit ausspricht) ein Vergangenes ist (*Ä* I, 22). Die Moderne ist die Epoche der Entzweiung, Subjekt und Objekt sind auseinandergetreten. Deren Versöhnung setzt Vermittlung voraus über die Vorstellung (Religion) oder den Begriff (Philosophie); der Kunst aber als dem Medium der Anschauung eignet ein Moment der Unmittelbarkeit.

Denn der Künstler ist in seiner Produktion zugleich Naturwesen, seine Geschicklichkeit ein *natürliches* Talent, sein Wirken nicht die reine Tätigkeit des Begreifens, die ihrem Stoff ganz gegenübertritt und sich in freien Gedanken, im reinen Denken mit demselben eint – sondern, als von der Naturseite noch nicht losgelöst, unmittelbar mit dem Gegenstande vereinigt, an ihn glaubend und dem eigensten Selbst nach mit ihm identisch (*Ä* I, 578).

Was Hegel hier anspricht, ist das Mimetische der künstlerischen Produktion. Der Künstler verhält sich seinem Gegenstand gegenüber mimetisch, tritt ihm nicht als einem Objekt gegenüber, das er zu begreifen sucht, sondern er macht sich ihm gleich. Ein solches Verhalten aber steht quer zur Moderne, weil es, statt über die Entzweiung hinauszugehen mit den Mitteln der Vorstellung und des Begriffs, hinter sie zurückzugehen sucht. Von hier aus ergeben sich verschiedene mögliche Einstellungen gegenüber der Kunst. Sie kann in der Moderne entweder als eher harmlose Tätigkeit zugelassen werden (dies die Position Hegels in der *Ästhetik*), oder sie muß als eine für die Moderne gefährliche Tätigkeit ausgegrenzt werden (diese Position hat Hegel zwar nie vertreten, die Jenaer *Philosophie des Geistes* kommt ihr jedoch nahe).

Die Kunst erzeugt die Welt als geistige und für die Anschauung – sie ist der indische Bacchus, der nicht der klare sich wissende Geist ist, sondern der begeisterte Geist – der sich in Empfindung und Bild einhüllende, worunter das Furchtbare verborgen ist. – Sein Element ist die Anschauung – aber sie ist die Unmittelbarkeit, welche nicht vermittelt ist – dem Geist ist diß Element daher unangemessen. Die Kunst kann daher ihren Gestalten nur einen beschränkten Geist geben; – die Schönheit ist Form, sie ist die Täuschung der absoluten Lebendigkeit, die sich selber genügt [...] die Schönheit ist vielmehr der Schleyer, der die Wahrheit bedekt, als die Darstellung derselben.[39]

Das Skandalon der Kunst ist, daß sie Unmittelbarkeit produziert. Wenn es wenig später bei Hegel (freilich in anderm Kontext) heißt, »das Unmittelbare muß als bös vorgestellt werden«[40], dann erscheint dieses in der »Täuschung der absoluten Lebendigkeit« potenziert. Die Wahrheit aber, die der Schleier der Kunst bedeckt, kann nicht die der Philosophie sein, wird doch das von der Kunst Verborgene als »das Furchtbare« angesprochen. Mag dahinter auch eine Erinnerung an Schillers *Das verschleierte Bild zu Sais* stehen, so zeichnen die zitierten Sätze doch die Umrisse eines Kunstbegriffs, der für die Moderne ein Bedrohungspotential bedeutet. Hegel selbst betreibt in der *Ästhetik* dessen Einhegung, indem er die Kunstwerke der Vergangenheit zum Gegenstand einer reflektierenden Aneignung macht, die sie als Bildungsgut festhält. Zugleich macht der Satz vom Ende der Kunst deutlich, daß diese quersteht zur Moderne (weil sie unmittelbare Einheit vortäuscht, statt die Anstrengung der begrifflichen Versöhnung auf sich zu nehmen) und daß sie in sich aporetisch ist (weil sie Einheit sein muß und doch nicht sein darf).

Die Entwürfe einer hegelianisierenden Ästhetik in unserem Jahrhundert haben sich, soviel ich sehe, der großartigen Aporie der Hegelschen Ästhetik nicht gestellt, die darin besteht, daß ein allgemeiner Begriff von Kunst entwickelt und ihm Geltung für die Moderne zugleich abgesprochen wird; vielmehr haben sie jeweils nur eine der beiden Seiten des widersprüchlichen Ganzen festgehalten. Joachim Ritter expliziert die »Funktion des Ästhetischen in der modernen Gesellschaft« - so der Untertitel seines Aufsatzes *Landschaft* – am Beispiel des Naturschönen (hierin durchaus von Hegel abweichend). In dem Maße, wie die neuzeitliche Wissenschaft die Natur objektiviert und einer technischen Nutzung überantwortet, entsteht zugleich die Fähigkeit, sie als Landschaft ästhetisch zu vergegenwärtigen. Ritter spricht in diesem Zusammenhang zwar

39 G. W. F. Hegel, *Jenaer Systementwürfe III*, hg. v. R.-P. Horstmann (Ges. Werke, 8). Hamburg: Meiner 1976, 279.
40 Ebd., 283.

von »ästhetischer vermittelter Wahrheit«, aber die Beobachtung, daß »für die ästhetische Konstituierung von Landschaft« ihre jeweilige bestimmte Gestalt sekundär ist, daß ästhetische Landschaften »in sich ohne Halt« einander ablösen, läßt erkennen, daß ihm der Begriff ästhetischer Wahrheit entgleitet, der nur Sinn macht, wenn er etwas Bestimmtes bezeichnet.[41] Seine Schüler haben daraus die Konsequenzen gezogen und ihn preisgegeben[42]; Aufgabe der Kunst ist es dann nur noch, die durch den Modernisierungsprozeß bewirkte Entzauberung der Welt zu kompensieren »durch die Ausbildung des Organs einer neuen Verzauberung«.[43]

Dieter Henrich erkennt, daß Hegels Bemerkungen zur Kunst seiner Zeit von dessen Kunstbegriff nicht mehr gedeckt sind, aber er löst die Aporie vorschnell auf, indem der »partiale Charakter der neuesten Kunst« ihm die Modernität des Hegelschen Gedankens verbürgt. Damit wird aber der ästhetischen Moderne ihre oft selbstzerstörerische Spannung genommen, die daher rührt, daß sie sich mit ihrer Partialität gerade nicht hat abfinden wollen.[44]

Dagegen hat Adorno den emphatischen Kunstbegriff Hegels festgehalten und ihn auf die Werke der ästhetischen Moderne angewendet, ohne der Tatsache Rechnung zu tragen, daß dies, von Hegels Theorie her gesehen, gerade nicht möglich ist. Wie für Hegel die bedeutenden Kunstwerke der Vergangenheit den Geist ihrer Zeit vollständig ausdrücken, der *Don Quixote* etwa den Übergang vom Mittelalter zur Neuzeit, wo die veränderten gesell-

41 J. Ritter, »Landschaft [...]«, in: ders., *Subjektivität* (Bibl. Suhrkamp, 379). Frankfurt 1974, 141-190; hier: 157 und 183.

42 Vgl. z.B. den Diskussionsbeitrag von W. Oelmüller, in: ders. (Hg.), *Kolloquium Kunst und Philosophie 3: Das Kunstwerk* (UTB, 1276). Paderborn: Schöningh 1983, 204.

43 Vgl. O. Marquard, »Kunst als Kompensation ihres Endes«, in: W. Oelmüller (Hg.), *Kolloquium Kunst und Philosophie 1: Ästhetische Erfahrung* (UTB, 1105). Paderborn: Schöningh 1981, 161. In den beiden Aufsätzen von Ritter, auf die sich Marquard für seine Kompensationsthese beruft, kommt der Begriff selbst nicht vor; Ritter verwendet ihn jedoch zur Charakterisierung der Funktion der Geisteswissenschaften (vgl. *Subjektivität*, 131).

44 D. Henrich, »Kunst und Kunstphilosophie der Gegenwart«, in: *Immanente Ästhetik. Ästhetische Reflexion*, hg. v. W. Iser. München: Fink 1966, 11-32; hier: 16 und 19.

schaftlichen Verhältnisse den Heroismus des Ritters zur Verrücktheit werden lassen (*Ä* I, 566), so sagt für Adorno Becketts *Endspiel* die Wahrheit über die spätkapitalistische Gesellschaft, indem es die Zerstörung aller Kategorien autonomen Denkens und Handelns vorführt, die das bürgerliche Individuum sich zugesprochen hatte. In beiden Fällen ist das Einzelwerk auf die Totalität einer Gesellschaft bezogen, deren Wesen es ausspricht.

Entweder ist die Kunst der Moderne nicht mehr Ausdruck von Wahrheit, dann fällt der zeitübergreifende Kunstbegriff, und übrig bleibt ein Medium der Kompensation dessen, was Max Weber die Entzauberung der Welt genannt hat. Oder sie ist auch in der Moderne Medium von Wahrheit, dann fällt das Theorem vom Ende der Kunst, d.h. aber die historische Bewegung des Begriffs wird verfehlt. Sucht man beide Seiten des Hegelschen Arguments festzuhalten, den zeitübergreifenden Kunstbegriff, der diesen an Wahrheit bindet, und den Satz vom Ende der Kunst, dann wird für die Moderne Kunst etwas Unmögliches. Kunst ist dann zugleich Ausdruck der Wahrheit und vermag es nicht zu sein. Denn der Wahrheitsbegriff der Kunst, der sich auf eine mimetische Praxis gründet, widerspricht allen modernen Wahrheitsbegriffen, die stets vermittelte sind. Kunst ist Einheit von Subjekt und Objekt, von Geist und Sinnlichkeit, und kann es doch nicht sein, weil Entzweiung die Grundbedingung modernen Lebens ist. Mit andern Worten: Innerhalb der Moderne stößt Kunst ständig auf die Bedingungen ihrer Nichtrealisierbarkeit.

Hinter dem Hegelschen Paradoxon könnte sich sehr wohl die Grundfigur der Aporie moderner Kunst verbergen, derzufolge diese zugleich notwendig *und* unmöglich ist. Notwendig ist sie (wir haben das bereits in unserer ersten Annäherung an das Problem gesehen), weil das aus religiösen Bindungen entlassene Individuum die Erfahrung macht, daß die Welt, in die es gestaltend einzugreifen wünscht, schon als fertige da ist, und daß dadurch sein Projekt einer freien Handlung sich ins Gegenteil verkehrt. So verlangt es nach einer Sphäre, in der seine Subjektivität tatsächlich die Resultate seines Tuns vollständig bestimmt. Diese Sphäre ist die Kunst, in der der Begriff der symbolischen Form institutionalisiert ist. Die gleiche Grunderfahrung, aus der das Individuum nach einer Sphäre verlangt, die ihm erlaubt, mit Gebilden umzugehen, welche ganz den Strukturen seiner Subjektivität angemes-

sen sind, bedingt auch die Unmöglichkeit der Gebilde, nach denen es sich sehnt. Denn in dem Augenblick, wo diese der Subjektivität ganz angemessen wären, wo Sinnlichkeit und Geist sich in ihnen vollkommen durchdringen würden, könnte es in ihnen nur Zeugnisse der Unwahrheit sehen, die der eigenen Grunderfahrung entgegenstehen. Anders formuliert: Das Selbstbewußtsein des auf sich gestellten bürgerlichen Individuums ist das Bewußtsein seiner Freiheit; seine Wirklichkeit aber ist die Abhängigkeit von einem Geschehen, das ökonomisch durch den Akkumulationsprozeß des Kapitals, politisch durch die Rivalität von Machtblöcken bestimmt ist. Das Subjekt, das sich als ein frei handelndes denkt, erfährt sich als abhängig von Prozessen, die selbst nicht mehr von einem Bewußtsein gelenkt sind. Nachdem es sich in der Aufklärung von jenseitigen Schicksalsmächten befreit hatte, tritt ihm die von Menschen gemachte Geschichte erneut als etwas Schicksalhaftes entgegen, über das es keine Gewalt hat. Aus dieser Erfahrung entsteht das moderne Bedürfnis nach Kunst. Da das Individuum sein Selbst nicht im Handeln in und für die Gesellschaft verwirklicht, sondern nur noch in der Verfolgung seines privaten Vorteils, erfährt es die Gesellschaft als ein Äußeres, das sein Handeln begrenzt, nicht als ein substantiell Allgemeines. Alle Ziele des Handelns verkehren sich in bloße Mittel; die Kategorie des Allgemeinen bzw. des Sinns wird entwirklicht. Ohne einen über die Reproduktion des physischen Lebens hinausreichenden Sinn vermag aber auch das bürgerliche Subjekt nicht zu leben. So wird in dem Maße, wie die Geschichte sich ihm als Feld möglicher Sinnerfahrungen entzieht, die Kunst zum Ort einer imaginären Selbstverwirklichung. Denn im Begriff der symbolischen Form sind die Gegensätze, die das wirkliche Leben des Individuums zerreißen, zur Einheit gebracht. Aber eben diese Einheit der Gegensätze weiß das moderne Individuum als das Falsche. Will es in der Sphäre der Kunst seine Wahrheit finden, so muß es sich einlassen auf die Zerrissenheit von Subjekt und Objekt, Ich und Welt. So dringt notwendig die Entzweiung in die Kunst ein und verkehrt die ersehnte Erfahrung des Sinns in die nicht endende Geschichte der Darstellung seiner Abwesenheit.
Sich einlassen auf die Entzweiung heißt im Bereich der Kunst, die Bahnen der imaginären Selbstverwirklichung getrennt zu verfolgen: als eigensinniges Bestehen auf der Realität schaffenden Macht

des Ich (dies der Weg, den zuerst die deutsche Frühromantik einschlägt) und als Anerkennung der Macht des Faktischen (dies der Weg des Realismus). Insofern in beiden Projekten die Entzweiung als Grunderfahrung anerkannt ist, sind beide modern. Aber nicht weniger sind es jene Absetzungsbewegungen gegen die Romantik und den Realismus, die nach der gescheiterten Revolution von 1848 einsetzen; denn in ihnen werden die Aporien bearbeitet, die dem romantischen und dem realistischen Projekt inhärent sind.

Die Romantiker nehmen das moderne Versprechen der Selbstverwirklichung beim Wort. Ursprung und Ziel ihres Tuns ist das Selbst. Abgeschottet gegen eine bloß äußeren Zwecken nachjagende Welt bürgerlichen Erwerbs, hofft das Ich sich selbst als frei handelndes Subjekt zu erleben. Gegenstand seines Tuns sind allerdings nicht die Dinge, sondern die Wörter. Über diese verfügt es frei, ergreift lustvoll deren schier unendliche Kombinationsmöglichkeiten. Im Spiel mit Begriffen entdeckt das romantische Subjekt die eigene Produktivität, die der Werkform entraten kann, weil sie eine Lebensform ist. Aber das Projekt einer nur aus den Quellen des Ich und des Wir gespeisten Selbstverwirklichung scheitert; das romantische Subjekt stößt auf die eigene Haltlosigkeit. Das heißt nichts anderes, als daß das Projekt immer von neuem wird in Angriff genommen werden müssen.

Der Realist scheint auf Selbstverwirklichung zu verzichten zugunsten einer Erfassung von Welt. Aber das Verfahren der Personengestaltung, dessen er sich bedient, verleiht dem Erzähler die Macht, die Figuren zugleich von innen und von außen zu sehen. So träumt der Realist den Traum, einer total transparenten Welt sich zu bemächtigen, was ihm doch nur mittels eines Verfahrens gelingt, das spätere Autoren der Moderne als irreal entlarven können:

> Ces êtres composites, internes-externes, opaques et translucides, ont pullulé au siècle passé et dans la première moitié du nôtre: ce sont les enfants du réalisme qui dénonce en eux sa parfaite irréalité.[45]

Das ist die Position des programmatischen Modernismus, wie sie in den 50er und frühen 60er Jahren auch die Autoren des Nouveau Roman verteten haben. Roland Barthes gehört als Kritiker zu ih-

45 Vgl. J.-P. Sartre, *Je – Tu – Il*, in: ders., *Situations IX*, Paris: Gallimard 1972, 294.

nen. Und doch gesteht er 1970 seine ästhetische Lust beim Lesen einer realistischen Beschreibung. Das Verfahren ›trägt‹, es erzeugt beim Leser den durch nichts zu belegenden Eindruck des »C'est cela!«, anders ausgedrückt: einer dinghaften Präsenz.[46] Die sich hier andeutende Aufwertung des realistischen Verfahrens – auch sie ist modern, insofern sie einer neuerlichen Veränderung der ästhetischen Sensibilität Ausdruck verleiht.

Literarische Moderne läßt sich weder als eine Summe von Themen und Motiven, noch als ein Komplex von Verfahren und Techniken beschreiben; als ganze ist sie faßbar einzig als Bewegung. Diese Bewegung ist eine doppelte: eine des Subjekts, das der eigenen Verwirklichung nachjagt, diese stets verfehlend, und eine der Hinwendung zur Realität, die sich stets von neuem bricht am Verfahren. Die Entfaltung dieser doppelten Aporie ist zugleich die einer Erfahrung, die das Subjekt mit sich und der Welt macht, und – das ist entscheidend – die es nur hat im Werk.

Wir haben die Aporie der modernen Kunst auf der Ebene des Kunstwerks verfolgt; sie potenziert sich jedoch dadurch, daß die Absonderung der Kunst als eigene Sphäre zugleich Bedingung ihrer Möglichkeit und Negation ihres Wahrheitsanspruchs ist. Nur als autonom institutionalisierte kann die Kunst ihren Wahrheitsanspruch neben dem theoretisch-wissenschaftlichen und dem moralisch-praktischen behaupten, zugleich aber widerstreitet die Institutionalisierung als besondere Sphäre dem immer mitgesetzten Anspruch, wirklich Veränderung zu bewirken. So rebelliert die moderne Kunst gegen ihren Status, sei es, daß sie ihn politisch auszulegen sucht wie Heine mit seinem Theorem vom Ende der Kunstperiode, sei es, daß sie sich selbst für den Zweck der Weltgeschichte erklärt wie in Mallarmés Diktum »le monde est fait pour aboutir à un beau livre«. Politisierung und sakrale Überdehnung der Kunst sind nicht Fehlentwicklungen, sondern Extreme, in die sich die Bewegung der ästhetischen Moderne hineinbegeben muß. Denn die Abtrennung von der Lebenspraxis, deren sie bedarf, ist zugleich das Falsche, das dem Wahrheitsanspruch der Kunst widerstreitet. Da aber weder die Politisierung noch die Sakralisierung das Dilemma zu lösen vermag, erfolgt im Kontext der Erschütterung der abendländischen Kultur durch den Ersten Welt-

46 R. Barthes, *Le Plaisir du texte* (Coll. Points, 135). Paris: Seuil 1982, 73.

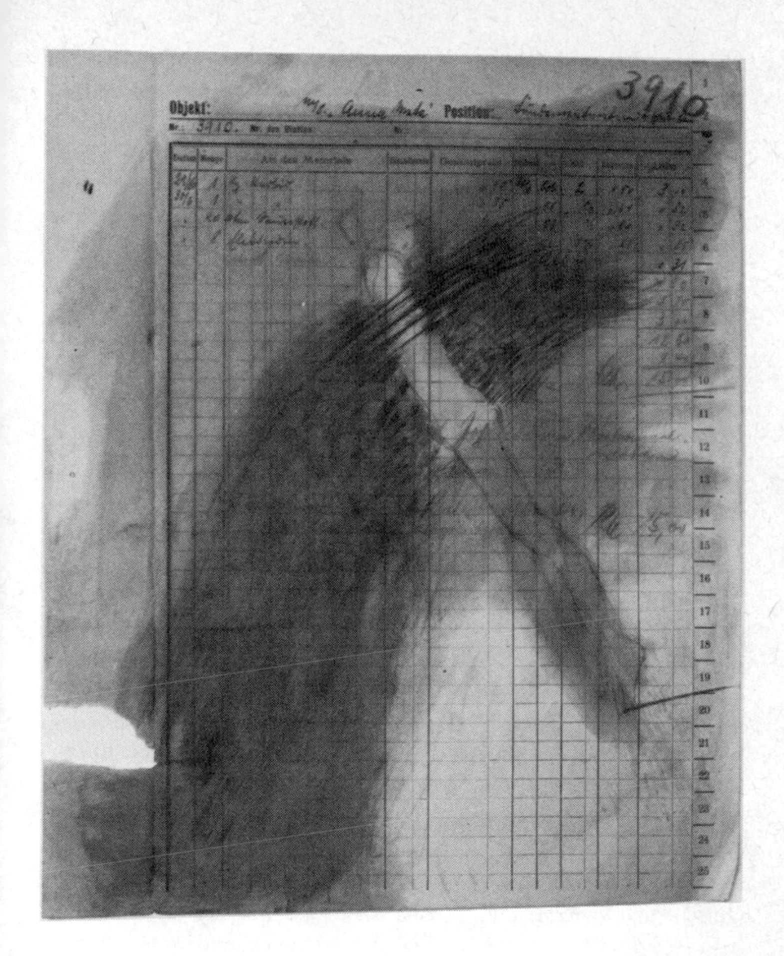

Renate Paulsen

Als Künstler haben wir heute zu fragen: Wie verhält sich Kunst, die früher über ein fast ausschließliches Monopol für die Herstellung von Bildern verfügt hatte, in einer Welt, die von andern Mächten weitgehend zu einer universellen Bilderwelt gemacht worden ist (Günther Anders)

krieg der Angriff der historischen Avantgardebewegungen auf die Institution Kunst. Die in ihr gebannten Potentiale sollten entlassen werden in die Lebenspraxis. Sie zu revolutionieren, schien der Autor berufen, nicht Werke zu schaffen. In einem Gewaltstreich setzen die Surrealisten sich über die Bedingungen des Lebens in der Moderne hinweg und verkünden die Möglichkeit eines Handelns, in dem der Zufall zum objektiven Verbündeten der Sehnsucht des Ich nach Selbstverwirklichung wird.

Wir wissen, daß das Projekt scheitern mußte; aber es ist deshalb nicht aus dem Horizont ästhetischer Erfahrung verschwunden. Im Gegenteil, seit den historischen Avantgardebewegungen bildet die Selbstaufhebung der Kunst einen ihrer Pole. Freilich ist seitdem auch erkannt worden, daß der Angriff auf die Institution Kunst dem verhaftet bleibt, was er bekämpft, mit den Worten von Roland Barthes: »il y a accord structural entre les formes contestantes et les formes contestées«.[47] Seit die Spuren der avantgardistischen Provokation Eingang gefunden haben in die Museen, ist das avantgardistische Projekt nicht mehr tel quel zu verwirklichen. Statt dessen wird es erneut ins Werk hineingenommen, das nun einer Dynamik der Verhäßlichung und der Formzerstörung ausgesetzt ist. Dahinter steht die Hoffnung, daß die Freisetzung des Wahrheitspotentials, die als unmittelbare mißlang, auf dem Wege einer subtilen Ästhetik des zerfallenden Werks an ihr Ziel gelangen könnte. Es geht nicht mehr darum, die Institution Kunst zu sprengen, sondern in ihr subversive Prozesse in Gang zu setzen. »J'entends à l'inverse par *subversion subtile* celle qui ne s'intéresse pas directement à la destruction, esquive le paradigme et cherche un *autre* terme: un troisième terme, qui ne soit pas, cependant, un terme de synthèse, mais un terme excentrique, inouï.«[48] Becketts schwarze Komik läßt sich als Verwirklichung eines solchen Subversionsprojekts deuten. Die einzelnen Kategorien des erzählerischen Werks (Fabel, Beschreibung, Figur) werden in einen Prozeß fortschreitender Selbstdestruktion hineingestellt, die am Ende vom Roman kaum mehr übrig läßt als die (leere) Gattungsbezeichnung.

Anders verhält sich Beuys gegenüber einer Situation, in der die

47 R. Barthes, *Le Plaisir du texte*, 87.
48 Ebd.

Fortsetzung künstlerischen Tuns und dessen avantgardistische Negation gleichermaßen ausweglos erscheinen, weil keine der beiden Einstellungen den Wahrheitsanspruch der Kunst zu verwirklichen erlaubt. Er wählt bewußt die unmögliche Position dessen, der sich zugleich als Künstler definiert und als einer, der die Grenzen der Kunst überschreitet. Das Dilemma der modernen Kunst wird damit thematisch, die, will sie ihren Anspruch realisieren, den ihr institutionell zugewiesenen Raum überschreiten muß und dabei noch stets an ihn gebunden bleibt als den einzigen Ort, wo Mimesis sich zu erhalten vermag.

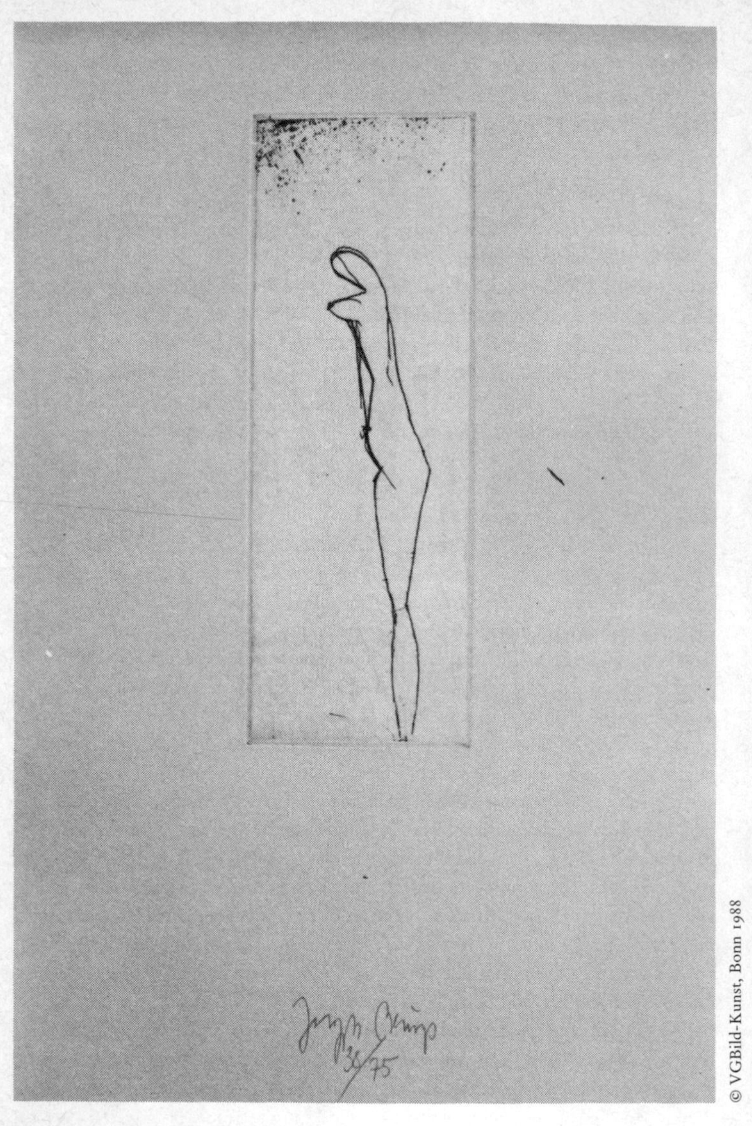

Joseph Beuys

Ich habe wirklich nichts mit der Kunst zu tun – und das ist die einzige Möglichkeit, um für die Kunst etwas leisten zu können (Beuys)

Übersetzungen fremdsprachiger Zitate

(Übersetzt sind nur längere Zitate, deren Bedeutung sich nicht aus dem Kontext ergibt. Soweit nicht anders angegeben, stammen die Übersetzungen vom Verfasser.)

II/3. *»Der Heroismus des modernen Lebens«. Die Allegorie bei Baudelaire.*

105 Wie es keinen vollendeten Kreis gibt, so ist auch das absolute Ideal eine Dummheit. Die ausschließliche Vorliebe für das Einfache führt den naiven Künstler zur Nachahmung desselben Typus. Die Dichter, die Künstler und die ganze Menschenrasse wären sehr unglücklich, wenn das Ideal, diese Absurdität, diese Unmöglichkeit, gefunden wäre. Was würde dann jeder von uns mit seinem armen Ich anfangen – seiner gebrochenen Linie?

106 Nichts Homogenes, kein gemeinsamer Gedanke, keine Schulen, keine Familien, kein Band zwischen den Künstlern, weder in der Wahl der Gegenstände noch in der Form.

107 Die Nachäffer sind die Republikaner der Kunst, und der gegenwärtige Zustand der Malerei ist das Ergebnis einer archaischen Freiheit, die das Individuum verherrlicht, so schwach es auch sein mag, zum Schaden der Vereinigungen, d.h. der Schulen.

109 Eine einfache Methode, um die Bedeutung eines Künstlers kennenzulernen, besteht darin, sein Publikum genauer zu betrachten. E. Delacroix hat für sich die Maler und Dichter [...], Herr Horace Vernet die Garnisonen und Herr Ary Scheffer die ästhetischen Frauen, die sich für ihre Keuschheit rächen, indem sie Kirchenmusik machen.

111 Ihr alle, die die Neugier des Flaneurs des öfteren mitten in eine Emeute hineintrieb, empfandet ihr jemals das gleiche Frohlocken wie ich, wenn ihr saht, wie ein Hüter des öffentlichen Schlafes – Stadtwachtmeister oder Angehöriger der Munizipalgarde, der eigentlichen Armee – auf einen Republikaner einschlug? Und wie ich, so spracht ihr in eurem Herzen: Schlag drauf, schlag noch ein wenig härter drauf, schlag immer drauf, mein Herzenspolizist; denn ich liebe dich in diesem allerhöchsten Draufschlagen und halte dich für ein Ebenbild Jupiters, des großen Richters und Rächers. Der Mann, den du verprügelst, ist ein Feind der Rosen und der Wohlgerüche, ein Fanatiker nützlicher Instrumente; er ist ein Feind Watteaus, ein Feind Raffaels, ein erbitterter Feind des Luxus, der schönen Künste und der schönen Literatur, ein eingeschworener Ikonoklast, Henker der Venus und des Apollo! Er will nicht länger als ein bescheidener und namenloser Arbeiter für die öffentlichen Rosen und die öffentlichen Wohlgerüche arbeiten; er will frei sein, der Nichtswisser, und ist unfähig,

eine Werkstatt zu gründen für neue Blumen und neue Wohlgerüche. Schlag nur andächtig drauf auf die Schulterblätter des Anarchisten! (Übers. D. Oehler)

115 Und hat er nicht seine Schönheit und seinen ursprünglichen Charme, dieser so viel gescholtene Anzug? Ist er nicht das notwendige Kleidungsstück unserer Epoche, die leidend und bis zu den schwarzen und mageren Schultern das Symbol einer immerwährenden Trauer trägt? Beachten Sie, daß der schwarze Anzug und der Gehrock nicht nur ihre politische Schönheit haben, die Ausdruck universeller Gleichheit ist, sondern auch eine poetische Schönheit, die der Ausdruck des öffentlichen Geistes ist. Ein unendlicher Zug von Sargträgern, politischen Sargträgern, verliebten Sargträgern, bürgerlichen Sargträgern. Wir nehmen alle an irgendeiner Beerdigung teil.

II/4. *»La vision horrible d'une œuvre pure«. Die Radikalisierung der Kunstautonomie bei Mallarmé.*

127 Und in meinem Wesen, in dem das trübe Blut regiert, dehnt sich die Ohnmacht in einem langen Gähnen.

127 Was den Vers angeht, bin ich am Ende, glaube ich: es sind große Lücken in meinem Hirn, das zu einem fortlaufenden Gedanken und zur Aufmerksamkeit unfähig geworden ist.

128 Ich denke an Ihre Gedichte, die ein Nichts in Vollkommenheit verwandeln und deren Beleuchtung so genau ist, mit dem notwendigen Moment von Banalität vermischt: es liegt darin eine Dosierung, deren Geheimnis nur Sie kennen.

129 Alles Heilige, das heilig bleiben will, umgibt sich mit einem Mysterium. Die Religionen verschanzen sich im Schutz von Geheimnissen, die nur dem Erwählten offenbar sind: die Kunst hat die ihren.

131 Außerhalb seines Horts muß jeder Text aus Rücksicht gegenüber denen, deren Sprache er, wenn auch mit anderm Ziel, erborgt, mit den Worten zugleich einen Sinn, sei es auch gleichgültigen Sinn darbieten: man tut gut daran, den Müßigen abzulenken, der bezaubert ist von dem ersten Eindruck, daß etwas daran ihn betrifft.

132 Erzählen, lehren, selbst beschreiben, das geht, und obschon es jedem vielleicht genügen würde, um Gedanken auszutauschen, ein Geldstück zu nehmen oder es schweigend in die Hand des andern zu legen, dient der elementare Gebrauch des Diskurses der universalen Berichterstattung, an der, außer der LITERATUR, alle zeitgenössischen Gattungen des Geschriebenen Anteil haben.

132 Wozu das Wunder, einen Naturgegenstand in sein erzitterndes Fast-Verschwinden gemäß dem Spiel des Worts zu übertragen, wenn nicht, damit, ohne das Unbehagen eines nahen oder konkreten Bezugs, der reine Begriff sich daraus erhebe? Ich sage: eine Blume! und jenseits des Vergessens, in das meine Stimme jeglichen Umriß verbannt, soweit er etwas an-

deres wäre als gewußte Kelche, erhebt sich musikalisch die Idee selbst voll Anmut, die Abwesende aller Sträuße.

133 Ich habe mein Werk nur durch Ausmerzung geschaffen, und jede erreichte Wahrheit entstand nur aus dem Verlust eines Eindrucks, der, nachdem er [einen Augenblick] geglitzert, sich verzehrte und mir dank der freigelegten Finsternisse erlaubte, tiefer in die Empfindung der Absoluten Dunkelheiten einzudringen. Die Zerstörung war meine Beatrice.

135 Gefangene einer absoluten Formel, wissen wir gewiß, daß nur das ist, was ist. Unverzüglich unter einem Vorwand den Köder zu entfernen, würde jedoch unsere mangelnde Folgerichtigkeit verraten, da wir das Vergnügen, das wir haben wollen, negieren würden: denn dieses Jenseits ist die tätige Kraft und der Motor, würde ich sagen, wenn es mir nicht widerstrebte, öffentlich die gottlose Demontage der Fiktion und mithin des literarischen Mechanismus zu betreiben, um ihr Hauptstück oder nichts auszubreiten. Aber ich habe Ehrfurcht davor, wie man durch eine Täuschung in eine verbotene Höhe, die des Blitzes, unsern bewußten Mangel dessen projiziert, was dort oben leuchtend birst.

Wozu dient das –

Zu einem Spiel.

138f. Hört, mein Geschlecht, bevor ihr mein Licht ausblast – den Rechenschaftsbericht, den ich euch von meinem Leben geben muß – Hier: Neurose, Langeweile (oder das Absolute).

Ich habe immer die Seele auf die Uhr geheftet gelebt. Sicher, ich habe alles dafür getan, daß die Stunde, die sie schlug, im Zimmer gegenwärtig blieb und für mich Nahrung und Leben wurde. – Ich habe die Vorhänge dichter gemacht, und da ich, um nicht an mir zu zweifeln, genötigt war, mich vor diesen Spiegel zu setzen, habe ich die geringsten Zeitatome zierlich in den unablässig verdichteten Stoffen gesammelt. – Die Uhr tut mir oft sehr wohl. (Dies bevor seine Idee vollständig geworden ist? In der Tat ist Igitur aus der Zeit geschleudert worden durch sein Geschlecht).

Hier nun Igitur, nachdem seine Idee vervollständigt worden ist: –

Die begriffene Vergangenheit seines Geschlechts, die mit der Empfindung des Endlichen auf ihm lastet, während der Uhrschlag diese Langeweile in schwere erstickende Zeit stürzt, und seine Erwartung der Vollendung der Zukunft bilden die reine Zeit oder die Langeweile, unbeständig gemacht durch die Krankheit der Idealität: da diese Langeweile nicht sein kann, löst sie sich bald in ihre Elemente auf, die verschlossenen Möbel, voll von ihrem Geheimnis; und wie bedroht von der Qual, ewig zu sein, die er vage ahnt, sucht sich Igitur in dem Langeweile gewordenen Spiegel und sieht sich unscharf und beinahe verschwinden, wie wenn er sich in der Zeit auflöste, dann aber ruft er sich an; und als er sich aus dieser Langeweile dieser Zeit wiederhergestellt hat, sieht er den Spiegel sich schrecklich entleeren und sich selbst umgeben von einer Verflüchtigung, einem Entzug

der Atmosphäre, und die Möbel ihre Ungeheuer winden in der Leere und die unruhigen Vorhänge sichtbar erzittern; da öffnet er die Möbel, damit sie ihr Geheimnis ausschütten, das Unbekannte, ihre Erinnerung, ihr Schweigen, menschliche Fähigkeiten und Eindrücke, –
und als er glaubt, wieder er selbst geworden zu sein, richtet er seine Seele auf die Uhr, deren Stunde[nschlag] durch den Spiegel verschwindet oder sich in die Dichte der Vorhänge flüchtet, ihn nicht einmal der Langeweile überlassend, die er [nun] erfleht und erträumt. Ohnmächtig der Langeweile.
III/1. *»Je est un autre«. Poesie und Revolte bei Rimbaud.*
159 Ich mache kleine Prosageschichten, Titel: Heidnisches Buch oder Neger-Buch. Das ist dumm und unschuldig [...]. Mein Schicksal hängt von diesem Buch ab, für das noch ein halbes Dutzend scheußlicher Geschichten zu erfinden sind. Wie soll man hier Scheußlichkeiten erfinden.
160 Entdecken wollen, was die Texte bedeuten, heißt, sie ihrer wesentlichen Aussage berauben, die in der Behauptung der Unmöglichkeit besteht, einen Gegenstandsbezug auszumachen und den Sinn zu verstehen.
162 Charleville, (am 13. Mai) 1871
Lieber Herr Izambard,
Sie sind also wieder Lehrer! Man habe der Gesellschaft gegenüber Pflichten, sagten Sie mir. Sie gehören zum Lehrkörper: da folgen Sie dem guten alten Trott. Auch ich folge dem Prinzip: Ich spüre einige alte Dummköpfe vom Gymnasium auf, und denen biete ich, was ich an Dummheiten, Schmutz und Gemeinheiten in Wort und Tat erfinden kann: man zahlt in Bieren und Schoppen. Stat mater dolorosa, dum pendet filius. – Ich habe der Gesellschaft gegenüber Pflichten, das stimmt – und ich habe recht. – Sie übrigens auch, Sie haben auch recht, jedenfalls heute. Im Grunde sehen Sie in ihrem Prinzip nur subjektive Dichtung: daß Sie derart darauf versessen sind, wieder an die akademische Futterkrippe – pardon! – zu kommen, beweist es. Aber am Ende werden Sie immer einer sein, der mit allem zufrieden ist und der nichts gemacht hat, weil er nichts hat machen wollen. Ganz zu schweigen davon, daß ihre subjektive Dichtung stets grauenhaft abgeschmackt sein wird. Eines Tages, so hoffe ich – und viele andere hoffen dasselbe –, werde ich in Ihrem Prinzip die objektive Dichtung sehen, und ich werde sie aufrichtiger darin sehen, als Sie es je tun werden! Ich werde Arbeiter sein: das ist der Gedanke, der mich hier zurückhält, auch wenn wahnsinnige Zornesausbrüche mich in die Schlacht von Paris treiben – wo noch so viele Arbeiter sterben, während ich Ihnen schreibe! Jetzt arbeiten? Niemals, niemals. Ich streike!
Im Augenblick erniedrige ich mich, so tief ich kann. Warum? Ich will ein Dichter sein, und ich arbeite an mir, um aus mir einen Seher zu machen: Sie werden das gar nicht begreifen, und ich wüßte fast nicht, wie ich es

Ihnen erklären soll. Es geht darum, durch ein Entgrenzen aller Sinne am Ende im Unbekannten anzukommen. Die Leiden sind gewaltig, aber man muß stark sein, als Dichter geboren, und ich habe mich als Dichter erkannt. Das ist durchaus nicht meine Schuld. Es ist falsch zu sagen: Ich denke. Man sollte sagen: es denkt mich. (Entschuldigen Sie das Wortspiel.)
Ich ist ein anderer. Schlimm genug für das Holz, das sich als Geige wiederfindet, und Spott allen, die sich selber nicht kennen und über etwas raisonieren, wovon sie nicht das geringste wissen.
164 Der Frühling ist offensichtlich; denn vom Herzen der grünen Besitztümer erhält der Flug der Thiers und Picard seinen weit geöffneten Glanz! O Mai! Was für wahnsinnige Nacktärsche! Sèvres, Meudon, Bagneux, Asnières, hört doch die Willkommenen die frühlingshaften Dinger säen!
171 Ich hasse jetzt die mystischen Aufschwünge und die Absonderlichkeiten des Stils. Jetzt kann ich sagen, daß die Kunst eine Dummheit ist. Unsere großen Dichter [unleserlich] auch leicht: die Kunst ist eine Dummheit. Gegrüßt sei die Güte.
III/2. *Parodie und Pathos. Lautréamonts Zerstörungsphantasien*
176 Wohin sind sie entschwunden, die Gaslaternen? Was ist aus ihnen geworden, den Verkäuferinnen der Liebe? Nichts... Einsamkeit und Finsternis! Eine Eule mit gebrochenem Fuß fliegt in gerader Linie über die Madeleine und strebt empor zu den Gittern des Thron-Platzes, wobei sie schreit: »Es wird ein Unglück geschehen«. Nun, an diesem Ort, den meine Feder (mein wahrhafter Freund und Begleiter) soeben geheimnisvoll gemacht hat, werden Sie, wenn Sie in die Richtung blicken, wo die Rue Colbert in die Rue Vivienne einbiegt, sehen [...].
177 Natürlich habe ich die Tonart ein bißchen übertrieben, um etwas Neues zu machen in der Art jener Literatur des Erhabenen, die das Elend nur besingt, um den Leser zu unterwerfen und ihm das Gute begehrenswert erscheinen zu lassen als Heilmittel.
177 Deswegen habe ich vollkommen meine Methode geändert und besinge jetzt nur noch ausschließlich die Hoffnung, die Erwartung, die Ruhe, das Glück, die Pflicht. Auf diese Weise knüpfe ich wieder an die Tradition Corneilles und Racines, also an den gesunden Menschenverstand und die Nüchternheit an, die durch die Effekthascher Voltaire und Jean-Jacques Rousseau unterbrochen worden ist.
178 Die Revolte Maldorors wäre nicht ein für alle Mal *die* Revolte, wenn sie in unbestimmter Weise eine Denkform auf Kosten einer anderen verschonen würde. Der Dinge und der Ideen hat sich ein unablässig wirkendes Veränderungsprinzip bemächtigt, das auf deren vollständige Befreiung abzielt, die die des Menschen einschließt.
179 Wenn ein Internatsschüler in einem Gymnasium durch Jahre, die

Jahrhunderte sind, vom Morgen bis zum Abend und vom Abend bis zum nächsten Morgen von einem Paria der Zivilisation geschulmeistert wird, der immerfort die Augen auf ihm hat, dann spürt er die stürmischen Wellen eines lebhaften Hasses wie einen dichten Rauch ihm ins Gehirn steigen, das ihm zu platzen droht. Von dem Augenblick an, wo man ihn ins Gefängnis geworfen hat, bis zu dem näherkommenden, wo er es verlassen wird, färbt ihm ein intensives Fieber das Gesicht gelb, zieht seine Brauen zusammen und höhlt ihm die Augen aus. Nachts denkt er nach, weil er nicht schlafen will. Tagsüber schwingen sich seine Gedanken über die Mauern des Hauses der Verblödung bis zu dem Augenblick, wo er fliehen kann, oder wo man ihn ausstößt wie einen Pestkranken aus diesem ewigen Kloster; dieser Akt ist verständlich.

180 Seien Sie nicht zu streng mit einem, der eben erst beginnt, seine Leier zu stimmen: sie gibt einen so seltsamen Ton! Dennoch, falls Sie unparteiisch sein wollen, werden Sie bereits einen kraftvollen Zug erkennen trotz aller Unvollkommenheiten.

180 Folglich bin ich der Meinung, daß nunmehr der synthetische Teil meines Werks abgeschlossen und ausreichend paraphrasiert ist. Darin haben Sie erfahren, daß ich es mir zur Aufgabe gemacht habe, den Menschen und den, der ihn geschaffen hat, anzugreifen. Für jetzt und für später haben Sie nicht nötig, mehr zu erfahren! Neuerliche Erwägungen scheinen mir überflüssig, denn sie würden in anderer freilich ausführlicherer, aber gleichlautender Form den Inhalt der These wiederholen, deren erste Entfaltung das Ende dieses Tages sehen wird. Aus den vorstehenden Überlegungen ergibt sich, daß es meine Absicht ist, nunmehr den analytischen Teil vorzunehmen [...].

181 Wenn der wilde Pelikan sich entschließt, seine Brust seinen Jungen zum Fraß zu geben und er dabei als einzigen Zeugen den hat, der eine solche Liebe zu schaffen wußte, um die Menschen zu beschämen, obwohl das Opfer groß ist, ist dieser Akt verständlich. Wenn ein Jüngling eine Frau, die er abgöttisch geliebt hat, in den Armen seines Freundes sieht und sich daraufhin eine Zigarre anzündet [...], dieser Akt ist verständlich. Wenn ein Internatsschüler in einem Gymnasium [...].

182 Was immer die klassische und moralische Prüderie sagen mag, die Literatur muß Stück für Stück unsere alte Zivilisation zerreißen und sorgfältig sezieren; sie muß sie mit Kühnheit und Zynismus zur Schau stellen; ohne Schleier, gänzlich nackt, unförmig, scheußlich, so wie sie ist.

186 Die Ellbogen auf die Knie gestützt und den Kopf zwischen den Händen, fragt er sich staunend, ob das wirklich das ist, was man *menschliches Mitgefühl* nennt. Da gibt er zu, daß es bloß ein leeres Wort ist, das man kaum mehr im Wörterbuch der Dichtung findet und bekennt freimütig seinen Irrtum. Er sagt zu sich selbst: »Es ist wahr, warum soll man sich um ein kleines Kind kümmern? Man muß vorbeigehen.« Trotzdem ist eine

heiße Träne an der Wange dieses jungen Mannes heruntergerollt, der soeben gelästert hat.
187 Meine Dichtung wird nur darin bestehen, den Menschen mit allen Mitteln anzugreifen, dieses wilde Tier, sowie den Schöpfer, der ein derartiges Gewürm nicht hätte hervorbringen dürfen. Bände werden sich auf Bände häufen bis zum Ende meines Lebens, und doch wird man darin nur diese eine Idee finden, die meinem Bewußtsein stets gegenwärtig ist.
187 Du mußtest also, furchtbarer Ewiger, mit deinem Schlangengesicht, nicht zufrieden damit, daß du meine Seele zwischen die Grenzen des Wahnsinns und die Gedanken der Wut gesetzt hast, die langsam töten, Du mußtest darüber hinaus nach reiflicher Überlegung meinen, es sei deiner Majestät angemessen, aus meiner Stirn eine Schale Blut herausfließen zu lassen.
187 Ich werde in wenigen Zeilen darstellen, wie Maldoror gut gewesen ist während seiner ersten Jahre, wo er glücklich war; das ist erledigt. Er stellte später fest, daß er von Geburt böse war.
189 Erinnerte ich mich also nicht, daß ich ebenfalls skalpiert worden war, obwohl ich nur fünf Jahre lang (die genaue Anzahl an Jahren war mir entfallen) ein menschliches Wesen in ein Gefängnis gesperrt hatte, um Zeuge des Schauspiels seiner Leiden zu sein, da es mir mit gutem Grund eine Freundschaft verweigert hatte, die man mit Wesen wie mir nicht eingeht? Da ich vorgebe, nicht zu wissen, daß mein Blick sogar den Planeten, die sich im Raum bewegen, den Tod geben kann, hätte einer nicht unrecht, der behauptete, daß ich nicht die Fähigkeit besitze, mich zu erinnern. Was mir zu tun bleibt, ist, mit Hilfe eines Steins diesen Spiegel in Scherben zu zerbrechen ... Es ist nicht das erste Mal, daß der Alptraum vom momentanen Verlust der Erinnerung Raum in meiner Vorstellung einnimmt, wenn es mir durch die unbeugsamen Gesetze der Optik passiert, mit der Unkenntlichkeit meines eigenen Bildes konfrontiert zu werden.
190 Jede Nacht zwinge ich mein fahles Auge dazu, durch die Fensterscheiben die Sterne zu fixieren. Um mir meiner selbst sicherer zu sein, trennt ein Holzsplitter meine geschwollenen Augenlider. Wenn die Morgenröte erscheint, findet sie mich in derselben Stellung, aufrecht stehend, den Körper senkrecht an den Putz des kalten Gemäuers gelehnt. Dennoch passiert es mir manchmal, daß ich träume, aber ohne auch nur einen Augenblick das lebhafte Gefühl für meine Persönlichkeit und die Fähigkeit, mich frei zu bewegen, zu verlieren: Wissen Sie, daß der Alptraum, der sich in den Phosphorwinkeln des Schattens versteckt, das Fieber, das mit seinem Armstumpf mein Gesicht berührt, jedes unreine Tier, das seine blutende Kralle aufrichtet, nun, es ist mein Wille, der, um seiner ständigen Aktivität ein festes Lebensmittel zu geben, sie sich im Kreis drehen läßt. [...] Erniedrigung! unsere Tür ist der wilden Neugier des Himmlischen Banditen geöffnet. Ich habe diese infame Strafe nicht verdient, Du, ab-

scheulicher Spion meiner Kausalität. Wenn ich existiere, bin ich nicht ein anderer. Ich gebe diese zweideutige Pluralität in mir nicht zu. Ich will alleine in meiner innersten Gedankenwelt wohnen. Die Autonomie ... oder man verwandle mich in ein Nilpferd. Versinke unter die Erde, oh anonymes Stigma, und erscheine nicht wieder vor meinem verstörten Unwillen. Meine Subjektivität und der Schöpfer, das ist zuviel für ein Gehirn.

192 Sie blickten sich einige Minuten lang in die Augen; und beide erstaunten, soviel Wildheit in den Blicken des anderen zu finden [...]. Jeder von dem Wunsch erfüllt, zum ersten Mal sein lebendes Ebenbild zu betrachten, vereinigten sie sich in langer, keuscher und scheußlicher Paarung! ... Endlich hatte ich jemanden gefunden, der mir ähnlich war. Von nun an war ich nicht mehr allein im Leben. Sie dachte genauso wie ich! ... Ich war meiner ersten Liebe begegnet.

III/4. *»Ma méthode, c'est moi«. Valéry und der Surrealismus*

212 Modernste Literatur: André Breton etc. – Maximum an Leichtigkeit und Maximum an Skandal, ein Maximum an Skandal mit einem Maximum an Leichtigkeit erreichen. Surrealismus: das Heil durch Abfälle

214 Die Literatur beginnt mir lästig zu werden, ich meine mit Literatur die schmutzige Küche der Reimeschmiede (von denen ich ein kleiner Teil bin) und alles, was über Stil, Rhythmus, Kunst etc. schwafelt. Sie sehen, daß ich tief gesunken bin. Oh! Geben Sie mir ein wenig neue Kraft.

In Wahrheit glaube ich mehr denn je, daß ich mehrere bin. Heute zum Beispiel bin ich nicht ich. Ich habe Lust, auf dem Rücken eines Einhorns in dem guten, frischen Septemberwind durch ein Gehölz zu galoppieren, den weißen Degen eines Märchenritters gerade haltend, alles vor mir niederzuhauen! Ich fühle, daß ich in dieser Minute alles, was bis heute abend geschrieben oder gemalt worden ist, hergeben würde für den Ritt durch die Finsternis auf einer fantastischen Lokomotive und für eine schrille, schreckliche Fanfare ...

216 Die Soldaten, die auf die Menge geschossen haben, ich habe sie beneidet, und auf die ganze Welt schießen! Ich verabscheue das Volk und mehr noch die andern! [...] Fast sehne ich einen monströsen Krieg herbei, wo man unter dem Schock eines wahnsinnigen und roten Europa flieht, wo man die Erinnerung an und die Achtung vor allem Geschriebenen und vor jedem Traum verliert in wirklichen Visionen, Leichengetrappel klappernder Holzschuhe und Geprassel von Erschießungen, und keine Rückkehr.

216 Ich bin mit 20 Jahren zur Welt gekommen, wütend über die Wiederholung, d.h. gegen das Leben. Aufstehen, sich anziehen, essen, ausscheiden, zu Bett gehen – und immer diese Jahreszeiten, diese Sterne – und die Geschichte! Das alles auswendig wissend – bis zum Wahnsinn.

218 Keine direktere ins Zentrum treffendere Verletzung als die durch einen andern, der mich zwingt, seine konkurrierende Existenz anzuerkennen;

aufgrund einer Argumentation oder eines intellektuellen Wegs, den er in meiner eigenen Domäne einzeichnet, läßt er sich meinen Elementen gegenüber meinen königlichen Platz zuweisen. Der andere, der zunächst ein Ding ist, wird zum Herrn, mehr als ich. Aber das Ich setzt sich wie durch ein Axiom über alle Beweise – es will seine Niederlagen nicht anerkennen und findet immer einen Grund, um den Sieg des andern zu verkleinern oder zu verachten.

219 An dem Tage, als die Verwirrungen, Angriffe und Ängste einer durch eine absurde Leidenschaft überreizten Empfindung sich (zum ersten Mal) um den Körper meines Geistes stritten, habe ich schließlich den Mechanismus dieser unbezwingbaren Wirkungen, seine Macht und die Dummheit seiner Macht beobachtet und mir gesagt: Dies ist ein mentales Phänomen (das war schlecht gesagt) – von diesem Tage an war das Schicksal meines Geistes geregelt, bestimmt.

219 Gladiator – Gehorsam. Das Festhalten, die Erkenntnis der Reaktionen des Tieres Sensibilität. Die Stute Sensibilität dressieren. [...] Das ist der wahre Philosoph, die wahre Philosophie. Nicht eine Erkenntnis, sondern eine Haltung und eine Neigung zur Dressur, ein Wille zum Menschen, der sich selbst dressiert [...]. Die Dressur ist, wenn das Durcheinander durch die Ordnung ersetzt ist, die Vielförmigkeit durch die Einförmigkeit, die einander nicht mehr widerstreitenden Anstrengungen, die, wenn nötig, zurückgehaltene, wenn nötig, verausgabte Energie. Eine Maschine ist dressierte Materie.

220 Mein Caligulismus. Das machtvolle Gefühl meiner tiefsten Augenblicke – Wille, mein Lebensprinzip auszuschöpfen [...]. Ich war oder bin die Idee dieses Augenblicks, der alle andern möglichen oder bekannten Augenblicke wie der Blitz erschlägt. Cäsarischer Augenblick. Latente Idee, aber die ich ganz spüre – wesentliche Energie, die alles beurteilt und opfert, die vom Ichgrund her wirkliches Verhalten, Liebe, Arbeit beherrscht, die das Urteil »verlorene Zeit« über alles spricht, was sie nicht stärkt, und die tyrannisiert ... Keine Wiederholungen: konstruieren, um sich zu destruieren.

221 Ich habe Mallarmé kennengelernt, nachdem ich bereits außerordentlich stark von ihm beeinflußt war und in einem Augenblick, wo ich die Literatur innerlich guillotinierte. Ich habe diesen außerordentlichen Mann verehrt, während ich gleichzeitig in ihm den einzigen Kopf sah – einen unbezahlbaren –, den man abschlagen mußte, um ganz Rom zu enthaupten.

226 Ich kenne 1. recht gut meinen Geist [...]. 2. Ich kenne auch *my heart*. Es erweist sich als überlegen, stärker als alles, als der Geist, als der Organismus. – Das ist der Fakt, der dunkelste aller Fakten [...]. Es gibt im Menschen etwas, was Werte schöpft, und das ist allmächtig, irrational, unerklärbar, sich nicht erklärend.

228 Die moderne Literatur erklärt sich aus der Bewegung des Andersmachens (+ Leichtigkeit). Die Literatur der Vergangenheit durch den Wunsch, es besser zu machen oder ebensogut wie.
230 Man mußte einen Mythos aus dieser Unzulänglichkeit machen. Der Mensch hat die Ursache aller Überraschungen, die Gottheit ohne Antlitz, die allen wahnsinnigen Hoffnungen und allen maßlosen Ängsten vorsteht, ZUFALL genannt.
231 Noch heute erwarte ich etwas allein von meiner Aufnahmebereitschaft, von diesem Durst des Herumirrens, um allem zu begegnen, von dem ich sicher bin, daß er mich in geheimnisvoller Beziehung hält mit den andern aufnahmebereiten Wesen, als ob wir aufgerufen wären, uns plötzlich zu vereinen. Ich würde mir wünschen, daß mein Leben kein anderes Murmeln hinter sich ließe als das Lied eines Spähers, ein Lied, um die Erwartung zu täuschen. Unabhängig von dem, was sich ereignet, nicht ereignet, ist die Erwartung großartig (Breton).
233 Die großen Tugenden der deutschen Völker haben mehr Übel erzeugt als die Trägheit jemals an Lastern geschaffen hat. Wir haben mit unsern eigenen Augen gesehen, wie die gewissenhafte Arbeit, die gründlichste Ausbildung, die strengste Disziplin und der ernsteste Fleiß auf schreckliche Ziele ausgerichtet worden sind [...]. Wissen und Pflicht, ihr seid also verdächtig?
III/5. *Mimetische Kunst und Kulturrevolution: Antonin Artaud*
236 Es tut mir leid, Ihre Gedichte nicht in der *Nouvelle Revue Française* veröffentlichen zu können. Aber sie haben mein Interesse doch soweit geweckt, um ihren Verfasser kennenlernen zu wollen. Sollte es Ihnen möglich sein, an einem Freitag zwischen vier und sechs Uhr in der Revue vorbeizuschauen, würde ich mich freuen, Sie zu sehen (Rivière).
237 Ich leide an einer furchtbaren Geisteskrankheit. Mein Denken verläßt mich auf allen Stufen. Von der einfachen Tatsache des Denkens bis zur äußeren Tatsache seiner Vergegenständlichung in Worten. Worte, Satzformen, innere Ausrichtungen des Denkens, einfache Reaktionen des Geistes – dauernd bin ich dabei, meinem geistigen Sein nachzulaufen. Sobald ich eine Form ergreifen kann, so unvollkommen sie auch sei, fixiere ich sie aus Angst, alles Denken zu verlieren. Ich bin unter meinem eigenen Niveau, ich weiß es, ich leide darunter, aber ich nehme es hin aus Angst, ganz zu sterben (Artaud).
240 Offensichtlich (das ist es, was mich im Augenblick daran hindert, irgendeines von Ihren Gedichten in der *Nouvelle Revue Française* zu veröffentlichen) erreichen Sie im allgemeinen keine ausreichende Einheit der Wirkung. Ich verfüge aber über genügend Erfahrung im Lesen von Manuskripten, um zu bemerken, daß diese Konzentration Ihrer Mittel auf ein einfaches poetisches Objekt Ihnen von Ihrem Temperament her nicht unmöglich ist und daß Sie mit ein wenig Geduld, selbst wenn es nur durch

einfache Tilgung abweichender Bilder und Züge sein sollte, dazu kommen werden, vollkommen kohärente und harmonische Gedichte zu schreiben (Rivière).

241 Ich hatte mich Ihnen ausgeliefert wie ein mentaler Fall, eine tatsächliche psychische Anomalie, und Sie antworten mir mit einem literarischen Urteil über Gedichte, an denen mir nichts lag, an denen mir nichts liegen konnte (Artaud).

242 Warum lügen, warum eine Sache, die der Schrei des Lebens selber ist, in Literatur verwandeln, warum etwas als Fiktion ausgeben, das aus der nicht zu entwurzelnden Substanz der Seele gemacht ist, etwas wie die Klage der Realität? (Artaud)

243 Ideen, Logik, Ordnung, Wahrheit (*die* Wahrheit), Vernunft – wir geben alles dem Nichts des Todes anheim. Vorsicht für Ihre Logiken, meine Herren, Vorsicht für Ihre Logiken, Sie wissen nicht, wohin unser Haß der Logik uns führen kann. [...] Wer uns beurteilt, ist nicht zum Geist geboren, dem Geist, den wir leben wollen und der für uns außerhalb dessen liegt, was Sie Geist nennen. Man muß unsere Aufmerksamkeit nicht zu sehr auf die Ketten lenken, die uns mit der versteinernden Dummheit des Geistes verbinden. Wir haben die Hand auf ein neues Tier gelegt. Die Himmel antworten auf unsere Haltung wahnsinniger Absurdität. Ihre Angewohnheit, den Fragen den Rücken zuzukehren, wird nichts daran ändern, daß am besagten Tag die Himmel sich öffnen, und eine neue Sprache entstehen wird mitten unter Ihren dummen Machenschaften (Artaud).

245 Aber was geht mich die ganze Revolution der Welt an, wenn ich weiß, daß ich ewig voller Schmerz und Elend mitten in meiner eigenen Leichengrube bleiben werde. [...] Ich verachte das Leben zu sehr, um zu denken, daß eine wie auch immer beschaffene Veränderung im Bereich der Erscheinungen irgendetwas an meiner scheußlichen Lage ändern könnte. Was mich von den Surrealisten trennt, ist die Tatsache, daß sie das Leben in dem Maße lieben, wie ich es verachte (Artaud).

246 Wenn ich mich töte, wird das nicht geschehen, um mich zu zerstören, sondern um mich wiederherzustellen; der Selbstmord wird für mich nur ein Mittel sein, um mich gewaltsam wiederzuerobern, brutal in mein Sein einzubrechen, dem ungewissen Vordringen Gottes zuvorzukommen. Durch den Selbstmord führe ich erneut meinen Plan in die Natur ein, zum ersten Mal gebe ich den Dingen die Form meines Willens (Artaud).

251 Gegenwärtig stellt sich die Frage, ob sich in dieser Welt, die, ohne es zu bemerken, dem Selbstmord entgegentreibt, eine Gruppe von Menschen finden wird, die fähig ist, diesen überlegenen Begriff des Theaters durchzusetzen, der uns allen das natürliche und magische Äquivalent jener Dogmen wiedergeben würde, an die wir nicht mehr glauben (Artaud).

IV/1. *Die entzauberte Welt: Flaubert, Zola, Proust*

286 Das Düstere des Buchs liegt in Ihrem großartigen linguistischen Unterfangen, das den oft albernen Ausdrucksweisen der armen Schlucker den Wert der schönsten literarischen Formen verleiht, da sie sogar uns Literaten zum Lächeln und beinahe zum Weinen bringen (Mallarmé).

286 Die so wundervolle Einfachheit, mit der Coupeau bei der Arbeit oder die Wäscherei seiner Frau beschrieben werden [...], diese ruhigen Seiten, die sich wenden wie die Tage eines Lebens (Mallarmé).

287 Die Maschine war noch in Betrieb, schnaufte noch immer und ließ mit einem letzten dumpfen Grollen ihren Dampf entweichen, während die Verkäufer die Stoffe zusammenlegten und die Kassierer die Tageseinnahmen zusammenzählten. Durch die von Dunst beschlagenen Scheiben sah man eine verschwimmende Fülle von Lichtern, gleichsam das unklar erkennbare Innere einer Fabrik. Hinter dem Vorhang des herabströmenden Regens glich diese ferne, undeutliche Erscheinung einem riesigen Heizraum, wo man die schwarzen Schatten der Heizer vor dem roten Feuer der Kessel vorbeihuschen sah. An den Schaufensterscheiben lief das Wasser herunter, man konnte drüben nur noch den Schnee der Spitzen erkennen, deren Weiß durch die matt geschliffenen Glocken einer am unteren Rand angebrachten Reihe von Gaslampen noch leuchtender wurde: und auf diesem Kapellenhintergrund hoben sich kräftig die Konfektionswaren ab, wirkte der großartige Silberfuchs besetzte Samtmantel wie die geschwungene Seitenansicht einer Frau ohne Kopf, die durch den Regenguß zu irgendeinem Fest in die unbekannte Finsternis von Paris eilte. (E. Zola, *Paradies der Damen*, dt. Übers. v. Hilda Westphal. München: Winkler 1976, 45 ff.).

288 Durch die blanken Schaufensterscheiben fiel der Blick auf die bunte, wirre Fülle der Auslagen: die Goldwaren der Juweliere, die geschliffenen Glasschalen der Konditoreien, die hellfarbenen Seidenstoffe der Modewarengeschäfte leuchteten hinter den reinen Scheiben, von den Reflektoren der Gaslampen mit grellem Licht bestrahlt. Über dem Gewirr der mit schreienden Farben bekleckſten Reklameschilder hing ein gewaltig großer, purpurroter Handschuh wie eine abgehauene blutüberströmte Hand in gelber Manschette. (E. Zola, *Nana*, dt. Übers. v. K. Lerbs. Leipzig: Insel o.J., 213 f.).

289 [...] eine Art von Abfallprodukt der Erfahrung und für alle ungefähr identisch, weil, wenn wir sagen: ›schlechtes Wetter‹, ›ein Krieg‹, ›ein Mietwagenstand‹, ›ein beleuchtetes Restaurant‹, ›ein blühender Garten‹, jeder weiß, was wir meinen (M. Proust, *Auf der Suche nach der verlorenen Zeit*, dt. Übers. v. Eva Rechel-Mertens. 7 Bde., Frankfurt/Zürich: Suhrkamp/Rascher 1955-1957, VII, 319).

291 Das wahre Leben, das endlich entdeckte und aufgehellte, das einzige infolgedessen von uns wahrhaft gelebte Leben ist die Literatur (ebd., 328).

293 Das arme Mädchen selbst übrigens, verfettet durch ihren gesegneten Zustand bis zum Gesicht hinauf, bis in die gerade und eckig herabfallenden Wangen, glich tatsächlich jenen männlich wuchtigen Jungfrauen oder besser Matronen, die in der Arenakapelle die Tugenden personifizieren. Jetzt weiß ich, daß die Tugenden und Laster von Padua ihr auch noch auf andere Weise glichen. So wie das Bild dieses Mädchens noch durch das hinzugefügte Symbol, das sie vor sich hertrug, bereichert schien, ohne daß sie offenbar seinen Sinn begriff oder ihr Gesicht etwas von seiner Schönheit und geistigen Bedeutung ausdrückte, sondern nur einfach sein beschwerendes Lasten, ebenso scheint die derbe Wirtschafterin, die in der Arenakapelle unter dem Namen der ›Caritas‹ erscheint und deren Reproduktion an der Wand meines Arbeitsraumes in Combray hing, diese Tugend zu verkörpern, ohne etwas davon zu ahnen und ohne daß sich ein Gedanke an Nächstenliebe jemals auf ihrem kraftvollen und vulgären Antlitz hätte spiegeln können. Dank einer schönen Erfindung des Malers tritt sie die Schätze der Erde unter ihre Füße, aber sie tut es genauso, als wenn sie Trauben träte, um den Saft herauszupressen, oder mehr noch als sei sie auf ein paar Säcke gestiegen, um dadurch größer zu scheinen; und wenn sie Gott ihr Herz in Flammen darbietet, so reicht sie es ihm eigentlich in der Weise heraus, wie eine Köchin einen Korkenzieher aus dem Kellerfenster jemandem hinhält, der am Parterrefenster stehend ihn von ihr haben will (ebd., I, 124f.).
295 Man kann unendlich lange in einer Beschreibung die Gegenstände aufeinander folgen lassen, die an einem ebenfalls beschriebenen Ort eine Rolle spielen: die Wahrheit beginnt erst in dem Augenblick, in dem der Schriftsteller zwei verschiedene Objekte nimmt, die Beziehung zwischen ihnen herstellt [...] und sie in die unerläßlichen Ringe eines schönen Stils faßt (ebd., VII, 318f.).
296 Nur der Eindruck, wie hauchdünn auch seine Substanz zu sein scheint, wie ungreifbar seine Spuren, ist ein Kriterium der Wahrheit (ebd., VII, 304).
296 In Wirklichkeit ist jeder Leser, wenn er liest, ein Leser nur seiner selbst. Das Werk des Schriftstellers ist dabei lediglich eine Art von optischem Instrument, das der Autor dem Leser reicht, damit er erkennen möge, was er in sich selbst vielleicht sonst nicht hätte erschauen können. Daß der Leser das, was das Buch aussagt, in sich selber erkennt, ist der Beweis für die Wahrheit eben dieses Buches, und umgekehrt gilt das gleiche (ebd., VII, 352).
297 Aber werden nicht dann diese Elemente, dieser Bodensatz der Wirklichkeit, den wir für uns selbst behalten müssen, da es sich im Gespräch von Freund zu Freund, vom Meister zum Schüler, vom Liebenden zur Geliebten nicht mitteilen läßt, [...] durch die Kunst, die Kunst eines Vinteuil so gut wie die eines Elstir zur Erscheinung gebracht, wenn sie in den

Farben des Spektrums die innere Zusammensetzung jener Welten nach außen hin sichtbar macht, die wir als Individuen bezeichnen und die wir ohne die Kunst nie kennenlernen würden? (ebd., V, 385 f.).

298 Aber auch an ihnen konnte ich erkennen, daß ihr Reiz in einer Umwandlung der dargestellten Dinge bestand, entsprechend derjenigen, die man in der Poesie als Metapher bezeichnet, und wenn Gottvater die Dinge schuf, indem er sie benannte, so schuf Elstir sie nach, indem er ihnen ihren Namen entzog oder ihnen einen anderen gab. Die Namen, mit welchen die Dinge bezeichnet werden, entsprechen immer einer begrifflichen Auffassung, die unsern wahren Eindrücken fernesteht und uns zwingt, von ihnen all das fortzulassen, was zu diesem Begriff nicht paßt (ebd., II, 596).

IV/3. *Alltagswelt und innerer Monolog bei Joyce*

315 Die Straße, schwarz, und die aufsteigende, schwächer werdende Doppellinie der Gaslichter; die Straße ohne Passanten; das widerhallende Pflaster, weiß unter der hellen Blässe des Mondhimmels; im Hintergrund der Mond am Himmel; das langgestreckte Viertel des hellen Mondes, weiß. Und auf jeder Seite die endlosen Häuser; stumm, groß, mit hohen schwärzlichen Fenstern, Eisengitter vor den Türen, die Häuser; in diesen Häusern, Leute? nein, das Schweigen; ich gehe allein, still, an den Häusern entlang; ich gehe, gehe; links, die rue de Naples; Gartenmauern; das Dunkel des Laubs auf dem Grau der Mauern; dort hinten, weit dort hinten, eine stärkere Helligkeit, der boulevard Malesherbes, rote und gelbe Lichter, Kutschen, Kutschen und stolze Rosse [...] (Dujardin).

320 Er ging auf die Sonnenseite hinüber, vermied die lose Kellerklappe von Nummer Fünfundsiebzig. Die Sonne näherte sich dem Glockenstuhl der George's Church. Wird wahrscheinlich ein warmer Tag heute. Besonders in dem schwarzen Zeug, spürt mans mehr. Schwarz leitet die Hitze, ist ein Hitze-Reflektor (oder heißt es Refraktor?). Aber in dem hellen Anzug könnt ich ja nicht gehen. Ist ja schließlich kein Picnic (J. Joyce, *Ulysses*, dt. Übers. v. H. Wollschläger. Frankfurt: Suhrkamp 1979, 80).

322 Unausweichliche Modalität des Sichtbaren: zum mindesten dies, wenn nicht mehr, gedacht durch meine Augen. Die Handschrift aller Dinge bin ich hier zu lesen, Seelaich und Seetang, die nahende Flut, den rostigen Stiefel dort. Rotzgrün, Blausilber und Rost: gefärbte Zeichen. Grenzen des Diaphanen. Doch er fügt hinzu: in Körpern. Dann ward er ihrer Körperlichkeit gewahr noch vor ihrer Gefärbtheit. Und wie? Indem er mit der Birne dagegen stieß, gewiß. Also, nicht so hastig. Ein Kahlkopf war er und ein Millionär, *maestro di color che sanno* (ebd., 53).

323 Wenn man lebt, passiert nichts. Die Kulissen wechseln, die Leute kommen herein und gehen wieder, das ist alles. Es gibt niemals Anfänge. Die Tage folgen aufeinander, ohne Sinn und Verstand, eine endlose und monotone Reihe (J.-P. Sartre, *Der Ekel*).

IV/4. *Becketts Komik*

328 Sie fühlte sich, wie so oft bei Murphy, mit Worten überschüttet, die ebenso schnell erstarben, wie sie erklangen; jedes Wort wurde, ehe es seinen Sinn erfüllen konnte, von dem folgenden ausgelöscht, so daß sie am Ende nicht wußte, was gesagt worden war. Es war wie zum ersten Mal gehörte schwere Musik (S. Beckett, *Murphy*, dt. Übers. v. E. Tophoven [rororo, 311]. Hamburg 1959, 27).

329 Denn es war kein Topf, je länger er es sah und je länger er darüber nachdachte, um so sicherer war er, daß es kein Topf war, nein, durchaus nicht. Es ähnelte einem Topf, es war beinahe ein Topf, aber es war kein Topf, von dem man Topf, Topf sagen und somit erleichtert sein konnte. Obgleich es in unbestreitbarer Angemessenheit allen Zwecken eines Topfes entsprach und alle seine Dienste leistete, war es kein Topf. Und eben diese verschwindend geringe Abweichung vom Wesen des wahren Topfes quälte Watt so sehr. Denn wenn die Annäherung nicht so streng gewesen wäre, wäre Watt nicht so beängstigt gewesen (S. Beckett, *Watt*, dt. Übers. v. E. Tophoven. Frankfurt: Suhrkamp 1970, 94).

329 Ja, die Worte, die ich hörte, und ich hörte sie infolge meines ziemlich scharfen Gehörs recht gut, vernahm ich beim erstenmal, und selbst beim zweiten- und oft sogar beim drittenmal, als reine Laute, die kein Sinn belastete, und wahrscheinlich liegt hier einer der Gründe, warum jede Unterhaltung so unsagbar mühsam für mich war. Und meine eigenen Worte, die fast immer auf eine geistige Anstrengung zurückgehen mußten, kamen mir oft vor wie das Gesumme von Insekten. Und das erklärt, warum ich so wenig redselig war; es fiel mir nicht nur schwer, zu verstehen, was andere zu mir sagten, sondern auch, was ich selbst zu ihnen sagte (S. Beckett, *Molloy*, dt. Übers. v. E. Franzen. Frankfurt: Suhrkamp 1966, 104).

331 Ich murmle vor mich hin, ein wenig wie eine Austreibungsformel »Das ist eine Sitzbank.« Aber das Wort bleibt auf meinen Lippen haften: es setzt sich nicht auf dieses Ding (J.-P. Sartre, *Der Ekel*, dt. Übers. v. H. Wallfisch. München: Rowohlt 1949, 167f.).

331 Es gehen auch Menschen vorüber, von denen man sich selbst nicht genau unterscheiden kann. Das ist allerdings entmutigend. So war es, als ich A und B beobachtete, wie sie langsam aufeinander zugingen, ohne sich Rechenschaft darüber zu geben, was sie taten. Es geschah auf einer Straße, die erschreckend kahl war, ich meine, ohne Hecken oder Mauern oder sonst eine Einfassung, auf dem Lande, denn auf ungeheuren Feldern lagen und standen Kühe und kauten in der Abendstille. Ich phantasiere vielleicht ein wenig, ich schmücke vielleicht etwas aus, aber im ganzen gesehen war es so. Sie kauen, dann schlucken sie, dann machen sie sich nach einer kurzen Pause an das nächste Grasbündel, ohne sich anzustrengen. Eine Sehne an ihrem Hals bewegt sich, und die Kinnbacken beginnen wieder zu mahlen. Aber das sind vielleicht alles Erinnerungsbilder. Die harte

weiße Straße schnitt durch die sanften Weidegründe, stieg an und senkte sich je nach dem Verlauf der Hügel. Die Stadt lag nicht weit entfernt. Es waren zwei Männer, darüber gab es keinen Zweifel, ein großer und ein kleiner. Sie waren von der Stadt aufgebrochen, erst der eine, dann der andere, und der erste war wieder umgekehrt und zurückgegangen, vielleicht weil er sich müde fühlte oder sich an eine Verpflichtung erinnerte. Es war frisch draußen, denn sie hatten Mäntel an. Sie glichen einander, aber nicht mehr als andere Leute auch (S. Beckett, *Molloy*, 10f.).

337 Die Freitreppe war nicht hoch. Ich hatte ihre Stufen tausendmal gezählt, sowohl beim Hinaufgehen als auch beim Hinuntergehen, aber die Zahl habe ich nicht mehr im Gedächtnis. Ich habe nie gewußt, ob man eins mit dem Fuß auf dem Bürgersteig sagen sollte und zwei mit dem folgenden Fuß auf der ersten Stufe und so weiter, oder ob der Bürgersteig nicht mitzählte. Auf der obersten Stufe angekommen, stand ich vor demselben Dilemma. Umgekehrt, ich meine von oben nach unten, war es das gleiche, das Wort ist nicht zu stark. Ich wußte weder wo ich anfangen, noch wo ich aufhören sollte, sagen wir die Dinge, wie sie sind. Ich bekam also drei ganz verschiedene Zahlen heraus, ohne je zu wissen, welche die richtige war. Und wenn ich sage, daß ich die Zahl nicht mehr im Gedächtnis habe, meine ich, daß ich keine der drei Zahlen mehr im Gedächtnis habe. Es ist wahr, daß ich, wenn ich in meinem Gedächtnis, wo sie sich sicher befindet, eine einzige dieser Zahlen wiederfände, nur sie wiederfände, ohne von ihr auf die beiden anderen schließen zu können. Und selbst wenn ich zwei davon ausfindig machte, würde ich die dritte nicht wissen. Nein, ich müßte sie alle drei wiederfinden, im Gedächtnis, um sie alle drei kennen zu können. Sie bringen einen um, die Erinnerungen. Man soll also nicht an gewisse Dinge denken, an die Dinge, die einem am Herzen liegen, oder vielmehr, man soll doch daran denken, denn wenn man nicht daran denkt, riskiert man, sie nach und nach in seinem Gedächtnis wiederzufinden. Das heißt, man soll eine Weile daran denken, eine ganze Weile, jeden Tag und mehrmals am Tage, bis der Schlamm sie mit einer undurchdringlichen Schicht bedeckt. Keine Widerrede! Schließlich tut die Zahl der Stufen nichts zur Sache (S. Beckett, *Der Ausgestoßene [1945]*. In: ders., *Auswahl in einem Band*, dt. Übers. v. Erika u. Elmar Tophoven. Frankfurt: Suhrkamp 1967, 51).

341 Ich begriff schließlich, daß meine Art mich auszuruhen, meine Stellung während des Ausruhens, nämlich rittlings über meinem Fahrrad, die Arme auf der Lenkstange, den Kopf auf den Armen, ein Attentat auf irgend etwas, woran ich mich nicht mehr erinnere, die Ordnung oder die guten Sitten, darstellte. Ich wies bescheiden auf meine Krücken hin und wagte, etwas von meiner Gebrechlichkeit zu murmeln, die mich zwang, mich so auszuruhen, wie ich konnte, anstatt so, wie ich sollte (*Molloy*, 37).

341 f. Und plötzlich fiel mir mein Name ein: Molloy. Ich heiße Molloy, schrie ich heraus, Molloy, eben ist es mir eingefallen. Nichts verpflichtete mich, diese Auskunft zu geben; trotzdem gab ich sie, wahrscheinlich weil ich hoffte, damit Gefallen zu erwecken. Man erlaubte mir, meinen Hut aufzubehalten; ich frage mich, weshalb. Das ist also der Name Ihrer Mutter, sagte der Kommissar, es mußte ein Kommissar sein. Molloy, sagte ich, ich heiße Molloy. Ist das der Name Ihrer Mutter? sagte der Kommissar. Was? sagte ich. Sie heißen Molloy, sagte der Kommissar. Jawohl, sagte ich, es ist mir gerade eingefallen. Und Ihre Mutter? sagte der Kommissar. Ich begriff nicht. Heißt sie auch Molloy? sagte der Kommissar. Ob sie Molloy heißt? sagte ich. Allerdings, sagte der Kommissar. Ich überlegte. Sie heißen Molloy, sagte der Kommissar. Jawohl, sagte ich. Und Ihre Mutter, sagte der Kommissar, heißt sie auch Molloy? Ich dachte nach. Ihre Mutter, sagte der Kommissar, heißt sie – Lassen Sie mich nachdenken! schrie ich. Wenigstens stelle ich mir vor, daß es sich so abgespielt haben muß. Denken Sie nach, sagte der Kommissar. Hieß Mama Molloy? Wahrscheinlich. Sie muß wohl auch Molloy heißen (S. Beckett, *Molloy*, 43 f.).

IV/5. *Perspektivisches Erzählen und mythischer Effekt. Faulkners »Absalom, Absalom!«*

346 Er war kein Gentleman. Er war nicht mal ein Gentleman. Er kam hierher mit einem Pferd und zwei Pistolen und einem Namen, den kein Mensch je vernommen hatte. Keiner wußte, was ihm eigentlich gehörte, Namen oder Pferd oder sogar die Pistolen, und er suchte seinen Platz um sich zu verbergen, und die County Yoknapatawpha war ihm dazu gerade recht (W. Faulkner, *Absalom, Absalom!*, dt. Übers. v. H. Stresau. Zürich: Diogenes 1974, 12).

346 Er hatte schon die Mitte des Platzes erreicht als sie ihn sahen, auf einem großen abgetriebenen Rotschimmel, und Mann und Tier erweckten den Eindruck als hätte die dünne Luft sie ausgeatmet und in dem hellen sommerlichen Sonnenschein des Sabbats sogleich in müden Trab gebracht, – ein Gesicht und ein Pferd das niemand von ihnen je gesehen, ein Name den keiner je gehört, und über Herkunft und Absichten des Mannes sollten einige von ihnen nie Bescheid wissen (Faulkner, *Absalom*, 28 f.).

347 Warum sie wanderten wußte er nicht, oder er besann sich nicht auf den Grund, wenn er ihn überhaupt je gewußt hat – ob sein Vater innerlich von Optimismus, Hoffnung oder Heimweh befallen war, denn er wußte nicht genau woher sein Vater stammte, ob aus der Gegend zu der sie zurückkehrten oder nicht, oder ob sein Vater es überhaupt selber wußte, sich an das Land erinnerte, sich erinnern und es wiederzufinden wünschte (Faulkner, *Absalom*, 210).

IV/6. *Uwe Johnson: der Erzähler*

358 Wenn man einen Roman machen will, muß man schon ziemlich dumm

sein, um die vereinfachten Schatten (die allein man beschreiben und sich bewegen lassen kann) mit wirklichen Menschen zu verwechseln – die niemals von einem einzigen und eindeutigen Standpunkt aus erfaßt werden können. Darin ist die reine Poesie der Anmaßung des modernen Romanschriftstellers überlegen: sie verzichtet auf die Illusion (P. Valéry, *Cahiers*).

Literaturverzeichnis
(Auswahl)

Im folgenden sind nur diejenigen Siglen aufgeführt, die durchgehend verwendet werden:

Ä	Hegel, Georg Wilhelm Friedrich: *Ästhetik*, hg. v. F. Bassenge. 2 Bde., ²Berlin/Weimar: Aufbau Verlag 1965
ÄT	Adorno, Theodor W.: *Ästhetische Theorie*, hg. v. Gretel Adorno/ R. Tiedemann (Ges. Schriften, 7). Frankfurt: Suhrkamp 1970
C	Valéry, Paul: *Cahiers*, hg. v. Judith Robinson (Bibl. de Pléiade). 2 Bde., Paris: Gallimard 1973/74
Corr.	Flaubert, Gustave: *Extraits de la Correspondance [...]*, hg. v. Geneviève Bollème. Paris: Seuil 1963
GS	Benjamin, Walter: *Gesammelte Schriften*, hg. von R. Tiedemann/ H. Schweppenhäuser. 6 Bde, Frankfurt: Suhrkamp 1972ff.
KS	Schlegel, Friedrich: *Kritische Schriften*, hg. v. W. Rasch. München: Hanser ²1964
OC	Baudelaire, Charles: *Œuvres complètes*, hg. v. Y.-G. Le Dantec (Bibl. de la Pléiade). Paris: Gallimard 1954
Œ	Valéry, Paul: *Œuvres*, hg. v. J. Hytier (Bibl. de la Pléiade). 2 Bde., Paris: Gallimard 1957/1960
P	Mallarmé, Stéphane: *Propos sur la poésie*, hg. v. H. Mondor. Monaco: Editions du Rocher 1953
SW	Heine, Heinrich: *Sämtliche Werke*, hg. v. E. Elster. 7 Bde., Leipzig/ Wien: Bibl. Institut o. J.

Adorno, Theodor W.: »Über epische Naivetät«, in: ders., Noten zur Literatur I (Bibl. Suhrkamp, 47). Frankfurt 1958, 50-60

Adorno, Theodor W.: »Standort des Erzählers im zeitgenössischen Roman«, in: ders., Noten zur Literatur I, 61-72

Adorno, Theodor W.: »George und Hofmannsthal. Zum Briefwechsel«, in: ders., Prismen. Kulturkritik und Gesellschaft (dtv, 159). München ²1963, 190-231

Adorno, Theodor W.: »Die Wunde Heine«, in: ders., Noten zur Literatur I, 144-152

Adorno, Theodor W.: »Aufzeichnungen zu Kafka«, in: ders., Prismen, 248-281

Adorno, Theodor W.: Kierkegaard [...] (suhrkamp taschenbuch wiss., 74). Frankfurt 1974

Adorno, Theodor W.: Minima Moralia [...] (Bibl. Suhrkamp, 236). Frankfurt ²1969

Adorno, Theodor W.: Philosophie der neuen Musik (Ullstein Buch, 2866). Frankfurt/Berlin/Wien 1972
Alewyn, Richard: »Hofmannsthals Wandlung«, in: ders., Über Hugo von Hofmannsthal. Göttingen: Vandenhoeck [2]1960, 143-161
Aragon, Louis: Le Paysan de Paris [1926] (Livre de Poche, 1670). Paris 1966
Arnim, Bettina von: Werke und Briefe, hg. v. G. Konrad. 5 Bde., Frechen: Bartmann 1959-61
Artaud, Antonin: Correspondance avec Jacques Rivière, in: ders., Œuvres complètes Bd. I, Paris: Gallimard 1970
Artaud, Antonin: Le Théâtre et son double, in: ders., Œuvres complètes Bd. IV, Paris: Gallimard 1970
Auerbach, Erich: Mimesis. Dargestellte Wirklichkeit in der abendländischen Literatur (Sammlung Dalp, 90). Bern: Francke [2]1959
Bänsch, Dieter: Zur Modernität der Romantik (Literaturwissenschaft und Sozialwissenschaften, 8). Stuttgart: Metzler 1977
Barrès, Maurice: Le Culte du moi (Livre de Poche, 1964). Paris 1966
Barthes, Roland: Le Degré zéro de l'écriture [1953] (Bibl. Médiations, 40). Paris: Gonthier 1965
Barthes, Roland: Le Plaisir du texte (Coll. Points, 135). Paris: Seuil 1982
Beckett, Samuel: Malone meurt. Paris: Editions de Minuit 1984
Beckett, Samuel: Molloy [1951] (Bibl. 10/18, 81/82). Paris: Union Générale d'Editions 1963
Beckett, Samuel: Murphy [1938]. London: Picador [5]1983
Beckett, Samuel: Nouvelles et textes pour rien. Paris: Minuit 1969
Beckett, Samuel: Watt [1953]. London: Calder 1976
Beekman, K. D.: »A Critical-Empirical Research on the Classification of Avant-Garde Literature«, in: Poetics 13 (1984), 535-548
Berman, Russell A.: The Rise of the Modern German Novel. Crisis and Charisma. Cambridge/Mass.: Harvard Univ. Press 1986
Bernstein, J. M.: The Philosophy of the Novel. Lukács, Marxism and the Dialectics of Form. Minneapolis: Univ. of Minnesota Press 1984
Betz, A.: Ästhetik und Politik. Heinrich Heines Prosa. München: Hanser 1971
Biermann, Karlheinrich: Literarisch-politische Avantgarde in Frankreich 1830-1870 [...]. Stuttgart: Kohlhammer 1982
Blanchot, Maurice: »La Littérature et le droit à la mort«, in: ders., La Part du feu, Paris: Gallimard 1949, 291-331
Blanchot, Maurice: L'Espace littéraire (Coll. Idées, 155). Paris: Gallimard 1968
Bloch, Ernst: Erbschaft dieser Zeit (Gesamtausg., 4). Frankfurt: Suhrkamp 1962

Bloch, Ernst: Geist der Utopie. Zweite Fassung (Gesamtausg., 3). Frankfurt: Suhrkamp 1964
Blumenberg, Hans: Die Lesbarkeit der Welt. Frankfurt: Suhrkamp 1981
Bohrer, Karl Heinz: Der romantische Brief. Die Entstehung ästhetischer Subjektivität. München: Hanser 1987
Bohrer, Karl Heinz: Plötzlichkeit. Zum Augenblick des ästhetischen Scheins (ed. suhrkamp, 1058). Frankfurt 1981
Bohrer, Karl Heinz (Hg.): Mythos und Moderne [...] (ed. suhrkamp, 1144). Frankfurt 1983
Bourdieu, Pierre: La Distinction. Paris: Editions de Minuit 1979
Bourdieu, Pierre: »Le Marché des biens symboliques«, in: L'Année sociologique 22 (1971/1972), 49-126
Brecht, Bertolt: Schriften zur Literatur und Kunst, 2 Bde., Berlin/Weimar: Aufbau-Verlag 1966
Breton, André: L'Amour fou (Coll. Folio, 723). Paris: Gallimard 1976
Breton, André: Manifestes du surréalisme [...]. Paris: Pauvert 1965
Breton, André: Nadja (Livre de Poche, 1233). Paris 1965
Breton, André: Les Pas perdus. Paris: Gallimard 1949
Briegleb, Klaus: Opfer Heine? (suhrkamp taschenbuch wiss., 497). Frankfurt 1986
Brüggemann, Heinz: ›Aber schickt keinen Poeten nach London!‹ Großstadt und literarische Wahrnehmung im 18. und 19. Jahrhundert. Texte und Interpretationen. Reinbek b. Hamburg: Rowohlt 1985
Bubner, Rüdiger: »Über einige Bedingungen gegenwärtiger Ästhetik«, in: Neue Hefte für Philosophie Nr. 5 (1973), 38-73
Bubner, Rüdiger: »Moderne Ersatzfunktionen des Ästhetischen«, in: Merkur 444 (1986), 91-107
Bürger, Christa: »Mimesis und Moderne [...]«, in: Anstöße. Aus der Arbeit der Evangelischen Akademie Hofgeismar, Heft 2 (1986), 63-65
Bürger, Christa: »Realismus und ästhetische Moderne. Zu Thomas Manns Doktor Faustus«, in: Heinrich Mann-Jahrb. 4 (1986), 56-68
Bürger, C./Bürger, P./Schulte-Sasse, J. (Hg.): Naturalismus/Ästhetizismus (Hefte für krit. Litwiss., 1; ed. suhrkamp, 992). Frankfurt 1979
Bürger, C./Bürger, P. (Hg.): Postmoderne: Alltag, Allegorie und Avantgarde (suhrkamp taschenbuch wiss., 648). Frankfurt 1987
Bürger, Peter: »Institution Literatur und Modernisierungsprozeß«, in: ders. (Hg.), Zum Funktionswandel der Literatur (Hefte für krit. Litwiss., 4; ed. suhrkamp, 1157). Frankfurt 1983, 9-32
Bürger, Peter: Zur Kritik der idealistischen Ästhetik (suhrkamp taschenbuch wiss., 419). Frankfurt 1983
Bürger, Peter: Der französische Surrealismus [...]. Frankfurt: Athenäum 1971

Bürger, Peter: Theorie der Avantgarde (ed. suhrkamp, 727). Frankfurt [6]1987
Caillois, Roger: Approches de la poésie [...]. Paris: Gallimard 1978
Curtius, Ernst Robert: Marcel Proust (Bibl. Suhrkamp, 28). Frankfurt 1952
de Man, Paul: Allegories of Reading. New Haven/London: Yale Univ. Press 1979
de Man, Paul: »The Rhetoric of Temporality«, in: ders., Blindness and Insight [...]. Minneapolis: Univ. of Minnesota Press [2]1983, 187-228
Deleuze, Gilles: Proust et les signes. Paris: Presses Univ. de France [3]1971
Deleuze, Gilles/Guattari, Felix: Kafka. Pour une littérature mineure. Paris: Editions de Minuit 1975
Derrida, Jacques: L'Ecriture et la différence (Coll. Points, 100). Paris: Seuil 1979
Descombes, Vincent: Proust. Philosophie du roman. Paris: Editions de Minuit 1987
Ducasse, Isidor: Œuvres complètes, hg. v. M. Saillet (Livre de Poche, 1117/18). Paris 1963
Dujardin, Edouard: Les Lauriers sont coupés (Bibl. 10/18, 368). Paris 1968
Duve, Thierry de: Pikturaler Nominalismus. Marcel Duchamp, die Malerei und die Moderne. München: Schreiber 1987
Eisele, Ulf: Die Struktur des modernen deutschen Romans. Tübingen: Niemeyer 1984
Engelhardt, H./Mettler, H. (Hg.): Materialien zu Samuel Becketts Romanen [...] (suhrkamp taschenbuch, 315). Frankfurt 1976
Faulkner, William: Absalom, Absalom! [1936] (Penguin Modern Classics). Harmondsworth 1984
Fischer-Seidel, Therese (Hg.): James Joyces »Ulysses« [...] (ed. suhrkamp, 826). Frankfurt 1977
Fitch, B. T.: Dimensions, structures et textualité dans la trilogie romanesque de Beckett (»Situation«, 37). Paris: Lettres Modernes 1977
Flaubert, Gustave: L'Education sentimentale, hg. v. R. Dumesnil. 2 Bde., Paris: Société les Belles Lettres [2]1958
Foucault, Michel: L'Archéologie du savoir. Paris: Gallimard 1969
Foucault, Michel: Histoire de la folie à l'âge classique (Bibl. 10/18, 169/170). Paris: Union d'Editions 1964
Friedrich, Hugo: Die Struktur der modernen Lyrik (rowohlts deutsche enzyklopädie, 25-26a). Hamburg [2]1968
Frisby, David P.: »Georg Simmels Theorie der Moderne«, in: Dahme, H.-J./Rammstedt, O. (Hg.), Georg Simmel und die Moderne (suhrkamp taschenbuch wiss., 469). Frankfurt 1984, 9-79

Fues, Wolfram Malte: Von der Poesie der Prosa zur Prosa der Poesie. Eine Studie zur Geschichte der Gesellschaftlichkeit bürgerlicher Literatur von der deutschen Klassik bis zum Ausgang des 19. Jahrhunderts (Baseler Habilitationsschrift 1987)

Gadamer, Hans-Georg: Wahrheit und Methode [...]. Tübingen: Mohr ²1965

Genette, Gérard: »Métonymie chez Proust«, in: ders., Figures III. Paris: Seuil 1972, 41-63

Gethmann-Siefert, Annemarie: »Eine Diskussion ohne Ende: Zu Hegels These vom Ende der Kunst«, in: Hegel-Studien 16 (1981), 230-243

Goldmann, Lucien: Soziologie des modernen Romans (Soz. Texte, 61). Neuwied/Berlin: Luchterhand 1970

Gumbrecht, Hans Ulrich: »Moderne, Modernismus«, in: Geschichtliche Grundbegriffe, hg. v. O. Brunner/W. Conze/R. Koselleck. Stuttgart: Klett 1978, 93-131

Habermas, Jürgen: »Bewußtmachende oder rettende Kritik [...]«, in: Zur Aktualität Walter Benjamins, hrsg. v. S. Unseld (suhrkamp taschenbuch, 150). Frankfurt 1972, 173-223

Habermas, Jürgen: Der philosophische Diskurs der Moderne. Frankfurt: Suhrkamp 1985

Habermas, Jürgen: Theorie des kommunikativen Handelns. 2 Bde. Frankfurt: Suhrkamp 1981

Heidegger, Martin: »Der Ursprung des Kunstwerkes« [1935/36], in: ders., Holzwege. Frankfurt: Klostermann ⁶1980, 1-72

Heitmann, K.: Der Immoralismus-Prozeß gegen die französische Literatur im 19. Jahrhundert (Ars poetica, 9). Bad Homburg/Berlin/Zürich: Gehlen 1970

Heller, Agnes: »Das Zerschellen des Lebens an der Form: György Lukács und Irma Seidler«, in: dies. u.a., Die Seele und das Leben. Studien zum frühen Lukács (suhrkamp taschenbuch wiss., 80). Frankfurt 1977, 54-98

Henrich, Dieter: »Kunst und Kunstphilosophie der Gegenwart«, in: Immanente Ästhetik. Ästhetische Reflexion, hg. v. W. Iser. München: Fink 1966, 11-32

Hofmannsthal, Hugo von: Gesammelte Werke in Einzelausgaben, hg. v. H. Steiner. Frankfurt: Fischer 1947-1959; hier: Aufzeichnungen (1959); Gedichte und lyrische Dramen (1952); Prosa I (1956); Prosa II (1951); Prosa III (1952)

Hohendahl, Peter Uwe: »Geschichte und Modernität. Heines Kritik an der Romantik«, in: ders., Literaturkritik und Öffentlichkeit (Serie Piper, 84). München 1974, 50-100

Hölderlin, Friedrich: Werke und Briefe, hrsg. v. F. Beißner/J. Schmidt. 3 Bde., Frankfurt: Insel 1969

Horkheimer, Max/Adorno, Theodor W.: Dialektik der Aufklärung. Amsterdam: Querido [2]1955
Hugo, Victor: Œuvres poétiques, hg. v. P. Albouy (Bibl. de la Pléiade). 2 Bde., Paris: Gallimard 1964/1967
Huysmans, J.-K.: A Rebours. Paris: Fasquelle 1965
Huyssen, Andreas: After the Great Divide. Modernism, Mass Culture, Postmodernism. Bloomington/Indianapolis: Indiana Univ. Press 1987
Iser, Wolfgang: Der implizite Leser [...]. (UTB, 163). München: Fink 1972
Jameson, Fredric: »The Ideology of the Text«, in: Salmagundi Nr. 31/32 (1975/1976), 204-246
Janz, Rolf-Peter: »Zur Historizität und Aktualität der ›Theorie des Romans‹ von Georg Lukács«, in: Jahrbuch der Deutschen Schillergesellschaft 22 (1978), 674-699
Jauß, Hans Robert: »Schlegels und Schillers Replik auf die ›Querelle des Anciens et des Modernes‹«, in: ders., Literaturgeschichte als Provokation (ed. suhrkamp, 418). Frankfurt 1970, 67-106
Johnson, Uwe: Begleitumstände. Frankfurter Vorlesungen (edition suhrkamp, 1019). Frankfurt 1980
Johnson, Uwe: Berliner Sachen. Aufsätze (suhrkamp taschenbuch, 249). Frankfurt 1975
Johnson, Uwe: Jahrestage. Aus dem Leben von Gesine Cresspahl. 4 Bde., Frankfurt: Suhrkamp 1970-1983
Joyce, James: Stephen Hero, hg. v. Th. Spencer. New York: New Directions Publishing Corporation 1963
Joyce, James: Ulysses (Penguin Mod. Classics). Harmondsworth 1984
Kafka, Franz: Gesammelte Werke, hg. v. M. Brod. 7 Bde., Frankfurt: Fischer Taschenbuch Verlag 1983
Kafka, Franz: Briefe 1902-1924, hg. v. M. Brod. Frankfurt: Fischer Taschenbuch Verlag 1975
Kant, Immanuel: Werke, hg. v. W. Weischedel. 10 Bde., Darmstadt: Wiss. Buchgesellschaft [3]1968
Kenner, Hugh: Ulysses. London: George Allen & Unwin 1980
Kierkegaard, Sören: Entweder/Oder, übers. v. W. Pfleiderer/Ch. Schrempf. 2 Bde., Jena: Diederichs o. J.
Kilb, Andreas: »Die allegorische Phantasie [...]«, in: Bürger, C./Bürger, P. (Hg.), Postmoderne, 84-114
Kleist, Heinrich v.: Sämtliche Werke und Briefe, hg. v. H. Sembdner, 4 Bde., München: Hanser 1982
Köhn, Eckardt: Straßenrausch. Flanerie und ›Kleine Form‹ 1830-1933. Versuch zur Literaturgeschichte des Flaneurs. Berlin: Das Arsenal 1988

Kolkenbrock-Netz, Jutta: Fabrikation, Experiment, Schöpfung. Strategien ästhetischer Legitimation im Naturalismus (Reihe Siegen, 28). Heidelberg: Winter 1981
Koppe, Franz: »Kunst und Bedürfnis [...]«, in: W. Oelmüller (Hg.), Kolloquium Kunst und Philosophie. Bd. I: Ästhetische Erfahrung (UTB, 1105). Paderborn: Schöningh 1981, 74-93
Köster, Udo: Literatur und Gesellschaft in Deutschland 1830-1848 [...]. Stuttgart: Kohlhammer 1984
Kracauer, Siegfried: Jacques Offenbach und das Paris seiner Zeit (Schriften, 8). Frankfurt: Suhrkamp 1976
Kracauer, Siegfried: Das Ornament der Masse. Frankfurt: Suhrkamp 1963
Kraus, Karl: »Heine und die Folgen«, in: Die Fackel Nr. 329/330 (31.8.1911), 1-33
Kristeva, Julia: La Révolution du langage poétique [...]. Paris: Seuil 1974
Kulenkampff, Jens: Kants Logik des ästhetischen Urteils. Frankfurt: Klostermann 1978
Lacan, Jacques: Ecrits. Paris: Seuil 1966
Lautréamont/Germain Nouveau, Œuvres complètes, hg. v. O. Walzer. Paris: Gallimard 1970
Lejeune, Philippe: Le Pacte autobiographique. Paris: Seuil 1975
Lindner, Burkhardt: »Aufhebung der Kunst in Lebenspraxis? [...]«, in: W. M. Lüdke (Hg.), ›Theorie der Avantgarde‹. Antworten auf Peter Bürgers Bestimmung von Kunst und bürgerlicher Gesellschaft (ed. suhrkamp, 825). Frankfurt 1976, 72-104
Lobsien, E.: Der Alltag des Ulysses. Die Vermittlung von ästhetischer und lebensweltlicher Erfahrung (Stud. z. Allg. u. Vergl. Litwiss., 15). Stuttgart: Metzler 1978
Löwenthal, Leo: Literatur und Massenkultur (Schriften, 1). Frankfurt: Suhrkamp 1980
Lukács, Georg: Briefwechsel 1902-1917, hg. v. Eva Karádi/Eva Fekete. Stuttgart: Metzler 1982
Lukács, Georg: Heidelberger Ästhetik (1916-1918), hg. v. G. Márkus/F. Benseler (Werke, 17). Darmstadt/Neuwied: Luchterhand 1975
Lukács, Georg: Die Seele und die Formen [1911]. (Sammlung Luchterhand, 21). Neuwied/Berlin 1971
Lukács, Georg: Die Theorie des Romans [...]. Neuwied/Berlin: Luchterhand [3]1965
Lukács, Georg: Wider den mißverstandenen Realismus. Hamburg: Claassen 1958
Lyotard, Jean-François: Des Dispositifs pulsionnels (Bibl. 10/18, 812). Paris: Union Générale d'Editions 1973

Lyotard, Jean-François: La Condition postmoderne [...]. Paris: Editions de Minuit 1979
Macherey, Pierre: Pour une Théorie de la production littéraire. Paris: Maspéro 1971
Mallarmé, Stéphane: Œuvres complètes, hg. v. H. Mondor/G. Jean-Aubry (Bibl. de la Pléiade). Paris: Gallimard 1945
Marquard, Odo: »Kunst als Kompensation ihres Endes«, in: W. Oelmüller (Hg.), Kolloquium Kunst und Philosophie 1: Ästhetische Erfahrung (UTB, 1105). Paderborn: Schöningh 1981, 159-168
Mayeur, Jean-Marie: Les Débuts de la IIIe République 1871-1898 (Nouvelle Hist. de la France contemporaine, 10). Paris: Seuil 1973
Mecklenburg, Norbert: Erzählte Provinz. Regionalismus und Moderne im Roman. Königstein i. Ts.: Athenäum 1982
Meier, Ulrich: Becketts Endspiel Avantgarde. Basel/Frankfurt: Stroemfeld/Roter Stern 1983
Michelet, Jules: La Sorcière [1862]. Paris: Garnier/Flammarion 1966
Musil, Robert: Der Mann ohne Eigenschaften, hg. v. A. Frisé (Sonderausgabe). Reinbek bei Hamburg: Rowohlt 1981
Musil, Robert: Gesammelte Werke II: Prosa und Stücke [...], hg. v. A. Frisé. Reinbek bei Hamburg: Rowohlt 1978
Musil, Robert: Tagebücher, hg. v. A. Frisé, 2 Bde., Reinbek bei Hamburg: Rowohlt [2]1983
Naumann, Manfred: Prosa in Frankreich [...]. Berlin: Akademie-Verlag 1978
Oehler, Dolf: Pariser Bilder I (1830-1848). Antibourgeoise Ästhetik bei Baudelaire, Daumier und Heine. Frankfurt: Suhrkamp 1979
Oelmüller, Willi: Die unbefriedigte Aufklärung [...]. Frankfurt: Suhrkamp 1969
Pfister, Manfred/Schulte-Middelich, Bernd: »Die ›Nineties‹ in England als Zeit des Umbruchs [...]«, in: dies. (Hg.), Die ›Nineties‹. Das englische Fin de siècle zwischen Dekadenz und Sozialkritik (UTB, 1233). München: Francke 1983, 9-34
Ponton, R.: »Naissance du roman psychologique [...]«, in: Actes de recherche en sciences sociales 4 (1975), 66-81
Poulet, Georges: L'Espace proustien. Paris: Gallimard 1964
Poulet, Georges: »Mallarmé«, in: ders., Etudes sur le temps humain II. La Distance intérieure. Paris: Plon 1952, 298-355
Preisendanz, Wolfgang: »Die umgebuchte Schreibart. Heines literarischer Humor im Spannungsfeld von Begriffs-, Form- und Rezeptionsgeschichte«, in: W. Kuttenkeuler (Hg.), Heinrich Heine. Artistik und Engagement. Stuttgart: Metzler 1977, 1-21
Proust, Marcel: A la Recherche du temps perdu, hg. v. P. Clarac/A. Ferré (Bibl. de la Pléiade), 3 Bde., Paris: Gallimard 1954

Rath, Norbert: »Mythos-Auflösung. Kafkas ›Das Schweigen der Sirenen‹«, in: C. Bürger (Hg.), ›Zerstörung, Rettung des Mythos durch Licht‹ (Hefte für krit. Litwiss., 5; ed. suhrkamp, 1329). Frankfurt 1986, 86-110
Rath, Norbert: Adornos kritische Theorie [...]. Paderborn: Schöningh 1982
Reichardt, R./Schmitt, E.: »Die Französische Revolution – Umbruch oder Kontinuität?«, in: Zeitschrift für historische Forschung, 7 (1980), 257-320
Richard, Jean-Pierre: L'Univers imaginaire de Mallarmé. Paris: Seuil 1961
Rimbaud, Arthur: Œuvres, hg. v. Suzanne Bernard. Paris: Garnier 1960
Ritter, Joachim: Subjektivität (Bibl. Suhrkamp, 379). Frankfurt 1974
Rivière, Jacques: Rimbaud. Dossier 1905-1925, hg. v. R. Lefèvre. Paris: Gallimard 1977
Rosa, Alberto Asor: »Der junge Lukács – Theoretiker der bürgerlichen Kunst«, in: Jutta Matzner (Hg.), Lehrstück Lukács (ed. suhrkamp, 554). Frankfurt 1974, 65-111
Sanders, Hans: Das Subjekt der Moderne. Mentalitätswandel und literarische Evolution zwischen Klassik und Aufklärung (Mimesis. Untersuchungen zu den romanischen Literaturen der Neuzeit, 2). Tübingen: Niemeyer 1987
Sarraute, Nathalie: L'Ere du soupçon (Coll. Idées, 42). Paris: Gallimard 1964
Sartre, Jean-Paul: L'Idiot de la famille. Bd. III, Paris: Gallimard 1972
Sartre, Jean-Paul: »Je – tu – il«, in: ders., Situations IX. Paris: Gallimard 1972, 277-315
Sartre, Jean-Paul: Mallarmés Engagement [...], hg. u. übers. v. T. König. Reinbek bei Hamburg: Rowohlt 1983
Sartre, Jean-Paul: La Nausée [1938]. Paris: Gallimard 1964
Scheible, Hartmut: Wahrheit und Subjekt. Ästhetik im bürgerlichen Zeitalter. Bern/München: Francke 1984
Schlaffer, Heinz: Faust zweiter Teil. Die Allegorie des 19. Jahrhunderts. Stuttgart: Metzler 1981
Schlegel, Friedrich: Literarische Notizen 1797-1801 [...], hg. v. H. Eichner (Ullstein Buch, 35070). Frankfurt/Berlin/Wien 1980
Schmitt, Carl: Politische Romantik. Berlin: Duncker & Humblot 1919, [3]1968
Schorske, Carl E.: Wien. Geist und Gesellschaft im Fin de Siècle. Frankfurt: Fischer 1982
Schramke, Jürgen: Zur Theorie des modernen Romans. München: Beck 1974

Schulte-Sasse, Jochen: »Foreword«, in: Bürger, Peter: Theory of the Avant-Garde. Minneapolis: Univ. of Minnesota Press 1984, VI-LV

Sedlmayr, Hans: »Ästhetischer Anarchismus in Romantik und Moderne«, in: Scheidewege 8 (1978), Heft 2, 174-196

Sedlmayr, Hans: Verlust der Mitte. Die bildende Kunst des 19. und 20. Jahrhunderts als Symptom und Symbol der Zeit (Ullstein Bücher, 39). Frankfurt 1956

Seel, Martin: Die Kunst der Entzweiung. Zum Begriff der ästhetischen Rationalität. Frankfurt: Suhrkamp 1985

Simmel, Georg: Philosophie des Geldes. Berlin: Duncker & Humblot [7]1977

Sontag, Susan: Against Interpretation [...]. London: Eyre & Spottiswoode 1967

Stendhal: Racine et Shakespeare [1823/25], hrsg. v. R. Fayolle (Garnier-Flammarion, 226). Paris 1970

Stendhal: Le Rouge et le noir, hg. v. H. Martineau. Paris: Garnier 1955

Stierle, Karlheinz: »Möglichkeiten des dunklen Stils in den Anfängen moderner Lyrik in Frankreich«, in: Immanente Ästhetik – ästhetische Reflexion. Lyrik als Paradigma der Moderne, hg. v. W. Iser. München: Fink 1966, 157-194

Sussman, Henry: The Hegelian Aftermath. Baltimore/London: Johns Hopkins Press 1982

Szondi, Peter: »Hegels Lehre von der Dichtung«, in: ders., Poetik und Geschichtsphilosophie I [...], hg. v. Senta Metz/H.-H. Hildebrandt (suhrkamp taschenbuch wiss., 40). Frankfurt 1974, 267-511

Szondi, Peter: »Friedrich Schlegel und die romantische Ironie [...]«, in: ders., Schriften II [...], hg. v. J. Bollack u.a. (suhrkamp taschenbuch wiss., 220). Frankfurt 1978, 11-31

Szondi, Peter: Theorie des modernen Dramas. Frankfurt: Suhrkamp 1956

Tàpies, Antoni: La Pratique de l'art. Paris: Gallimard 1974

Thompson, Edward P.: »Zeit, Arbeitsdisziplin und Industriekapitalismus«, in: ders., Plebejische Kultur und moralische Ökonomie [...] (Ullstein Buch, 35046). Frankfurt/Berlin/Wien 1980, 35-60

Valéry, Paul: Lettres à quelques-uns. Paris: Gallimard 1952

Weber, Max: Soziologie, universalgeschichtliche Analysen, Politik, hg. v. J. Winckelmann (Kröners Taschenausgabe, 229). Stuttgart 1973

Weiss, Peter: Die Ästhetik des Widerstands. 3 Bde., Frankfurt: Suhrkamp 1975-1981

Wellmer, Albrecht: »Wahrheit, Schein, Versöhnung. Adornos ästhetische Rettung der Modernität«, in: L. v. Friedeburg/J. Habermas (Hg.), Adorno-Konferenz 1983 (suhrkamp taschenbuch wiss., 460). Frankfurt 1983, 138-176